# PERSPECTIVAS

INTERMEDIATE SPANISH | A CULTURAL APPROACH

JOSÉ A. BLANCO
DAWN M. HESTON

VISTA®
HIGHER LEARNING

Boston, Massachusetts

**Creative Director:** José A. Blanco
**Chief Content and Innovation Officer:** Rafael de Cárdenas López
**Editorial Director:** Mary McKeon
**Editorial Development:** Armando Brito, Joanna Duffy, Raquel Rodríguez Muñoz, Gemma Sanchis Ramis
**Project Management:** Erik Restrepo
**Rights Management:** Jorgensen Fernandez, Kristine Janssens
**Technology Production:** David Duque, Jamie Kostecki, Lauren Krolick
**Design:** Paula Díaz, Daniela Hoyos, José Alejandro Jiménez, Radoslav Mateev,
Gabriel Noreña, Andrés Vanegas
**Production:** Oscar Díez, Sebastián Díez, Andrés Escobar, Daniel Lopera,
Daniela Peláez, Juliana Tobón

Student Text (Casebound SIMRA-compliant): 978-1-54333-115-8
Student Text (Perfectbound): 978-1-54333-116-5
Student Text (Loose-Leaf): 978-1-54333-117-2

Instructor's Annotated Edition ISBN: 978-1-54333-118-9

Library of Congress Control Number: 2020936419

1 2 3 4 5 6 7 8 9 WC 25 24 23 22 21 20

# BIENVENIDOS A

**PERSPECTIVAS**, an exciting intermediate Spanish program designed to provide you with an active and rewarding learning experience as you continue to strengthen your language skills and develop your intercultural skills.

Here are some of the key features you will find in **PERSPECTIVAS**:

- A cultural focus integrated throughout the entire lesson, with an emphasis on the products and practices that relate to the cultural perspectives of a specific Spanish-speaking country or region

- Authentic short documentary films and video and audio clips that carefully tie in the lesson's themes and readings

- A fresh, magazine-like design and lesson organization that both support and facilitate language learning

- A highly structured, easy-to-navigate design, based on spreads of two facing pages

- An abundance of illustrations, photos, charts, and graphs, all specifically chosen or created to help you learn

- An emphasis on authentic language and practical vocabulary for communicating in real-life situations

- Abundant activities that develop your interpretive, interpersonal, presentational, and intercultural communication proficiency

- Clear and well-organized grammar explanations that highlight Intermediate Spanish concepts

- Short and comprehensible cultural and literary readings that recognize and celebrate the diversity of the Spanish-speaking world

- A built-in **Manual de gramática** for reference, review, and additional practice

- A complete set of print and technology program components to equip you with the materials you need to make learning Spanish easier

## FORMAS DE EXPRESIÓN

## Icons

Familiarize yourself with these icons that appear throughout **PERSPECTIVAS**.

 Content on the Supersite: audio, video, and presentations

 Activity on the Supersite

 Pair activity

 Group activity

 Partner or Virtual Chat activity

Additional practice on the Supersite, not included in the textbook, is indicated with this icon feature:

 Practice more at vhlcentral.com.

# The PERSPECTIVAS Supersite

The **PERSPECTIVAS** Supersite is your online source for integrating text and technology resources. The Supersite enhances language learning and facilitates course management. With powerful functionality, a focus on language learning, and a simplified user experience, the Supersite offers features based directly on feedback from thousands of users.

### Student Friendly
Make it a cinch for students to track due dates, save work, and access all assignments and resources.

### Set-Up Ease
Customize your course and section settings, create your own grading categories, plus copy previous settings to save time.

### All-in-One Gradebook
Add your own activities or use the grade adjustment tool for a true, cumulative grade.

### Grading Options
Choose to grade student-by-student, question-by-question, or spot check. Plus, give targeted feedback via in-line editing and voice comments.

### Accessible Student Data
Conveniently share information one-on-one, or issue class reports in the formats that best fit you and your department.

### Instructor resources include:
- A gradebook to manage classes, view rosters, set assignments, and manage grades
- A communication center for announcements and notifications
- Downloadable and editable Integrated Performance Assessments, sample syllabus, sample lesson plan, and Testing Program
- Answer keys, audioscripts, videoscripts, translations, grammar slides, and teaching suggestions
- Online Instructor's Edition with teaching suggestions, annotations, and the ability to add notes
- Online administration of quizzes and exams, with time limits and password protection
- Tools to add your own content to the Supersite:
  - Create and assign Partner Chat and open-ended activities
  - Upload and assign videos and outside resources
- Single sign-on feature for integration with your school's LMS
- Textbook, Lab, and Testing Audio Program MP3 files
- Live Chat for video chat, audio chat, and instant messaging
- Forums for oral assignments, group discussions, and projects
- Online interactive student edition with access to Supersite activities, audio, and video

# ⓈuperSite

Each section of the textbook comes with resources and activities on the **PERSPECTIVAS** Supersite, many of which are auto-graded with immediate feedback. Plus, the Supersite is mobile-friendly, so it can be accessed on the go! Visit **vhlcentral.com** to explore this wealth of exciting resources.

| | |
|---|---|
| **ASÍ LO DECIMOS** | • Audio of the **Vocabulary** with recording activity for oral practice<br>• Textbook and extra practice activities<br>• Virtual Chat activities for increased oral practice |
| **DOCUMENTAL** | • Streaming video of the short documentary with instructor-controlled options for subtitles<br>• Pre- and post-viewing activities |
| **ESTRUCTURAS** | • Textbook grammar presentations<br>• Animated grammar tutorials<br>• Textbook and extra practice activities<br>• Partner Chat activities for increased oral practice<br>• **Repaso** self-test |
| **ENFOQUE** | • Four geographically focused **Enfoque** cultural paragraphs<br>• Textbook and extra practice activities<br>• Virtual Chat activity for increased oral practice |
| **ESCUCHAR** | • Audio files for listening activity<br>• Additional activities for extra practice |
| **ARTÍCULO** | • Audio-synced reading of both **Artículo** texts<br>• Textbook and extra practice activities<br>• Streaming of integrated **Artículo** video clips |
| **LITERATURA** | • Audio-synced reading of the literary text<br>• Textbook and extra practice activities |
| **ESCRIBIR** | • Textbook writing activity with composition engine<br>• Extra practice activities |
| **VOCABULARIO** | • Vocabulary list with audio<br>• Vocabulary Tools: customizable word lists, flashcards with audio |
| **MANUAL DE GRAMÁTICA** | • Textbook grammar presentations<br>• Practice activities with immediate feedback |

- **Plus!** Also found on the Supersite:
- Textbook and Lab audio MP3 files
- Forums for oral assignments, group presentations, and projects
- Live Chat to connect with students in real time, without leaving your browser (instant messaging, audio chat, video chat)
- Communication center for instructor notifications and feedback
- A single gradebook for all Supersite activities
- WebSAM online Student Activities Manual (Workbook, Lab Manual)
- **v̂Text** online, interactive student edition with access to Supersite activities, audio, and video.

# CONTENIDO

outlines the content and themes of each lesson.

**EL ENTORNO SOCIAL**

## Los seres queridos

LECCIÓN
4

**ARGENTINA Y CHILE**

ARGENTINA

CHILE

**LESSON OBJECTIVES**
You will learn how to...

- identify the main idea of spoken and written texts related to family and personal relationships.
- participate in spontaneous conversations on marriage, friendship, and family traditions.
- communicate information, make presentations, and express how individuals interact.
- compare perspectives about food, music, and other celebrations in your own and other cultures.
- interact appropriately at events with family and friends based on cultural norms.

**LESSON OPENER** The first two pages introduce you to the lesson theme. Dynamic photos and brief descriptions of the theme's short documentary, culture topics, and literature serve as a springboard for class discussion.

**LESSON OBJECTIVES** Objectives at the beginning of each lesson preview the goals toward which you will work throughout the lesson. The first through third objectives target interpretive, interpersonal, and presentational communication, respectively, whereas the fourth and fifth target intercultural communication.

## ⓢupersite

Supersite resources are available for every section of the lesson at **vhlcentral.com**. Icons show you which textbook activities are also available online, and where additional practice activities are available. The description next to the ⓢ icon indicates what additional resources are available for each section: videos, audio recordings, readings and presentations, and more!

# ASÍ LO DECIMOS

## introduces thematic vocabulary in real-life contexts.

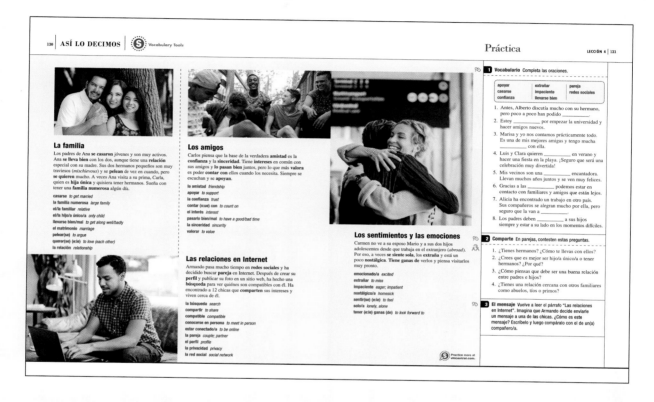

**VOCABULARY** Easy-to-study contextualized lists present culturally relevant vocabulary.

**PHOTOS AND ILLUSTRATIONS** Dynamic, full-color photos and art illustrate cultural themes.

**PRÁCTICA** Activities practice vocabulary comprehension and provide opportunities for self-reflection and intercultural analysis.

## Ⓢupersite

- Audio recordings of all vocabulary items
- Textbook activities including Virtual Chat activities
- Additional online-only practice activities

# DOCUMENTAL

features high-interest documentaries about products and practices from a variety of Spanish-speaking countries and regions.

**SHORT DOCUMENTARIES** Compelling short documentaries from a variety of Spanish-speaking countries and regions let you see and hear Spanish in authentic and culturally relevant contexts.

**ESCENAS** Video stills with captions from the documentary prepare you for the film and introduce some of the expressions you will encounter.

## Supersite

- Streaming video of short documentaries with instructor-controlled subtitle options

# PREPARACIÓN and ANÁLISIS

## activities develop intercultural and language skills by focusing on the cultural perspectives central to the documentary.

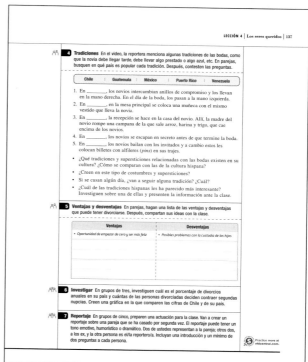

**PREPARACIÓN** Pre-viewing activities set the stage for the documentary by providing vocabulary support, background information, and opportunities to anticipate the documentary content and explore the intercultural themes.

**ANÁLISIS** Post-viewing communication activities range from interpretive reading and comprehension to interpersonal partner and group work to presentational speaking and writing. Students are encouraged to reflect on cultural perspectives and make comparisons to their own culture.

## ⓢupersite

- Pre- and post-viewing textbook activities
- Additional online-only practice activities

# ESTRUCTURAS

presents intermediate grammar topics with *Documental* video integration and other visual support.

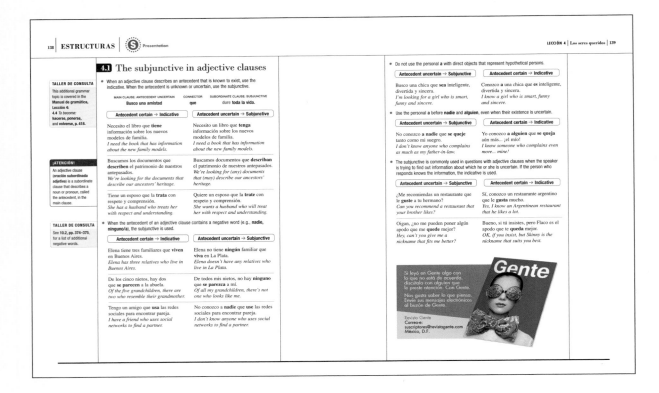

**INTEGRATION OF DOCUMENTAL** Photos with captions from the lesson's short documentary show the new grammar structures in cultural and thematic contexts.

**GRAMMAR EXPLANATIONS** Explanations are easy to understand. Comprehensible charts, diagrams, and model sentences highlight grammar and thematic vocabulary.

**ATENCIÓN** These sidebars expand on the current grammar point and call attention to possible sources of confusion.

**TALLER DE CONSULTA** These sidebars reference related grammar points presented actively in **Estructuras** and refer you to the supplemental **Manual de gramática** found at the end of the book.

**COMPARACIONES** These sidebars provide opportunities to use your Spanish to reflect on the nature of language through comparisons with your own.

**Supersite**

- Grammar presentations
- Animated grammar tutorials

# ESTRUCTURAS

progresses from directed to communicative practice.

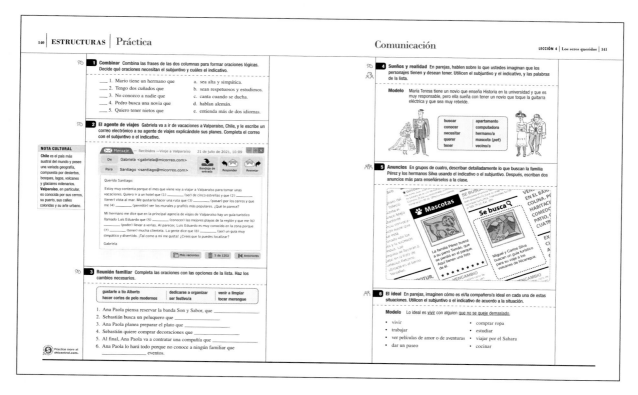

**PRÁCTICA** Directed activities support you as you work with the grammar structures, helping you master the forms you need for personalized communication.

**COMUNICACIÓN** Open-ended, communicative activities help you internalize the grammar point in a range of contexts involving pair and group work.

**MANUAL DE GRAMÁTICA** Practice for grammar points related to those taught in Estructuras are included for review and/or enrichment at the end of the book.

## Supersite

- All textbook activities including Partner Chat activities
- Additional online-only practice and **Repaso** activities
- **Manual de gramática** with corresponding activities

# ENFOQUE

provides insight into the cultural products and practices of a different region of the Spanish-speaking world, including the United States.

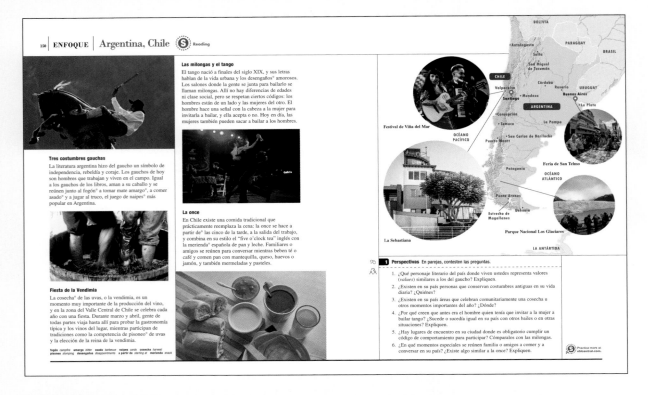

**READINGS** Four dynamic paragraphs draw your attention to culturally significant practices and products of the country or region of focus.

**PERSPECTIVAS** Activity encourages you to investigate, explain, and reflect on the culture at hand.

**GEOGRAPHY** A map of the Spanish-speaking country or region highlights additional cultural products and practices in relation to its major geographical features.

## Supersite

- Four geographically focused cultural paragraphs
- Virtual Chat activity for increased oral practice
- Textbook and additional online-only practice activities

# ESCUCHAR

## features a variety of authentic audio materials from radio shows to podcasts.

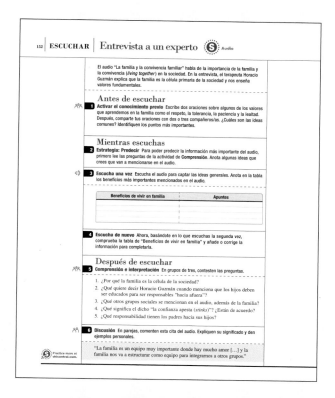

**ESTRATEGIA** Strategies help you process the audio and focus on the key content.

**ACTIVITIES** Pre-listening and listening activities activate background knowledge and provide opportunities for self-reflection and cultural analysis.

## Supersite

- Audio files for listening activity
- Additional activities for extra practice

# ARTÍCULO

features two readings: the first one is an authentic article.

---

## Estos chicos representaban lo mejor de

# ARGENTINA

### Brian Winter

YO ERA PRÁCTICAMENTE UN NIÑO, TENÍA 22 años, cuando me mudé a Argentina en el año 2000 con la loca idea de convertirme en periodista. Increíblemente, el Buenos Aires Herald no se apresuró° a contratar a un texano sin experiencia, y la economía parecía estar un poco complicada. Solo conocía a dos argentinos, ambos encantadores° pero mayores, con hijos y vidas propias. Así que pasé días sofocantes andando por las calles y usando el bus #60 (cruzaba toda la ciudad desde Constitución hasta Tigre por menos de un dólar y además te podías refrescar) mientras que devoraba empanadas, ñoquis y sándwiches de jamón con un presupuesto° semanal de 70 pesos, que en esa época equivalían a 70 dólares.

Los fines de semana era cuando me sentía más desolado. Leía a Borges, Arlt y Mafalda. Me la pasaba viendo el Weather Channel en castellano y me aprendí la letra de una canción de Rodrigo. Finalmente, después de haber visto la posesión° del presidente uruguayo Julio María Sanguinetti por televisión de principio a fin, decidí que tenía que buscarme una vida y regresar a casa.

Finalmente, dos cosas me salvaron. La primera, aunque es un cliché, fueron clases de tango, que se convirtieron en un buen hobby y, años después, en un libro. La segunda, mucho más importante, fue una docena de chicos argentinos de Temperley,

un viejo suburbio ferroviario° de Buenos Aires, a quienes conocí a través de un amigo en común que teníamos en Estados Unidos. Ellos se conocían desde el colegio, pasaban los fines de semana jugando tenis, haciendo asados y yendo a boliches° hasta las 5 de la madrugada. Se tenían apodos ridículos como Wallet, Lobo y Boti. Me acogieron°, por motivos que aún no entiendo bien, y me bautizaron° "Caruso" por un actor infantil argentino de esa época, el único otro "Brian" que conocían.

Yo ya tenía mi grupo de amigos en Texas, pero rápidamente descubrí que el talento argentino para crear amistades grupales que duran toda la vida es único en su clase. Estos chicos hacían todo juntos. Tenían chistes internos que databan una década (uno de ellos siempre "se iba a casar en primavera del año que viene") y un lunfardo° indescifrable. También eran honestos acerca de sus problemas, a veces sorprendentemente (los problemas con novias, las pérdidas de trabajos y las disputas familiares eran disecadas° tanto con humor como con sutil compasión). Se iban de vacaciones juntos: Villa Gesell, Bariloche, los glaciares. Los acompañé varias veces, impresionado por la fuerza de sus lazos, convencido (correctamente, como comprobé° después) de que este grupo seguiría junto, incluso después de casarse, tener hijos y carreras profesionales establecidas.

Pensé en estos chicos después del terrible ataque terrorista en la ciudad de Nueva York, donde ahora vivo. Entre las ocho víctimas fatales había cinco hombres argentinos, amigos del colegio que estaban en un viaje grupal para celebrar los 30 años de su graduación, justo el tipo de cosas que haría mi grupo de amigos de Temperley. Cuando vi la foto de esos amigos reunidos en el aeropuerto de Rosario, usando camisetas que decían "LIBRE", entendí de inmediato qué significaba este viaje para ellos. Por supuesto, iban a ser "libres" durante el fin de semana que iban a estar alejados de las presiones profesionales y familiares de la mediana edad, pero sé que eso era secundario. Antes que nada, esta era una oportunidad para mantener esos lazos, para volver a hacer esos chistes de hace tres décadas y para reír hasta las 5 de la madrugada.

> " Antes que nada, esta era una oportunidad para mantener esos lazos. "

Según los reportes de prensa, Ariel Erlij, de 48 años, tenía una carrera exitosa° como un empresario del acero° en Rosario, donde el grupo había estudiado. Les ayudó a sus amigos a pagar sus boletos de avión (un gesto nada pequeño en un país que apenas está saliendo de una dura recesión). Aterrizaron° en Nueva York y luego viajaron brevemente a Boston, donde ahora vive un miembro del grupo. Volvieron a la Gran Manzana y decidieron hacer un tour en bicicleta del sur de Manhattan. Erlij y otros cuatro (Hernán Diego Mendoza, Diego Enrique Angelini, Alejandro Damián Pagnucco y Hernán Ferruchi) perdieron sus vidas. Uno de los sobrevivientes° le dijo a La Nación: "Ellos esperaban este viaje desde hace mucho tiempo; no se puede creer que haya terminado así".

He vivido en otros países latinoamericanos desde entonces y allí los lazos sociales son muy cercanos también. Pero, insisto, hay algo especial en Argentina. Muchas cosas han salido mal en su historia reciente: la brutal dictadura de los 70, la hiperinflación de los 80 y la devastadora crisis económica de 2001–02, que viví de primera mano (y que eventualmente cubrí en mi primer trabajo como periodista). ¿Por qué la gente no ha, simplemente, abandonado el país? Bueno, muchos lo hicieron. Pero esos argentinos que se quedaron me dirían casi todos que lo hicieron por esos lazos (familiares, sí, pero también con amigos del colegio o la universidad). El talento nacional para forjar camaradería que dure toda la vida es seguramente lo mejor de Argentina. Verlo ahora en el epicentro de una tragedia internacional, en la ciudad en la que vivo… Lo siento mucho. Me rompe el corazón. ∎

no se apresuró *didn't rush*
encantadores *charming*
presupuesto *budget*
posesión *inauguration*
ferroviario *railroad*
boliches *dance clubs*
me acogieron *took me in*
bautizaron *named*
lunfardo *Argentinean slang*
disecadas *analyzed*
comprobé *confirmed*
exitosa *successful*
acero *steel*
Aterrizaron *They landed*
sobrevivientes *survivors*

---

**READINGS** The first **Artículo** reading is an authentic article written by a native speaker of Spanish for native speakers of Spanish.

**DESIGN** Readings are carefully laid out with line numbers, marginal glosses, and pull-quotes to help make each piece easy to navigate.

**PHOTOS** Vibrant, dynamic photos visually illustrate the reading.

## (S)uper**site**

- Audio-sync technology for the reading that highlights text as it is being read

# PREPARACIÓN and ANÁLISIS

activities provide in-depth pre- and post-reading
support for the first ARTÍCULO.

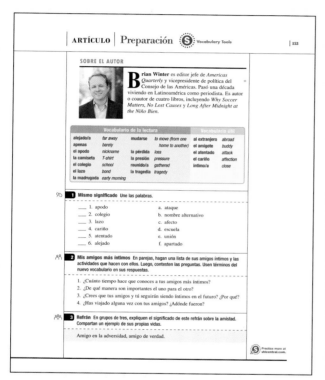

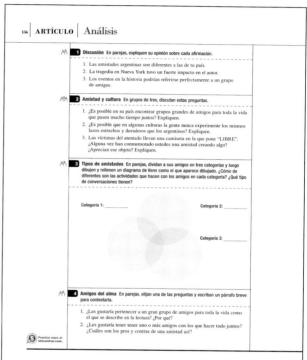

**PREPARACIÓN** Vocabulary presentation and practice, author biographies, and pre-reading
discussion activities prepare you for the first **Artículo**.

**ANÁLISIS** Post-reading activities check your understanding and guide you to discuss
the topic of the first reading through intercultural reflection.

## Supersite

• Textbook and additional online-only practice activities

# ARTÍCULO

features a second, hybrid cultural article that integrates text and authentic video.

**TEXT AND VIDEO INTEGRATION** The second **Artículo** features a leveled, hybrid reading that integrates text with three related authentic video clips. The integration offers a unique multimodal approach to the topic.

**DESIGN** Readings are carefully laid out with line numbers, marginal glosses, and pull-quotes to help make each piece easy to navigate.

**PHOTOS** Vibrant, dynamic photos visually illustrate the reading.

## ⓢupersite

- Audio-sync technology for the reading that highlights text as it is being read
- Streaming of integrated **Artículo** video clips

# PREPARACIÓN and ANÁLISIS

activities provide in-depth pre- and post-reading support for the second ARTÍCULO.

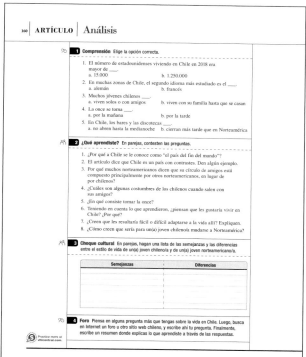

**PREPARACIÓN** Vocabulary presentation and practice, and pre-reading discussion activities prepare you for the second **Artículo**.

**ANÁLISIS** Post-reading activities check your understanding and guide you to discuss the topic of the second reading through intercultural reflection.

**Supersite**

- Textbook and additional online-only practice activities

# LITERATURA

showcases authentic literary texts by notable writers from across the Spanish-speaking world.

**LITERATURA** Comprehensible and compelling, these readings present new avenues for using the lesson's grammar and vocabulary for intercultural reflection.

**DESIGN** Each reading is presented in the attention-grabbing visual style you would expect from a magazine, along with line numbers, marginal glosses, and pull-quotes.

- Audio-sync technology for the literary reading that highlights text as it is being read

# PREPARACIÓN and ANÁLISIS

activities provide in-depth pre- and post-reading
support for each selection in LITERATURA.

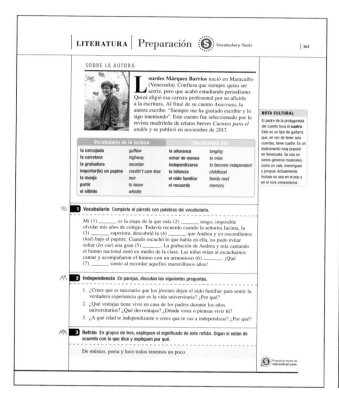

**PREPARACIÓN** Vocabulary presentation and practice, author biographies, and pre-reading
discussion activities prepare you for the **Literatura** reading.

**NOTA CULTURAL** This sidebar in **Preparación** provides the context you need to appreciate
the cultural perspectives woven into the literature.

**ANÁLISIS** Post-reading activities check your understanding and guide you to discuss the
topic of the literary text through intercultural reflection.

## Supersite

- Textbook and additional online-only practice activities
- **Sobre el/la autor(a)** reading

# ESCRIBIR and VOCABULARIO

**ESCRIBIR** focuses on writing strategies and process writing.
**VOCABULARIO** summarizes the active vocabulary in each lesson.

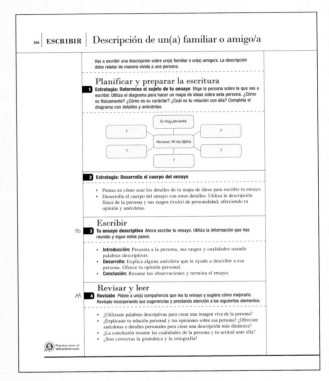

**WRITING GENRES** A variety of different genres such as description, opinion, and comparison develop your presentational communication skills.

**GRAPHIC ORGANIZERS** Each **Escribir** includes a graphic organizer to help you infuse shape and coherence into your writing

**VOCABULARIO** All the lesson's active vocabulary is grouped in easy-to-study thematic lists and tied to the lesson section in which it was presented.

**AHORA YO PUEDO** Can-Do statements at the end of each lesson remind you of what you have achieved. The first through third statements cover interpretive, interpersonal, and presentational communication, respectively, whereas the fourth and fifth cover intercultural communication. You can complete a self-evaluation online.

## (S)uper**site**

- Textbook writing activity with composition engine
- Audio for all vocabulary items
- Vocabulary Tools: customizable word lists, flashcards with audio

# PERSPECTIVAS
## Documentary Collection

The **PERSPECTIVAS** Documentary Collection features short documentaries by filmmakers from around the Spanish-speaking world. These films are a central feature of the lesson, providing new thematic vocabulary as well as opportunities to review and recycle vocabulary from **Así lo decimos**, and previewing and contextualizing the grammar in **Estructuras**. The documentaries are available for viewing on the Supersite.

*Amor después del amor*

### LECCIÓN 1
**La procesión de La Merced**
(Guatemala; 4:19 minutos)

It's Palm Sunday, and thousands take to the streets. Solemn music fills the air. But Holy Week has only just started.

### LECCIÓN 2
**Tres famosas marisquerías para disfrutar en la Ciudad de México**
(México; 9:22 minutos)

A mouthwatering tour of seafood restaurants will whet your appetite… and prove that Mexican food is much more than tacos.

### LECCIÓN 3
**Cómo "chinchorrear" en Puerto Rico**
(Puerto Rico; 2:56 minutos)

It's time to learn all about **el chinchorreo**. Because what can be better than eating, dancing, and hanging out with friends and family?

### LECCIÓN 4
**Amor después del amor**
(Chile; 5:34 minutos)

Till death do us part… or not? These are the stories of people who kept believing in marriage even after a divorce.

### LECCIÓN 5
**"Mis manos, mi voz", para una educación inclusiva**
(Colombia; 4:43 minutos)

As part of Colombia's push for accessible education, the García Lorca school in Bogotá developed a model curriculum to educate its deaf students and their families too.

### LECCIÓN 6
**El sistema de salud de Costa Rica**
(Costa Rica; 6:30 minutos)

Costa Rica has one of the best healthcare systems in the world, but many of its citizens still choose private plans. Why?

### LECCIÓN 7
**Los cuadros que salvó la República del Museo del Prado**
(España; 14:31 minutos)

War destroys everything. During the Spanish Civil War, however, a heroic operation saved hundreds of works of art.

### LECCIÓN 8
**La expansión de la murga estilo uruguayo en América Latina**
(Uruguay; 7:23 minutos)

Carnival in Uruguay means parades and dancing. It also means stage shows, and this unique tradition is spreading.

### LECCIÓN 9
**Pueblos indígenas de Bolivia reciben el año 5527**
(Bolivia; 3:04 minutos)

Some Andean peoples live in the 56th century. What do they commemorate, and how do they celebrate their new year?

### LECCIÓN 10
**La huella latina en Estados Unidos**
(Estados Unidos; 7:21 minutos)

Spanish speakers are a major cultural force in the U.S., but not all of their fellow Americans are willing to recognize it

# Reviewers

On behalf of its writers and editors, Vista Higher Learning expresses sincere thanks to the instructors nationwide who reviewed **PERSPECTIVAS**. Their insights, ideas, and detailed comments were invaluable to the final product.

**Olga Amigo-Horcajo**
University of Georgia, Athens, GA

**Sharon Baima**
Maine East High School, Park Ridge, IL

**Yolanda Cáceres**
Cinco Ranch High School, Katy, TX

**Marina Escámez Ballesta**
University of Virginia, Charlottesville, VA

**Nieves Knapp**
Brigham Young University, Provo, UT

**Kathleen Leonard**
University of Nevada, Reno, NV

**Dr. Zoe McManmon**
Proviso High School District, Chicago, IL

**Erica Nathan-Gamauf**
Loyola Academy, Wilmette, IL

**Colleen Neary-Sundquist**
Purdue University, West Lafayette, IN

**Sandra Ortiz**
Indiana University, Bloomington, IN

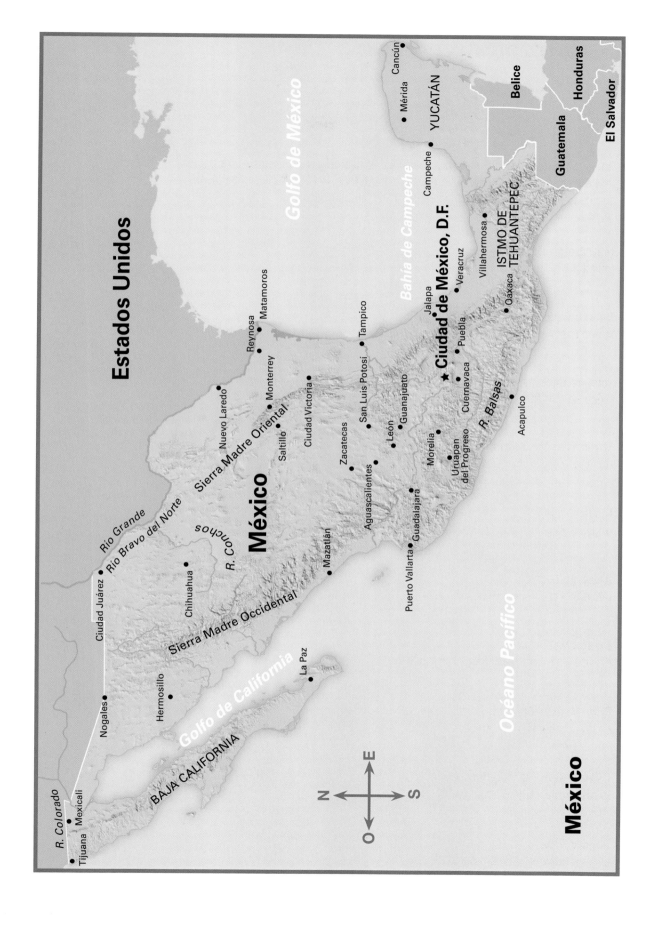

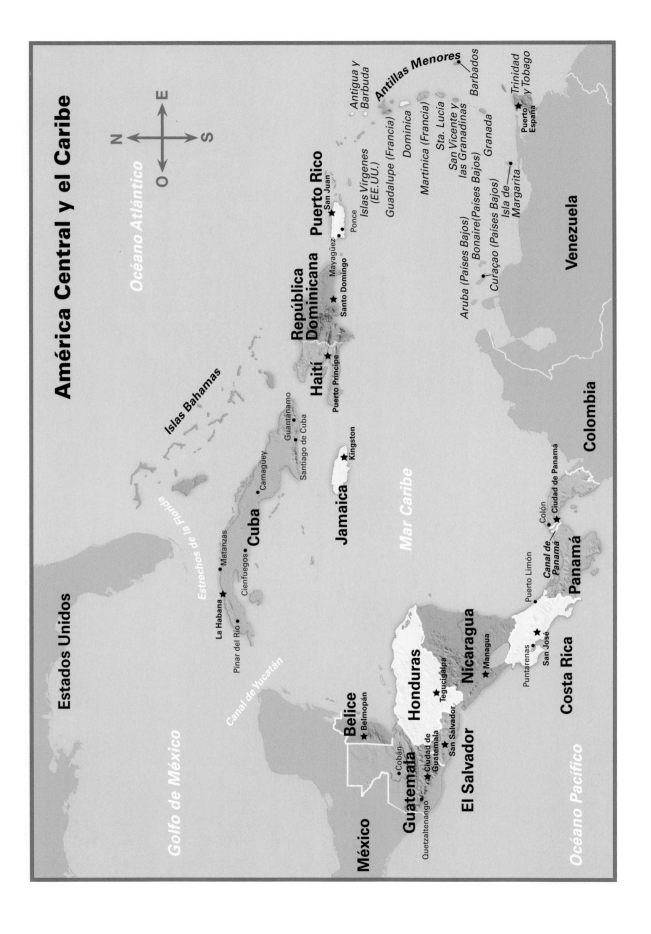

# América Central y el Caribe

Estados Unidos

Golfo de México

Océano Atlántico

Islas Bahamas

Estrechos de la Florida

Canal de Yucatán

México

Quetzaltenango

Guatemala

Cobán

Ciudad de Guatemala

Belice

Belmopán

Honduras

El Salvador

San Salvador

Tegucigalpa

Nicaragua

Managua

Costa Rica

Puntarenas

San José

Panamá

Canal de Panamá

Puerto Limón

Colón

Ciudad de Panamá

Colombia

Venezuela

Cuba

Pinar del Río

La Habana

Matanzas

Cienfuegos

Camagüey

Guantánamo

Santiago de Cuba

Jamaica

Kingston

Mar Caribe

Haití

Puerto Príncipe

República Dominicana

Santo Domingo

Mayagüez

Puerto Rico

San Juan

Ponce

Islas Vírgenes (EE.UU.)

Guadalupe (Francia)

Dominica

Martinica (Francia)

Sta. Lucía

San Vicente y las Granadinas

Granada

Antigua y Barbuda

Antillas Menores

Barbados

Trinidad y Tobago

Puerto España

Isla de Margarita

Curaçao (Países Bajos)

Bonaire (Países Bajos)

Aruba (Países Bajos)

Océano Pacífico

N

O    E

S

**América del Sur**

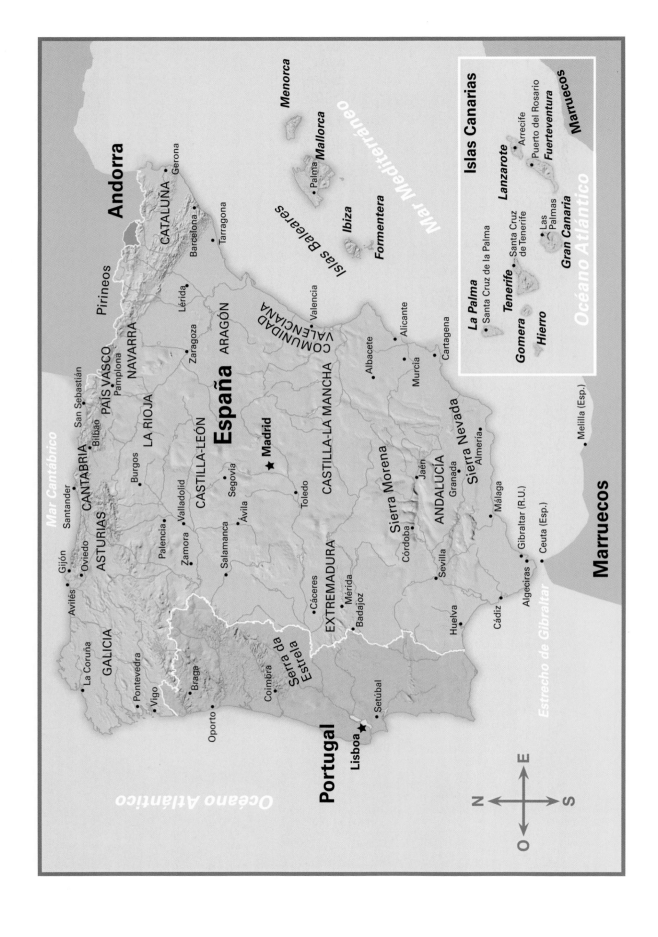

# PERSPECTIVAS

INTERMEDIATE SPANISH | A CULTURAL APPROACH

# De fiesta

## LESSON OBJECTIVES
### You will learn how to...

- identify the main idea of spoken and written texts related to festivities and celebrations.

- participate in a conversation about the importance of customs and traditions in your family.

- write about a holiday in your community and one in a Spanish-speaking country.

- compare perspectives about food, music, and other celebrations in your own and other cultures.

- show respect towards the different ways a community celebrates cultural traditions.

### GUATEMALA, HONDURAS Y EL SALVADOR

GUATEMALA

HONDURAS

EL SALVADOR

## Las fiestas

Desde siempre, la **Nochevieja** ha sido la fiesta preferida de Laura, porque le encanta pensar en planes y propósitos para el año nuevo. Su escuela cierra desde el día de **Navidad** y ella suele pasar estos **días feriados** con su familia. Además, su hermano nació a finales de diciembre, así que en esas fechas celebran también su **cumpleaños**.

**el aniversario** *anniversary*
**el cumpleaños** *birthday*
**el día feriado** *holiday*
**la Navidad** *Christmas*
**la Nochebuena** *Christmas Eve*
**la Nochevieja** *New Year's Eve*
**la Pascua** *Easter*
**la Pascua Judía** *Passover*

## Las tradiciones

El Inti Raymi es una **ceremonia** de **origen** inca que se celebra cada 24 de junio en Cusco, Perú. Coincide con el solsticio de invierno en el hemisferio sur. En ella se **honra** al dios Sol. Fue prohibida durante la colonización al considerarse una fiesta **pagana**, pero hoy en día se celebra con una representación teatral de los **ritos** originales.

**ancestral** *ancestral*
**la ceremonia** *ceremony*
**conmemorar** *to commemorate*
**la creencia** *belief*
**honrar** *to honor*
**el origen** *origin*
**pagano/a** *pagan*
**el rito** *rite*
**sagrado/a** *sacred*

## Las diversiones

Arturo recuerda con nostalgia las fiestas populares de su pueblo cada verano. Su familia siempre participaba en la **procesión**, recorriendo las calles al son (*sound*) de la **banda de música** y sus marchas solemnes. Él, sin embargo, prefería ir a la **feria** con sus amigos. Cada tarde, había un **espectáculo** de música o teatro, y la noche terminaba con **fuegos artificiales**.

**la banda de música** *marching band*
**la comparsa** *troupe*
**el concurso** *contest*
**el desfile** *parade*
**el disfraz** *costume*
**el espectáculo** *show*
**la feria** *fair*
**los fuegos artificiales** *fireworks*
**la procesión** *procession*

## Las decoraciones

Los **altares** son un elemento común de la celebración del Día de Muertos en México. Se instalan en los hogares en honor a los muertos de la familia. Se decoran con alimentos como **pan de muerto** y calaveras (*skulls*) de azúcar, y con **adornos** como cruces, **velas** y **arreglos florales**.

**el adorno** *ornament*
**el altar** *altar*
**el arreglo floral** *flower arrangement*
**el globo** *balloon*
**la guirnalda** *garland*
**el pan de muerto** *sweet bread*
**el papel de envolver** *wrapping paper*
**la vela** *candle*

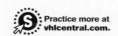
Practice more at vhlcentral.com.

---

**1 Completa** Elige la palabra adecuada.

| arreglos florales | desfile | feria |
|---|---|---|
| comparsas | disfraz | honrar |
| concurso | espectáculos | origen |

La (1) _____ de las Flores se celebra en Medellín, Colombia, durante el mes de agosto y tiene su (2) _____ en el año 1957. Esta festividad se estableció para (3) _____ a los productores de flores de la región. El evento central de la fiesta es el (4) _____ de silleteros, en el que los participantes marchan por las calles mostrando sus silletas, acompañados de animadas (5) _____. Las silletas son (6) _____ muy elaborados hechos con diferentes variedades de flores. Otros eventos son (7) _____ musicales o una marcha de ciclistas, que van disfrazados y participan en un (8) _____ donde se elige el mejor (9) _____.

**2 Comparte** En parejas, contesten estas preguntas.

1. ¿Qué te gusta hacer en Nochevieja? ¿Hay alguna tradición especial en tu país para empezar el año nuevo? ¿Cuál?
2. ¿Qué importancia tienen los ritos en las culturas? ¿Y en tu cultura?
3. ¿Cuál es el aspecto que más te gusta de celebrar una fiesta? ¿Por qué?
4. ¿Para qué fiesta te gusta más decorar tu casa? ¿Qué tipo de adornos son típicos de esa fiesta?

**3 De fiesta**

**A.** Completa la información sobre una fiesta tradicional de tu país.

| Fechas | |
|---|---|
| Origen | |
| Actividades | |
| Decoración | |

**B.** Ahora, escribe un breve texto usando la información en la tabla. Intercambia tu texto con el de un(a) compañero/a y hagan una lista de los elementos que tienen en común.

| Vocabulario del documental | | Vocabulario útil | |
|---|---|---|---|
| el anda (*f.*) | *processional float* | el atuendo | *attire* |
| cargar | *to carry* | la congregación | *congregation* |
| la fe | *faith* | creyente | *devout* |
| la hermandad | *brotherhood; sibling relationship* | la Cuaresma | *Lent* |
| | | la espiritualidad | *spirituality* |
| el hombro | *shoulder* | festejar | *to celebrate* |
| inculcar | *to instill* | el pecado | *sin* |
| la lágrima | *tear* | el/la penitente | *penitent* |
| el milagro | *miracle* | | |
| el recorrido | *route* | | |

### Expresiones

| | |
|---|---|
| **agarrar el ritmo (a algo)** | *to get the hang of (something)* |
| **formar parte de** | *to be part of* |
| **ir en brazos** | *to be carried in someone's arms* |
| **tener... años de (+ *inf.*)** | *to have been doing something for... years* |

**1 Entrevista** Completa la entrevista entre un reportero y una organizadora de eventos.

**REPORTERO** Tenemos de visita a Claudia Díaz, organizadora de los eventos de Semana Santa en nuestra ciudad. ¿Está todo preparado para poder (1) _____?

**CLAUDIA** Muchas gracias. Estoy orgullosa de (2) _____ de su programa de hoy. La verdad es que este año el tiempo para organizar ha sido limitado, pero está todo listo. ¡Es un (3) _____!

**REPORTERO** Díganos, Claudia, ¿es usted una persona de mucha (4) _____?

**CLAUDIA** Sí, soy una persona (5) _____. Mi familia es católica. Mi papá participaba en las procesiones cargando el (6) _____ todos los años. Todavía recuerdo con exactitud su atuendo de (7) _____ morado y blanco.

**2 Primavera** Elige una de las festividades que tú y tu familia celebran durante la primavera y completa el cuestionario. Después, pregúntale a un(a) compañero/a acerca de su festividad.

### Primavera: estación de celebraciones

❶ ¿Cómo se llama la celebración?
❷ ¿Cuál es su origen?
❸ ¿Cuándo comienza y cuándo termina?
❹ ¿Es una celebración religiosa o secular?
❺ ¿En qué otras partes del mundo se celebra?
❻ ¿Cuáles son las comidas típicas?
❼ ¿Cómo se visten los participantes?
❽ ¿Hay música? ¿De qué tipo?

**3  Prioridades**  En parejas, seleccionen una celebración en la que ambos participan.

**A.** Primero, enumera por orden de importancia los siguientes aspectos de la celebración. No dejes que tu compañero/a mire tus respuestas.

____ la música

____ la comida

____ el tiempo en familia

____ el tiempo con amigos

____ el origen y el significado

____ los regalos

____ la ropa

____ las decoraciones

**B.** Ahora, intercambia tu lista con la de tu compañero/a.

1. ¿Tienen opiniones similares o diferentes?
2. ¿Qué es lo más importante para ti? ¿Y para tu compañero/a? ¿Por qué?
3. ¿Qué es lo menos importante para cada uno/a de ustedes? ¿Por qué?

**4  Religión**  En grupos de tres, debatan sobre estas afirmaciones relacionadas con las celebraciones religiosas.

1. Las celebraciones religiosas se deben mantener porque forman parte de la identidad cultural de un pueblo.
2. Las celebraciones religiosas se deben festejar en las escuelas públicas.
3. Para celebrar una festividad religiosa es necesario creer en esa religión.
4. El consumismo (*consumerism*) destruye el significado de las celebraciones religiosas.

**5  Predecir**  En grupos de tres, relean las listas de vocabulario y observen este fotograma. Traten de predecir cuál va a ser el tema del documental y qué aspectos de la celebración se van a tratar. Compartan sus predicciones con la clase.

PROCESIÓN DE LA IGLESIA LA MERCED
EL DOMINGO DE RAMOS

Practice more at
vhlcentral.com.

# *La procesión de La Merced*

## Así comienza la Semana Santa en Guatemala

# Escenas

## ARGUMENTO

Como todos los años, Antigua, Guatemala, se prepara para la Semana Santa. El Domingo de Ramos° se celebra la Procesión de la Iglesia de La Merced.

**MANUEL ESTRADA:** Hoy es un momento para disfrutarlo… tal vez recordar a un ser querido que se ha adelantado en el camino°.

**REPORTERA:** Son ochenta los hombres que cargan el anda con la imagen de Jesús Nazareno.

**MAX SANTACRUZ:** Es una tradición de familia, pero también es una tradición que en mi caso lleva más de veintiocho años.

**REPORTERA:** Son cuarenta las mujeres que están a cargo de llevar el anda de la Santísima Virgen de Dolores de la Iglesia de La Merced.

**REPORTERA:** La música también forma parte importante de cada una de las procesiones durante la Semana Santa.

**REPORTERA:** La procesión de la Iglesia de La Merced contó con la participación de más de siete mil personas.

**Domingo de Ramos**
*Palm Sunday*
**se ha adelantado en el camino**
*preceded us in death*

**1** **¿Cierto o falso?** Indica si las oraciones son ciertas o falsas. Corrige las falsas.

1. La procesión de la Iglesia de La Merced ocurre el día de Domingo de Ramos.
2. Los cucuruchos cargan el anda de la Virgen.
3. Para muchos cucuruchos, la procesión es parte de una tradición familiar.
4. Las mujeres no cargan andas.
5. Las entrevistadas cargan el anda para demostrar su fe y devoción.
6. Hay mujeres que cargan el anda con sus hijos en brazos.
7. La preparación de los músicos toma un año entero.
8. Los músicos interpretan las marchas fúnebres en las procesiones.
9. El recorrido de la procesión dura siete horas.
10. El huerto es un tipo de alfombra de frutas, verduras, aserrín (*sawdust*) y flores.

**2** **¿Por qué?** Contesta las preguntas.

1. ¿Por qué dice el presidente de la hermandad a los cucuruchos que tal vez tengan una lágrima en los ojos durante la procesión?
2. ¿Por qué está feliz el primer entrevistado, Gustavo Adolfo González?
3. ¿Por qué se siente afortunado el segundo entrevistado, Max Santacruz?
4. ¿Por qué es tan especial este año para la señora que lleva quince años cargando, Rosi de Cifuentes?
5. ¿Por qué carga el anda la joven de diecisiete años, Ana Paula Reyna?

**3** **Discusión** En grupos de tres, reaccionen ante estas dos citas y contesten las preguntas. ¿Coinciden en sus opiniones? Compartan sus reacciones con la clase en forma de un debate.

"Es una gran devoción y un agradecimiento a Dios por la vida de mi suegro, que le hizo un gran milagro y lo tiene este año, un año más con vida."
—**Rosi de Cifuentes**

ROSI DE CIFUENTES

"Es la voluntad de creer que la vida es un milagro lo que permite que los milagros ocurran."
—**Paulo Coelho**

1. ¿Qué tienen en común las dos citas?
2. ¿Por qué piensas que para algunas personas es importante creer en los milagros?
3. Y tú, ¿te consideras una persona creyente? ¿Crees en los milagros?
4. Si pudieras pedir un milagro, ¿qué pedirías?

**4  Tradiciones familiares** ¿Hay alguna costumbre especial que compartas con un(a) miembro/a de tu familia? Explícales a dos compañeros/as en qué consiste y por qué es importante para ustedes.

**5  Diálogo** En parejas, escriban un diálogo corto entre un padre o una madre con su hijo/a. El/La hijo/a no quiere ir a la procesión de Semana Santa y explica sus motivos. El padre/La madre le dice que tiene que ir y le explica por qué es importante. Representen el diálogo ante la clase.

**6  La música** Entrevista a un(a) compañero/a sobre su relación con la música.

PROCESIÓN DE LA IGLESIA LA MERCED
EL DOMINGO DE RAMOS

- ¿Conoces los instrumentos que toca la banda de la procesión? ¿Cuáles son?
- ¿Qué importancia crees que tiene la banda en esta procesión?
- ¿Qué importancia tiene la música en tu vida?
- ¿Crees que se puede prescindir (*to do without*) de la música en una celebración? ¿En qué eventos es la música imprescindible?
- ¿Cómo es la música de tu celebración preferida? ¿Cuál es tu género de música preferido?

**7  ¿Y tú?** En parejas, contesten las preguntas.

1. ¿Te gustaría asistir a la procesión de Antigua, Guatemala? ¿Por qué?
2. Imagina que participas en la procesión; ¿qué preferirías ser: cucurucho, músico/a, director(a) de una hermandad, reportero/a, organizador(a) de eventos… ?
3. ¿Con qué personaje del documental te identificas más? ¿Por qué?
4. ¿Qué es lo que más te sorprendió del documental? ¿Por qué?
5. ¿Qué aspecto de la celebración del Domingo de Ramos en Guatemala te interesa más: el religioso o el cultural? Explica tu respuesta.

**8  Comparación** Escribe un párrafo para comparar la Semana Santa en Guatemala con otra celebración religiosa que conozcas. Menciona los siguientes aspectos en tu comparación.

- estación del año en que se celebra
- simbolismo
- música

- atuendo
- comidas típicas
- ritos
- duración

Practice more at vhlcentral.com.

# 1.1 The present tense

## Regular –ar, –er, –ir verbs

- The present tense **(el presente)** of regular verbs is formed by dropping the infinitive ending **–ar**, **–er**, or **–ir** and adding personal endings.

**TALLER DE CONSULTA**

These grammar topics are covered in the **Manual de gramática, Lección 1.**

**1.4 Nouns and articles,** p. 406
**1.5 Adjectives,** p. 408

For more stem-changing verbs, see the **Verb conjugation tables,** pp. 440–450.

| The present tense of regular verbs | | | |
|---|---|---|---|
| | **hablar** | **beber** | **vivir** |
| **yo** | hablo | bebo | vivo |
| **tú** | hablas | bebes | vives |
| **Ud./él/ella** | habla | bebe | vive |
| **nosotros/as** | hablamos | bebemos | vivimos |
| **vosotros/as** | habláis | bebéis | vivís |
| **Uds./ellos/ellas** | hablan | beben | viven |

- The present tense is used to express actions or situations that are going on at the present time and to express general truths.

¿Qué fiesta **celebran** hoy?
*What holiday do you celebrate today?*

**Celebramos** el Día de Muertos.
*We celebrate the Day of the Dead.*

**¡ATENCIÓN!**

Subject pronouns are normally omitted in Spanish. They are used to emphasize or clarify the subject.

—¿Viven en Guatemala?
*Do they live in Guatemala?*
—Sí, ella vive en Ciudad de Guatemala, y él vive en Cobán.
*Yes, she lives in Guatemala City, and he lives in Cobán.*

- The present tense is also used to express habitual actions or actions that will take place in the near future.

Mis padres **preparan** pavo relleno cada Navidad.
*My parents prepare stuffed turkey every Christmas.*

Mañana los **ayudo** a preparar el pavo y los postres.
*Tomorrow I'm helping them prepare the turkey and the desserts.*

## Stem-changing verbs

- Some verbs have stem changes in the present tense. In many **–ar** and **–er** verbs, **e** changes to **ie** and **o** changes to **ue**. In some **–ir** verbs, **e** changes to **i**. The **nosotros/as** and **vosotros/as** forms never have stem changes in the present tense.

**¡ATENCIÓN!**

**Jugar** changes its stem vowel from **u** to **ue**. **Construir, destruir, incluir,** and **influir** add a **y** before the personal endings. As with other stem-changing verbs, the **nosotros/as** and **vosotros/as** forms do not change.
**jugar**
*juego, juegas, juega, jugamos, jugáis, juegan*
**incluir**
*incluyo, incluyes, incluye, incluimos, incluís, incluyen*

| Stem-changing verbs | | |
|---|---|---|
| **e → ie** | **o → ue** | **e → i** |
| **pensar** *to think* | **poder** *to be able to, can* | **pedir** *to ask for* |
| pienso | puedo | pido |
| piensas | puedes | pides |
| piensa | puede | pide |
| pensamos | podemos | pedimos |
| pensáis | podéis | pedís |
| piensan | pueden | piden |

# Irregular *yo* forms

- Many **–er** and **–ir** verbs have irregular **yo** forms in the present tense. Verbs ending in **–cer** or **–cir** change to **–zco** in the yo form; those ending in **–ger** or **–gir** change to **–jo**. Several verbs have irregular **–go** endings, and a few have individual irregularities.

### Ending in *–go*

| | | | |
|---|---|---|---|
| **caer** *to fall* | **yo cai**go | | |
| **distinguir** *to distinguish* | **yo distin**go | | |
| **hacer** *to do, to make* | **yo ha**go | | |
| **poner** *to put, to place* | **yo pon**go | | |
| **salir** *to leave, to go out* | **yo sal**go | | |
| **traer** *to bring* | **yo trai**go | | |
| **valer** *to be worth* | **yo val**go | | |

### Ending in *–zco*

| | |
|---|---|
| **conducir** *to drive* | **yo condu**zco |
| **conocer** *to know* | **yo cono**zco |
| **crecer** *to grow* | **yo cre**zco |
| **obedecer** *to obey* | **yo obede**zco |
| **parecer** *to seem* | **yo pare**zco |
| **producir** *to produce* | **yo produ**zco |
| **traducir** *to translate* | **yo tradu**zco |

### Ending in *–jo*

| | |
|---|---|
| **dirigir** *to direct, manage* | **yo diri**jo |
| **escoger** *to choose* | **yo esco**jo |
| **exigir** *to demand* | **yo exi**jo |
| **proteger** *to protect* | **yo prote**jo |

### Other verbs

| | |
|---|---|
| **caber** *to fit* | **yo** quepo |
| **saber** *to know* | **yo** sé |
| **ver** *to see* | **yo** veo |

- Verbs with prefixes follow the same patterns.

| | | | |
|---|---|---|---|
| **reconocer** *to recognize* | **yo recono**zco | **oponer** *to oppose* | **yo opon**go |
| **deshacer** *to undo* | **yo desha**go | **proponer** *to propose* | **yo propon**go |
| **rehacer** *to remake, redo* | **yo reha**go | **suponer** *to suppose* | **yo supon**go |
| **aparecer** *to appear* | **yo apare**zco | **atraer** *to attract* | **yo atrai**go |
| **desaparecer** *to disappear* | **yo desapare**zco | **contraer** *to contract* | **yo contrai**go |
| **componer** *to make up* | **yo compon**go | **distraer** *to distract* | **yo distrai**go |

# Irregular verbs

- Other commonly used verbs in Spanish are irregular in the present tense or combine a stem change with an irregular **yo** form or other spelling change.

| dar<br>*to give* | decir<br>*to say* | estar<br>*to be* | ir<br>*to go* | oír<br>*to hear* | ser<br>*to be* | tener<br>*to have* | venir<br>*to come* |
|---|---|---|---|---|---|---|---|
| **doy** | **digo** | **estoy** | **voy** | **oigo** | **soy** | **tengo** | **vengo** |
| **das** | **dices** | **estás** | **vas** | **oyes** | **eres** | **tienes** | **vienes** |
| **da** | **dice** | **está** | **va** | **oye** | **es** | **tiene** | **viene** |
| **damos** | **decimos** | **estamos** | **vamos** | **oímos** | **somos** | **tenemos** | **venimos** |
| **dais** | **decís** | **estáis** | **vais** | **oís** | **sois** | **tenéis** | **venís** |
| **dan** | **dicen** | **están** | **van** | **oyen** | **son** | **tienen** | **vienen** |

**1** **Un apartamento infernal** Beto no se siente bien en su apartamento. Completa el párrafo con los verbos de la lista. Usa el presente.

| caber | hacer | oír | tener |
|-------|-------|-----|-------|
| estar | ir | ser | ver |

Mi apartamento (1) _____ en el quinto piso. El edificio no
(2) _____ ascensor y, para llegar al apartamento, (3) _____ que subir por la escalera. El apartamento es tan pequeño que mis cosas no
(4) _____. Las paredes (*walls*) (5) _____ muy delgadas. A todas horas (6) _____ la radio o la televisión de algún vecino. El apartamento siempre (7) _____ oscuro y no (8) _____ cuando (9) _____ la tarea. ¡(10) _____ a buscar otro apartamento!

**2** **¿Qué haces?** Haz preguntas basadas en estas opciones y contéstalas con una explicación.

**Modelo** celebrar / con tu familia
—¿Celebras el Año Nuevo con tu familia?
—No, lo celebro con mis amigos, Pablo y Julián.

1. salir / con amigos todas las noches
2. decir / mentiras
3. conducir / estar cansado
4. tener / miedo de ser antipático/a con los amigos
5. dar / consejos sobre asuntos personales
6. venir / a clase tarde con frecuencia

**3** **¿Qué hacemos?** Estás organizando tu fiesta de cumpleaños con amigos y familiares. Escribe cinco oraciones completas usando los sujetos y los verbos de las columnas.

**Modelo** Tú conoces a todos los invitados.

| Sujetos | Verbos | |
|---------|--------|--|
| yo | compartir | desear |
| tú | conocer | exigir |
| mi(s) amigo(s)/a(s) | creer | pensar |
| nosotros/as | deber | poner |
| mis familiares | | |

1. _____
2. _____
3. _____
4. _____
5. _____

# Comunicación

**4** **En el café** Carola está en un café con unos amigos. En parejas, escriban ocho oraciones en las que Carola describe lo que hace cada persona. Usen algunos verbos de la lista.

| | | | |
|---|---|---|---|
| beber | estar | oír | ser |
| decir | hablar | pedir | traer |

**5** **Sueños cumplidos** Un nuevo *reality show* tiene como objetivo cumplir los sueños de los participantes.

**A.** En parejas, lean los sueños de algunos posibles participantes y preparen una lista de preguntas que el/la presentador(a) o el público puede hacerle a cada uno. Usen verbos en presente y el vocabulario de la lección.

**María, 21 años**
Sus padres la adoptaron cuando era niña. Cuando cumplió los veintiún años, sus padres le contaron que tiene una hermana melliza (*twin*). María quiere conocerla.

**Pedro, 35 años**
Vive en los Estados Unidos desde los cuatro años. No ve a sus abuelos desde entonces. Se acerca el cumpleaños número noventa de su abuela.

**Francisco, 50 años**
A los dieciocho años, Francisco emigró a los Estados Unidos. Su hermana, Sofía, emigró a España. Se hablan por teléfono pero hace treinta y dos años que no se ven.

**B.** Elijan al primer participante del programa e improvisen la primera entrevista. Uno/a de ustedes es el/la presentador(a) y el/la otro/a es el/la participante.

## 1.2 *Ser* and *estar*

MAX SANTACRUZ

—*Es un momento muy emocionante para nosotros.*

ANTIGUA, GUATEMALA

—*Mucha gente que está en el exterior viene también para la Semana Santa.*

### Uses of *ser*

| | |
|---|---|
| **Nationality and place of origin** | Mis padres **son** salvadoreños, pero yo **soy** de Florida. |
| **Profession or occupation** | El señor López **es** director de una banda de música. |
| **Characteristics of people, animals, and things** | El clima de Honduras **es** tropical. |
| **Generalizations** | Las celebraciones de Nochevieja **son** muy divertidas. |
| **Possession** | La guitarra **es** del tío Guillermo. |
| **Material of composition** | Las guirnaldas **son** de papel de colores. |
| **Time, date, or season** | **Son** las diez de la mañana. |
| **Where or when an event takes place** | La fiesta **es** en el apartamento de Carlos; **es** el sábado a las nueve de la noche. |

### Uses of *estar*

| | |
|---|---|
| **Location or spatial relationships** | La tienda de disfraces **está** en la próxima calle. |
| **Health** | Hoy **estoy** enfermo y no puedo ir a la fiesta. |
| **Physical states and conditions** | El vestido **está** limpio. |
| **Emotional states** | ¿**Está** Marisa contenta por participar en el desfile? |
| **Certain weather expressions** | ¿**Está** nublado o **está** despejado hoy en Tegucigalpa? |
| **Ongoing actions (progressive tenses)** | Paula **está** escribiendo invitaciones para su boda. |
| **Results of actions (past participles)** | La casa **está** decorada con muchos adornos. |

## *Ser* and *estar* with adjectives

- **Ser** is used with adjectives to describe inherent, expected qualities. **Estar** is used to describe temporary or variable qualities, or a change in appearance or condition.

Este espectáculo **es** fantástico.
*This show is fantastic.*

¡**Estamos** tan emocionados!
*We're so excited!*

- With most descriptive adjectives, either **ser** or **estar** can be used, but the meaning of each statement will differ.

Julio **es alto**.
*Julio is tall. (i.e., a tall person)*

¡Ay, qué **alta estás**, Adriana!
*How tall you're getting, Adriana!*

---

Dolores es **alegre**.
*Dolores is cheerful. (i.e., a cheerful person)*

Miguel **está alegre** hoy. ¿Qué le pasa?
*Miguel is cheerful today. What's up with him?*

---

Juan Carlos es un hombre **guapo**.
*Juan Carlos is a handsome man.*

¡Manuel, **estás** tan **guapo**!
*Manuel, you look so handsome!*

- Some adjectives have two different meanings depending on whether they are used with **ser** or **estar**.

| ser + [*adjective*] | estar + [*adjective*] |
|---|---|
| Laura **es aburrida**.<br>*Laura **is boring**.* | Laura **está aburrida**.<br>*Laura **is bored**.* |
| Ese chico **es listo**.<br>*That boy **is smart**.* | **Estoy listo** para todo.<br>*I'm **ready** for anything.* |
| No **soy rico,** pero vivo bien.<br>*I'm not **rich**, but I live well.* | ¡El pan **está** tan **rico**!<br>*The bread **is delicious**!* |
| La actriz **es mala**.<br>*The actress **is bad**.* | La actriz **está mala**.<br>*The actress **is ill**.* |
| El coche **es seguro**.<br>*The car **is safe**.* | Creo que puedo ir pero no **estoy seguro**.<br>*I think I can go but I'm not **sure**.* |
| Los aguacates **son verdes**.<br>*Avocados **are green**.* | Esta banana **está verde**.<br>*This banana **is unripe**.* |
| Javier **es** muy **vivo**.<br>*Javier **is very sharp**.* | ¿Todavía **está vivo** el autor?<br>*Is the author still **living**?* |
| Pedro **es** un hombre **libre**.<br>*Pedro **is** a **free** man.* | Esta noche no **estoy libre**. ¡Lo siento!<br>*Tonight I **am** not **available.** Sorry!* |

**TALLER DE CONSULTA**

Remember that adjectives must agree in gender and number with the person(s) or thing(s) that they modify. See **Manual de gramática 1.4, p. 406,** and **1.5, p. 408.**

**¡ATENCIÓN!**

**Estar**, not **ser**, is used with **muerto/a**.
**Guadalupe Dueñas, autora de numerosos cuentos, está muerta.**
*Guadalupe Dueñas, author of several short stories, is dead.*

**1** **La boda de Emilio y Jimena** Completa cada oración de la primera columna con la terminación más lógica de la segunda columna.

1. La boda es ___
2. La iglesia está ___
3. El cielo está ___
4. La madre de Emilio está ___
5. El padre de Jimena está ___
6. Todos los invitados están ___
7. El músico que toca en la boda es ___
8. En mi opinión, las bodas son ___

a. de El Salvador.
b. deprimido por los gastos.
c. en la calle Zarzamora.
d. esperando a que entren la novia (*bride*) y su padre.
e. contenta con la novia.
f. a las tres de la tarde.
g. muy divertidas.
h. totalmente despejado.

**2** **La luna de miel** Completa el párrafo con las formas apropiadas de **ser** y **estar**.

Emilio y Jimena van a pasar su luna de miel en Roatán, Honduras. Roatán (1) _____ una isla preciosa. (2) _____ en el mar Caribe y tiene playas muy bonitas. El clima (3) _____ tropical. Jimena y Emilio (4) _____ interesados en visitar el Jardín Botánico Carambola. Jimena (5) _____ fanática de la naturaleza. Y Emilio (6) _____ muy entusiasmado por conocer Punta Gorda, donde habita una comunidad garífuna. Los dos (7) _____ aficionados a la comida caribeña. Quieren ir a todos los restaurantes que (8) _____ cerca de su hotel. Cada día van a probar un plato diferente. Algunos de los platos que piensan probar (9) _____ la sopa de caracol, el pescado frito con plátano y el ayote en miel. Después de pasar una semana en Roatán, la pareja va a (10) _____ cansada pero muy contenta.

# Comunicación

### 3 Entrevistas

**A.** En parejas, usen la lista como guía para entrevistarse. Usen **ser** o **estar** en las preguntas y respuestas.

| | |
|---|---|
| origen | estudios actuales |
| nacionalidad | sentimientos actuales |
| personalidad | lugar donde vive/trabaja |
| salud | actividades actuales |

**B.** Cambien de pareja y cuéntenle a su compañero/a lo que descubrieron (*found out*) sobre el compañero/a entrevistado/a.

### 4 ¿Dónde estamos?

En parejas, elijan una ciudad en la que supuestamente están de viaje. Sus compañeros/as deberán adivinar de qué ciudad se trata. Pueden elegir una de las ciudades de las fotos u otra ciudad importante.

*Tegucigalpa, Honduras*

*San Salvador, El Salvador*

*Madrid, España*

*Lima, Perú*

*Ciudad de Guatemala, Guatemala*

*México, D.F., México*

- Hagan cinco afirmaciones usando **ser** o **estar** para dar pistas (*clues*) a sus compañeros/as. Sean creativos/as.

- Si las pistas no son suficientes, sus compañeros/as pueden hacer preguntas con **ser** o **estar**, cuya respuesta sea **sí** o **no**.

- Algunos temas para las afirmaciones o las preguntas pueden ser: ubicación, comida, características de la ciudad, actividades, sentimientos de los viajeros, personajes representativos del lugar, etc.

# 1.3 *Gustar* and similar verbs

—*Al principio no **me gustó** pero luego empecé a agarrarle el ritmo.*

## Using the verb *gustar*

**TALLER DE CONSULTA**

See **3.2, p. 102,** for a discussion of object pronouns.

● Though **gustar** is translated as *to like* in English, its literal meaning is *to please*. **Gustar** is preceded by an indirect object pronoun indicating *the person who is pleased*. It is followed by a noun indicating *the thing or person that pleases*.

| INDIRECT OBJECT PRONOUN | VERB | SUBJECT |
|---|---|---|
| **Me** | **gusta** | **la Navidad.** |
| *I* | *like* | *Christmas. (literally: Christmas pleases me.)* |
| **¿Te** | **gustan** | **los desfiles?** |
| *Do you* | *like* | *parades? (literally: Do parades please you?)* |

● Because *the thing or person that pleases* is the subject, **gustar** agrees in person and number with it. Most commonly, the subject is third person singular or plural.

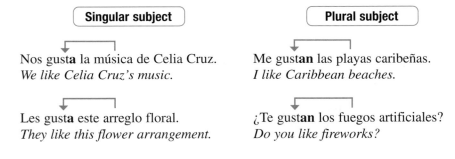

| Singular subject | Plural subject |
|---|---|
| Nos gusta la música de Celia Cruz. | Me gustan las playas caribeñas. |
| *We like Celia Cruz's music.* | *I like Caribbean beaches.* |
| Les gusta este arreglo floral. | ¿Te gustan los fuegos artificiales? |
| *They like this flower arrangement.* | *Do you like fireworks?* |

● When **gustar** is followed by one or more verbs in the infinitive, the singular form of **gustar** is always used.

No nos **gusta** participar en concursos.
*We don't like to participate in contests.*

Les **gusta** cantar y bailar el merengue.
*They like to sing and dance the merengue.*

● **Gustar** is often used in the conditional (**gustaría**) to soften a request.

Me **gustaría** un refresco con hielo, por favor.
*I would like a soda with ice, please.*

¿Te **gustaría** venir a mi fiesta de cumpleaños?
*Would you like to come to my birthday party?*

## Verbs like *gustar*

● Many verbs follow the same pattern as **gustar**.

| | |
|---|---|
| **aburrir** *to bore* | **hacer falta** *to miss; to need* |
| **caer bien/mal** *to (not) get along well with* | **importar** *to be important to; to matter* |
| **disgustar** *to upset* | **interesar** *to be interesting to; to interest* |
| **doler** *to hurt; to ache* | **molestar** *to bother; to annoy* |
| **encantar** *to like very much* | **preocupar** *to worry* |
| **faltar** *to lack; to need* | **quedar** *to be left over; to fit (clothing)* |
| **fascinar** *to fascinate* | **sorprender** *to surprise* |

**Me fascina** esta tradición maya.
*I love this Mayan tradition.*

¿**Te molesta** si voy contigo?
*Will it bother you if I come along?*

A Sandra l**e disgusta** esa situación.
*That situation upsets Sandra.*

**Me duelen** sus mentiras.
*Her lies hurt me.*

● The construction **a** + [*prepositional pronoun*] or **a** + [*noun*] can be used to emphasize who is pleased, bothered, etc.

**A ella** no le gusta bailar, pero **a él** sí.
*She doesn't like to dance, but he does.*

**A Felipe** le molesta disfrazarse.
*Wearing a costume bothers Felipe.*

**TALLER DE CONSULTA**

See **3.2, p. 103,** for a discussion of prepositional pronouns.

● **Faltar** expresses what someone or something lacks, and **quedar** expresses what someone or something has left. **Quedar** is also used to talk about how clothing fits or looks on someone.

**Le falta** dinero.
*He's short of money.*

**Le falta** sal a la comida.
*The food needs some salt.*

A la impresora no **le queda** papel.
*The printer is out of paper.*

Esa falda **te queda** bien.
*That skirt fits you well.*

*A todos los visitantes*
***les fascina** la devoción que*
*se observa durante la procesión.*

**1 Completar** Completa la conversación.

**MIGUEL** Mira, César, a mí (1) _____ (encantar) vivir contigo, pero la verdad es que (2) _____ (preocupar) algunas cosas.

**CÉSAR** De acuerdo. A mí también (3) _____ (molestar) algunas cosas de ti.

**MIGUEL** Bueno, para empezar (4) _____ (disgustar) que pongas la música tan alta cuando vienen tus amigos. Tus amigos (5) _____ (caer) muy bien, pero a veces hacen mucho ruido y no me dejan dormir.

**CÉSAR** Sí, claro, lo entiendo. Pues mira, Miguel, a mí (6) _____ (preocupar) que no laves los platos. Además, tampoco sacas la basura.

**MIGUEL** Es verdad. Pues... vamos a intentar cambiar estas cosas. ¿Te parece?

**CÉSAR** (7) _____ (gustar) la idea. Yo bajo la música cuando vengan mis amigos y tú lavas los platos y sacas la basura más a menudo.

**2 Preguntar** En parejas, túrnense para hacerse preguntas sobre estas personas.

**Modelo** **fascinar / a tu padre**
—¿Qué crees que le fascina a tu padre?
—Pues, no sé. Creo que le fascina dormir.

1. preocupar / al presidente
2. encantar / a tu hermano/a
3. importar / a tus padres
4. interesar / a tu profesor(a)
5. molestar / a tu mejor amigo/a
6. faltar / a nosotros/as

**3 ¿Qué te gustaría hacer el fin de semana?** En parejas, pregúntense si les gustaría hacer las actividades relacionadas con las fotos. Utilicen los verbos **aburrir, disgustar, encantar, fascinar, interesar** y **molestar**.

**Modelo** —¿Te molestaría ir al parque?
—No, me encantaría.

# Comunicación

**4 ¿Te gusta?** En parejas, pregúntense si les gustan o no estas personas y actividades. Utilicen verbos similares a **gustar**.

| | |
|---|---|
| Benicio del Toro | ir a discotecas |
| Sofía Vergara | las películas de misterio |
| los discos de Jennifer López | las películas extranjeras |
| dormir los fines de semana | practicar algún deporte |
| hacer bromas | salir con tus amigos |

**5 ¿Cómo son?** Elige uno de los personajes de la lista. Luego descríbelo en cuatro oraciones usando los verbos indicados. Léele a tu compañero/a lo que escribiste sin decirle el nombre del personaje. Él/Ella tiene que adivinar de quién se trata. Túrnense para describir por lo menos a cuatro personajes.

**Modelo** —Le gusta mucho cantar. Le preocupan los problemas sociales
y ambientales. No le caen bien los *papparazzi*. Es muy rico.
—¡Es Bono!

- América Ferrera
- Isabel Allende
- Guillermo del Toro
- Eva Longoria
- Shakira
- Ricky Martin
- Rafa Nadal
- Javier Bardem
- Carolina Herrera

| | | | |
|---|---|---|---|
| aburrir | encantar | hacer falta | molestar |
| caer bien/mal | faltar | importar | preocupar |
| disgustar | fascinar | interesar | quedar |

**6 Veinte datos** Haz preguntas a por lo menos diez de tus compañeros/as para completar la tabla. Crea los últimos cinco datos de la segunda columna usando los verbos entre paréntesis. Luego, comenta con la clase las tres respuestas que más te sorprendieron.

| Encuentra a alguien que/a quien... | Nombre | Encuentra a alguien que/a quien... | Nombre |
|---|---|---|---|
| le gusta el francés | ▾ | le molesta levantarse temprano | ▾ |
| le encanta nadar | ▾ | ama ir a la playa | ▾ |
| le disgusta tener mascotas (*pets*) | ▾ | le gusta chatear por Internet | ▾ |
| no le gusta manejar | ▾ | odia viajar en avión | ▾ |
| ama los helados | ▾ | le interesa la política | ▾ |
| le encanta la música clásica | ▾ | (encantar) _____ | ▾ |
| no le gusta el deporte | ▾ | (caer bien) _____ | ▾ |
| le gusta comprar cosas por Internet | ▾ | (molestar) _____ | ▾ |
| le fascina ir a conciertos de rock | ▾ | (preocupar) _____ | ▾ |
| no le interesa viajar | ▾ | (sorprender) _____ | ▾ |

### La Nochebuena

La Navidad en Honduras es anunciada por un personaje de origen garífuna° llamado Warini. Lleva una máscara° y baila de casa en casa el día de Nochebuena acompañado de cantantes y tambores°. Al atardecer°, las familias comparten platos típicos: nacatamales, pierna de pavo o cerdo y torrejas°. La llegada de la medianoche se festeja con abrazos y buenos deseos, y en la calle se disfruta de una fiesta pirotécnica.

### La pedida de mano

La pedida de mano es una costumbre de la cultura maya en la que el novio pide permiso a la familia de la novia para casarse con ella. Antes, el novio traía regalos y organizaba fiestas y cenas. Actualmente°, aunque el permiso de los padres ya no es necesario, la pareja celebra una reunión donde se conocen las dos familias y se intercambian regalos y discursos°.

### Las Fiestas Agostinas

Los primeros días de agosto en El Salvador están dedicados a las Fiestas Agostinas, que celebran a Cristo, el Divino Salvador del Mundo, santo patrono de la capital. Comienzan el 1 de agosto en la madrugada° con petardos°, alboradas° y el consumo de atol shuco, una bebida típica hecha de maíz fermentado. Hasta el 6 de agosto hay misas, desfiles, rodeos y otros espectáculos.

### Barriletes gigantes

El día de difuntos° en Guatemala no es día de tristeza sino de celebración. A las comidas, flores y velas que la gente lleva al cementerio, se suma la fiesta de los barriletes° gigantes. Para honrar a los seres queridos muertos y espantar° a los espíritus malignos, el 1 y 2 de noviembre en Santiago Sacatepéquez la gente vuela barriletes pintados de muchos colores.

**Actualmente** *Currently* **discursos** *speeches* **difuntos** *deceased* **barriletes** *kites*
**espantar** *scare away* **garífuna** *descendants of indigenous Caribbeans and Africans*
**máscara** *mask* **tambores** *drums* **atardecer** *dusk* **torrejas** *sweet egg bread*
**madrugada** *early morning* **petardos** *firecrackers* **alboradas** *dawn choruses*

CUBA

**Festival Folklórico
Rabin Ajaw**

Península
de Yucatán

**Ruinas de Copán**

MÉXICO

BELICE

GUATEMALA

Mar
Caribe

Quetzaltenango

•Cobán
**Ciudad de
Guatemala**

•La Ceiba
•Choloma
•San Pedro Sula

HONDURAS

Santiago Sacatepéquez

Antigua Guatemala

•Copán

•Texistepeque

Tegucigalpa

NICARAGUA

Ahuachapán
**San Salvador**

•San Miguel

Soyapango

EL SALVADOR

COSTA RICA

OCÉANO
PACÍFICO

**Carnaval de San Miguel**

PANAMÁ

**Los talcigüines**

**1** **Perspectivas** En parejas, contesten las preguntas.

1. ¿Qué tradiciones siguen en el país de ustedes las parejas que quieren casarse
   o formar una familia? ¿Fue igual para sus padres y para sus abuelos?

2. ¿Por qué creen que el novio tenía que pedir permiso a la familia de la novia
   para casarse? ¿Cómo interpretan la evolución de esta costumbre?

3. ¿Hay tradiciones de su país que han cambiado? ¿A qué se debe ese cambio?

4. ¿Por qué creen que el día de difuntos en Guatemala es un día de celebración?

5. ¿Se celebra Nochebuena en su cultura? ¿Cómo? Compárenla con la
   celebración en Honduras.

6. ¿Qué personaje es similar a Warini en su cultura? ¿Cuál es su origen?

7. ¿Cuáles son los platos típicos para las fiestas en su familia o comunidad?

8. ¿Qué elementos son propios de las fiestas populares en su país? ¿Cómo se
   comparan con los de las Fiestas Agostinas?

Practice more at
vhlcentral.com.

El audio "Cómo funciona la fiesta de la Tomatina" trata de una celebración española muy particular. En la Tomatina, los participantes se lanzan tomates por las calles para celebrar el origen de la fiesta en 1945.

# Antes de escuchar

**1** **Activar el conocimiento previo** Habla con un(a) compañero/a sobre si conocen alguna fiesta parecida a la Tomatina y descríbanla. ¿Han estado en fiestas similares? ¿Les gustaría participar? Escriban un par de oraciones sobre qué les parece la Tomatina y compartan sus ideas con la clase.

# Mientras escuchas

**2** **Estrategia: Visualizar** Trata de visualizar la Tomatina. Apunta ideas que se te ocurran sobre la fiesta y notas que la describan.

**3** **Escucha una vez** Escucha el audio para captar las ideas generales. Anota los puntos más importantes que se describen sobre la fiesta.

**4** **Escucha de nuevo** Ahora, basándote en lo que escuchas la segunda vez, completa tus notas iniciales y corrige lo que sea necesario.

# Después de escuchar

**5** **Comprensión y reflexión** En parejas, contesten las preguntas.

1. ¿Cuándo y dónde se celebra la Tomatina?
2. ¿Cuál es el origen de esta fiesta?
3. ¿Qué sucede después de esta "guerra de tomates"?
4. ¿Creen que este tipo de fiestas son divertidas? ¿Por qué?
5. ¿Por qué es importante la colaboración de todos en las fiestas populares?

**6** **Discusión** En grupos de cuatro, comenten los aspectos especiales de la Tomatina y discutan si la fiesta tendría éxito en su comunidad o su cultura. Tomen notas de lo que les gusta o no les gusta de la fiesta, compárenlas y compartan sus ideas basándose en experiencias personales.

| Notas | | |
|---|---|---|
| **Me gusta** | **No me gusta** | **Experiencias personales** |
| | | |
| | | |
| | | |
| | | |
| | | |
| | | |

## SOBRE LA AUTORA

**Mary Soco** nació en Guadalajara, México. Es bloguera profesional y colaboradora en *Xataka*, una publicación en línea para los aficionados a la tecnología que cuenta con más de un millón de usuarios. Mary Soco ha contribuido en la edición de México de esta publicación con sus más de mil artículos relacionados con la tecnología y otros temas de interés.

| Vocabulario de la lectura | | | | Vocabulario útil | |
|---|---|---|---|---|---|
| el alma (*f.*) | soul | la muerte | death | afligido/a | grief-stricken |
| burlarse de | to mock | la ofrenda | offering | el/la antepasado/a | ancestor |
| la calavera | skull | el rezo | prayer | el ataúd | coffin |
| el cielo | heaven | la veladora | votive candle | el entierro | burial |
| el/la difunto/a | deceased | | | el funeral | funeral |
| el infierno | hell | | | rezar | to pray |
| | | | | el tabú | taboo |

**1** **Vocabulario** Completa las oraciones.

1. La muerte es un tema ____ en muchas culturas.
   a. antepasado  b. tabú  c. difunto

2. Según la religión cristiana, las almas van al cielo o al ____.
   a. infierno  b. entierro  c. rezo

3. Tres días después de su muerte, se celebró su ____.
   a. veladora  b. funeral  c. ataúd

4. El conjunto de huesos de la cabeza se llama ____.
   a. alma  b. ofrenda  c. calavera

5. El fallecimiento (*death*) de su perrito fue muy duro para ella. Todavía está ____ por su muerte.
   a. afligida  b. antepasada  c. difunta

**2** **La muerte** En parejas, contesten las preguntas.

1. ¿Cómo se considera la muerte en tu cultura?

2. ¿Conoces otras culturas en las que el concepto de la muerte sea distinto al de tu cultura? Describe cómo se percibe la muerte en esas culturas.

3. ¿Consideras que la muerte es un tabú en tu cultura? ¿En qué sentido?

4. ¿Cómo honras a tus seres queridos que ya no están contigo?

5. ¿Piensas que los seres humanos deben tener una visión negativa de la muerte? ¿Por qué?

Practice more at vhlcentral.com.

# EL DÍA DE MUERTOS

## en México es mucho más de lo que la mayoría de la gente cree

### Mary Soco

EN MÉXICO, CADA PUEBLO, CADA REGIÓN, tiene sus propias tradiciones, sus propios usos y costumbres. Pero si hay una tradición que encontramos en cada uno de ellos, es, sin lugar a dudas, la celebración del Día de Muertos. Es en esta en la que cada familia se prepara para recibir a las almas de los seres queridos que han abandonado esta vida.

Pero hablar del Día de Muertos no es solo hablar del 2 de noviembre, fecha que la Iglesia Católica ha marcado como el día de los Fieles Difuntos. Hablar del Día de Muertos en México es hablar de misticismo, de simbología, de raíces° prehispánicas, de altares, de ofrendas, de historia, de los últimos días de octubre y los primeros de noviembre.

Ahora que han comenzado las celebraciones de este año, es buen momento para hablar de todo lo que representan, del origen de la tradición, de lo que poco a poco hemos ido olvidando, de la simbología de los altares y las diferentes actividades que enmarcan° la tradición más grande de México.

Aquella en la que la muerte toma a la vez un sentido solemne, religioso y festivo.

### El origen de la tradición

La muerte ha sido en todas las culturas y a través de la historia un evento que invita a la reflexión, a rituales, a ceremonias, a la búsqueda de respuestas, que causa temor°, admiración e incertidumbre°. Las culturas prehispánicas compartían la creencia de que existe una entidad anímica° e inmortal que da conciencia al ser humano y que después de la muerte continúa su camino en el mundo de los muertos, donde sigue necesitando de utensilios, herramientas° y alimentos.

En los 18 meses del calendario mexica se puede observar que hay por lo menos seis festejos° dedicados a los muertos. El más importante era la fiesta de los descarnados° que se celebraba en el

---

**raíces** *roots*
**enmarcan** *frame*
**temor** *fear*
**incertidumbre** *uncertainty*

**anímica** *spiritual*
**herramientas** *tools*
**festejos** *celebrations*
**descarnados** *fleshless*

noveno mes, cercano a agosto, y estaba presidido por la diosa Mictecacíhuatl, señora de los muertos y reina de Mictlán, y por Mictlantecuhtli, señor del lugar de los muertos y dios de las sombras°.

A diferencia de la religión cristiana, en el Mictlán no existían las connotaciones morales del infierno ni del paraíso; sin embargo, para llegar a él los muertos debían, durante cuatro años, pasar por diversas pruebas que encontraban en los diferentes niveles del inframundo, para finalmente llegar al lugar de su eterno reposo, liberarse de su *tonalli* o alma y ser compensados por la presencia de Tonatiuh, el dios del Sol, al caer la tarde.

## Diferentes días, diferentes ánimas

De acuerdo a la Iglesia Católica, los días señalados para honrar a los muertos son el 1 y 2 de noviembre, días de Todos los Santos y Fieles Difuntos, respectivamente. Sin embargo, para quienes siguen las costumbres indígenas, la celebración comienza la última semana de octubre y finaliza los primeros días de noviembre.

Así, en algunas regiones los festejos comienzan el 25 o 28 de octubre y finalizan, dependiendo de las costumbres locales, el 2 o 3 de noviembre. Cuenta la historia y la tradición que ha pasado de boca en boca entre generaciones, que las ánimas° llegan en orden a las 12 horas de cada día, siendo el orden más generalizado:

- **28 de octubre:** día en que se recibe a los que murieron a causa de un accidente y nunca pudieron llegar a su destino, o bien, los que tuvieron una muerte repentina° y violenta
- **29 de octubre:** a los ahogados°
- **30 de octubre:** a las ánimas solas y olvidadas, que no tienen familiares que los recuerden; los huérfanos° y los criminales
- **31 de octubre:** a los limbos, los que nunca nacieron o no recibieron el bautismo
- **1 de noviembre:** a los niños, también referidos como "angelitos"
- **2 de noviembre:** a los muertos adultos

## Los altares, las ofrendas, su simbología

El elemento más representativo de la festividad de Día de Muertos en México son los altares con sus ofrendas, una representación de nuestra visión sobre la muerte, llena de alegorías y de significados.

Tradicionalmente los altares tienen niveles y, dependiendo de las costumbres familiares, se usan dos, tres o siete niveles. Los altares de dos niveles, los más comunes hoy en día, representan la división del cielo y de la tierra; los de tres niveles representan el cielo, la tierra y el inframundo, aunque también se les puede referir como los elementos de la Santísima Trinidad.

El tradicional por excelencia es el altar de siete niveles, que representan los niveles que debe atravesar el alma para poder llegar al lugar de su descanso espiritual. Cada escalón° es cubierto con manteles°, papel picado°, hojas de plátano, palmillas° y petates° de tule; cada escalón tiene un significado distinto.

En el más alto se coloca° la imagen del santo de devoción de la familia; el segundo está destinado a las ánimas del purgatorio; en el tercero se coloca la sal, símbolo de la purificación; en el cuarto, el pan, que

se ofrece como alimento y como consagración; en el quinto se colocan las frutas y los platillos preferidos por los difuntos; en el sexto, las fotografías de los difuntos a los que se les dedica el altar y por último, en el séptimo, en contacto con la tierra, una cruz formada por flores, semillas° o frutas.

Cada elemento puesto en el altar tiene su propio significado e importancia. El copal y el incienso representan la purificación del alma, y es su aroma el que es capaz de guiar a los difuntos hacia su ofrenda. El arco°, hecho con carrizo° y decorado con flores, se ubica° por encima del primer nivel del altar y simboliza la puerta que conecta al mundo de los muertos; es considerado el octavo nivel que se debe seguir para llegar al Mictlán.

> ## " Cada elemento puesto en el altar tiene su propio significado e importancia. "

El papel picado y sus colores representan la pureza y el duelo°, actualmente se adornan con calaveras y otros elementos de la cultura popular; en la época prehispánica, se utilizaba el papel amate° y en él se dibujaban diferentes deidades°.

A través de las velas, veladoras y cirios° está presente el fuego, que se ofrenda a las ánimas para alumbrar su camino de vuelta a su morada°. Es costumbre que se coloquen cuatro veladoras, representando una cruz y los puntos cardinales, pero también en algunas comunidades, cada vela representa un difunto, por lo que el número de velas dependerá de las almas que reciba la familia.

El pan de muerto tiene un doble significado. Por un lado, representa la cruz de Cristo; por otro, las tiras° sobre la corteza° representan los huesos y el ajonjolí°, las lágrimas de las ánimas que no han encontrado el descanso.

### La visita al camposanto

En esta festividad, es obligado visitar las tumbas de los difuntos para limpiarlas y arreglarlas con flores y veladoras. Esta visita es una muestra más de la riqueza y diversidad de la tradición, pues en algunos lugares, es costumbre colocar una ofrenda sobre el sepulcro y pasar allí la noche en vela con la familia reunida.

No faltan los rezos como tampoco la música de los mariachis, las estudiantinas°, los tríos y otros grupos de música locales. En Janitzio, por ejemplo, mujeres y niños se sientan llorosos a orar° por sus difuntos, tras colocar una ofrenda sobre las tumbas que consiste en los alimentos que eran del agrado° de sus seres queridos, flores y numerosas velas; pasan las horas en calma, orando y observando la intensidad de la luz de las velas.

### Día de Muertos, una tradición que reúne a la familia

La celebración de Día de Muertos varía de región a región, de pueblo a pueblo, pero todos tienen un principio común: la familia se reúne para dar la bienvenida a las ánimas, colocar los altares y las ofrendas, visitar el cementerio y arreglar las tumbas, asistir a los oficios religiosos, despedir a los visitantes y sentarse a la mesa para compartir los alimentos que, tras haber sido levantada la ofrenda, han perdido su aroma y sabor, pues los difuntos se han llevado su esencia. ■

**sombras** *shadows*
**ánimas** *souls*
**repentina** *sudden*
**ahogados** *drowned*
**huérfanos** *orphans*
**escalón** *level*
**manteles** *tablecloths*
**picado** *cut-out*
**palmillas** *type of cloth*
**petates** *mats*
**se coloca** *is placed*
**semillas** *seeds*
**arco** *arch*
**carrizo** *reed*

**se ubica** *is placed*
**duelo** *mourning*
**amate** *type of bark*
**deidades** *deities*
**cirios** *altar candles*
**morada** *residence*
**tiras** *strips*
**corteza** *crust*
**ajonjolí** *sesame*
**noche en vela** *sleepless night*
**estudiantinas** *student music groups*
**orar** *to pray*
**agrado** *liking*

**1 Comprensión** Completa las oraciones.

1. En la celebración del Día de Muertos, las familias reciben a las _____ de sus seres queridos.
2. El Día de Muertos se celebra entre finales de _____ y principios de _____.
3. Para llegar al Mictlán, los muertos deben pasar por varios _____ del inframundo.
4. Según la Iglesia católica, el 1 de noviembre es el día de _____.
5. Los altares más comunes actualmente tienen _____ niveles.
6. Los escalones de los altares se cubren con _____, el cual representa la pureza y el duelo.

**2 Preguntas** En parejas, túrnense para contestar las preguntas.

1. ¿Qué opinas de la forma de honrar a los difuntos en México?
2. ¿Qué diferencias hay entre el Mictlán y el cielo/infierno? ¿Hay algo similar a ellos en tu cultura?
3. ¿Qué semejanzas y diferencias hay entre la forma de entender y recordar la muerte de los seres queridos en México y en tu cultura?
4. ¿Piensas que las tradiciones culturales influyen en cómo las personas se sienten conectadas con sus antepasados?

**3 Halloween** En parejas, escriban un párrafo en el que comparen el Día de Muertos con Halloween. Hablen del origen, las fechas, el propósito de las celebraciones, las formas de celebrarlas, etc. Después, contesten las preguntas.

• ¿Por qué creen que estas dos celebraciones perviven después de tantos años?
• ¿En su opinión, ¿por qué los seres humanos sienten tanta fascinación por temas como la muerte, los espíritus o el más allá (*hereafter*)?
• ¿Cómo se representa la muerte en las películas de Hollywood? ¿Por qué piensan que las películas de terror tienen tanto éxito?

**4 Recuerdos** En el Día de Muertos, muchas familias se reúnen y honran a sus antepasados compartiendo recuerdos de ellos. Piensa en un ser querido que se fue y escribe una carta sobre esta persona para que las futuras generaciones de tu familia sepan cómo era. Incluye estos aspectos en tu carta.

• nombre y parentesco que tenía contigo
• cosas que le gustaba hacer
• recuerdos que viviste con esta persona
• por qué fue especial para ti

Practice more at
vhlcentral.com.

| Vocabulario de la lectura | | Vocabulario útil | |
|---|---|---|---|
| alumbrar | to light, to illuminate | el ambiente | atmosphere |
| las artesanías | crafts | apagado/a | turned off |
| el/la artesano/a | artisan | hecho/a a mano | handmade |
| el candil | oil lamp | la hoguera | bonfire |
| el farolito | small lantern | la leyenda | legend |
| luminoso/a | bright | la linterna | flashlight |
| el nacimiento | birth | la llama | flame |
| la víspera | eve | el mito | myth |
| | | vistoso/a | eye-catching |

**1 Vocabulario** Completa las oraciones con la palabra correcta.

1. Para calentarse (*warm up*), recogieron madera y encendieron una pequeña _____.
2. Decoré el árbol de Navidad con adornos de colores y quedó muy _____.
3. Él fue un personaje muy importante para nuestro país, por eso cada año celebramos el día de su _____.
4. En esta tienda de decoración todos los objetos son _____ por artesanos de la región.
5. Nochebuena es la fiesta que se celebra en la _____ de Navidad.
6. Los _____ estaban hechos de metal y utilizaban aceite como sustancia combustible.

**2 Decoración** En parejas, contesten las preguntas.

1. ¿Piensas que los objetos hechos a mano tienen más valor? ¿Por qué?
2. ¿Crees que la decoración es una parte importante de las fiestas? ¿Por qué?
3. Identifica una fiesta de tu país donde las casas y los lugares públicos son decorados. ¿Cómo es la decoración? ¿Alguien la hace a mano?
4. ¿Conoces alguna fiesta en la que la luz o el fuego son elementos importantes? ¿Cuál? Explica.

**3 Imagina** En parejas, observen la imagen y traten de imaginar lo que está ocurriendo.

1. ¿Qué piensan que se está celebrando?
2. ¿Cuál es el origen de esta práctica cultural? ¿Por qué lo suponen?
3. ¿Desde cuándo creen que se celebra?
4. ¿Qué simbolizan los farolitos? ¿En qué basan su respuesta?

# El Día de los Farolitos

El 7 de septiembre, el municipio de Ahuachapán en El Salvador celebra el Día de los Farolitos. Esta fiesta tiene un origen católico, ya que conmemora la víspera del nacimiento de la Virgen María. El festival es uno de los más coloridos y atractivos del país: multitud de farolitos de madera forrados° con papel de celofán de diferentes colores se colocan en las fachadas° de las viviendas° y en las calles de Ahuachapán.

*covered*

*facades*

*homes*

### Origen y evolución de la fiesta

En Ahuachapán, el Día de los Farolitos se celebra desde el año 1850 en la víspera de la Natividad de la Virgen María.  Se cree que el origen de esta tradición está relacionado con un terremoto°. Según dicen, un terremoto ocurrido en  1850 hizo que los habitantes de Ahuachapán salieran de sus casas a pasar la noche en las calles. Como aún no había luz eléctrica, las calles se alumbraron usando velas y candiles. Los habitantes rezaron, pidiendo protección a la Virgen. Cuando el terremoto cesó, decidieron celebrar una fiesta todos los años  para recordar esa noche.

*earthquake*

Desde entonces, la celebración del Día de los Farolitos se ha mantenido sin interrupciones y se ha transmitido de generación en generación. Sin embargo, la fiesta no siempre tuvo la misma popularidad y hubo momentos en que estuvo a punto° de desaparecer. En el año 1989, la Casa de la Cultura de Ahuachapán decidió revitalizar la tradición y organizar otros eventos y actividades para hacer la fiesta más atractiva y dinámica. Desde entonces, en el Día de los Farolitos tiene lugar una procesión, desfiles de bandas musicales, concurso de farolitos y fuegos artificiales. Además, se empezaron a instalar puestos° de artesanías y comida típica. El año 1989 fue el inicio de la celebración tal y como° es actualmente°.

*about to*

*stalls*

*exactly as / currently*

> ## Se cree que el origen de esta tradición está relacionado con un terremoto.

*Heritage*

*enjoys*

La Asamblea Legislativa de El Salvador declaró la fiesta Patrimonio° Cultural Inmaterial de El Salvador en el año 2014. El Día de los Farolitos también se celebra en otros municipios salvadoreños como Apaneca y Concepción de Ataco, pero solo la celebración de Ahuachapán tiene la denominación de Patrimonio Cultural Inmaterial. Hoy en día, la fiesta goza° de gran popularidad entre los salvadoreños e incluso entre habitantes de otros países que visitan Ahuachapán cada año para participar en esta festividad.

## Cómo se elaboran los farolitos

*were made*
*branches / leaves*

Originariamente, los farolitos se elaboraban° de manera sencilla, con una estructura hecha de ramas° y hojas° con una vela en su interior. Con el tiempo, los farolitos fueron perfeccionándose y adquiriendo el aspecto que tienen hoy en día. Los materiales básicos que se emplean en su fabricación son madera, clavos°, papel celofán de colores, almidón° y alambre°. 45

*nails / starch / wire*

Los farolitos se colocaban en las fachadas de las casas, adornando e iluminando su exterior. Con el paso de los años y tras la revitalización de la fiesta, la elaboración de los farolitos también fue evolucionando. Hoy en día, las técnicas 50 son más elaboradas y los farolitos también adornan las calles y los espacios públicos, iluminando muchas zonas de la ciudad.

En la actualidad existen artesanos que se dedican a la elaboración de farolitos, que tienen formas distintas. Los diseños tradicionales mantienen la forma 55 característica de un farol, pero ahora también existen otros diseños más creativos, con forma de estrella, de diferentes frutas y de la figura de la Virgen María.

## Visitando Ahuachapán

*parish church*
*imposing*

El municipio de Ahuachapán es una de las principales ciudades de la zona oeste de El Salvador. Se encuentra a 100 kilómetros de San Salvador, la capital del 60 país. El turismo constituye una parte importante de la actividad económica del municipio. La Parroquia° de Nuestra Señora de la Asunción es uno de los edificios más emblemáticos de la ciudad, por su imponente° fachada de estilo colonial. Entre los principales atractivos naturales de Ahuachapán se encuentran la Laguna el Espino y los Ausoles. Estos últimos son emisiones de gas que salen 65 de terrenos volcánicos y que se utilizan para crear piscinas termales.

Sin embargo, el festival de los Farolitos es el evento que reúne a más visitantes. La celebración se ha convertido en una de las principales atracciones turísticas de Ahuachapán, y cada año en septiembre miles de personas visitan el municipio para conocer esta luminosa fiesta donde se mezclan artesanía y religión. ∎

Watch related video at vhlcentral.com.

**1 Cierto o falso** Indica si estas afirmaciones son ciertas o falsas. Corrige las falsas.

1. El Día de los Farolitos se celebra una semana antes del día del nacimiento de la Virgen María.
2. La fiesta desapareció durante varios años y se volvió a celebrar a partir de 1989.
3. Se cree que los farolitos representan las velas y candiles que alumbraron a los habitantes de Ahuachapán una noche después de un terremoto.
4. Hoy en día la estructura de los farolitos se hace con plástico.
5. El Día de los Farolitos fue declarado Patrimonio Cultural Inmaterial en varios municipios de El Salvador.
6. Hoy en día, los farolitos se colocan en el exterior de las casas, pero también en las calles y en varios lugares de la ciudad.

**2 Comprensión e interpretación** En parejas, contesten las preguntas.

1. ¿Por qué el Día de los Farolitos se celebra el 7 de septiembre?
2. ¿Por qué piensan que en algunos momentos la fiesta perdió popularidad?
3. ¿Por qué el año 1989 fue importante para la fiesta?
4. Además de la exhibición de farolitos, ¿qué otros eventos y actividades tienen lugar en el Día de los Farolitos?
5. ¿Cómo ha evolucionado la elaboración de los farolitos?
6. ¿Qué papel (*role*) tienen la religión y la artesanía en esta fiesta?
7. ¿Cómo creen que afectó a la fiesta el hecho de ser declarada Patrimonio Cultural Inmaterial?
8. Además del Día de los Farolitos, ¿qué otros atractivos tiene Ahuachapán?

**3 Evolución** En grupos de cuatro, elijan una fiesta o celebración de su cultura. Luego, hagan un gráfico para mostrar cómo ha cambiado con el tiempo.

| PARTICIPANTES | **Antes:** Padres, abuelos, tíos, primos, vecinos | **Ahora:** Padres y abuelos |
|---|---|---|
| DECORACIONES | **Antes:** … | **Ahora:** … |

**4 El periódico** Escribe un breve texto basándote en el contexto.

Una revista de viajes te ha enviado a El Salvador para que participes en el Día de los Farolitos y escribas un artículo de opinión sobre la fiesta. En tu artículo, compara el Día de los Farolitos con una fiesta tradicional de tu ciudad.

Practice more at
vhlcentral.com.

## SOBRE LA AUTORA

**G**uadalupe Dueñas (1920–2002) nació en Guadalajara, México. Creció en una familia religiosa de ocho hijos, siendo ella la hermana mayor. Realizó estudios de letras en la UNAM. Además de escribir cuentos y poemas, trabajó en guiones para la televisión. Entre sus obras, destacan *Las ratas y otros cuentos* (1954) y *Tiene la noche un árbol* (1958), donde aparece "Conversación de Navidad", una versión posterior del cuento que vas a leer.

| Vocabulario de la lectura | | Vocabulario útil | |
|---|---|---|---|
| aguantar | to put up with | la convención | convention |
| el desahogo | emotional relief | el día señalado | important day |
| la envoltura | wrapping | el encuentro familiar | family gathering |
| fingir | to pretend | enternecer | to touch (emotionally) |
| insoportable | unbearable | el espíritu navideño | Christmas spirit |
| el obsequio | gift | la farsa | farce |
| el villancico | Christmas carol | la hipocresía | hypocrisy |

**1  Vocabulario**  Marca la palabra que no pertenece al grupo.

1. a. obsequio       b. envoltura       c. hipocresía
2. a. villancico     b. farsa           c. fingir
3. a. insoportable   b. villancico      c. espíritu navideño
4. a. cena           b. encuentro       c. desahogo
5. a. hipocresía     b. día señalado    c. fingir
6. a. convención     b. enternecer      c. tradición

**2  Tradiciones**  En parejas, discutan las siguientes preguntas.

1. ¿Qué festividades se celebran en tu cultura durante las vacaciones de invierno? ¿Cuál es tu parte favorita de estas festividades?
2. ¿Cuáles son las celebraciones más importantes para ti y tu familia? Describe una de ellas.
3. ¿Qué piensas de pasar los días señalados en familia? ¿Te resulta algo normal o consideras que es forzado e impuesto (*imposed*)? ¿Por qué?

**3  Espíritu navideño**  En grupos de tres, expliquen el significado de esta cita. Digan si están de acuerdo con lo que dice y expliquen por qué.

"Ojalá pudiéramos meter el espíritu de la Navidad en jarros y abrir un jarro cada mes del año." **—Harlan Miller, jugador de fútbol americano**

Practice more at
**vhlcentral.com.**

# ¡Navidad!

## Guadalupe Dueñas

¡Navidad! Noche inefable°, eternamente cantada por los hombres. Noche que hasta las bestias feroces y los reptiles sanguinarios° reconocen y alaban°, suspendiendo sus actividades malignas. Noche sublime en que los villancicos hacen llorar a los asesinos, a los simples y a los endurecidos.

Nochebuena en donde la felicidad y la armonía son algo establecido que nadie se atreve a poner en duda; noche en que los pillos° sonríen como angelitos y los perros no aúllan°, y las hienas no devoran a sus cachorros°. Decir que resulta abominable es temerario, se corre el riesgo de ser apedreado° por blasfemo; al que tal diga ha de nombrársele descastado°.

Pero, con el perdón de ustedes, yo soporto el anatema° porque esta noche me resulta francamente insoportable. Otra vez pido perdón, si no lo digo ¡exploto! No tengo yo la culpa, ni tampoco la bendita° noche, que por lo que conmemora es grandioso.

No sé cómo la pasen ustedes; a mí su llegada me trastorna°.

Les explicaré. En casa somos siete hermanas con siete maridos; un hermano de veinte años, y yo que no he podido pescar°. Hay, además, la pequeña que padece los dieciséis en punzada vertiginosa° y que esperamos se case. Se trata, pues, de una familia numerosa donde no hay padre ni madre, ni la más remota esperanza de que se cuele° una suegra (porque eso sí: todas son muy pobres, pero ninguna se deja).

Cada una tiene cuatro o cinco querubines° belicosos e insoportables. De los maridos, ni hablar. Fueron escogidos con demasiada prisa; de diferentes colores, nacionalidades y tipos, pero uniformemente de mal humor.

> **Unos días antes de la fecha comenzamos a planear la noche trágica.**

Mis hermanas son lindas; las adoro con sus defectos, sus maridos y sus hijos. Resulta que nos hemos sugestionado con el cuento de que somos muy unidas, con un deseo de ancestral ternura con la que nos hacemos pedazos queriendo seguir una tradición imaginaria que tal vez posea la escritora Selma Lagerlöff, pero no nosotras que descendemos de gitanos° nómadas, a quienes enloquece saber dónde y cómo van a pasar la noche. Da el caso, pues, que ninguna se atreve a romper este fantasma de la hermandad modelo. El desahogo nos aliviaría del todo, pero están los maridos. Ellos fingen que también lo creen y nos enredamos° todos con la mejor voluntad del mundo.

*indescribable*

*bloodthirsty*
*praise*

*rascals*

*howl / pups*

*stoned*

*ungrateful*

*excommunication*

*blessed*

*upsets me*

*find anyone*

*is going through adolescence in an intense manner*

*sneaks in*

*cherubs*

*gypsies*

*become embroiled*

lit., Mexican
chocolate drink

arrangement

dries us up

cloth

stiff

chestnuts / ground

cricket

beet

bragging

curse

scowl

stoneblows / toad

rage of a snake

pregnant

tense

broth

maid

Unos días antes de la fecha comenzamos a planear la noche trágica. Nuestra combinación de sangre española con no sé qué champurrado° nos da un sistema belicoso que nos dificulta el arreglo° de la noche. Se grita, se maldice, se suman, se rechazan ideas. ¡Es un desastre organizar la cena! Resulta, por ejemplo, que a nadie le gusta el bacalao ni pescado alguno, pero siendo Navidad, aunque el animal nos diseque°, no puede eliminarse. Alguien sugiere lo compren de cartón o de trapo°. En cuanto al pavo, es penoso decirlo: en casa no le gusta a nadie, así lo coman los reyes. ¡Cuesta más que un par de zapatos! y es proverbialmente duro y tieso°. El relleno se lleva cien pesos. Castañas° y oro molido°. Por supuesto quedaría perfecto con papas y papel de china, que para tirarlo... (que es lo que se hace cada año), sería igual y se perdería menos. Mi hermana, "la rica", opina que de ninguna manera, y se rellena con los más costosos ingredientes: castañas, pistaches, ciruelas, cosas deliciosas que juntas y molidas saben a grillo°.

La ensalada de betabel°, la clásica ensalada de Nochebuena, tampoco nos falla; vinos espléndidos; el pastel alemán que tomaba Hitler en su cumpleaños, pero que a nosotras siempre se nos quema. Sin presumir°, hasta *champagne* legítimo. Maravilloso, ¿no? Pues para nosotras este banquete tiene alguna *getatura*°.

La reunión se lleva a cabo en casa de mi hermana "la rica"; en el *hall* enorme, alegre y calientito (por lo menos en Navidad). El clásico arbolito luce radiante, lleno de regalos (como nos enseñaron los gringos).

Para empezar, cada una de mis hermanas llega lo más tarde posible, en un maratón de impuntualidad. Los últimos, para que nadie se atreva a decirles nada, estrenan el peor ceño° del año. Llegan, por supuesto, cargados de regalos con inocentes cintas de colores que descargan junto al árbol, como pedradas° sobre un sapo° invisible.

> Mientras sirven el consomé, cada uno piensa lo bien que hubiera sido acostarse a las ocho.

Nadie hace comentarios; los que llegaron primero ya se aprendieron el estucado del techo y tienen un hambre famélica. Por fin se deciden a beber, pero es contraproducente; no se alegran. Cada quien dice lo más desagradable de su repertorio.

Como mi gracioso hermano es la hora que no llega, se deciden a pasar al comedor y se acercan todos a la mesa, con rabia de culebra°.

Mientras sirven el consomé, cada uno piensa lo bien que hubiera sido acostarse a las ocho; otros, quizá, preferirían haberse ido a otra parte. El mal humor es contagioso. Tres de mis hermanas, las que siempre están "en estado°", cargan su electricidad sobre el marido, que esa noche no soporta nada. El ambiente es más espeso° e imposible, pero como es Nochebuena, y no podemos estar separadas (porque es una noche en que todos nuestros amigos hacen lo mismo), nos aguantamos a lo mártir; no podemos dar el espectáculo de aburrirnos en casa en una noche tan notable, que una vez que pase diremos a los amigos que fue deliciosa.

Como realmente no han cenado, alguien pide caldo° de frijoles. El pavo está intacto. Pide arroz de al mediodía. La criada° se equivoca y trae pollito cocido, del que prepararon para el día siguiente. Todos confiesan que ese condimento sencillo sí les gusta. Se vuelve polvo lo del día siguiente; olvidan un poco su pesimismo.

40

45

50

55

60

65

70

75

80

La moral mejora y nos apresuramos° a repartir los regalos, que es una ceremonia que nos tiene en tensión; violentos. De todo esto, es lo que resulta peor; nos regalamos bagatelas°, pero el caso es pesadito: unas tienen cinco chicos, y a una nada más le regalan un obsequio. No es costeable°. Mi hermana, "la Cotorra°", es muy práctica: guarda el regalo de cada año y lo regresa religiosamente el siguiente con su misma envoltura. Lo malo es que se lo da al mismo cuñado o hermana que se lo obsequió el año anterior, ocasionando disgustos° y explicaciones molestas; lo bueno es que a ella poco le importa, y la siguiente vez hace lo mismo. Mi hermana Lucha está muy al tanto de las baratas y si lo rebajado son fondos talla 32, como a nadie le vienen, con tranquilidad les dice que los guarden para cuando sus hijas cumplan quince años. Invariablemente mis cuñados reciben calcetines de un número inverosímil°, corbatas de proverbial mal gusto, navajas° Gillette los que tienen máquina eléctrica, y así nos va a todos por el estilo. Fatal; nadie queda conforme.

Los maridos rechinan° de cólera y suelen decir cosas desagradables en contra de nuestra familia; mi hermana la menor se venga destrozando los oídos con unos lamentos en francés que repite sin cesar la sinfonola°.

*hurry*

*trinkets*

*affordable*

*parrot*

*annoyances*

*implausible*

*razors*

*grind their teeth*

*jukebox*

*Deal with their sadness / niña* — Desquitan su murria° bailando con la escuincla°. Ella se sabe todos los pasos del mambo. No tienen más parejas que la chica y la grande (la grande soy yo). Acabo con palpitaciones; hablan mal de sus esposas y se sienten después muy aliviados; suspiran muy tristes por no haberme escogido a mí en vez de a mi hermana. 105

*tenderness* — Ellas los ven con odio y a mí con ternura° y dejan que sus consortes se manden. Yo me aprovecho del caso, pues qué remedio me queda. Ofrecen ponerme casa, pero todo queda en familia.

*Mexican sweet bread* — Es apenas la una y media; yo invento cualquier pretexto para irme a mi casa, derecho al refrigerador a merendar decentemente mi chilindrina° 110 y mi vaso con leche.

Tomo posesión de mi cama, feliz, esperando que el año que entra no haya cena de Navidad y me quedo pensando cómo sería bueno tener un acuerdo para lograrlo; pero no se me ocurre nada; no tengo suficiente valor para decirles que la Navidad con la familia es detestable, que cada quien se 115

*feels like it* — acueste o cene en donde le dé su gana°; que a las ocho nos demos un abrazo y cada quien desaparezca; pero es seguro que este año tampoco voy a decirlo, somos tan unidas y nos queremos tanto... ∎

**1 Comprensión** Completa las oraciones con la opción correcta.

1. La protagonista tiene una familia ___.
   a. pequeña
   b. grande

2. Los miembros de la familia prefieren la comida ___.
   a. de cada día
   b. tradicional de Navidad

3. La cena de Navidad se hace en casa de la ___ de la protagonista.
   a. mamá
   b. hermana

4. La parte de abrir los regalos pone a toda la familia ___.
   a. tensa
   b. contenta

5. Al final de la reunión de familia, los hombres bailan con sus ___.
   a. esposas
   b. cuñadas

6. Cuando la protagonista vuelve a su casa, desea que al año siguiente la cena de Navidad ___.
   a. se cancele
   b. mejore

**2 Interpretar** Contesta las preguntas.

1. ¿Por qué detesta la protagonista la Navidad?

2. ¿Está casada la protagonista? ¿Cómo lo sabes?

3. ¿Por qué es tan difícil organizar la cena?

4. ¿Crees que el resto de la familia opina lo mismo acerca de la cena que la narradora? ¿Por qué?

5. ¿Qué importancia tienen los regalos en el cuento?

**3 Hermandad** La narradora hace referencia a la escritora sueca Selma Lagerlöf (1858–1940), en cuya obra la bondad, el amor y el trabajo aparecen como atributos muy importantes. En parejas, discutan las preguntas.

1. ¿Crees que la relación entre las hermanas representa las relaciones entre hermanos/as en la vida real? Explica tu respuesta.

2. ¿Has deseado alguna vez estar más unido/a a un(a) hermano/a u otro familiar de lo que realmente estás? Describe la relación como es y la idílica.

**4 Convenciones** En parejas, expliquen de qué forma la autora destruye cada una de las siguientes convenciones.

**Modelo    El matrimonio:** Las mujeres del cuento y los maridos de estas no se soportan. Ellas eligieron a sus maridos con prisa.

- La celebración de la Navidad
- La unión entre hermanos
- La necesidad de tener hijos
- El árbol y los regalos

**5 Citas** En grupos de tres, lean la cita de Honoré de Balzac y las dos citas extraídas del cuento *¡Navidad!* Después, contesten las preguntas.

"Las costumbres son la hipocresía de las naciones." —**Honoré de Balzac**

"¡Navidad! (…) Noche sublime en que los villancicos hacen llorar a los asesinos, a los simples y a los endurecidos."

"Nochebuena en donde la felicidad y la armonía son algo establecido que nadie se atreve a poner en duda."

1. ¿Se puede relacionar la cita de Balzac con las dos citas del cuento? ¿En qué sentido?

2. ¿Estás de acuerdo con la ideología de Balzac y Dueñas? ¿Por qué?

3. ¿Crees que existe una hipocresía social durante las Navidades?

4. ¿Por qué piensas que las personas se vuelven más generosas durante esta época: donando comida, juguetes, etc.?

5. ¿Crees que está bien aprovechar esta fecha para mostrar nuestra generosidad o piensas que las personas se deberían comportar de igual manera durante los 365 días del año?

**6 Animales** Guadalupe Dueñas a menudo hace referencias a animales en su obra. En grupos pequeños, indiquen qué significado tienen estos animales en el cuento.

- Las hienas
- El pavo
- El grillo
- El sapo
- La culebra
- La cotorra

**7 Tu experiencia** Contesta estas preguntas sobre ti mismo/a.

1. ¿Te has encontrado alguna vez en una situación parecida a la de la protagonista? Describe la experiencia.

2. ¿Qué harías tú en el lugar de la protagonista?

3. ¿Crees que es importante mantener las tradiciones familiares y culturales? ¿Por qué?

4. ¿Piensas que tus costumbres y tradiciones te definen como persona? Da ejemplos.

5. Si pudieras decidir qué hacer con las tradiciones de tu cultura, ¿cuáles dejarías tal como están? ¿Cuáles cambiarías? ¿Cuáles eliminarías? Explica tu respuesta.

**8 Confesión** Imagina que eres la protagonista del cuento y ha pasado un año desde la cena de Navidad. Prepara una videollamada con tu hermana "la rica" en la que confiesas tus sentimientos acerca de la cena de Navidad y tus deseos de cancelarla. Explica todos tus motivos, basándote en lo que has leído en el cuento. Representa tu videollamada ante la clase.

Practice more at
vhlcentral.com.

En esta lección has aprendido y hablado sobre las fiestas y las celebraciones.
Ahora vas a escribir una descripción basada en una fiesta que tú conozcas o celebres.

## Planificar y preparar la escritura

**1** **Estrategia: Determina el tema** Elige la fiesta o celebración sobre la que vas a escribir. Utiliza el diagrama para organizar tus ideas. ¿Qué tipo de evento es (una fiesta de quinceañera, un desfile, …)? ¿Cómo y qué se celebra? ¿Quiénes son los asistentes? Completa la tabla en Y con detalles sobre lo que se ve, se escucha y se siente en el evento.

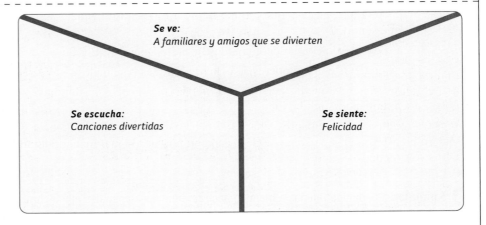

*Se ve:*
*A familiares y amigos que se divierten*

*Se escucha:*
*Canciones divertidas*

*Se siente:*
*Felicidad*

**2** **Estrategia: Desarrolla el cuerpo de la descripción**

- Piensa en cómo usar los datos de tu tabla para escribir tu descripción.
- Desarrolla el cuerpo de la descripción con la información de lo que se ve, se escucha y se siente, ofreciendo tu opinión y alguna anécdota interesante.

## Escribir

**3** **Tu descripción** Ahora escribe tu descripción. Utiliza la información que has reunido y sigue estos pasos.

- **Introducción:** Presenta el evento, en qué consiste y cómo se celebra. Usa palabras descriptivas.
- **Desarrollo:** Explica algún detalle curioso que describa la fiesta o celebración. Expresa tu opinión personal.
- **Conclusión:** Resume tus observaciones y termina el ensayo.

## Revisar y leer

**4** **Lectura** Léeles tu ensayo a varios/as compañeros/as. Pídeles que te hagan preguntas sobre puntos interesantes que les hayan llamado la atención.

Practice more at
vhlcentral.com.

# De fiesta

## Así lo decimos

**el adorno** *ornament*
**el altar** *altar*
**el aniversario** *anniversary*
**el arreglo floral** *flower arrangement*
**la banda de música** *marching band*
**la ceremonia** *ceremony*
**la comparsa** *troupe*
**el concurso** *contest*
**la creencia** *belief*
**el cumpleaños** *birthday*
**el desfile** *parade*
**el día feriado** *holiday*
**el disfraz** *costume*
**el espectáculo** *show*
**la feria** *fair*
**los fuegos artificiales** *fireworks*
**el globo** *balloon*
**la guirnalda** *garland*
**la Navidad** *Christmas*
**la Nochebuena** *Christmas Eve*
**la Nochevieja** *New Year's Eve*
**el origen** *origin*
**el pan de muerto** *sweet bread*
**el papel de envolver** *wrapping paper*
**la Pascua** *Easter*
**la Pascua Judía** *Passover*
**la procesión** *procession*
**el rito** *rite*
**la vela** *candle*

**conmemorar** *to commemorate*
**honrar** *to honor*

**ancestral** *ancestral*
**pagano/a** *pagan*
**sagrado/a** *sacred*

## Documental

**el anda (f.)** *processional float*
**el atuendo** *attire*
**la congregación** *congregation*
**la Cuaresma** *Lent*
**la espiritualidad** *spirituality*

**la fe** *faith*
**la hermandad** *brotherhood; sibling relationship*
**el hombro** *shoulder*
**la lágrima** *tear*
**el milagro** *miracle*
**el pecado** *sin*
**el/la penitente** *penitent*
**el recorrido** *route*

**cargar** *to carry*
**festejar** *to celebrate*
**inculcar** *to instill*

**creyente** *devout*

## Artículo

**el alma (f.)** *soul*
**el/la antepasado/a** *ancestor*
**el ataúd** *coffin*
**la calavera** *skull*
**el/la difunto/a** *deceased*
**el entierro** *burial*
**el funeral** *funeral*
**el infierno** *hell*
**la muerte** *death*
**la ofrenda** *offering*
**el rezo** *prayer*
**el tabú** *taboo*
**la veladora** *votive candle*

**burlarse de** *to mock*
**rezar** *to pray*

**afligido/a** *grief-stricken*

— — ■ —

**el ambiente** *atmosphere*
**las artesanías** *crafts*
**el/la artesano/a** *artisan*
**el candil** *oil lamp*
**el farolito** *small lantern*
**la hoguera** *bonfiree*
**la leyenda** *legend*
**la linterna** *flashlight*
**la llama** *flame*

**el mito** *myth*
**el nacimiento** *birth*
**la víspera** *eve*

**alumbrar** *to light, to illuminate*

**apagado/a** *turned off*
**hecho/a a mano** *handmade*
**luminoso/a** *bright*
**vistoso/a** *eye-catching*

## Literatura

**la convención** *convention*
**el desahogo** *emotional relief*
**el día señalado** *important day*
**el encuentro familiar** *family gathering*
**la envoltura** *wrapping*
**el espíritu navideño** *Christmas spirit*
**la farsa** *farce*
**la hipocresía** *hypocrisy*
**el obsequio** *gift*
**el villancico** *Christmas carol*

**aguantar** *to put up with*
**enternecer** *to touch (emotionally)*
**fingir** *to pretend*

**insoportable** *unbearable*

## Ahora yo puedo...

- identificar la idea principal de textos orales y escritos sobre las fiestas y celebraciones.
- participar en una conversación sobre la importancia que tienen las costumbres y tradiciones en mi familia.
- escribir una comparación entre una festividad de mi comunidad y una de un país hispanohablante.
- comparar las perspectivas sobre el matrimonio, la muerte y la religión en mi cultura y otras.
- mostrar respeto y empatía hacia las diferentes formas en que una comunidad celebra sus tradiciones religiosas y culturales.

# Con sabor

## LESSON OBJECTIVES
You will learn how to…

- identify the main idea of spoken and written texts related to food and cuisine.
- discuss the relationship between food and culture.
- write recipes and restaurant reviews.
- compare products, practices, and perspectives about food, music, and celebrations in your own and other cultures.
- demonstrate culturally appropriate behaviors when discussing and trying unfamiliar food and drink.

## MÉXICO

MÉXICO

## Los alimentos

Los tamales son un plato tradicional mexicano. Están hechos de una **masa** de **maíz** y pueden rellenarse con diferentes ingredientes, pero los más comunes están **rellenos** de algún **guiso** de carne. Se envuelven en hojas de maíz o de banana y se preparan **al vapor**. Son muy **sabrosos** y pueden acompañarse con alguna salsa.

| | |
|---|---|
| **al vapor** *steamed* | **el maíz** *corn* |
| **el bocadillo** *sandwich* | **el marisco** *seafood* |
| **el caldo** *broth* | **la masa** *dough* |
| **en su punto** *medium (cooked)* | **relleno/a** *filled* |
| **el guiso** *stew* | **sabroso/a** *tasty* |
| **maduro/a** *ripe* | |

## En la cocina

Diego todavía recuerda las tortillas caseras que preparaba su abuela. Se ponía su **delantal**, mezclaba la harina de maíz con agua y sal y empezaba a **amasar**. Después de darles forma a las tortillas, calentaba una **sartén** y las cocinaba lentamente. Aunque es una **receta** sencilla, Diego no conoce a nadie que la prepare tan bien como ella.

| | |
|---|---|
| **amasar** *to knead* | **mezclar** *to mix* |
| **el delantal** *apron* | **la olla** *cooking pot* |
| **freír (e:i)** *to fry* | **la receta** *recipe* |
| **hervir (e:ie)** *to boil* | **remover (o:ue)** *to stir* |
| **hornear** *to bake* | **la sartén** *frying pan* |

## A la mesa

Todos los días, Marcos y su hermana **ponen la mesa** para la cena. Él se encarga de poner el **mantel**, mientras ella va a por los **cubiertos**, los vasos y las **servilletas**. Así, todo está listo cuando sus padres terminan de cocinar y sirven los platos. Después, se sientan juntos a la mesa y hablan de cómo les fue su día.

**el bol** *bowl*
**los cubiertos** *silverware*
**el mantel** *tablecloth*
**poner la mesa** *to set the table*
**quitar la mesa** *to clear the table*
**la servilleta** *napkin*
**la vajilla** *plates and glasses*

## En el restaurante

Ayer, Isabel y sus amigos reservaron mesa en un nuevo restaurante. La **carta** era muy extensa y todo parecía delicioso. El mesero fue muy amable y les recomendó algunos **platos**. Finalmente, **pidieron** varios **aperitivos** para compartir y un plato principal cada uno.

**el aperitivo** *appetizer*
**la carta** *menu*
**el/la cocinero/a** *cook*
**la comida callejera** *street food*
**la comida para llevar** *takeout food*
**pedir (e:i)** *to order*
**el plato** *dish*
**la propina** *tip*

**1 Emparejar** Une cada palabra con su definición.

___1. mezclar
___2. receta
___3. sabroso/a
___4. freír
___5. cubiertos
___6. carta
___7. bocadillo
___8. aperitivo

a. lista de platos de un restaurante
b. comida pequeña o ligera
c. cocinar en aceite
d. utensilios utilizados al comer
e. pan con otros ingredientes
f. unir ingredientes
g. con mucho sabor (*flavor*)
h. instrucciones para preparar un plato

**2 ¿Y tú?** En parejas, contesten las preguntas.

1. ¿Prefieres cocinar o comer fuera? ¿Por qué?
2. ¿Te gusta probar comidas típicas de otros países? Explica.
3. ¿Cuál es un plato típico de tu ciudad, región o país? Descríbelo.
4. ¿Crees que las horas de las comidas son momentos de interacción social? ¿Por qué?
5. ¿Hay alguna receta que se prepare a menudo en tu familia y tenga un significado especial para ti? ¿Cuál?

**3 Mi receta** Piensa en tu comida preferida o en un plato que sepas cocinar. Primero, haz una lista de los ingredientes que se necesitan. Después, escribe la receta paso a paso.

### RECETA DE SOPA DE TORTILLA

**Ingredientes**
• Caldo de pollo
• Tomates maduros
• Cebolla
• ...

**Pasos**
1. Cortar los tomates, la cebolla y el ajo, y cocinarlos en una sartén a fuego medio.
2. ...

| Vocabulario del documental | | Vocabulario útil | |
|---|---|---|---|
| el aguacate | avocado | alérgico/a (a) | allergic (to) |
| la almeja | clam | asequible | affordable |
| el cacahuate | peanut | la atención | service |
| el camarón | shrimp | el calamar | squid |
| el ceviche | raw (shell)fish cured with lime | el/la comensal | diner |
| | | la cuenta | check |
| cocido/a | cooked | la marisquería | seafood restaurant |
| el coctel (de mariscos) | (seafood) cocktail | la reseña | review |
| | | el sabor | taste |
| crudo/a | raw | la ubicación | location |
| picante | spicy | la vieira | scallop |
| el premio | award | | |
| el pulpo | octopus | | |

| Expresiones | |
|---|---|
| dejar en alto | to elevate |
| hecho/a al momento | cooked to order |
| quedarse con un buen/mal sabor de boca | to leave a good/bad impression |
| se me hace (elevado) | it seems (high) to me |
| un toque de | a touch of |
| venir acompañado/a de | to be served with |

**1  Emparejar** Relaciona ambas columnas.

____ 1. ingrediente principal del guacamole
____ 2. fruto al que muchos niños son alérgicos
____ 3. lo contrario de caro
____ 4. molusco con ocho tentáculos
____ 5. un poco de
____ 6. trofeo o distinción por algún mérito
____ 7. forma en la que se trata a un cliente
____ 8. comida que no está precocida
____ 9. lugar donde está algo
____10. texto en el que se opina sobre algo

a. atención
b. reseña
c. pulpo
d. un toque de
e. ubicación
f. asequible
g. cacahuate
h. hecho/a al momento
i. premio
k. aguacate

**2  ¿Hay alguien?** Encuentra en tu clase compañeros/as que respondan afirmativamente a estas preguntas. Luego, hazles una o dos preguntas adicionales.

1. ¿Te gusta la comida picante?
2. ¿Has comido pescado o mariscos crudos?
3. ¿Odias el aguacate?
4. ¿Eres alérgico/a al cacahuate?
5. ¿Has probado el pulpo?
6. ¿Es la comida mexicana tu preferida?

**3 Preparación** En parejas, háganse estas preguntas.

1. ¿A qué tipo de restaurante prefieres ir? ¿Qué platos pides normalmente?
2. ¿Te gusta probar platos o ingredientes que nunca has probado antes?
3. ¿Qué tipo de restaurantes son los más abundantes en tu ciudad? ¿Son populares las marisquerías?
4. Si estás en una ciudad que no conoces, ¿cómo decides a qué restaurantes ir? ¿Lees las reseñas que la gente escribe en Internet?

**4 Fotogramas** En grupos de tres, observen los fotogramas y discutan qué pasa en cada uno de ellos. ¿Cuál creen que es el objetivo del joven?

 **5 Factores** En grupos de tres o cuatro, hablen sobre los factores que toman en cuenta para escoger un restaurante nuevo. Seleccionen los cinco factores más importantes para ustedes y ordénenlos de mayor a menor importancia.

| | |
|---|---|
| el ambiente del restaurante | los premios de la crítica |
| la atención al cliente | las reseñas en Internet |
| las fotos del restaurante o sus platos en redes sociales | el sabor de la comida |
| | la ubicación del restaurante |
| el precio de los platos | la variedad de platos |

 **6 Comida mexicana** En parejas, discutan su experiencia con la comida mexicana.

1. ¿Qué restaurantes mexicanos de tu ciudad has probado? ¿Hay alguno al que vayas regularmente?
2. ¿Qué platos has probado? ¿Cuál es el que te gusta más? ¿Y menos?
3. ¿Cuál es tu opinión general de la comida mexicana? ¿Con qué frecuencia la comes?
4. ¿Qué ingredientes relacionas con la comida mexicana?

Practice more at
vhlcentral.com.

# Tres famosas marisquerías para disfrutar en la Ciudad de México

## Recomendaciones para comer mariscos en la capital mexicana

# Escenas

## ARGUMENTO

La capital mexicana ofrece una infinidad de restaurantes para probar todo tipo de comida. Un *youtuber* mexicano visita tres famosas marisquerías y nos da sus recomendaciones.

Vamos a hacer un *top* tres de lugares de mariscos que nos ha recomendado la gente de la Ciudad de México.

Ya estamos sentaditos° para probar Mariscos Altamar.

Este es uno de los platillos° que más llega a pedir la gente. ¿Por qué? Porque tiene de todo.

Lo que se puede encontrar aquí en La Guerrerense de mariscos son tacos, tostadas, almejas o cocteles.

Amigos, ya estoy aquí en Las Hijas de la Tostada. Algo que a mí me gusta bastante de este lugar es que es muy bonito.

Estos, la verdad, son bastantes grandes, muy bien servidos, muy generosos.

**sentaditos** *seated*
**platillos** *dishes*

**1** **¿Cierto o falso?** Indica si las oraciones son ciertas o falsas. Corrige las falsas.

1. El *youtuber* escogió las tres marisquerías que aparecen en el video porque son las que más le gustan a él.
2. El restaurante Mariscos Altamar es pequeño porque está dentro de un mercado.
3. El plato "Vuelve a la vida" contiene pulpo.
4. El *youtuber* cree que el plato "Vuelve a la vida" es un poco dulce.
5. El restaurante Mariscos Altamar ha ganado premios internacionales.
6. Los platos más populares de La Guerrerense son los tacos.
7. Los platos que recomienda el *youtuber* de La Guerrerense son muy asequibles según él.
8. El restaurante Las Hijas de la Tostada está decorado como los restaurantes que están cerca de las playas.
9. La tostada más popular de Las Hijas de la Tostada es una que tiene camarones.
10. Las Hijas de la Tostada es uno de los restaurantes preferidos del *youtuber*.

**2** **En la Ciudad de México**

**A.** En parejas, describan cada una de las tres marisquerías con respecto a su comida, precios y ambiente.

Mariscos Altamar     La Guerrerense     Las Hijas de la Tostada

**B.** Contesten las preguntas y justifiquen sus respuestas.

1. Si estuvieras en la Ciudad de México, ¿cuál de estas tres marisquerías visitarías?
2. ¿Cuál de los platos del video elegirías para probar?
3. ¿Hay algún ingrediente o plato de los presentados que no comerías?

**3** **Mariscos** En grupos de tres, comparen los platos mexicanos presentados con platos de mariscos típicos del país donde ustedes viven. Usen estas preguntas como guía.

- ¿Qué tipos de mariscos se usan?
- ¿Cómo se preparan?
- ¿Qué ingredientes llevan?
- ¿De qué vienen acompañados?

**4 Sobre gustos no hay nada escrito**

**A.** Uno de los platos que prueba el *youtuber* necesita un toque de picante en su opinión. ¿Qué platos o comidas tienes que "arreglar" con otro condimento o salsa cuando te los sirven? En parejas, comenten sus experiencias con por lo menos tres platos o comidas.

**Modelo**  Siempre que como papas fritas, tengo que echarles kétchup.

**B.** Varios de los platos presentados vienen acompañados de salsas picantes de distintos chiles (*chili peppers*). Investiguen el uso de chiles en la comida mexicana. Consideren estas preguntas.

- ¿Por qué el uso de los chiles está tan extendido en la comida mexicana?
- ¿Te sorprende que en México vendan dulces con chile? ¿Por qué?
- ¿Hay algún ingrediente que esté muy presente en la dieta de tu país?
- ¿Qué sabores de tu país le podrían parecer extraños a un(a) mexicano/a?

 **5 Situaciones**  En parejas, escojan una de las situaciones e improvisen una conversación. Incluyan por lo menos cinco palabras o expresiones de la lista.

| | | |
|---|---|---|
| aguacate | crudo/a | quedarse con un buen/mal sabor de boca |
| asequible | mariscos | reseña |
| cocido/a | picante | venir acompañado/a de |

**A**

Llamas a una marisquería para pedir comida para llevar. Preguntas por los platos porque no quieres pedir pescado ni mariscos crudos. La persona que contesta al teléfono responde a tus preguntas.

**B**

Ha abierto un nuevo restaurante de comida mexicana en tu barrio. Trata de convencer a un(a) amigo/a que no está muy familiarizado/a con la comida mexicana de ir al nuevo restaurante contigo.

 **6 Opiniones**  En grupos de tres o cuatro, discutan estas opiniones.

1. Los restaurantes deben especializarse en una variedad limitada de platos para que todos estén bien preparados.
2. Consumir comida picante no es bueno para la salud.
3. Los premios gastronómicos no reflejan los gustos de la gente.
4. Los restaurantes deben servir comida hecha al momento.

**7 Reseña**  ¿Cuándo fue la última vez que saliste a comer? ¿Cómo fue tu experiencia? Escribe una reseña de por lo menos siete oraciones. Incluye información sobre la comida, los precios, la atención, el ambiente y la ubicación del restaurante.

Practice more at **vhlcentral.com**.

## 2.1 The preterite

- Spanish has two simple tenses to indicate actions in the past: the preterite (**el pretérito**) and the imperfect (**el imperfecto**). The preterite is used to describe actions or states that began or were completed at a definite time in the past.

**TALLER DE CONSULTA**

These additional grammar topics are covered in the **Manual de gramática, Lección 2.**
2.4 Progressive forms, p. 410
2.5 Telling time, p. 412

| The preterite of regular *–ar*, *–er*, and *–ir* verbs | | |
|---|---|---|
| **comprar** | **vender** | **abrir** |
| compré | vendí | abrí |
| compraste | vendiste | abriste |
| compró | vendió | abrió |
| compramos | vendimos | abrimos |
| comprasteis | vendisteis | abristeis |
| compraron | vendieron | abrieron |

- The preterite tense of regular verbs is formed by dropping the infinitive ending (**–ar, –er, –ir**) and adding the preterite endings. Note that the endings of regular **–er** and **–ir** verbs are identical in the preterite tense.

- The preterite of all regular and some irregular verbs requires a written accent on the endings in the **yo, usted, él**, and **ella** forms.

  **Cené** en un nuevo restaurante.
  *I had dinner at a new restaurant.*

  Mi mamá **preparó** una cena deliciosa.
  *My mom prepared a delicious dinner.*

- Verbs that end in **–car**, **–gar**, and **–zar** have a spelling change in the **yo** form of the preterite. All other forms are regular.

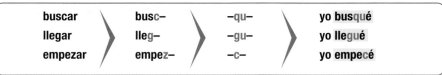

| buscar | busc– | –qu– | yo busqué |
| llegar | lleg– | –gu– | yo llegué |
| empezar | empez– | –c– | yo empecé |

- **Caer, creer, leer,** and **oír** change **–i–** to **–y–** in the **usted, él,** and **ella** forms and in the **ustedes, ellos,** and **ellas** forms of the preterite. They also require a written accent on the **–i–** in all other forms.

  | caer | caí, caíste, cayó, caímos, caísteis, cayeron |
  | creer | creí, creíste, creyó, creímos, creísteis, creyeron |
  | leer | leí, leíste, leyó, leímos, leísteis, leyeron |
  | oír | oí, oíste, oyó, oímos, oísteis, oyeron |

- Verbs with infinitives ending in **–uir** change **–i–** to **–y–** in the **usted, él,** and **ella** forms and in the **ustedes, ellos,** and **ellas** forms of the preterite.

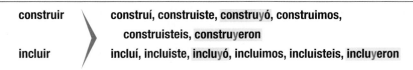

| construir | construí, construiste, construyó, construimos, construisteis, construyeron |
| incluir | incluí, incluiste, incluyó, incluimos, incluisteis, incluyeron |

- Stem-changing **–ir** verbs also have a stem change in the **usted, él,** and **ella** forms and in the **ustedes, ellos,** and **ellas** forms of the preterite.

### Preterite of –ir stem-changing verbs

| pedir | | dormir | |
|---|---|---|---|
| pedí | pedimos | dormí | dormimos |
| pediste | pedisteis | dormiste | dormisteis |
| pidió | pidieron | durmió | durmieron |

**¡ATENCIÓN!**

Other **–ir** stem-changing verbs include:
**conseguir  repetir
consentir  seguir
hervir  sentir
morir  servir
preferir**

- Stem-changing **–ar** and **–er** verbs do not have a stem change in the preterite.

- A number of verbs, most of them **–er** and **–ir** verbs, have irregular preterite stems. Note that none of these verbs takes a written accent on the preterite endings.

*En la Ciudad de México **tuvo** la oportunidad de ir a tres marisquerías.*

**¡ATENCIÓN!**

**Ser**, **ir**, and **dar** also have irregular preterites. The preterite forms of **ser** and **ir** are identical. Note that the preterite forms of **ver** are regular. However, unlike other regular preterites, they do not take a written accent.
**ser/ir**
*fui, fuiste, fue, fuimos, fuisteis, fueron*
**dar**
*di, diste, dio, dimos, disteis, dieron*
**ver**
*vi, viste, vio, vimos, visteis, vieron*
The preterite of **hay** is **hubo**.
**Hubo un festival gastronómico la semana pasada.**
*There was a food festival last week.*

### Preterite of irregular verb

| infinitive | u-stem | preterite forms |
|---|---|---|
| andar | anduv– | anduve, anduviste, anduvo, anduvimos, anduvisteis, anduvieron |
| estar | estuv– | estuve, estuviste, estuvo, estuvimos, estuvisteis, estuvieron |
| poder | pud– | pude, pudiste, pudo, pudimos, pudisteis, pudieron |
| poner | pus– | puse, pusiste, puso, pusimos, pusisteis, pusieron |
| saber | sup– | supe, supiste, supo, supimos, supisteis, supieron |
| tener | tuv– | tuve, tuviste, tuvo, tuvimos, tuvisteis, tuvieron |
| **infinitive** | **i-stem** | **preterite forms** |
| hacer | hic– | hice, hiciste, hizo, hicimos, hicisteis, hicieron |
| querer | quis– | quise, quisiste, quiso, quisimos, quisisteis, quisieron |
| venir | vin– | vine, viniste, vino, vinimos, vinisteis, vinieron |
| **infinitive** | **j-stem** | **preterite forms** |
| conducir | conduj– | conduje, condujiste, condujo, condujimos, condujisteis, condujeron |
| decir | dij– | dije, dijiste, dijo, dijimos, dijisteis, dijeron |
| traer | traj– | traje, trajiste, trajo, trajimos, trajisteis, trajeron |

**¡ATENCIÓN!**

Note that the third person plural ending of **j**-stem preterites drops the **i**:
**dijeron, trajeron.**

- Note that not only does the stem of **decir (dij–)** end in **j**, but the stem vowel **e** changes to **i**. In the **usted, él,** and **ella** form of **hacer (hizo)**, **c** changes to **z** to maintain the pronunciation. Most verbs that end in **–cir** have **j**-stems in the preterite.

**1 Acapulco** Escribe la forma correcta del pretérito de los verbos indicados.

1. El sábado pasado, mis compañeros de apartamento y yo _____ (ir) a Acapulco.

2. (Nosotros) _____ (quedarse) en un edificio muy alto y bonito.

3. En la playa, yo _____ (leer) un libro y Carlos _____ (tomar) el sol.

4. Mariela y Felisa _____ (caminar) mucho por la ciudad.

5. Una señora les _____ (indicar) el camino para ir a un restaurante muy conocido.

Playa de Acapulco

6. Por la noche, todos nosotros _____ (cenar) en el restaurante.

7. Después, en la discoteca, Carlos y Mariela _____ (bailar) toda la noche.

8. Y yo _____ (ver) a unos amigos de Monterrey. ¡Qué casualidad!

9. (Yo) _____ (hablar) con ellos un ratito.

10. Y (nosotros) _____ (llegar) al hotel a las tres de la mañana. ¡Qué tarde!

**2 ¿Qué hicieron?** Combina elementos de cada columna para narrar lo que hicieron estas personas.

| | | | |
|---|---|---|---|
| anoche | yo | conversar | |
| anteayer | mi compañero/a de cuarto | dar | |
| ayer | | decir | |
| la semana pasada | mis amigos/as | ir | ? |
| una vez | el/la profesor(a) de español | pasar | |
| dos veces | | pedir | |
| el año pasado | mi novio/a | tener que | |

**3 La última vez** En parejas, indiquen cuándo hicieron por última vez estas cosas. Incluyan detalles en sus respuestas.

**Modelo**   **llorar viendo una película**
—La última vez que lloré viendo una película fue en 2019. La película fue *Roma*.
—Bueno, ¡yo lloré mucho viendo *La forma del agua*...!

1. hacer la compra
2. decir una mentira
3. olvidar algo importante
4. perderse en una ciudad
5. indicar el camino
6. oír una buena/mala noticia
7. hablar con un(a) desconocido/a
8. estar enfadado con un(a) amigo/a
9. ver tres programas de televisión seguidos
10. comer en un restaurante

# Comunicación

**4 La semana pasada** Pasea por el salón de clase y haz preguntas a tus compañeros/as para averiguar qué hicieron la semana pasada. Anota el nombre de la primera persona que conteste que sí a las preguntas.

**Modelo** **ir al cine**
—¿Fuiste al cine la semana pasada?
—Sí, fui al cine y vi una película muy buena./No, no fui al cine.

| Actividades | Nombre |
|---|---|
| 1. asistir a un partido de fútbol | _____ |
| 2. conducir tu carro a la universidad | _____ |
| 3. dar un consejo (*advice*) a un(a) amigo/a | _____ |
| 4. dormirse en clase o en el laboratorio | _____ |
| 5. estudiar toda la noche para un examen | _____ |
| 6. hablar con un policía | _____ |
| 7. hacer una tarea dos veces | _____ |
| 8. ir al centro comercial | _____ |
| 9. perder algo importante | _____ |
| 10. cenar en un restaurante | _____ |
| 11. viajar en transporte público | _____ |
| 12. visitar un museo | _____ |

**5 El restaurante** En parejas, túrnense para hablar de la última vez que fueron a un restaurante que no conocían.

**Modelo** —¿Y qué platos pediste?
—Pedí una ensalada y una tostada de camarón.

- ¿A qué restaurante fuiste?
- ¿Por qué fuiste?
- ¿Tuviste que hacer una reservación?
- ¿Cuándo fuiste?
- ¿Qué platos pediste?
- ¿Probaste algún ingrediente o plato nuevo?
- ¿Con quiénes fuiste?
- ¿Te gustó? ¿Por qué?

**6 Gustos gastronómicos**

**A.** Haz una lista de tus cinco platos preferidos.

**B.** En parejas, túrnense para preguntarse en qué ocasiones comieron estos platos.

**C.** Describan a la clase una de las ocasiones en la que su compañero/a comió uno de sus platos preferidos.

**D.** Luego, la clase decide cuáles son los platos y tipos de comida más populares.

## 2.2 The imperfect

- The imperfect tense in Spanish is used to narrate past events without focusing on their beginning, end, or completion.

*El primer plato que probó* **estaba** *delicioso.*

- The imperfect tense of regular verbs is formed by dropping the infinitive ending (**–ar, –er, –ir**) and adding personal endings. **–Ar** verbs take the endings **–aba, –abas, –aba, –ábamos, –abais, –aban. –Er** and **–ir** verbs take **–ía, –ías, –ía, –íamos, –íais, –ían.**

| The imperfect of regular *–ar*, *–er*, and *–ir* verbs | | |
|---|---|---|
| **caminar** | **deber** | **abrir** |
| camin**aba** | deb**ía** | abr**ía** |
| camin**abas** | deb**ías** | abr**ías** |
| camin**aba** | deb**ía** | abr**ía** |
| camin**ábamos** | deb**íamos** | abr**íamos** |
| camin**abais** | deb**íais** | abr**íais** |
| camin**aban** | deb**ían** | abr**ían** |

- **Ir, ser,** and **ver** are the only verbs that are irregular in the imperfect.

| The imperfect of irregular verbs | | |
|---|---|---|
| **ir** | **ser** | **ver** |
| iba | era | veía |
| ibas | eras | veías |
| iba | era | veía |
| íbamos | éramos | veíamos |
| ibais | erais | veíais |
| iban | eran | veían |

**TALLER DE CONSULTA**

To express past actions in progress, the imperfect or the past progressive may be used. See **Manual de gramática 2.4, p. 410.**
**¿Qué hacías ayer cuando llamé?**
*What were you doing yesterday when I called?*
**Estaba almorzando.**
*I was having lunch.*

- The imperfect tense indicates how things were or what was happening at certain time in the past.

Cuando yo **era** joven, **vivía** en Veracruz. Todas las semanas, mis padres y yo **visitábamos** a mis abuelos.
*When I was young, I lived in Veracruz. Every week, my parents and I visited my grandparents.*

- The imperfect of **haber** is **había**. There is no plural form.

**Había** tres cajeros en el supermercado.
*There were three cashiers in the supermarket.*

Solo **había** un mesero en aquel restaurante.
*There was only one waiter in that restaurant.*

- These words and expressions, among others, are often used with the imperfect because they express habitual or repeated actions without reference to their beginning or end: **de niño/a** (*as a child*), **todos los días** (*every day*), **mientras** (*while*).

**De niño, vivía** en un suburbio de la Ciudad de México.
*As a child, I lived in a suburb of Mexico City.*

**Todos los días visitaba** a mis primos en un pueblo cercano.
*Every day I visited my cousins in a nearby village.*

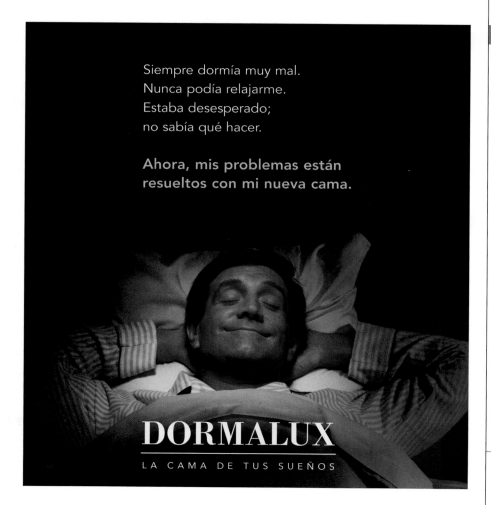

Siempre dormía muy mal.
Nunca podía relajarme.
Estaba desesperado;
no sabía qué hacer.

Ahora, mis problemas están resueltos con mi nueva cama.

DORMALUX
LA CAMA DE TUS SUEÑOS

El Palacio de Cortés, Cuernavaca, México

**1** **Cuernavaca** Escribe la forma correcta del imperfecto de los verbos indicados.

Cuando yo (1) _____ (tener) veinte años, estuve en México por seis meses. (2) _____ (vivir) en Cuernavaca, una ciudad cerca de la capital. (3) _____ (ser) estudiante en un programa de español para extranjeros. Entre semana mis amigos y yo (4) _____ (estudiar) español por las mañanas. Por las tardes, (5) _____ (visitar) los lugares más interesantes de la ciudad para conocerla mejor. Los fines de semana, nosotros (6) _____ (ir) de excursión. (Nosotros) (7) _____ (visitar) ciudades y pueblos nuevos. ¡Los paisajes (8) _____ (ser) maravillosos!

**2** **Antes** En parejas, túrnense para hacerse preguntas usando estas frases.

**Modelo** tomar el metro
—¿Tomas el metro?
—Ahora sí, pero antes nunca lo tomaba./Ahora no, pero antes siempre lo tomaba.

1. ir a las discotecas
2. tomar vacaciones
3. ir de compras al centro comercial
4. comer fuera los fines de semana
5. trabajar por las tardes
6. preocuparse por el futuro

**3** **Rutinas** En parejas, un(a) compañero/a comienza la narración de alguna rutina que hacía en el pasado. El/La otro/a tiene que adivinar (*to guess*) cómo termina.

**Modelo** —Mi madre me daba dinero y me llevaba al centro comercial.
—Tú comprabas ropa y discos. Luego, tu madre te recogía y regresaban a casa.

# Comunicación

 **4** **¿Y ustedes?**

**A.** Pregunta a varios compañeros si hacían estas cosas cuando eran niños/as. Escribe el nombre de la primera persona que conteste afirmativamente cada pregunta.

**Modelo**   **ir mucho al cine**
—¿Ibas mucho al cine?
—Sí, iba mucho al cine.

| ¿Qué hacían? | Nombre |
|---|---|
| 1. tener miedo de los monstruos y fantasmas de los cuentos | _____ |
| 2. llorar todo el tiempo | _____ |
| 3. siempre hacer su cama | _____ |
| 4. ser muy travieso/a (*mischievous*) | _____ |
| 5. romper los juguetes (*toys*) | _____ |
| 6. darles muchos regalos a sus padres | _____ |
| 7. comer muchos dulces | _____ |
| 8. pasear en bicicleta | _____ |
| 9. correr en el parque | _____ |
| 10. beber limonada | _____ |

**B.** Ahora, comparte con la clase los resultados de tu búsqueda.

 **5** **Antes y ahora** En parejas, comparen cómo ha cambiado este lugar en los últimos años. ¿Cómo era antes? ¿Cómo es ahora?

Antes

Ahora

 **6** **Entrevista** Trabajen en parejas. Uno/a de ustedes es una persona famosa y el/la otro/a es un(a) reportero/a que la entrevista para saber cómo era su vida de niño/a. Después, informen a la clase sobre la celebridad. Sean creativos.

**Modelo**   De niña, Salma Hayek viajaba todos los veranos al sureste de México. Le gustaba ir a las tiendas en el centro de Mérida...

## 2.3 The preterite vs. the imperfect

- Although the preterite and imperfect both express past actions or states, the two tenses have different uses. They are not interchangeable.

### Uses of the preterite

- To express actions or states viewed by the speaker as completed.

  La semana pasada **preparé** su plato preferido.
  *I prepared their favorite dish last week.*

  Ayer **fueron** a una marisquería.
  *They went to a seafood restaurant yesterday.*

- To express the beginning or end of a past action.

  **Empezamos** a comer a las dos.
  *We started eating at two o'clock.*

  Esta cafetería **abrió** la semana pasada.
  *This cafeteria opened last week.*

*Después de terminar el coctel de mariscos, **pidió** dos tostadas.*

- To narrate a series of past actions.

  **Salí** de casa, **fui** al supermercado y **compré** los ingredientes
  *I left the house, went to the supermarket, and bought the ingredients.*

  **Llamé** por teléfono, **reservé** una mesa y no **tuve** que esperar.
  *I phoned, booked a table, and I didn't have to wait.*

### Uses of the imperfect

- To describe an ongoing past action without reference to beginning or end.

  Mi abuela **cocinaba** para toda la familia.
  *My grandmother cooked for the whole family.*

  Juan **quería** probar algún plato mexicano.
  *Juan wanted to try a Mexican dish.*

- To express habitual past actions.

  **Tomaba** dos cafés al día.
  *I used to have two coffees a day.*

  **Solían** comer fuera los sábados.
  *They used to eat out on Saturdays.*

*La tostada especial **llevaba** pulpo, camarón y otros mariscos*

- To describe mental, physical, and emotional states or conditions.

  **Estaba** impaciente por viajar a México.
  *She was looking forward to traveling to Mexico.*

**TALLER DE CONSULTA**

To review telling time, see **Manual de gramática 2.5, p. 412.**

- To tell time.

  **Eran** las ocho y media de la mañana.
  *It was eight thirty a.m.*

# The preterite and imperfect used together

- When narrating in the past, the imperfect describes *what was happening*, while the preterite describes the action that *interrupted* the ongoing activity. The imperfect provides background information, while the preterite indicates specific events that advance the plot.

Mientras **estudiaba, sonó** la alarma contra incendios. Me **levanté** de un salto y **miré** el reloj. **Eran** las 11:30 de la noche. **Salí** corriendo de mi cuarto. En el pasillo **había** más estudiantes. La alarma **seguía** sonando. **Bajamos** las escaleras y, al llegar a la calle, me **di** cuenta de que **hacía** un poco de frío. No **tenía** un suéter. De repente, la alarma **dejó** de sonar. No **había** ningún incendio.

*While I was studying, the fire alarm went off. I jumped up and looked at the clock. It was 11:30 p.m. I ran out of my room. In the hall there were more students. The alarm continued to blare. We rushed down the stairs and, when we got to the street, I realized that it was a little cold. I didn't have a sweater. Suddenly, the alarm stopped. There was no fire.*

# Different meanings in the imperfect and preterite

- The verbs **querer, poder, saber**, and **conocer** have different meanings when they are used in the preterite. Notice also the meanings of **no querer** and **no poder** in the preterite.

| infinitive | imperfect | preterite |
|---|---|---|
| **querer** | **Quería** acompañarte.<br>*I **wanted** to go with you.* | **Quise** acompañarte.<br>*I **tried** to go with you (but failed).*<br><br>**No quise** acompañarte.<br>*I **refused** to go with you.* |
| **poder** | Ana **podía** hacerlo.<br>*Ana **could** do it.* | Ana **pudo** hacerlo.<br>*Ana **succeeded** in doing it.*<br><br>Ana **no pudo** hacerlo.<br>*Ana **could not** (and did not) do it.* |
| **saber** | Ernesto **sabía** la verdad.<br>*Ernesto **knew** the truth.* | Por fin Ernesto **supo** la verdad.<br>*Ernesto finally **discovered** the truth.* |
| **conocer** | Yo ya **conocía** a Andrés.<br>*I already **knew** Andrés.*<br><br>María y Andrés **se conocían**.<br>*María and Andrés **knew** each other.* | Yo **conocí** a Andrés en la fiesta.<br>*I **met** Andrés at the party.*<br><br>María y Andrés **se conocieron** en Acapulco.<br>*María and Andrés **met** in Acapulco.* |

**1** **El centro** Elena y Catalina prometieron llevar a su amigo Daniel a una entrevista de trabajo. Completa las oraciones con el imperfecto o el pretérito de estos verbos.

| | | | | |
|---|---|---|---|---|
| conducir | decir | estar | levantarse | salir |
| cruzar | desayunar | haber | llamar | ser |
| dar | encontrar | leer | llegar | ver |

Eran las ocho cuando Catalina y Elena (1) _____ para ir al centro. Elena (2) _____ cuando Daniel la (3) _____ para decir que estaba listo. Le (4) _____ otra vez que la cita (5) _____ a las diez y media. Ellas (6) _____ a las nueve y media. Todavía era temprano y (7) _____ tiempo. Elena (8) _____ mientras Catalina (9) _____ las indicaciones para llegar. Había mucho tráfico cuando (10) _____ el puente. No (11) _____ el edificio de oficinas porque (12) _____ perdidas. (13) _____ muchas vueltas y por fin (14) _____. Ya eran las once menos cuarto. ¡Pero no (15) _____ a nadie allí!

**2** **Interrupciones** Combina palabras y frases de cada columna para contar lo que hicieron las siguientes personas. Usa el pretérito y el imperfecto.

**Modelo** Ustedes miraban la tele cuando el médico llamó por teléfono.

| | | | | |
|---|---|---|---|---|
| yo | dormir | | usted | ~~llamar por teléfono~~ |
| tú | comer | c | ~~el médico~~ | salir |
| Marta y Miguel | escuchar música | u a | la policía | sonar |
| nosotros | ~~mirar la tele~~ | n d | el/la profesor(a) | recibir el correo electrónico |
| Pablo | conducir | o | los amigos | ver el accidente |
| ~~ustedes~~ | ir a... | | la alarma | llegar a clase |

**3** **Las fechas importantes**

**A.** Escribe cuatro fechas importantes en tu vida y explica qué pasó.

| Fecha | ¿Qué pasó? | ¿Con quién estabas? | ¿Dónde estabas? | ¿Qué tiempo hacía? |
|---|---|---|---|---|
| **Modelo** | | | | |
| el 6 de agosto de 2017 | Conocí a Dave Navarro. | Estaba con un amigo. | Estábamos en el gimnasio Vida. | Llovía mucho. |

**B.** Intercambia tu información con tres compañeros/as. Ellos te van a hacer preguntas para conocer más detalles sobre lo que te pasó.

# Comunicación

### 4 La mañana de Esperanza

**A.** En parejas, observen los dibujos. Escriban lo que le pasó a Esperanza después de abrir la puerta de su casa. ¿Cómo fue su mañana? Utilicen el pretérito y el imperfecto en la narración.

1.

2.

3.

4.

**B.** Con dos parejas más, túrnense para presentar las historias que han escrito. Después, combinen sus historias para hacer una nueva.

### 5 Crónicas
En grupos de tres, pongan estos fragmentos de oraciones en una secuencia lógica. Después, completen las oraciones y añadan otras para crear una historia. Usen el pretérito y el imperfecto.

1. Con frecuencia, mis amigos/as …
2. El sábado pasado, …
3. Regularmente, en la cafetería de …
4. Anoche, mi hermano/a …
5. Generalmente, los restaurantes …
6. Ayer en la ciudad …

### 6 Cambios
En parejas, díganse en qué ciudad crecieron. Luego, describan los cambios actuales en esa ciudad y cómo se vivía antes. Por último, en pocas palabras, presenten a la clase la descripción de su compañero/a.

**Modelo** Hace cinco años, construyeron un nuevo rascacielos.
Antes, podíamos ver las montañas desde nuestro jardín.

## La piñata

En el siglo XVI los frailes° españoles llevaron la piñata a México. Era una olla de barro° cubierta de papeles de colores en forma de estrella de siete puntas que representaba los siete pecados capitales. La venda° en los ojos simbolizaba la fe, y romper la piñata era liberar bendiciones° sobre todos. Hoy la piñata se usa en Navidad y en fiestas de cumpleaños.

¡FELIZ DÍA DE LOS INOCENTES!

## El Día de los Inocentes

El 28 de diciembre se celebra en Hispanoamérica y España el Día de los Inocentes, que es parecido al *April Fools*. La palabra "inocente" en español también significa *naïve*, y aquí se refiere a niños de un relato bíblico. En México es un día para hacer bromas°, pedir algo prestado que no se piensa devolver, o publicar noticias falsas. "Inocente palomita° que te dejaste engañar°" se dice al final.

**frailes** *friars* **olla de barro** *clay pot* **venda** *blindfold*
**bendiciones** *blessings* **bromas** *jokes* **palomita** *little dove*
**engañar** *to trick* **charro** *Mexican cowboy*

## Los mariachis

El mariachi es un género musical, y también se llama así a sus intérpretes, que llevan la cultura mexicana a todo el mundo. Ellos animan fiestas populares y familiares, y dan serenatas con guitarras, violines y trompetas. Generalmente visten el traje de charro° y los grandes sombreros tradicionales. Tocan corridos, rancheras y sones, y a veces también adaptan canciones famosas de pop. El mariachi fue declarado patrimonio inmaterial de la Humanidad por la UNESCO.

## El mole

El mole es un plato mexicano que nació antes de la llegada de los españoles a América. Su nombre viene de la palabra náhuatl *mulli*, que quiere decir "mezcla" o "salsa". Se prepara con tomates, chile, especias y muchas otras cosas. Existen más de cincuenta variedades, como el verde, el amarillo o el blanco, pero los más conocidos son el mole poblano y el oaxaqueño, que llevan chocolate.

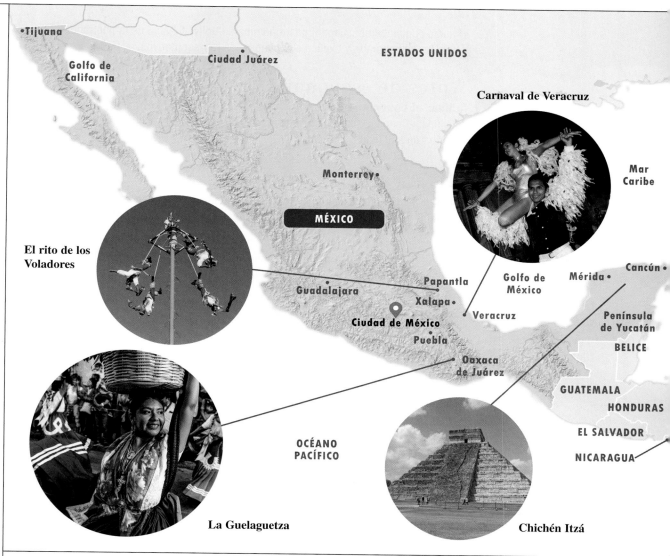

Carnaval de Veracruz

El rito de los Voladores

La Guelaguetza

Chichén Itzá

**1** **Perspectivas** En parejas, contesten las preguntas.

1. ¿Cuál es tu adorno favorito para una fiesta de cumpleaños? ¿Por qué?

2. ¿Qué relación hay entre la piñata y la religión? ¿Por qué crees que las piñatas se siguen usando hoy en día en las fiestas de cumpleaños?

3. ¿Conoces el origen de *April Fools*? ¿En qué se parece o se diferencia del Día de los Inocentes?

4. ¿Qué género musical consideras representativo de tu país o región? Compara sus instrumentos, trajes y otros elementos con los del mariachi.

5. ¿Qué música pondrías en una fiesta familiar? ¿Es la misma que se usa en las fiestas populares de tu región? Explica.

6. ¿De qué plato o salsa de tu país existen diferentes variedades? ¿En qué se diferencian?

7. ¿Cómo crees que la receta del mole ha conseguido pervivir (*endure*) desde la época prehispánica hasta hoy en día?

Practice more at vhlcentral.com.

El audio "Cochabamba: capital gastronómica de Bolivia" habla de la gastronomía típica de Cochabamba y explica sus platos más representativos.

# Antes de escuchar

 **1** **Activar el conocimiento previo** Anota ideas de cómo crees que es la comida boliviana. ¿Conoces sus platos típicos? En grupos pequeños, compartan y comparen sus notas.

# Mientras escuchas

**2** **Estrategia: Detalles** Fíjate en el vocabulario específico que describe la gastronomía cochabambina. Esas son las palabras clave para comprender el contenido del audio.

 **3** **Escucha una vez** Escucha el audio para captar las ideas generales. Haz una lista de los nombres de los platos típicos y de algunos ingredientes.

**4** **Escucha de nuevo** Ahora, basándote en lo que escuchas la segunda vez, añade información a tu lista y corrige cualquier error.

# Después de escuchar

 **5** **Comprensión e interpretación** En parejas, contesten las preguntas.

1. ¿Qué platos son los más representativos de la gastronomía de Cochabamba?
2. ¿Cómo se llama la bebida típica de Cochabamba?
3. ¿Por qué hay tan buena comida en Cochabamba?
4. ¿En qué se caracteriza la comida de esta zona?
5. ¿Por qué crees que Cochabamba tiene ferias gastronómicas durante todo el año?

**6** **Discusión** En grupos de cuatro, comenten por qué es importante la gastronomía de un país. Piensen en las respuestas a las siguientes preguntas y úsenlas para guiar la discusión.

- ¿Cuál es la relación entre un país y su gastronomía?
- ¿Creen que es importante conocer la gastronomía de un país para entender su cultura?
- ¿Tienen experiencias personales en las que la gastronomía sea un punto central?
- ¿Les gusta compartir recetas con otras personas? ¿Por qué?
- ¿Qué ciudad consideran que es la capital gastronómica de su país? Expliquen.
- ¿Qué ingredientes son los más representativos de su país? ¿Y de su región?

## SOBRE EL AUTOR

**S**ebastián Seron es un bloguero chileno al que le apasiona viajar y todo lo que ello conlleva: la comida, los paisajes naturales, los museos y la vida nocturna. Este aventurero viajante ha visitado más de cien territorios, lo cual le ha servido para escribir varios artículos para la plataforma de viajes de Latinoamérica *Faro Travel*.

| Vocabulario de la lectura | | Vocabulario útil | |
|---|---|---|---|
| la albóndiga | *meatball* | el calcio | *calcium* |
| el bicho | *bug* | de buen paladar | *of refined taste in food* |
| el bocado | *bite* | la fibra | *fiber* |
| el chapulín | *grasshopper* | quisquilloso/a | *picky* |
| crujiente | *crunchy* | la grasa | *fat* |
| degustar | *to taste* | la proteína | *protein* |
| frito/a | *fried* | las raíces | *roots* |
| el gusano | *worm* | el valor nutricional | *nutritional value* |
| el hongo | *fungus, mushroom* | | |

**1** **Vocabulario** Completa la conversación. No repitas palabras.

**CAMARERO** Hola, buenas noches. Soy Felipe, su camarero. Bienvenidos a Chon. ¿Tienen alguna pregunta sobre el menú?

**PEDRO** Sí. ¿Qué son los (1) _____?

**CAMARERO** Son grillos (*grasshoppers*). ¿Los quieren (2) _____?

**PEDRO** Yo no estoy seguro. ¿Qué textura tienen?

**CAMARERO** Son (3) _____. Yo se los recomiendo.

**PEDRO** Está bien. Los probaré. ¿Y tú, María?

**MARÍA** Yo prefiero algo más normal. Soy un poco (4) _____ con la comida. ¿Tienen algún plato que no tenga (5) _____? ¡Soy incapaz de comer insectos!

**2** **¿Comidas extrañas?** Haz una lista de alimentos o platos que consideras extraños. Después, compárala con la de un(a) compañero/a y contesten las preguntas.

- ¿Son sus listas similares? ¿Por qué les parecen extrañas las comidas seleccionadas?

- ¿Se consideran personas quisquillosas con la comida? ¿Cuál es la comida más exótica que han probado? ¿Cuál les gustaría probar?

- ¿Alguna vez comieron algo que pensaban que no les iba a gustar pero les acabó gustando? Expliquen.

Practice more at
vhlcentral.com.

# COMIDA CON INSECTOS en México

## Sebastián Seron

**CUANDO SE HABLA DE COMER INSECTOS,** muchos piensan en Asia y sus mercados nocturnos. Pero no es necesario cruzar el océano, pues basta° con viajar a México para degustarlos y vivir una experiencia típica de la época prehispánica. ¡Los invito a leer mi aventura!

Seguramente todos asocian a México con tacos, burritos y tequila. Pero sin duda hay otro tipo de comidas que aún se pueden encontrar, las cuales provienen desde antes de la llegada de los españoles y que, a pesar del paso del tiempo, han mantenido un bajo perfil° hasta hace algunos años.

La primera vez que escuché sobre la comida prehispánica fue en un programa de comida exótica en el Travel Channel. Allí nació mi interés por probarla, pues me llamaba la atención que los insectos se pudieran comer.

Había estado antes en Ciudad de México, un lugar que me encanta por su cultura, pero quería aprovechar° esta nueva visita para ir a alguno de los restaurantes dedicados a este tipo de gastronomía y, por fin, probar uno de los bocados que había visto en televisión.

Después de llegar al hostal me junté con unos amigos para comenzar nuestra aventura de probar la comida con insectos. La primera parada fue el bar Chon, uno de los pioneros en cuanto a comida prehispánica, cuyo chef se ha vuelto muy popular.

Después de ver la variedad de platos que ofrecían
—algunos bien exóticos y otros más tradicionales—
decidí probar los escamoles, un tipo de huevos de
hormigas° preparados en una especie de tortilla,
aunque la preparación hace que no se sienta mucho
lo que uno come.

Después pedí albóndigas de venado° bañadas en
salsa de huitlacoche, un delicioso hongo parásito
del maíz (en el centro de México suelen comerlo con
quesadillas), que acompañé con mezcal y tequila.
Aunque los platos no eran baratos, la experiencia
valía la pena.

### En busca de los chapulines

Otra de las cosas que quería probar eran
los chapulines, una especie de grillos° que
abundan en algunas regiones de México; los
mismos que inspiraron a Chespirito a crear al
Chapulín Colorado.[1]

Si bien en Ciudad de México encontré una variada
oferta de estos bichitos, opté por probarlos en
Oaxaca, una ciudad que tiene una larga tradición en
este tipo de insectos. Son tan utilizados para cocinar
que se pueden encontrar en cientos de platos e,
incluso, en la sal que acompaña al mezcal.

Dentro del mercado de la ciudad hay dos áreas, una
dedicada a las artesanías y otra a la gastronomía. En
esta última hay muchísimos restaurantes que ofrecen
platos típicos de la región, pero los chapulines se
consiguen en el primero. Allí compré una bolsa con
diferentes variedades, la mayoría tan picante que
hacía difícil seguir comiendo; si no eres muy amigo
del picante te recomiendo probar los marinados con
limón, que son crujientes, sabrosos y se pueden usar
como ingrediente dentro de los tacos.

### Último día nadie se enoja [2]

Antes de regresar a Chile decidí visitar el mercado
de San Juan, en el DF, donde encontraría varias
alternativas de restaurantes prehispánicos. Me
decidí por La Cocinita de San Juan, pues era el que

más resaltaba entre los que ofrecían este tipo de
comida por sus apuestas° que bordean en lo exótico.
En la entrada me encontré con una muestra° de
los distintos insectos que usan en sus platos, como
ciempiés°, arañas de trigo°, escorpiones y otros que
no supe qué eran. Después de ver todas las opciones
decidí probar primero los tacos con jumiles, una
especie de chinches de monte° muy utilizados en el
pueblo de Taxco, donde suelen comerlos vivos en
épocas lluviosas. A mí me los sirvieron muertos,
pero estaban bastante buenos.

> ❝ **Suelen comerlos vivos
> en épocas lluviosas.** ❞

Luego pedí uno con alacranes° que, aunque no son
típicos de la zona, se comen al norte del país. Ya había
probado un escorpión grande frito en China, así que
el impacto de tenerlos de almuerzo no fue mucho.

Finalmente llegó el turno de los chinicuiles, una
especie de gusanos parecidos a los del maguey, pero
de color rojo. Para mi gusto fueron los más fáciles
de comer, porque el sabor no era tan extraño y no
se caían del taco. Luego junté los jumiles que se me
habían caído al plato y me los comí uno por uno como
si fueran Chubis°, así que pude sentir mejor el sabor.

Al terminar me preguntaron si quería otro
taco, pero con esos tres mi interés por la comida
prehispánica ya había quedado satisfecho por
el momento.

Sin duda el haber degustado estos platillos —que
los habitantes de la región solían comer hace más
de 500 años— fue una experiencia única. Poco
a poco están saliendo a la luz y volviéndose más
populares, por lo que muchos restaurantes han
comenzado a prepararlos o a ofrecer comida fusión.
Sí o sí° volveré a probar nuevos platos y otros tipos
de insectos. ∎

**basta** *it's enough*
**perfil** *profile*
**aprovechar** *to take advantage of*
**hormigas** *ants*
**venado** *venison*
**grillos** *grasshoppers*
**apuestas** *offerings*

**muestra** *sample*
**ciempiés** *centipedes*
**arañas de trigo** *black widows*
**chinches de monte** *stink bugs*
**alacranes** *scorpions*
**Chubis** *Chilean candies*
**Sí o sí** *Definitely*

[1] Serie de televisión mexicana cuyo protagonista es un chapulín superhéroe
[2] Dicho chileno usado para expresar que se debe disfrutar del final de una actividad

**1** **¿Cierto o falso?** Indica si las oraciones son ciertas o falsas. Corrige las falsas.

1. Comer insectos en México es una costumbre que existe desde la época prehispánica.
2. El autor escuchó sobre la comida prehispánica en una conferencia de nutrición.
3. Sebastián Seron probó los insectos en compañía de unos amigos.
4. Los chapulines se pueden conseguir en el mercado de Oaxaca.
5. Los chapulines que compró el escritor eran muy dulces.
6. Seron tiene la intención de comer nuevos platos y otros insectos en el futuro.

**2** **Comidas prehispánicas** Primero, une cada comida con su definición. Después, indica el orden en el que las probarías. En parejas, contesten las preguntas.

____ alacrán                 escorpión
____ chapulines              especie de chinches de monte
____ chinicuiles             especie de grillos
____ escamoles               especie de gusanos
____ huitlacoche             hongo parásito del maíz
____ jumiles                 huevos de hormiga

- Compara el orden de tu lista con el de tu compañero/a. ¿Son similares? Comenten sus preferencias.
- Cuando viajas, ¿pruebas las comidas locales? ¿Qué importancia tiene para ti probar la gastronomía típica de ese lugar?
- ¿Crees que los jóvenes de tu generación están más dispuestos a probar comidas exóticas que las generaciones anteriores? ¿A qué crees que se debe?
- ¿Por qué crees que para algunas culturas es normal comer un alimento que para otras no lo es? Da ejemplos.

**3** **Comida y cultura** En grupos de tres, conversen sobre estas preguntas.

1. ¿Qué importancia tiene la comida en la identidad de un pueblo?
2. ¿Piensan que, a pesar de la globalización, la comida sigue definiendo a las culturas?
3. ¿Por qué es importante que la comida prehispánica haya pervivido (*endured*) el paso de los años sin alteraciones?
4. ¿Por qué creen que los conquistadores españoles no adoptaron la costumbre de consumir insectos, pero adoptaron otras costumbres como comer chocolate?

**4** **Blog de viajes** Investiga sobre otro país hispanohablante en el que se coman alimentos que consideras exóticos. Escribe un artículo de viajes similar al de Seron en el que describes la experiencia de degustar los nuevos alimentos. Incluye fotos.

Practice more at
vhlcentral.com.

| Vocabulario de la lectura | | Vocabulario útil | |
|---|---|---|---|
| la alta cocina | haute cuisine | el acompañamiento | side dish |
| destacado/a | outstanding | agrio/a | sour |
| el gusto | taste | exquisito/a | delicious |
| la harina | flour | la influencia | influence |
| reconocido/a | renowned | saludable | healthy |
| el trigo | wheat | sazonar | to season |
| | | soso/a | bland |

**1 Crucigrama** Completa con palabras del vocabulario.

**Horizontales**

1. efecto sobre algo o alguien
4. cereal con el que normalmente se hace pan, pasta y otros alimentos
5. con poco sabor
6. delicioso
7. bueno para la salud

**Verticales**

2. porción pequeña de comida que se sirve junto al plato principal
3. agregar especias o salsas a los alimentos para darles más sabor
8. popular y muy respetado

**2 Opinión** En parejas, indiquen si están de acuerdo o no con las afirmaciones. Den ejemplos o argumentos para justificar su opinión.

- La cocina tradicional es mejor que la cocina moderna.
- Las recetas tradicionales cambian y se pierden con el tiempo.
- Al mudarnos a un nuevo país, debemos adaptarnos a sus costumbres gastronómicas.
- La proximidad entre países y culturas tiene un impacto en su gastronomía.

**3 Refranes** En grupos de tres, expliquen lo que creen que significan estos refranes (*proverbs*) mexicanos. Luego, contesten: ¿Hay proverbios en su país o cultura que estén relacionados con la comida? Hagan una lista y expliquen qué significan.

Al que nace para tamal, del cielo le caen las hojas.

A la mejor cocinera se le queman los frijoles.

# La gastronomía mexicana en los Estados Unidos

La base de la cocina mexicana proviene de la época prehispánica y muchos de sus ingredientes y técnicas culinarias se han mantenido sin alteraciones generación tras generación. En 2010, la UNESCO declaró la gastronomía de México Patrimonio Cultural Inmaterial de la Humanidad para reconocer su antigüedad, su riqueza° y su diversidad. La cocina mexicana es reconocida en todo el mundo, pero en los Estados Unidos tiene una gran popularidad y una historia particular. Esto se debe principalmente a la proximidad geográfica de ambos países y a la inmigración, que favorecen que la gastronomía de México se expanda con facilidad. Los supermercados, los restaurantes y los puestos de comida callejera con origen mexicano proliferan en el país vecino, haciendo que la gastronomía de México permanezca viva más allá de sus fronteras.

*richness*

Los Ángeles y Chicago, por ejemplo, son ciudades en las que la gastronomía mexicana goza° de muy buena fama. En Los Ángeles, popular por sus *food trucks* y su escena de comida callejera, se pueden encontrar muchos platos mexicanos. Comprar unos tacos, unos tamales, una torta o una quesadilla es igual de fácil que comprar una hamburguesa. Sin embargo, la cocina mexicana no solo se ha desplazado° a los Estados Unidos, sino que allí ha adquirido una nueva identidad.

*enjoys*

*moved*

## La cocina Tex-Mex

Uno de los casos más obvios de esta cocina mexicano-estadounidense con identidad propia es la cocina Tex-Mex. En ocasiones es confundida con la cocina mexicana tradicional o incluso es considerada su versión poco auténtica o de menor calidad. Lo cierto es que son gastronomías diferentes y que la comida Tex-Mex es el producto de una historia más compleja. Este tipo de cocina era propia de los habitantes de Texas de origen mexicano o español que vivían en el estado antes de que este formara parte de los Estados Unidos. Alrededor de la década de 1920, el término Tex-Mex se empezó a utilizar para referirse a las personas de origen mexicano que vivían en Texas. Con el tiempo, comenzó a utilizarse para referirse también a la comida de estilo mexicano típica de esa región.

Estos son los principales factores para diferenciar entre la cocina tradicional mexicana y la cocina Tex-Mex:

- **Las tortillas:** las tortillas de la cocina mexicana tradicional son de maíz. La cocina Tex-Mex introduce las de harina de trigo y las de maíz crujientes.
- **El queso:** en la cocina mexicana tradicional se utilizan quesos blancos, como el queso fresco, el Cotija, el panela o el Oaxaca. El queso cheddar solo es propio de la cocina Tex-Mex.

*chili peppers*

- **Los platos típicos:** el chili o las fajitas son platos Tex-Mex. Los chiles° en nogada, la cochinita pibil, el pozole, los tamales, el mole o la sopa de tortilla son algunos de los platos mexicanos tradicionales.

## La nueva cocina mexicana

Hoy en día, la cocina mexicana continúa evolucionando. Esta nueva cocina mexicana mantiene la esencia de la cocina tradicional a través de sus ingredientes y algunas técnicas culinarias, pero introduce nuevas texturas, presentaciones y sabores más característicos de la cocina moderna.

*led / emergence*
*opening*

Enrique Olvera es uno de los chefs que encabezó° el surgimiento° de esta alta cocina mexicana, con la apertura° de su restaurante Pujol en Ciudad de México en el año 2000. Pujol entró en la prestigiosa lista *The World's 50 Best Restaurants*, y Olvera decidió expandir su cocina a los Estados Unidos. Junto a la chef Daniela Soto-Innes, abrió los restaurantes Cosme (2014) y Atla (2017), en Nueva York. La mayoría de sus platos ejemplifican la combinación de elementos mexicanos tradicionales con preparaciones más vanguardistas.

*award*

Tras el éxito de Cosme y Atla, en 2019 los chefs Olvera y Soto-Innes decidieron expandirse hacia otros estados. Ese mismo año, Daniela Soto-Innes fue nombrada mejor cocinera del mundo por *The World's 50 Best Restaurants*. Se trata de la primera cocinera mexicana en lograr este galardón°.

En otros lugares de los Estados Unidos, esta nueva cocina mexicana también está presente. Además de en Nueva York, la alta cocina mexicana ha logrado un lugar destacado en otras ciudades como Los Ángeles, San Francisco y Chicago. La cocina mexicana se mantiene viva en los Estados Unidos. Su historia en este país está marcada por la tradición, la fusión y la innovación. Es una historia que habla del esfuerzo de miles de mexicanos por importar y mantener sus tradiciones gastronómicas, pero también de cómo estas se adaptan a nuevos tiempos. ■

40

45

50

55

60

Watch related video at vhlcentral.com.

**1 Comprensión** Contesta las preguntas.

1. ¿Cuáles son algunas características por las que la gastronomía mexicana fue nombrada Patrimonio Cultural Inmaterial de la Humanidad?
2. Según el artículo, ¿por qué la cocina mexicana está tan extendida en los Estados Unidos?
3. ¿Qué ciudad estadounidense destaca por sus *food trucks* de comida mexicana, según el artículo?
4. ¿En qué se diferencian las tortillas mexicanas tradicionales y las tortillas Tex-Mex?
5. ¿Cuáles son algunos de los quesos típicos de la gastronomía mexicana?
6. ¿Qué chef lideró el surgimiento de la alta cocina mexicana en los Estados Unidos?

 **2 Síntesis** Según el artículo, la historia de la gastronomía mexicana en los Estados Unidos está marcada por la tradición, la fusión y la innovación. Completa la tabla con al menos dos ejemplos de cada característica. Después, en grupos de tres, comparen sus respuestas.

| Tradición | Fusión | Innovación |
|-----------|--------|------------|
|           |        |            |
|           |        |            |

 **3 Interpretación** En parejas, contesten las preguntas.

1. ¿Piensan que es difícil mantener las tradiciones gastronómicas fuera del país de origen? Expliquen.
2. ¿Creen que es importante conocer las diferencias entre la cocina mexicana auténtica y la cocina Tex-Mex? Expliquen.
3. ¿Consideran que la gastronomía mexicana forma parte de la cultura norteamericana? ¿Por qué?
4. ¿Por qué piensan que la cocina mexicana tiene más popularidad en algunas ciudades estadounidenses que en otras?
5. ¿Qué gastronomías de otros países se han adaptado a los gustos y costumbres norteamericanos? Den ejemplos.

**4 ¡A comer!** En grupos pequeños, busquen un restaurante de comida mexicana cercano y vayan a comer ahí. Tras su experiencia, discutan sobre estas preguntas.

- ¿Qué platos e ingredientes de la carta les llamaron más la atención?
- ¿Se trata de un restaurante mexicano tradicional? ¿Cómo lo saben?
- ¿Creen que el restaurante tiene influencias de la cocina norteamericana?
- ¿Cómo fue su experiencia? Investiguen en Internet, publiquen su opinión y compárenla con las de otros clientes.

Practice more at vhlcentral.com.

## SOBRE EL AUTOR

**P**ablo Neruda (1904–1973) fue un poeta chileno y uno de los máximos representantes de la poesía hispanoamericana del siglo XX. Su obra *Veinte poemas de amor y una canción desesperada* lo llevó a la fama. Además de poeta, tuvo cargos diplomáticos en varios países, y fue senador y precandidato a la presidencia de Chile. Su poesía tiene influencias del simbolismo, del surrealismo y, más tarde, del realismo. Otras de sus obras son *Crepusculario, Canto general* y *Odas elementales*, donde aparece "Oda al caldillo de congrio". En 1971, ganó el Premio Nobel de Literatura.

| Vocabulario de la lectura | | Vocabulario útil | |
|---|---|---|---|
| la anguila | *eel* | cotidiano/a | *daily* |
| cocer (o:ue) | *to boil, to cook* | ensalzar | *to praise* |
| el manjar | *delicacy, feast* | el orgullo | *pride* |
| provechoso/a | *beneficial, nutritious* | la patria | *homeland* |
| el racimo | *bunch (of fruit)* | sencillo/a | *simple* |
| tierno/a | *tender* | el sentimiento | *feeling* |

### NOTA CULTURAL

El caldillo de congrio es un plato típico de la gastronomía chilena. El congrio es un tipo de anguila abundante de la costa de Chile. Es un pescado tierno y suave. Existen variaciones de la receta del caldillo de congrio; por ejemplo, se le puede añadir (*add*) pimentón (*paprika*) o huevo duro. Sin embargo, la receta más popular es la que Neruda inmortalizó en su "Oda al caldillo de congrio".

**1 Vocabulario** Completa las oraciones.

1. En España es tradicional celebrar el Año Nuevo comiendo doce uvas. Mi madre siempre compra un _____ y las prepara para la familia.
2. La _____ es un tipo de pescado muy tierno.
3. Los camarones son _____ para la salud porque son una fuente de vitamina D y Omega-3.
4. Los invitados, agradecidos (*grateful*) por el manjar, van a _____ al chef.
5. Mientras él _____ los huevos, yo preparo la ensalada.
6. Esther está deseando volver a su _____, Chile, para comer la deliciosa comida que hace su mamá.

**2 Arte culinario** En parejas, intercambien sus opiniones sobre el arte culinario. ¿Creen que un plato puede ser una obra de arte? Expliquen.

**3 Oda** En grupos de tres, busquen la definición de "oda" y respondan a las preguntas.

- ¿Has escrito o leído alguna vez una oda? ¿De qué se trataba?
- ¿De qué temas o personas suelen tratar los poemas?
- Si tuvieras que escribir un poema para un concurso literario, ¿sobre qué trataría?

Practice more at **vhlcentral.com.**

# Oda al caldillo de congrio

## Pablo Neruda

En el mar
tormentoso°  — *storm-tossed*
de Chile
vive el rosado congrio,
5  gigante anguila
de nevada carne.
Y en las ollas
chilenas,
en la costa,
10  nació el caldillo
grávido° y suculento,  — *thick*
provechoso.
Lleven a la cocina
el congrio desollado°,  — *skinned*
su piel manchada° cede°  — *mottled / slips off*
como un guante
y al descubierto queda
entonces
el racimo del mar,
20  el congrio tierno
reluce°  — *glistens*
ya desnudo,
preparado
para nuestro apetito.
25  Ahora
recoges
ajos,
acaricia° primero  — *caress*
ese marfil°  — *ivory*
30  precioso,
huele

... hasta que en el caldillo se calienten las esencias de Chile.

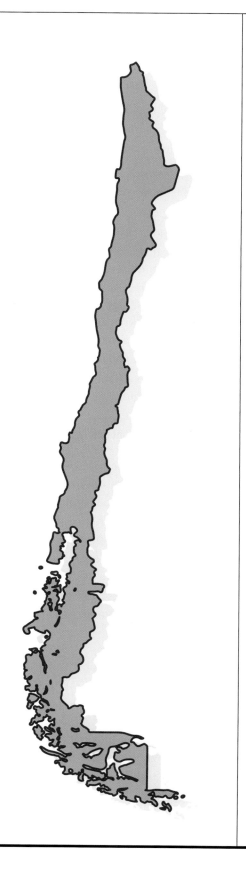

*irate*    su fragancia iracunda°,
entonces
*minced*    deja el ajo picado°
35    caer con la cebolla
y el tomate
hasta que la cebolla
*gold*    tenga color de oro°.
Mientras tanto
40    se cuecen
con el vapor
*regal*    los regios°
camarones marinos
y cuando ya llegaron
*when they are tender*    a su punto°,
*the flavor is set*    cuando cuajó el sabor°
en una salsa
formada por el jugo
del océano
50    y por el agua clara
*released*    que desprendió° la luz de la cebolla,
entonces
que entre el congrio
*get immersed*    y se sumerja° en gloria,
55    que en la olla
se aceite,
se contraiga y se impregne.
Ya solo es necesario
dejar en el manjar
60    caer la crema
*heavy*    como una rosa espesa°,
y al fuego
lentamente
entregar el tesoro
65    hasta que en el caldillo
se calienten
las esencias de Chile,
y a la mesa
lleguen recién casados
70    los sabores
del mar y de la tierra
para que en ese plato
tú conozcas el cielo. ■

**1** **Comprensión** Contesta las preguntas.

1. ¿Dónde vive el congrio?
2. ¿Qué adjetivos describen el caldillo de congrio?
3. ¿Qué le pide el poeta a la persona que está leyendo la oda?
4. ¿Qué ingredientes representan los sabores del mar?
5. ¿Qué ingredientes representan los sabores de la tierra?

**2** **Analizar** En parejas, contesten las preguntas.

1. En "Oda al caldillo de congrio" aparecen varios verbos en segunda persona (**recoges, conozcas**), en ocasiones en modo imperativo (**huele, deja**). ¿Por qué crees que el poeta se decidió por usar esas formas verbales? Da ejemplos del poema.
2. Una de las características de la obra de Neruda son las referencias a los sentidos. ¿Qué palabras contiene la oda relacionadas con la vista, el olfato, el oído, el gusto y el tacto?
3. ¿En qué verso comienzan las instrucciones para la receta del caldillo?
4. ¿Crees que Neruda sentía pasión por la comida? ¿Por qué?
5. ¿Cómo consigue Neruda la unión de los formatos de la oda y la receta? Da ejemplos.

**3** **Interpretar** Contesta las preguntas.

1. ¿Por qué crees que Neruda escribió una oda al caldillo de congrio? ¿Qué mensaje quería comunicar con este poema?
2. Si tuvieras que resumir esta oda para una persona que no la ha leído, ¿qué dirías?
3. ¿Qué versos representan el clímax de la oda? ¿Por qué?
4. Si tuvieras que comparar a Neruda con un(a) autor(a) de tu país, ¿con quién lo compararías? ¿Por qué?

**4** **Chile** En parejas, relacionen el poema con la nacionalidad de su autor respondiendo a estas preguntas.

- Busquen la palabra "Chile" en la oda. ¿Cuántas veces aparece? ¿En qué partes del poema? ¿Por qué creen que aparecen en esa ubicación?
- Observen el contorno (*shape*) del poema. ¿A qué les recuerda?
- Neruda escribe esta oda de vuelta a Chile, después de haber estado exiliado en varios países. ¿Qué elementos del poema reflejan el amor por su patria y el alivio (*relief*) de haber vuelto?
- Si escribieran una obra literaria en la que mencionaran su comunidad, ¿la ensalzarían como hace Neruda con su patria? ¿Qué cosas dirían sobre ella?

**5** **Figuras retóricas** En grupos de tres, lean las definiciones de las figuras retóricas y busquen ejemplos en el poema.

| Figura retórica | Definición | Ejemplos del poema |
|---|---|---|
| **Metáfora** | Analogía que se establece entre dos elementos que comparten alguna similitud<br>*Tus ojos son estrellas.* | |
| **Símil o comparación** | Producción de una idea, relacionándola con otra<br>*Tu pelo es como el oro.* | |
| **Epíteto** | Adjetivo que denota una cualidad del sustantivo<br>*las aguas azules; la blanca nieve* | |

 **6** **Canon literario** En grupos de tres, lean el párrafo y discutan las preguntas.

El Canon occidental es el conjunto de obras literarias que, por su calidad, su originalidad o por otros factores, han transcendido en la historia y se han convertido en clásicos. Para el crítico literario norteamericano Harold Bloom, Pablo Neruda es uno de los autores que deben formar parte de ese Canon. Según sus palabras, "ningún poeta del hemisferio occidental de nuestro siglo admite comparación con él".

- ¿Por qué creen que Harold Bloom considera a Neruda como uno de los representantes del Canon de la literatura occidental?
- Según su opinión, ¿qué características debe tener un poema para considerarse un clásico? ¿Y una novela? ¿Y una película?
- ¿Son los clásicos las únicas obras dignas de ser estudiadas? ¿Por qué?
- ¿Qué obras y escritores/as contemporáneos/as creen que conseguirán el estatus de clásico en el futuro? Expliquen los motivos.

 **7** **Receta** En parejas, creen un diagrama de Venn en el que comparen las características de una receta tradicional de caldillo de congrio con la "Oda al caldillo de congrio".

Receta tradicional                     Oda de Neruda

 **8** **Oda** Escribe una oda basándote en la receta de uno de tus platos favoritos. Incluye figuras retóricas en tu oda. Después, recita tu oda ante la clase.

En esta lección has hablado de la comida. Imagina que trabajas como crítico culinario y tienes que escribir sobre tu restaurante mexicano favorito. Vas a escribir una crítica culinaria sobre un plato de comida mexicana.

# Planificar y preparar la escritura

**1** **Estrategia: Determina sobre qué plato vas a escribir** Elige un plato típico mexicano que conoces bien (o investiga sobre él antes de escribir). En tu crítica culinaria vas a opinar sobre sus características. Utiliza la tabla para organizar tus ideas. ¿Qué te gusta del plato? ¿Qué podría mejorar? ¿Tienes alguna pregunta?

*Tacos al pastor*

| POSITIVO | NEGATIVO | ? |
|---|---|---|
| *tienen muy buen sabor* | *están un poco salados* | *¿Deben llevar más cilantro por encima?* |

**2** **Estrategia: Desarrolla el cuerpo de la crítica**

- Piensa en cómo usar los datos de tu tabla para escribir una crítica culinaria. Piensa en el tipo de lector a quien irá dirigido el texto.
- Desarrolla el cuerpo de tu crítica culinaria con las características del plato. Indica sus puntos positivos y negativos.

# Escribir

**3** **Tu crítica** Ahora escribe tu crítica culinaria. Utiliza la información que has reunido y sigue estos pasos.

- **Introducción:** Presenta el plato y describe cómo es.
- **Desarrollo:** Opina sobre el plato: su presentación, si está bien elaborado, en qué podría mejorar, etc. Da información detallada junto con tu opinión. Elige un título para tu crítica y valórala de 1 a 5 estrellas.
- **Conclusión:** Resume tus observaciones y termina el ensayo.

# Revisar y leer

**4** **Revisión** Pídele a un(a) compañero/a que lea tu crítica culinaria y sugiera cómo mejorarla. Revísala incorporando sus sugerencias y prestando atención a estos elementos.

- ¿Se describe claramente el plato de comida?
- ¿Explicaste bien tu opinión sobre el plato?
- ¿Ofreciste razones para apoyar tu opinión?
- ¿Son correctas la gramática y la ortografía?

# Con sabor

## Así lo decimos

**el aperitivo** *appetizer*
**el bocadillo** *sandwich*
**el bol** *bowl*
**el caldo** *broth*
**la carta** *menu*
**el/la cocinero/a** *cook*
**la comida callejera** *street food*
**la comida para llevar** *takeout food*
**los cubiertos** *silverware*
**el delantal** *apron*
**el guiso** *stew*
**el maíz** *corn*
**el mantel** *tablecloth*
**el marisco** *seafood*
**la masa** *dough*
**la olla** *cooking pot*
**el plato** *dish*
**la propina** *tip*
**la receta** *recipe*
**la sartén** *frying pan*
**la servilleta** *napkin*
**la vajilla** *plates and glasses*

**amasar** *to knead*
**freír (e:i)** *to fry*
**hervir (e:ie)** *to boil*
**hornear** *to bake*
**mezclar** *to mix*
**pedir (e:i)** *to order*
**poner la mesa** *to set the table*
**quitar la mesa** *to clear the table*
**remover (o:ue)** *to stir*

**al vapor** *steamed*
**en su punto** *medium (cooked)*
**maduro/a** *ripe*
**relleno/a** *filled*
**sabroso/a** *tasty*

## Documental

**el aguacate** *avocado*
**la almeja** *clam*
**la atención** *service*
**el cacahuate** *peanut*

**el calamar** *squid*
**el camarón** *shrimp*
**el ceviche** *raw (shell)fish cured with lime*
**el coctel (de mariscos)** *(seafood) cocktail*
**el/la comensal** *diner*
**la cuenta** *check*
**la marisquería** *seafood restaurant*
**el premio** *award*
**el pulpo** *octopus*
**la reseña** *review*
**el sabor** *taste*
**la ubicación** *location*
**la vieira** *scallop*

**alérgico/a (a)** *allergic (to)*
**asequible** *affordable*
**cocido/a** *cooked*
**crudo/a** *raw*
**picante** *spicy*

## Artículo

**la albóndiga** *meatball*
**el bicho** *bug*
**el bocado** *bite*
**el calcio** *calcium*
**el chapulín** *grasshopper*
**la fibra** *fiber*
**la grasa** *fat*
**el gusano** *worm*
**el hongo** *fungus, mushroom*
**la proteína** *protein*
**las raíces** *roots*
**el valor nutricional** *nutritional value*

**degustar** *to taste*

**crujiente** *crunchy*
**de buen paladar** *of refined taste in food*
**frito/a** *fried*
**quisquilloso/a** *picky*

■

**el acompañamiento** *side dish*
**la alta cocina** *haute cuisine*
**el gusto** *taste*
**la harina** *flour*

**la influencia** *influence*
**el trigo** *wheat*

**sazonar** *to season*

**agrio/a** *sour*
**destacado/a** *outstanding*
**exquisito/a** *delicious*
**reconocido/a** *renowned*
**saludable** *healthy*
**soso/a** *bland*

## Literatura

**la anguila** *eel*
**el manjar** *delicacy, feast*
**el orgullo** *pride*
**la patria** *homeland*
**el racimo** *bunch (of fruit)*
**el sentimiento** *feeling*

**cocer (o:ue)** *to boil, to cook*
**ensalzar** *to praise*

**cotidiano/a** *daily*
**provechoso/a** *beneficial, nutritious*
**sencillo/a** *simple*
**tierno/a** *tender*

## Ahora yo puedo...

- identificar la idea principal de textos orales y escritos relacionados con la comida y la cocina.
- discutir la relación entre la comida y la cultura.
- escribir recetas y críticas culinarias.
- comparar los productos, las prácticas y las perspectivas sobre la comida, la música y las celebraciones en mi cultura y otras.
- demostrar comportamientos culturalmente apropiados al probar o comentar sobre comida o bebida que no me es familiar.

# La buena vida

## PUERTO RICO, CUBA Y REPÚBLICA DOMINICANA

CUBA

PUERTO
RICO

REPÚBLICA
DOMINICANA

## LESSON OBJECTIVES
You will learn how to...

- identify the main idea of spoken and written texts on hobbies and leisure activities.

- exchange ideas about the types of entertainment in your own and other countries.

- write an article about the sports and games that represent your community's identity.

- compare products related to festivals and amusement parks in your own and other cultures.

- follow rules and etiquette when participating in leisure activities with peers from the target culture.

## Las aficiones

Una de las **aficiones** preferidas de Laura es hacer excursiones por la montaña. **Disfruta** mucho pasando tiempo al **aire libre**. A veces su hermana Carol la acompaña, pero a ella la naturaleza no le gusta tanto y normalmente **se aburre** pronto. Carol **se divierte** más con otras actividades de **ocio**. Por ejemplo, **se le da muy bien** bailar.

**aburrirse**  *to get bored*
**la afición**  *hobby*
**al aire libre**  *outdoors*
**dársele bien/mal (algo a alguien)**  *to be good/bad (at something)*
**disfrutar**  *to enjoy*
**divertirse (e:ie)**  *to have fun*
**el ocio**  *leisure*
**el pasatiempo**  *pastime*

## Los deportes

De pequeño, Jaime soñaba con ser **deportista** profesional. Ahora quiere ser médico, pero el deporte es su mayor afición y lo practica a menudo. Este mes, tiene **entrenamiento** de fútbol tres veces por semana, ya que su equipo está participando en una **liga**. En el próximo partido, su equipo necesita ganar o, al menos, **empatar** para poder seguir en la liga.

**el/la deportista**  *athlete*
**empatar**  *to tie (a game)*
**el/la entrenador(a)**  *coach*
**el entrenamiento**  *practice*
**el gimnasio**  *gym*
**la liga**  *league*
**marcar (un gol/punto)**  *to score (a goal/point)*

## Los juegos

Muchos domingos después de comer, José juega con su familia unas **partidas** de **cartas** o a algún **juego de mesa**. Es una costumbre que le encanta. Por su cumpleaños siempre pide que le regalen algún juego nuevo. Sus amigos, en cambio, prefieren los **videojuegos**.

**el ajedrez**  *chess*
**las cartas**  *cards*
**los dados**  *dice*
**la ficha**  *tile; game piece*
**hacer trampa**  *to cheat*
**el juego de mesa**  *board game*
**la partida**  *game; hand*
**el videojuego**  *video game*

**1** **¿Qué hacemos hoy?** Completa la conversación.

| | |
|---|---|
| al aire libre | gimnasio |
| entrenamiento | hacer trampa |
| estreno | juego de mesa |
| exposición | partida |

**JUAN** ¿Vamos al Museo de Ciencias esta tarde? Hay una nueva (1) _____ y hoy es gratis.

**LAURA** La verdad es que no me interesa mucho. ¿Por qué no vamos a mi casa? Podemos jugar alguna (2) _____ de cartas o al (3) _____ que me regalaron. ¡Pero esta vez sin (4) _____!

**ANDRÉS** Con el buen tiempo que hace, yo prefiero hacer algo (5) _____. Podríamos organizar un partido de fútbol.

**JUAN** ¿Otra vez? Ayer ya tuvimos (6) _____. Además esta mañana fui al (7) _____. No quiero hacer más ejercicio por hoy.

**LAURA** ¿Pues entonces qué hacemos? ¿Quieren ir al cine? Ayer fue el (8) _____ de la nueva película de Guillermo del Toro. ¿Vamos a verla?

## Las artes

Irene conoció a sus mejores amigos en una escuela de música. Los tres **tocan** la guitarra juntos cada semana. Este viernes querían ir a un **concierto**, pero los **boletos** están **agotados**. Al final, irán al **estreno** de una película o a ver una **obra de teatro**.

**agotado/a** *sold out*

**el boleto** *ticket*

**el concierto** *concert*

**el estreno** *premiere*

**la exposición** *exhibition*

**la obra (de arte/teatro)** *work of art; play*

**tocar** *to play (an instrument)*

**2** **Tiempo libre** En parejas, contesten las preguntas.

1. ¿Practicas algún deporte? ¿Cuál? ¿Desde cuándo?
2. ¿Prefieres leer o ver la televisión? ¿Por qué? ¿A cuál le dedicas más tiempo?
3. ¿Te gusta hacer actividades por tu cuenta (*on your own*) o prefieres las actividades en grupo?
4. ¿Qué haces normalmente en tu tiempo libre cuando estás con tus amigos? ¿Y cuando estás con tu familia?

**3** **Reflexión** Haz una lista con cinco de tus aficiones en orden de preferencia. Después, en grupos de cuatro, comparen sus listas y contesten las preguntas.

1. ¿Tienen aficiones en común? ¿Cuáles?
2. ¿Qué actividades de ocio son populares en su país o comunidad?
3. ¿Creen que sus aficiones dependen solo de sus gustos propios o creen que están influenciadas por la sociedad? Expliquen.

Practice more at
vhlcentral.com.

| Vocabulario del documental | | Vocabulario útil | |
|---|---|---|---|
| agradable | nice | entretenerse | to have fun |
| aprovechar | to take advantage of | el éxito | success |
| el/la comerciante | business owner | incentivar | to encourage |
| pegajoso/a | catchy | incomodarse | to feel uncomfortable |
| pintoresco/a | picturesque | las letras | lyrics |
| recorrer | to go through | promover (o:ue) | to promote |
| el trayecto | route | el ritmo | rhythm |
| el vocablo | term | | |

| Expresiones | |
|---|---|
| a lo largo y a lo ancho de | throughout |
| en vivo | live |
| pasarla (muy) bien | to have a (very) good time |
| ¡Qué manera de divertirse! | He/She/They have so much fun! |
| recibir con agrado | to welcome |

**1** **Definiciones** Completa las oraciones.

1. Una melodía que se queda fácilmente en la memoria es una melodía _____.
2. Una palabra es un _____.
3. Las _____ de una canción son las palabras de la canción.
4. El _____ es un resultado favorable o deseable.
5. _____ algo es usarlo de forma útil.
6. _____ lugares es ir de un lugar a otro.
7. _____ es no sentirse tranquilo.

**2** **Expresiones** Completa la conversación con las expresiones que aprendiste.

**MARTA** Sabías que Tomás se va a Puerto Rico mañana, ¿no? Un amigo que vive allá lo invitó porque hay un festival de música. Y tú sabes que a él le encanta la música (1) _____. Seguro que (2) _____ muy bien.

**PABLO** ¿Y qué más va a hacer en Puerto Rico?

**MARTA** Otros amigos boricuas (*Puerto Rican*) lo invitaron a conocer sus ciudades, y, claro, él recibió (3) _____ todas las propuestas. Sé que se va a un parque nacional con un amigo, a bucear con otro y a un festival de bailes típicos con un tercero.

**PABLO** ¡(4) _____!

**MARTA** Ja, ja, ja. Sí. ¡Y parece que ahora tiene amigos (5) _____ Puerto Rico!

**3 Preparación** En parejas, contesten las preguntas.

1. ¿Cómo te diviertes los fines de semana? ¿Haces normalmente lo mismo o te gusta hacer cosas diferentes?
2. ¿Qué opciones de entretenimiento hay en tu ciudad?
3. ¿Ofrecen en tu ciudad recorridos a pie o en autobús para visitar distintos lugares de entretenimiento (restaurantes, museos, galerías de arte…)? ¿Has hecho alguno? Describe tu experiencia.

**4 Tiempo libre** Completa el cuestionario. Luego, compara tus respuestas con las de un(a) compañero/a y comenten sus hábitos y preferencias.

1. ¿Si tuvieras una hora libre, ¿qué preferirías hacer?
   a. Practicar deportes
   b. Ver una película
   c. Ir a una fiesta
   d. Pasar el rato con mi celular

2. ¿Con quién pasas tu tiempo libre normalmente?
   a. Con mis amigos
   b. Con mi familia
   c. Con gente que no conozco
   d. Solo/a

3. ¿Cuántas horas al día dedicas al tiempo libre?
   a. Menos de una hora
   b. Entre una y tres horas
   c. Más de tres horas
   d. No tengo tiempo libre.

4. ¿Dónde prefieres pasar tu tiempo libre?
   a. En casa
   b. Al aire libre
   c. En el gimnasio
   d. En un museo

**5 Entretenimiento local** En grupos de tres, discutan cómo mejorarían el entretenimiento de su comunidad. Guíense por las preguntas. Luego, sugieran al menos tres actividades nuevas.

- ¿Existen opciones de ocio gratis?
- ¿Creen que los precios de algunas actividades son demasiado altos?
- ¿Hay una oferta de ocio variada?
- ¿Hay actividades para todas las edades?

**6 Fotogramas** En grupos de tres, comenten qué ocurre en cada fotograma.

Practice more at vhlcentral.com.

# Cómo "chinchorrear" en Puerto Rico

Pasándola bien a lo largo y a lo ancho de la isla

# Escenas

## ARGUMENTO

"Chinchorrear" es una forma única de entretenimiento que permite a puertorriqueños y visitantes recorrer pequeños locales llamados "chinchorros" a lo largo y ancho de la isla.

**PRESENTADORA:** Un chinchorro puede ser una hamaca°, pero la palabra se usa también para referirse a locales pequeños y rústicos.

**REPORTERA:** La palabra "chinchorreo" es simpática y muy pegajosa.

**REPORTERA:** Se trata de recorrer en un autobús junto a un grupo de personas varios chinchorros a lo largo y a lo ancho de la isla.

**REPORTERA:** No solo consiste en visitar estos lugares, sino también en disfrutar cada minuto de la particular travesía°.

SANDRA **JIMÉNEZ**
TURISTA BOLIVIANA

**SANDRA JIMÉNEZ:** Es una belleza porque estamos viendo más de su música y de la alegría que tienen los puertorriqueños.

**REPORTERA:** Mientras todos se divierten, la economía isleña° recibe un impacto positivo.

**hamaca** *hammock*
**travesía** *journey*
**isleña** *of the island*

**1** **¿Cierto o falso?** Indica si las oraciones son ciertas o falsas. Corrige las falsas.

1. La palabra "chinchorro" tiene varios significados.
2. El "chinchorreo" es un entretenimiento presente en toda Latinoamérica.
3. Los chinchorros son negocios rústicos ubicados en zonas urbanas.
4. Los chinchorros ofrecen todo tipo de comidas.
5. Durante el recorrido del autobús, hay karaoke y una banda de música.
6. El "chinchorreo" no es popular entre los puertorriqueños, pero sí lo es entre turistas.
7. Es fácil llegar a los chinchorros.
8. A los comerciantes les beneficia el "chinchorreo".
9. El "chinchorreo" ayuda a la economía de Puerto Rico.
10. El presentador cree que los puertorriqueños saben divertirse.

**2** **Opinión** En parejas, respondan a las preguntas.

1. ¿Qué piensas del "chinchorreo"? ¿Es algo que te gustaría hacer?
2. ¿Alguna vez has hecho algo similar al "chinchorreo"? Comenta tu experiencia y menciona las similitudes y diferencias.
3. ¿Cómo son los bailes y la música en el "chinchorreo"?
4. ¿Crees que la música en vivo es esencial para el éxito del "chinchorreo"? ¿Por qué?
5. ¿Qué otro tipo de música crees que funcionaría en ese tipo de entretenimiento?
6. ¿Por qué crees que el "chinchorreo" tiene tanto éxito en Puerto Rico?
7. ¿Crees que el "chinchorreo" tendría éxito en tu ciudad? ¿Por qué? Si no lo crees, ¿cómo crees que tendría que cambiar para que lo tuviera? Justifica tu respuesta.

**3** **Tu "chinchorreo"**

**A.** En grupos de tres o cuatro, planeen un recorrido en autobús dentro de su ciudad. Consideren estos factores:

- Objetivo del recorrido
- Lugares a visitar
- Entretenimiento dentro del autobús
- Entretenimiento fuera del autobús
- Duración del trayecto
- Costo

**B.** En el documental, un joven improvisa una canción con rima sobre el "chinchorreo". Para promover su trayecto de "chinchorreo", escriban una canción de cuatro líneas que rimen y que tenga un ritmo pegajoso. Después, cántenla ante la clase.

**4 Entretenimiento y economía** En el video, se habla del impacto que tiene el "chinchorreo" en la economía de la isla. ¿Cómo se puede incentivar que la gente de tu ciudad salga a divertirse más y ayude a la economía del lugar? En grupos de tres, propongan diferentes opciones.

**5 Nuevos vocablos** Los puertorriqueños crearon un nuevo significado para el verbo "chinchorrear" a partir del vocablo "chinchorro". En parejas, expliquen qué significan estos verbos creados a partir de sustantivos. Luego, creen tres nuevos verbos relacionados con el tiempo libre y el entretenimiento a partir de palabras que conocen.

- reguetonear
- rapear
- telefonear

- personificar
- tuitear
- modernizar

**6 Reflexión** En el "chinchorreo", los participantes bailan todos juntos sin importar (*regardless of*) si se conocen o no. Además, la banda toca música en vivo en la calle. En parejas, respondan las preguntas.

1. ¿En qué formas de entretenimiento los norteamericanos pasan el tiempo con gente que no conocen? Compara estos tipos de entretenimiento con el "chinchorreo".

2. ¿Te incomodaría si alguien que no conoces bailara cerca de ti? ¿Cómo reaccionarías si estuvieras en Puerto Rico? Compara el concepto de espacio personal para un norteamericano y para un puertorriqueño.

3. ¿Qué pensarías si vieras a un grupo de personas bailar y tocar música en una calle de tu ciudad?

4. Si conocieras a una persona de Puerto Rico que viene por primera vez a tu ciudad, ¿a qué forma de entretenimiento la llevarías para que experimentara tu cultura? ¿Qué crees que le sorprendería?

**7 Los pleneros** Los pleneros entretienen con su música tradicional fuera y dentro del autobús. Investiga sobre la música plena de Puerto Rico y escribe un ensayo en el que discutas estas preguntas.

- ¿Qué temas tienen normalmente las letras de las canciones de la plena?
- ¿Qué tipos de instrumentos se usan en la plena? ¿Cuáles son sus características?
- ¿Te sorprende que este tipo de música sea también usado en protestas cívicas? ¿Por qué?
- ¿Es común que haya bandas de música en protestas en tu país?
- ¿En qué actividades de tu ciudad participan las bandas de música? Compara estas actividades con el "chinchorreo".

Practice more at vhlcentral.com.

**TALLER DE CONSULTA**

These grammar topics are covered in the **Manual de gramática, Lección 3.**
3.4 Possessive adjectives and pronouns, p. 414
3.5 Demonstrative adjectives and pronouns, p. 416

## 3.1 The subjunctive in noun clauses

### Forms of the present subjunctive

- The subjunctive (**el subjuntivo**) is used mainly in subordinate clauses to express will, influence, emotion, doubt, or denial. The present subjunctive is formed by dropping the **–o** from the **yo** form of the present indicative and adding these endings:

| The present subjunctive | | |
| --- | --- | --- |
| hablar | comer | escribir |
| hable | coma | escriba |
| hables | comas | escribas |
| hable | coma | escriba |
| hablemos | comamos | escribamos |
| habléis | comáis | escribáis |
| hablen | coman | escriban |

**¡ATENCIÓN!**

The *indicative* is used to express actions, states, or facts the speaker considers to be certain. The *subjunctive* expresses the speaker's attitude toward events, as well as actions or states that the speaker views as uncertain.

- Verbs with irregular **yo** forms show that same irregularity in all forms of the present subjunctive.

| | | | | | |
| --- | --- | --- | --- | --- | --- |
| conocer → | conozca | oír → | oiga | traer → | traiga |
| decir → | diga | poner → | ponga | venir → | venga |
| hacer → | haga | tener → | tenga | ver → | vea |

- Verbs with stem changes in the present indicative show the same changes in the present subjunctive. Stem-changing **–ir** verbs also undergo a stem change in the **nosotros/as** and **vosotros/as** forms of the present subjunctive.

| | |
| --- | --- |
| pensar (e:ie) | piense, pienses, piense, pensemos, penséis, piensen |
| jugar (u:ue) | juegue, juegues, juegue, juguemos, juguéis, jueguen |
| mostrar (o:ue) | muestre, muestres, muestre, mostremos, mostréis, muestren |
| entender (e:ie) | entienda, entiendas, entienda, entendamos, entendáis, entiendan |
| resolver (o:ue) | resuelva, resuelvas, resuelva, resolvamos, resolváis, resuelvan |
| pedir (e:i/i) | pida, pidas, pida, pidamos, pidáis, pidan |
| sentir (e:ie/i) | sienta, sientas, sienta, sintamos, sintáis, sientan |
| dormir (o:ue/u) | duerma, duermas, duerma, durmamos, durmáis, duerman |

**¡ATENCIÓN!**

Verbs that end in **–car, –gar,** and **–zar** undergo spelling changes in the present subjunctive.
sacar: **saque**
jugar: **juegue**
almorzar: **almuerce**

- The following five verbs are irregular in the present subjunctive.

| | |
| --- | --- |
| dar | dé, des, dé, demos, deis, den |
| estar | esté, estés, esté, estemos, estéis, estén |
| ir | vaya, vayas, vaya, vayamos, vayáis, vayan |
| saber | sepa, sepas, sepa, sepamos, sepáis, sepan |
| ser | sea, seas, sea, seamos, seáis, sean |

## Verbs of will and influence

- A clause is a sequence of words that contains both a conjugated verb and a subject (expressed or implied). In a subordinate (dependent) noun clause (**oración subordinada sustantiva**), the words in the sequence function together as a noun.

*La reportera aconseja **que** los turistas **pregunten** por esta divertida actividad.*

- When the subject of a sentence's main (independent) clause exerts influence or will on the subject of the subordinate clause, the verb in the subordinate clause takes the subjunctive.

| MAIN CLAUSE | CONNECTOR | SUBORDINATE CLAUSE |
|---|---|---|
| **Yo** quiero | **que** | **tú** vayas **al cine conmigo.** |

### Verbs and expressions of will and influence

| | | |
|---|---|---|
| **aconsejar** *to advise* | **hacer** *to make* | **prohibir** *to prohibit* |
| **desear** *to desire, to wish* | **importar** *to be important* | **proponer** *to propose* |
| **es importante** *it's important* | **insistir (en)** *to insist (on)* | **querer (e:ie)** *to want; to wish* |
| **es necesario** *it's necessary* | **mandar** *to order* | **recomendar (e:ie)** *to recommend* |
| **es urgente** *it's urgent* | **necesitar** *to need* | **rogar (o:ue)** *to beg; to plead* |
| **exigir** *to demand* | **oponerse a** *to oppose; to object to* | **sugerir (e:ie/i)** *to suggest* |
| **gustar** *to like; to be pleasing* | **pedir (e:i/i)** *to ask for; to request* | |
| | **preferir (e:ie/i)** *to prefer* | |

Martín quiere que **vayamos** a un concierto este viernes.
*Martín wants us to go to a concert this Friday.*

Les recomiendo que **lean** el libro antes de ver la película.
*I recommend that you read the book before watching the movie.*

Es necesario que **lleguen** al estreno antes de la una.
*It's necessary that they arrive at the premiere before one o'clock.*

Tus padres se oponen a que **salgas** tan tarde por la noche.
*Your parents object to your going out so late at night.*

- The infinitive, not the subjunctive, is used with verbs and expressions of will and influence if there is no change of subject in the sentence. The **que** is unnecessary in this case.

| Infinitive | Subjunctive |
|---|---|
| **Es importante ir a Ponce en mayo.** | **Prefiero que vayas en marzo.** |
| *It's important to go to Ponce in May.* | *I prefer that you go in March.* |

**¡ATENCIÓN!**

**Pedir** is used with the subjunctive to ask someone to do something. **Preguntar** is used to ask questions, and is not followed by the subjunctive. **No te pido que lo hagas ahora.** *I'm not asking you to do it now.* **No te pregunto si lo haces ahora.** *I'm not asking you if you're doing it now.*

**COMPARACIONES**

El subjuntivo se usa mucho en español, pero en inglés no es usual. Antes, el subjuntivo era más común en inglés. Sin embargo, hoy puede parecer demasiado formal. Solo se usa en ciertos casos, como para expresar deseos (*I wish you **were** here*) y pedidos (*they ask that she **bring** her friends*).

1. En parejas, escriban otra oración con el subjuntivo en inglés. ¿Pueden expresar el mismo mensaje sin usarlo? ¿Cómo?
2. Escribe una oración en español con el subjuntivo. Intercambia tu oración con un(a) compañero/a y determinen los equivalentes en inglés. ¿Se usa el subjuntivo en inglés? ¿Por qué o por qué no?
3. Expliquen: ¿Por qué cambia un idioma con el paso del tiempo?

## Verbs of emotion

- When the main clause expresses an emotion like hope, fear, joy, pity, or surprise, the verb in the subordinate clause must be in the subjunctive if its subject is different from that of the main clause.

Espero que la película **tenga** subtítulos.
*I hope the movie will have subtitles.*

Es una lástima que no **puedas** venir.
*It's a shame you can't come.*

### Verbs and expressions of emotion

| | | |
|---|---|---|
| **alegrarse (de)** to be happy (about) | **es terrible** it's terrible | **molestar** to bother |
| **es bueno** it's good | **es una lástima** it's a shame | **sentir (e:ie/i)** to be sorry; to regret |
| **es extraño** it's strange | **es una pena** it's a pity | **sorprender** to surprise |
| **es malo** it's bad | **esperar** to hope; to wish | **temer** to fear |
| **es mejor** it's better | **gustar** to like; to be pleasing | **tener (e:ie) miedo (de)** to be afraid (of) |
| **es ridículo** it's ridiculous | | |

- The infinitive, not the subjunctive, is used with verbs and expressions of emotion if there is no change of subject in the sentence. The **que** is unnecessary in this case.

**Infinitive**

**Siento llegar tarde a la clase de hoy.**
*I'm sorry for being late to class today.*

**Subjunctive**

**Siento que la clase de hoy empiece tarde.**
*I'm sorry that today's class is starting late.*

## Verbs of doubt or denial

- When the main clause implies doubt, uncertainty, or denial, the verb in the subordinate clause must be in the subjunctive if its subject is different from that of the main clause.

No creo que ella **quiera** viajar.
*I don't think that she wants to travel.*

Dudan que la novela **tenga** éxito.
*They doubt that the novel will be successful.*

### Verbs and expressions of doubt and denial

| | |
|---|---|
| **dudar** to doubt | **negar (e:ie)** to deny |
| **es imposible** it's impossible | **no creer** not to believe |
| **es improbable** it's improbable | **no es evidente** it's not evident |
| **es poco cierto/seguro** it's uncertain | **no es cierto/seguro** it's not certain |
| **(no) es posible** it's (not) possible | **no es verdad** it's not true |
| **(no) es probable** it's (not) probable | **no estar seguro (de)** not to be sure (of) |

- The infinitive, not the subjunctive, is used with impersonal expressions of doubt or denial if there is no change in the subject of the sentence. The **que** is unnecessary in this case.

Es imposible **entrenar** hoy.
*It's impossible to train today.*

Es improbable que **entrenemos** hoy.
*It's unlikely that we'll train today.*

# Práctica

**1 Seleccionar** Escoge el infinitivo o el subjuntivo para completar las oraciones.

1. Me gusta (escuchar / escuche) merengue y salsa.
2. Quiero que me (compras / compres) un DVD de Juan Luis Guerra.
3. Es una pena que no (hay / haya) más conciertos de merengue en nuestra ciudad.
4. Siento (ser / sea) tan mal bailarín de bachata. ¡Practicaré más!
5. Espero que mis amigos y yo (viajamos / viajemos) a Santo Domingo este verano.

**2 Terco** Usa el subjuntivo o el indicativo para completar el diálogo.

**DIRECTOR** Mira, yo sé que (1) _____ (estar) muy ocupado, pero es muy importante que mañana (2) _____ (ir) al estreno de la película.

**VICENTE** Ya te he dicho que no quiero que (3) _____ (insistir). Prefiero que me (4) _____ (desear) un buen viaje. Me voy este fin de semana a Santo Domingo.

**DIRECTOR** Pero Vicente, necesitamos que (5) _____ (hablar) con los periodistas y que (6) _____ (saludar) al público.

**VICENTE** No creo que los periodistas (7) _____ (querer) entrevistarme.

**DIRECTOR** Pues sí. Ellos desean que tú (8) _____ (ser) más cooperativo.

**VICENTE** Honestamente, me molesta que nosotros (9) _____ (seguir) hablando de esto. ¡Adiós!

**3 Opuestas** Escribe la oración que expresa lo opuesto en cada ocasión.

**Modelo** **Es poco seguro que este actor sepa actuar bien.**
Es seguro que este actor sabe actuar bien.

1. El entrenador cree que debe hablar con todos los jugadores.
2. No es cierto que en Cuba mucha gente baile salsa.
3. Estamos seguros de que la mayoría de jóvenes leen todos los días.
4. Es verdad que el fútbol es mi deporte preferido.
5. No es evidente que esa actriz escuche música en español.

Practice more at
vhlcentral.com.

**4** **Juan Pablo enamorado** Juan Pablo está enamorado de Maricarmen y para impresionarla quiere convertirse en su hombre ideal. Usa las palabras y expresiones de la lista para darle consejos.

**Modelo** Es importante que te peines bien.

| | | |
|---|---|---|
| aconsejar | es mejor | recomendar |
| es importante | es necesario | rogar |
| es malo | insistir en | sugerir |

Juan Pablo antes

Juan Pablo después

**5** **¡Despedido!** En parejas, usen las frases para improvisar una conversación en la que un(a) actor/actriz de televisión es despedido/a (*fired*) por el/la director(a) del programa. Usen el indicativo y el subjuntivo.

**Modelo** ¿No es extraño que los televidentes estén pidiendo otro actor para ese papel?

| | |
|---|---|
| creo que | los anuncios |
| es extraño | el canal |
| es necesario | los chismes |
| es verdad | el comportamiento (*behavior*) |
| espero que | los críticos |
| necesito que | la escena |
| te ruego que | los televidentes |

**6** **¿Cómo son? ¿Qué hacen?** En parejas, usen el subjuntivo para inventar e intercambiar descripciones de estas personas.

**Modelo** **La estrella de cine es tacaña (*stingy*).**
Dudo que gaste mucho dinero. Prefiere que sus amigos le compren todo.

1. La actriz es antipática.
2. El deportista es muy generoso.
3. El cantante es extraño.
4. La crítica de cine es insegura.

**7** **Opiniones** En parejas, combinen las expresiones de las columnas para formar opiniones. Luego, improvisen tres conversaciones breves basadas en las oraciones.

**Modelo** —No creo que los futbolistas lean solo la sección deportiva. Seguramente también leen las noticias locales.
—No estoy de acuerdo. Es imposible que tengan tiempo para leer las noticias porque pasan mucho tiempo jugando al fútbol.

| Creo | | cada persona necesita una afición. |
|------|------|-----|
| No creo | | los futbolistas lean solo la crónica deportiva. |
| Dudo | | ese actor vive en una casa elegante. |
| No dudo | | se graben muchas telenovelas en República Dominicana. |
| No es cierto | que | hay muchos grupos de música cubanos. |
| Es evidente | | la televisión sea entretenida (*entertaining*). |
| Es imposible | | hoy se estrena una nueva película en el cine. |
| Me opongo a | | hagamos lo mismo cada fin de semana. |

**8** **Hermanas** Leticia es una cantante famosa y su hermana Mercedes quiere seguir sus pasos como artista. En parejas, lean el correo electrónico de Mercedes. Luego, escriban la respuesta de Leticia, usando el subjuntivo con los verbos y expresiones que acaban de aprender.

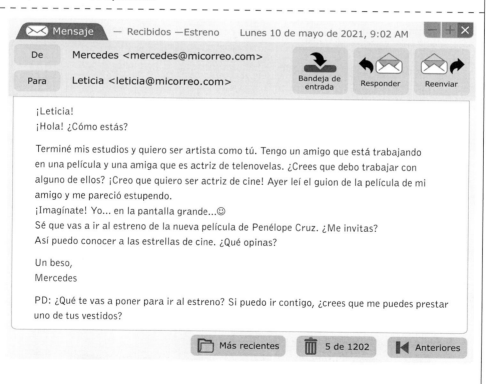

Mensaje — Recibidos —Estreno    Lunes 10 de mayo de 2021, 9:02 AM

De    Mercedes <mercedes@micorreo.com>

Para    Leticia <leticia@micorreo.com>

Bandeja de entrada    Responder    Reenviar

¡Leticia!
¡Hola! ¿Cómo estás?

Terminé mis estudios y quiero ser artista como tú. Tengo un amigo que está trabajando en una película y una amiga que es actriz de telenovelas. ¿Crees que debo trabajar con alguno de ellos? ¡Creo que quiero ser actriz de cine! Ayer leí el guion de la película de mi amigo y me pareció estupendo.
¡Imagínate! Yo... en la pantalla grande...☺
Sé que vas a ir al estreno de la nueva película de Penélope Cruz. ¿Me invitas?
Así puedo conocer a las estrellas de cine. ¿Qué opinas?

Un beso,
Mercedes

PD: ¿Qué te vas a poner para ir al estreno? Si puedo ir contigo, ¿crees que me puedes prestar uno de tus vestidos?

Más recientes    5 de 1202    Anteriores

## 3.2 Object pronouns

- Pronouns are words that take the place of nouns. Direct object pronouns directly receive the action of the verb. Indirect object pronouns identify *to whom* or *for whom* an action is done.

—*Llegamos a diferentes negocios muy pintorescos. Nosotros **los** conocemos como "chinchorros".*

| Indirect object pronouns | | Direct object pronouns | |
|---|---|---|---|
| me | nos | me | nos |
| te | os | te | os |
| le | les | lo/la | los/las |

## Position of object pronouns

- Direct and indirect object pronouns (**los pronombres de complemento directo e indirecto**) precede the conjugated verb.

| Indirect object | Direct object |
|---|---|

Carla siempre **me** da boletos.
*Carla always gives me tickets.*

Ella **los** consigue gratis.
*She gets them for free.*

No **le** guardé la sección deportiva.
*I didn't save the sports section for him.*

Nunca **la** quiere leer.
*He never wants to read it.*

- When the verb is an infinitive construction, object pronouns may be either attached to the infinitive or placed before the conjugated verb.

| Indirect object | Direct object |
|---|---|

Debes pedir**le** el dinero de la apuesta.
**Le** debes pedir el dinero de la apuesta.

Voy a hacer**lo** enseguida.
**Lo** voy a hacer enseguida.

Tienes que presentar**me** a tus amigos.
**Me** tienes que presentar a tus amigos.

Vamos a llevar**la** de excursión.
**La** vamos a llevar de excursión.

- When the verb is in the progressive, object pronouns may be either attached to the present participle or placed before the conjugated verb.

| Indirect object | Direct object |
|---|---|

Está enseñándo**les** a tocar el piano.
**Les** está enseñando a tocar el piano.

Estuvimos buscándo**las** ayer.
**Las** estuvimos buscando ayer.

**¡ATENCIÓN!**

**Lo** is also used to refer to an abstract thing or idea that has no gender.

**Lo** pensé.
*I thought about it.*

**TALLER DE CONSULTA**

For a detailed review of the neuter **lo**, see **Manual de gramática 5.5, p. 422.**

# Double object pronouns

- The indirect object pronoun precedes the direct object pronoun when they are used together in a sentence.

| | |
|---|---|
| Me **mandaron** los boletos **por correo.** | Me los **mandaron por correo.** |
| Te **exijo** una respuesta **ahora mismo.** | Te la **exijo ahora mismo.** |

- **Le** and **les** change to **se** when they are used with **lo, la, los,** or **las.**

| | |
|---|---|
| Le **damos** las revistas **a Ricardo.** | Se las **damos.** |
| Les **enseña** el juego **a sus hermanas.** | Se lo **enseña.** |

# Prepositional pronouns

**¡ATENCIÓN!**

When object pronouns are attached to infinitives, participles, or commands, a written accent is often required to maintain proper word stress.
**Infinitive**
**cantármela**
**Present participle**
**escribiéndole**
**Command**
**acompáñeme**
For more information on using object pronouns with commands, see **3.3, p. 107.**

| Prepositional pronouns | | | |
|---|---|---|---|
| **mí** *me, myself* | **él** *him, it* | **nosotros/as** *us, ourselves* | **ellos** *them* |
| **ti** *you, yourself* | **ella** *her, it* | | **ellas** *them* |
| **Ud.** *you, yourself* | **sí** *himself, herself, itself* | **vosotros/as** *you, yourselves* | **sí** *themselves* |
| | | **Uds.** *you, yourselves* | |

**TALLER DE CONSULTA**

See **Manual de gramática 3.4, p. 414,** and **3.5, p. 416,** for information on possessive and demonstrative pronouns.

- Prepositional pronouns function as the objects of prepositions. Except for **mí, ti,** and **sí,** they are identical to their corresponding subject pronouns.

¿Qué opinas de **ella**?
Ay, mi amor, solo pienso en **ti**.

¿Lo compraron para **mí** o para Javier?
Lo compramos para **él**.

- **A** + [*prepositional pronoun*] is often used for clarity or emphasis.

¿Te gusta aquel actor?
¡**A mí** me fascina!

¿Se lo dieron a Héctor o a Verónica?
Se lo dieron **a ella**.

- The pronoun **sí** (*himself, herself, itself, themselves*) is the prepositional pronoun used to refer back to the same third person subject. In this case, the adjective **mismo/a(s)** is usually added for clarification.

José se lo regaló a **él**.
*José gave it to him (someone else).*

José se lo regaló a **sí mismo**.
*José gave it to himself.*

- When **mí, ti**, and **sí** are used with **con**, they become **conmigo, contigo,** and **consigo.**

¿Quieres ir **conmigo** al museo este fin de semana?
*Do you want to go to the museum with me this weekend?*

Laura y Salvador siempre traen sus computadoras portátiles **consigo**.
*Laura and Salvador always bring their laptops with them.*

- These prepositions are used with **tú** and **yo** instead of **mí** and **ti**: **entre, excepto, incluso, menos, salvo, según.**

Todos están de acuerdo **menos tú** y **yo.**

**1** **Dos amigas** Berta y Susi están hablando del cantante Chayanne. Selecciona las personas de la lista que corresponden a los pronombres subrayados (*underlined*).

| a Chayanne | a Claudia | a mí |
| a Chayanne y a la muchacha | a la muchacha | a nosotras |
| | | a ti |

**BERTA** Como (1) <u>te</u> digo. (2) <u>Lo</u> vi caminando por la calle junto a una muchacha.

**SUSI** ¿De verdad? ¿(3) <u>Los</u> viste tomados de la mano?

**BERTA** No. Creo que él solo (4) <u>la</u> estaba ayudando a cargar algunas bolsas de la tienda.

**SUSI** ¿Será su esposa?

**BERTA** No creo. Iban juntos pero casi no hablaban. (5) <u>Me</u> parece que no son ni novios.

**SUSI** Y tú, ¿qué hiciste? ¿No (6) <u>le</u> dijiste que (7) <u>nos</u> parece el hombre más guapo del planeta y que (8) <u>lo</u> amamos?

**BERTA** No pude hacer nada, estaba paralizada por la emoción.

**SUSI** Voy a llamar a Claudia inmediatamente. ¡(9) <u>Le</u> tengo que contar todo!

1. _____
2. _____
3. _____
4. _____
5. _____
6. _____
7. _____
8. _____
9. _____

**2** **Un concierto** Reescribe las oraciones cambiando las palabras subrayadas por pronombres de complemento directo e indirecto.

1. Tienes que tratar amablemente <u>a los artistas</u>.
2. No pueden contratar <u>al grupo musical</u> sin permiso.
3. Hay que poner <u>la música</u> a volumen moderado.
4. Tienen que darme <u>la lista de periodistas y fotógrafos</u>.
5. Deben respetar <u>a los vecinos</u>.
6. Me dicen que van a transmitir <u>el concierto</u> por la radio.

**3** **Entrevista** Completa la entrevista con el pronombre correcto.

**REPORTERO** (1) _____ digo que pareces muy contento con el éxito de tu sitio web.

**JOAQUÍN** Sí, (2) _____ estoy. Este sitio es muy importante para (3) _____.

**REPORTERO** ¿Con quién trabajas?

**JOAQUÍN** Con mi hermano. (4) _____ doy la mitad del trabajo. (5) _____ ayuda mucho en los momentos de estrés.

**REPORTERO** ¿Cuáles son tus proyectos ahora?

**JOAQUÍN** (6) _____ gustaría presentar cortometrajes y documentales en el sitio web. A mi hermano y a mí (7) _____ encantan las películas.

# Comunicación

**4** **¿En qué piensas?** Piensa en algunos de los objetos típicos que ves en la clase o en tu casa (un cuadro, una maleta, un mapa, etc.). Tu compañero/a debe adivinar el objeto que tienes en mente, haciéndote preguntas con pronombres.

**Modelo**  **Tú piensas en: un libro**
—Estoy pensando en algo que uso para estudiar.
—¿Lo usas mucho?
—Sí, lo uso para aprender español.
—¿Lo compraste?
—Sí, lo compré en la librería.

**5** **A conversar** En parejas, túrnense para contestar las preguntas usando pronombres de complemento directo o indirecto, según sea necesario.

1. ¿Te gusta organizar fiestas? ¿Cuándo fue la última vez que organizaste una? ¿Por qué la organizaste?

2. ¿Invitaste a muchas personas? ¿A quiénes invitaste? ¿Cómo lo decidiste?

3. ¿Qué actividades les sugeriste a los invitados? ¿Las hicieron? Explica.

4. ¿Qué les ofreciste de comer a los invitados en tu fiesta? ¿Qué opinaron de la comida?

**6** **Fama** La actriz Pamela de la Torre debe encontrarse con sus fans pero no recuerda a qué hora. En grupos de cuatro, miren la ilustración e inventen una historia inspirándose en ella. Utilicen por lo menos cinco pronombres de complemento directo o indirecto.

**7** **Una persona famosa** En parejas, escriban una entrevista con una persona famosa. Utilicen estas preguntas y escriban cuatro más. Utilicen pronombres en las respuestas. Después, representen la entrevista delante de la clase.

**Modelo**  —¿Quién prepara la comida en su casa?
—Mi cocinero la prepara.

1. ¿Visita frecuentemente a sus amigos/as?

2. ¿Mira mucho la televisión?

3. ¿Quién conduce su auto?

4. ¿Prepara usted mismo/a sus maletas cuando viaja?

5. ¿Qué hace en su tiempo libre?

6. ¿Le gusta viajar?

## 3.3 Commands

### Formal (*usted* and *ustedes*) commands

- Formal commands (**mandatos**) are used to give orders or advice to people you address as **usted** or **ustedes**. Their forms are identical to the present subjunctive forms for **usted** and **ustedes**.

| Formal commands | | |
|---|---|---|
| **Infinitive** | **Affirmative command** | **Negative command** |
| tomar | **tome** (usted) | **no tome** (usted) |
| | **tomen** (ustedes) | **no tomen** (ustedes) |
| volver | **vuelva** (usted) | **no vuelva** (usted) |
| | **vuelvan** (ustedes) | **no vuelvan** (ustedes) |
| salir | **salga** (usted) | **no salga** (usted) |
| | **salgan** (ustedes) | **no salgan** (ustedes) |

### Familiar (*tú*) commands

- Familar commands are used with people you address as **tú**. Affirmative **tú** commands have the same form as the **él, ella,** and **usted** form of the present indicative. Negative **tú** commands have the same form as the **tú** form of the present subjunctive.

| Familiar commands | | |
|---|---|---|
| **Infinitive** | **Affirmative command** | **Negative command** |
| viajar | viaja | no viajes |
| empezar | empieza | no empieces |
| pedir | pide | no pidas |

SANDRA **JIMÉNEZ**
TURISTA BOLIVIANA

*Visita estos lugares y disfruta del viaje.*

- Eight verbs have irregular affirmative **tú** commands. Their negative forms are still the same as the **tú** form of the present subjunctive.

| decir | di | salir | sal |
|---|---|---|---|
| hacer | haz | ser | sé |
| ir | ve | tener | ten |
| poner | pon | venir | ven |

## *Nosotros/as* commands

- **Nosotros/as** commands are used to give orders or suggestions that include yourself as well as others. They correspond to the English *let's* + [*verb*]. Affirmative *and* negative **nosotros/as** commands are generally identical to the **nosotros/as** forms of the present subjunctive.

### *Nosotros/as* commands

| Infinitive | Affirmative command | Negative command |
|---|---|---|
| bailar | bailemos | no bailemos |
| beber | bebamos | no bebamos |
| abrir | abramos | no abramos |

- The verb **ir** has two possible affirmative **nosotros/as** commands: **vayamos**, the form identical to that of the present subjunctive, and the more common **vamos**. In the negative, however, use only **no vayamos**.

## Using pronouns with commands

- When object and reflexive pronouns are used with affirmative commands, they are always attached to the verb. When used with negative commands, the pronouns appear between **no** and the verb.

| | |
|---|---|
| **Levántense** temprano. | No **se** levanten temprano. |
| *Wake up early.* | *Don't wake up early.* |
| **Dímelo** todo. | No **me lo** digas. |
| *Tell me everything.* | *Don't tell it to me.* |

- When the pronouns **nos** or **se** are attached to an affirmative **nosotros/as** command, the final **s** of the command form is dropped.

| | |
|---|---|
| **Sentémonos** aquí. | No nos **sentemos** aquí. |
| *Let's sit here.* | *Let's not sit here.* |
| **Démoselo** mañana. | No se lo **demos** mañana. |
| *Let's give it to him tomorrow.* | *Let's not give it to him tomorrow.* |

## Indirect (*él, ella, ellos, ellas*) command

- The construction **que** + [*subjunctive*] can be used with a third person form to express indirect commands that correspond to the English *let someone do something*. If the subject of the indirect command is expressed, it usually follows the verb.

| | |
|---|---|
| **Que pase** el siguiente. | **Que** lo **haga** ella. |
| *Let the next person pass.* | *Let her do it.* |

- Unlike with direct commands, pronouns are never attached to the conjugated verb.

| | |
|---|---|
| **Que se lo den** los otros. | **Que** no **se lo den**. |
| **Que lo vuelvan** a hacer. | **Que** no **lo vuelvan** a hacer. |

**¡ATENCIÓN!**

When one or more pronouns are attached to an affirmative command, an accent mark may be necessary to maintain the command form's original stress. This usually happens when the combined verb form has three or more syllables.

**decir:**
**di, dile, dímelo**
**diga, dígale, dígaselo**
**digamos, digámosle, digámoselo**

**TALLER DE CONSULTA**

See **3.2, p. 102** for object pronouns.
See **4.2, p. 142** for reflexive pronouns.

**1 Cambiar** Cambia estas oraciones para que sean mandatos. Usa el imperativo.

1. Te conviene buscarlo en Internet.
2. ¿Por qué no jugamos a las cartas?
3. Te pido que mires la película con subtítulos.
4. ¿Quiere comprar este libro?
5. ¿Podrían ustedes grabar mi telenovela favorita hoy?
6. ¿Y si vamos al estreno?
7. Traten de llegar al teatro antes de las tres.
8. Debes escuchar esta banda sonora. Es muy buena.

**2 Recién famoso** El actor Mateo Domínguez va al estreno de su primera película. Usa mandatos informales para darle consejos sobre lo que debe y no debe hacer.

| | |
|---|---|
| besar a la gente | firmar (*to sign*) autógrafos |
| contar el final de la película | gritarle al público |
| darle una entrevista a la prensa sensacionalista | hablar durante la película |
| explicar los efectos especiales | llegar tarde/temprano |
| | vestirse bien/mal |

**3 Un entrenador difícil**

**A.** Agustín Álvarez es un entrenador de béisbol muy exigente (*demanding*). Usa mandatos formales afirmativos y negativos para escribir los consejos que les dio a sus jugadores antes del partido.

1. No olvidar llegar temprano.
2. Venir con energía.
3. Dormir al menos ocho horas la noche antes del partido.
4. Hacer ejercicios de calentamiento.
5. Beber suficiente agua durante el día.

**B.** El equipo de Agustín Álvarez ganó el partido. Sin embargo, el señor Álvarez no estuvo contento con uno de los jugadores. En parejas, usen mandatos informales afirmativos y negativos para escribir siete nuevos consejos que el entrenador le dio a este jugador. Usen pronombres y sean creativos.

**Modelo**    No tomes una comida con mucha grasa antes de entrenar.
              Tómala con carbohidratos y proteína.

Practice more at
vhlcentral.com.

# Comunicación

**4** **Internet** ¿Qué le dirían a un(a) amigo/a para que esté mejor informado/a sobre la actualidad? En parejas, escojan verbos de la lista y otros para hacerle ocho recomendaciones utilizando mandatos informales afirmativos y negativos. Sean creativos.

**Modelo** Navega en la red. Hay sitios web que ofrecen noticias de todo tipo.

| | | |
|---|---|---|
| enterarse | hacer | leer |
| escuchar | investigar | navegar |
| hablar | ir | ver |

**5** **Escenas** En parejas, escojan por lo menos dos de estos personajes y escriban una escena para una película. Usen mandatos afirmativos y negativos de las formas **tú**, **usted(es)** y **nosotros/as**. Usen pronombres cuando sea posible.

**Modelo** **OLGA** ¡Sal de aquí! No quiero verte más.
**RODOLFO** No quiero irme. ¡Quedémonos aquí! Hablemos del viaje a San Juan.

Rodolfo          Olga          Tomasito          doña Filomena

**6** **Anuncio** En grupos de tres, elijan cuatro de estas opciones y escriban consejos sobre planes para el fin de semana. Utilicen mandatos y pronombres para convencer al resto de la clase de que hagan esos planes.

**Modelo** **Una exposición en el Museo de Ciencias**
Vean la exposición que inauguraron en el Museo de Ciencias.
Las entradas no son caras. ¡Cómprenlas pronto!

- Una exposición en el Museo de Ciencias
- Un juego de mesa
- Una excursión a la playa
- Una visita a la biblioteca
- Una tarde de compras
- Un partido de vóleibol
- Una película en el cine
- Una cena en un nuevo restaurante

### Las Fiestas de la Calle San Sebastián

Puerto Rico celebra en enero las Fiestas de la Calle San Sebastián. Los vecinos adornan los balcones y llevan en peregrinación° una imagen del santo por la zona histórica de San Juan. Durante cuatro días, se festejan la historia y la cultura del país con desfiles como el de la Comparsa de los Cabezudos°. Se venden artesanías y comida, y hay espectáculos de música.

### El Festival Casals

El Festival Casals es el evento más importante de música clásica en el Caribe. La madre del famoso violonchelista° catalán Pau Casals era puertorriqueña. El músico se mudó a la isla en 1956 y organizó este festival que sigue celebrándose todos los años en su honor. Durante tres semanas, orquestas y solistas° de Puerto Rico y otros países dan conciertos en el Centro de Bellas Artes de San Juan.

**peregrinación** *pilgrimage* **Cabezudos** *carnaval figures with an oversize head*
**violonchelista** *cellist* **solistas** *solo artists* **almacenes** *stores* **papel** *role*
**compra a domicilio** *home delivery*

### La rueda cubana

La rueda cubana (o de casino) nació durante los años cincuenta en lugares con música en vivo como el Club Casino Deportivo de La Habana. Varias parejas se reúnen en un círculo y siguen las indicaciones de uno de los integrantes para coordinar sus pasos y estilos. Hoy en día se baila salsa, rumba, merengue, chachachá y otros ritmos; a veces se cambia de pareja y siempre se improvisa un poco.

### Los colmados

Aunque los colmados son almacenes° de comida y bebida, en República Dominicana tienen el papel° de centro comunitario y cultural. Están abiertos todos los días y tienen servicio de compra a domicilio°. También permiten comprar a crédito, lo que ayuda a los clientes a llegar a fin de mes. Los vecinos juegan dominó o conversan en la puerta, y los jóvenes se reúnen allí a bailar, a mirar béisbol o a escuchar música.

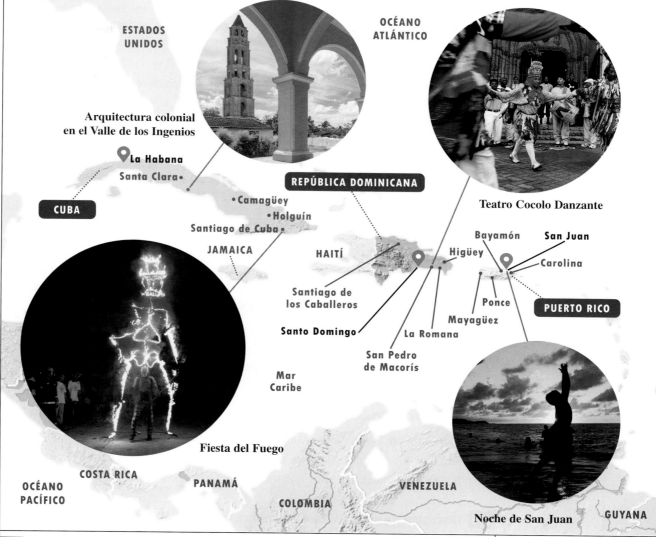

Arquitectura colonial
en el Valle de los Ingenios

ESTADOS
UNIDOS

OCÉANO
ATLÁNTICO

La Habana
Santa Clara

CUBA

Camagüey
Holguín
Santiago de Cuba

JAMAICA

REPÚBLICA DOMINICANA

Teatro Cocolo Danzante

HAITÍ

Santiago de
los Caballeros

Santo Domingo

San Pedro
de Macorís

La Romana

Bayamón    San Juan

Higüey    Carolina

Ponce    PUERTO RICO

Mayagüez

Mar
Caribe

Fiesta del Fuego

COSTA RICA

OCÉANO
PACÍFICO

PANAMÁ

COLOMBIA

VENEZUELA

Noche de San Juan    GUYANA

**1 Perspectivas** En parejas, contesten las preguntas.

1. ¿Existe en tu comunidad alguna fiesta o festival que dure varios días? ¿Te gusta participar en este tipo de eventos?

2. ¿Qué celebraciones de tu país son mezcla de religión y cultura? Compáralas con las Fiestas de la Calle San Sebastián.

3. ¿Por qué crees que el Festival Casals sigue celebrándose después de tantos años? ¿Conoces otros festivales de música clásica? ¿Te interesan?

4. ¿Sabes bailar? ¿Qué tipo de baile? ¿Bailaban tus padres y tus abuelos?

5. ¿Qué importancia crees que tiene el baile en Cuba? ¿En qué te basas? ¿Y en tu comunidad? Explica.

6. ¿Dónde haces tus compras de comida? ¿Por qué? ¿Es el mismo lugar en el que compran tus vecinos, tus padres o tus amigos?

7. ¿Existen lugares como los colmados en tu comunidad? ¿En qué se parecen y se diferencian?

# Entrevista a pie de calle  Audio

En el audio "¿Cuáles son los *hobbies* de los mexicanos?", se entrevista a varios ciudadanos de México sobre las actividades que realizan en su tiempo libre.

## Antes de escuchar

 **1** **Activar el conocimiento previo** Habla con un(a) compañero/a sobre sus actividades favoritas. ¿Cuáles hacen en su tiempo libre? ¿Por qué les gusta hacerlas? ¿Practican algún deporte?

## Mientras escuchas

**2** **Estrategia: Visualizar** Mientras escuchas el audio, piensa en las actividades que mencionan las personas entrevistadas. Anota algunas de ellas en una lista.

 **3** **Escucha una vez** Escucha el audio y concéntrate en el vocabulario nuevo. Anota palabras que no conozcas.

**4** **Escucha de nuevo** Ahora, vuelve a escuchar el audio y completa tu lista inicial. Trata de descifrar el significado de las palabras nuevas.

## Después de escuchar

**5** **Comprensión y reflexión** En grupos pequeños, contesten las preguntas.

1. ¿Cuáles son algunos *hobbies* que se nombran en el audio?
2. ¿Cuál es el *hobby* más común entre los mexicanos?
3. ¿Comparten alguna de las actividades con los entrevistados?
4. ¿Qué dice la entrevistadora sobre las respuestas de los mexicanos?
5. ¿Por qué creen que dice que "las cosas se pusieron curiosas"?

**6** **Discusión** En grupos de cuatro, comenten los *hobbies* que han escuchado en el audio y contesten: ¿Creen que, si se entrevistara a jóvenes de su país, darían respuestas similares? Hablen sobre otras maneras de pasar el tiempo libre que les gusten a ustedes y comparen los puntos positivos y negativos de cada actividad.

| Actividad | Puntos positivos | Puntos negativos |
|-----------|------------------|------------------|
|           |                  |                  |
|           |                  |                  |
|           |                  |                  |
|           |                  |                  |
|           |                  |                  |
|           |                  |                  |
|           |                  |                  |

 Practice more at vhlcentral.com.

## SOBRE LA AUTORA

**Bárbara Vasallo** nació en la capital cubana, La Habana, ciudad por la que siente una gran pasión. A finales de los años 1990, se licenció (*graduated*) en periodismo en Cuba y posteriormente hizo un Máster en Comunicación Social en España, país donde reside. Vasallo posee profundos conocimientos acerca de diversos temas relacionados con Cuba, sobre los cuales escribe frecuentemente en varios blogs y otras publicaciones de viajes.

| Vocabulario de la lectura | | Vocabulario útil | |
|---|---|---|---|
| la baraja | *deck of cards* | apuntarse | *to sign up* |
| el campeonato | *championship* | arriesgarse | *to take a risk* |
| la jerga | *slang* | el azar | *fate* |
| la jugada | *move* | el blanco | *target* |
| pasar el rato | *to spend time* | la derrota | *defeat* |
| la peña | *club* | interponerse | *to interfere* |
| la regla | *rule* | rendirse (e:i) | *to give up* |

**1  Vocabulario**  Completa el mensaje de voz.

Hola, mamá. ¿Qué tal por el pueblo? ¿Por qué no contestas al teléfono? Supongo que estás (1) _____ con tus amigas. Te llamaba para darte buenas noticias. ¡He ganado el (2) _____ de cartas! La final fue muy difícil; casi me (3) _____, pero conseguí ganar en la última (4) _____. Y, por supuesto, gané sin hacer trampas; seguí todas las (5) _____. Esta noche voy a celebrarlo con mis compañeros de la (6) _____. La verdad es que me siento un poco mal por ellos, porque mi victoria supone su (7) _____, pero así es el juego. Yo me voy a (8) _____ al campeonato todos los años y voy a intentar ganar siempre. Bueno, mamá, llámame. Un beso grande.

**2  Juegos de mesa**  En parejas, háganse las preguntas.

1. ¿Qué juegos de mesa son populares en tu comunidad?
2. ¿A qué juegos jugabas cuando eras niño/a? ¿Jugabas en la calle?
3. ¿Juegas ahora a algún juego de mesa? ¿A cuál? ¿Qué juego se te da mejor?
4. ¿Qué diferencias hay entre los juegos a los que tú jugabas de niño/a y los de la generación de tus padres? ¿Y los de hoy en día?
5. Hay muchas versiones en línea de los juegos de mesa tradicionales. ¿Qué diferencias hay entre jugar en línea y jugar cara a cara con amigos?

**3  Los mejores**  En grupos de tres, hagan una lista de los diez mejores juegos de mesa. Después, comenten los beneficios que tiene jugar a cada uno.

Practice more at
vhlcentral.com.

# EL DOMINÓ
## es el juego de Cuba

### Bárbara Vasallo

### El dominó en Cuba, una marca de identidad

ES MUY USUAL CAMINAR POR LAS CIUDADES y pueblos de Cuba y encontrar personas jugando dominó en la calle, en las casas, en las fiestas. Sin embargo, la forma de juego cubana es diferente a la del resto del mundo, muy característica y más azarosa° podríamos decir.

Pero ¿cómo el dominó se convierte en algo representativo de una cultura? ¿Qué podemos aprender a través del dominó sobre los cubanos, su manera de pensar, de hablar y de comportarse a veces? ¿Dónde está la diversión de pasar horas sentado en una mesa poniendo fichas?

### El dominó en las calles cubanas

El dominó cubano se ha convertido prácticamente en deporte o *hobby* nacional. Se organizan campeonatos en los barrios° y municipios° que el gobierno apoya y promueve°. Es habitual que cuando las familias se reúnen se juegue dominó. Así, no falta los 31 de diciembre en las viviendas cubanas, junto al cerdo asado°, la yuca con mojo° y el congrí°, ya sea en el campo o la ciudad. Tampoco en fiestas de aniversarios acompañado de música, bebida y conversaciones.

Es increíble cómo hasta los más jóvenes disfrutan y juegan; todas las generaciones se pueden juntar en una mesa y hacer retumbar° las fichas. Se dice que años atrás era más común encontrarlo dentro de las casas y en fiestas, pero actualmente cualquier esquina, parque o rincón en las calles puede convertirse en sitio de encuentro para jugar dominó. A veces hasta sin mesa, simplemente una tabla de madera° que se colocan los jugadores en las piernas puede dar comienzo a este *hobby*.

> ❝ Cualquier esquina, parque o rincón en las calles puede convertirse en sitio de encuentro para jugar dominó. ❞

Así que no le sorprenda encontrar de repente mientras camina por algún lugar del país un grupo de personas alrededor de una mesa muy concentradas. Sí, porque no solo las cuatro personas que se encuentren jugando son las que intervienen, muchas veces la gente que espera a sentarse en la mesa también opina al final de cada partida, porque es como el ojo que todo lo ve, y, por tanto, comentan las jugadas de los otros.

Es una manera muy cubana de socializar y pasar el rato. Incluso, en la noche puede ver, en un parque iluminado o en una esquina donde haya un foco de luz pública, a los cubanos poniendo fichas y discutiendo. En ocasiones, existen en los barrios peñas de dominó, es decir, que en determinados horarios ya todos saben que de seguro se sentarán a jugar y los que gustan de él se preparan para asistir. Hay grupos de personas mayores que mantienen la tradición, por muchos años, de ubicarse en el mismo lugar, que puede ser una bodega°, una esquina o vivienda, para practicarlo.

## El dominó al estilo cubano

Se diferencia del que se juega en otros países por la cantidad de fichas, que son 55, y por la dinámica del juego, aunque las reglas cambian en una zona u otra del país. Por ejemplo, se dice que en el oriente de Cuba es más común jugar con 28 fichas, es decir, hasta el doble 6; mientras que en el occidente son 55 fichas hasta el doble 9.

La diferencia es que en la segunda variante los 4 jugadores toman 10 fichas y otras 15 quedan fuera de la partida, por lo que no se sabe exactamente la cantidad de piezas de un mismo número que hay en el momento del juego. Cuando este termina, vuelven a unir todas las fichas, las revuelven y comienza otro juego. Esta variante es más azarosa y depende de la suerte y hasta de la intuición de los jugadores.

## La jerga del dominó en Cuba

Muchas fichas y números se han renombrado a partir de frases populares o de personajes históricos. Muchas veces al nombrarla se imita la similitud en la fonética del número cuando se pone la ficha, es

decir, diciendo una frase en la que en algún momento se menciona el número o parte de este. Por ejemplo, y para que sea más visible, cuando un jugador pone un cuatro en la mesa puede decir "cuarteles° que son escuelas", una frase que se popularizó a inicios de la Revolución Cubana y su campaña por la educación, pero dentro de la frase aparecen casi completamente las letras del número.

Lo curioso es que la fraseología del dominó es algo ampliamente° estandarizado que los cubanos utilizan en las partidas y todos comprenden perfectamente de qué se habla. Incluso esas frases pueden pasar al habla cotidiana. Por ejemplo, "dar agua", que significa recoger las fichas y revolverlas cuando acaba cada partida, lo utilizan popularmente las personas para expresar que algo terminó o va a terminar. Por tanto, el dominó forma parte del habla popular del cubano y el discurso° oral, tiene su propia jerga.

Así que ni bingo, ni damas, ni ajedrez, ni barajas, el dominó es el juego de Cuba, una expresión más de su autenticidad y su cultura popular. Si camina por las calles del país seguro se percatará de° esta realidad que durante años ha divertido a los cubanos y que seguirá haciéndolo. ∎

| | |
|---|---|
| **azarosa** *random* | **retumbar** *rumble* |
| **barrios** *neighborhoods* | **tabla de madera** *wooden board* |
| **municipios** *towns* | **bodega** *grocery store* |
| **apoya y promueve** *supports and promotes* | **cuarteles** *barracks* |
| **asado** *roasted* | **ampliamente** *widely* |
| **mojo** *garlic sauce* | **discurso** *speech* |
| **congrí** *rice and bean dish* | **percatará de** *will notice* |

**1 ¿Cierto o falso?** Indica si las oraciones son ciertas o falsas. Corrige las falsas.

1. En Cuba, es común ver por las calles a personas jugando dominó.
2. El gobierno cubano promueve los campeonatos de dominó.
3. Los cubanos que juegan dominó son personas mayores.
4. Los cubanos se reúnen alrededor de las mesas y comentan las partidas de dominó.
5. En Cuba solo se juega a la variante de dominó de 55 fichas.
6. La expresión procedente del dominó "dar agua" ha pasado al habla cotidiana de los cubanos.

**2 Identidad** En parejas, contesten las preguntas.

1. Según el artículo, ¿por qué el dominó es una marca de identidad cubana?
2. ¿Qué importancia tiene el dominó en la cultura cubana?
3. ¿Qué beneficios de jugar dominó se mencionan en el artículo?
4. ¿Creen que los juegos son una buena manera de socializar? ¿Por qué?
5. ¿Cuál creen que será el futuro de los entretenimientos de su comunidad?
6. ¿Piensan que el avance tecnológico se interpondrá en costumbres como la del dominó? ¿Cómo?

**3 Proyecto** Investiga si en tu ciudad hay alguna asociación o centro cultural cubanos y consigue sus datos de contacto. Luego, como clase, traten de organizar una visita para presenciar o participar en algunas partidas de dominó. Envíen un correo electrónico a las asociaciones explicando su proyecto. Durante la visita, tomen notas sobre su experiencia.

- ¿Qué edades tenían las personas reunidas en la asociación?
- ¿Es el dominó un juego habitual en la asociación? ¿Qué otras actividades se realizan allí?
- Durante las partidas, ¿reconocieron alguna expresión de las que menciona el artículo?
- Comparen cómo fue jugar a esta versión del dominó frente a la tradicional de 28 fichas (más fácil o más difícil, más divertida o más aburrida, partidas más cortas o más largas...)

**4 Artículo** Escribe un artículo sobre uno de los deportes o juegos que representan la identidad de tu comunidad. Incluye esta información: definición y reglas principales, origen, por qué representa a tu comunidad, costumbres y otra información que consideres importante.

Practice more at
vhlcentral.com.

| Vocabulario de la lectura | | Vocabulario útil | |
|---|---|---|---|
| el/la cantante | singer | el baile de salón | ballroom dance |
| el/la cantautor(a) | singer-songwriter | el/la compositor(a) | composer |
| la emisora | (radio) station | el disco | record |
| grabar | to record | la discoteca | nightclub |
| el grupo | band | el dúo | duet |
| el jolgorio | revelry | la melodía | tune |
| lanzar | to release (an album) | la pista de baile | dance floor |
| el tema | song | poner música | to play music |
| | | el/la solista | solo artist |

**1  No pertenece** Indica qué opción no está relacionada con la palabra destacada.

1. **disco**     a. grabar          b. lanzar          c. emisora
2. **artista**   a. compositor      b. disco           c. cantautor
3. **canción**   a. melodía         b. tema            c. discoteca
4. **grupo**     a. jolgorio        b. dúo             c. cantante
5. **bailar**    a. pista de baile  b. baile de salón  c. solista

**2  El concierto** Completa la noticia.

| | | | |
|---|---|---|---|
| cantante | dúos | lanzar | pista de baile |
| discos | grupos | melodías | temas |

### CONCIERTO DE RICKY MARTIN EN PUERTO RICO

El (1) _____ Ricky Martin regresó con su música a su ciudad natal, San Juan, Puerto Rico. El artista interpretó todas las canciones esperadas, incluso (2) _____ de sus primeros (3) _____. El público participó entusiasmado, cantando y bailando las animadas (*lively*) (4) _____ durante todo el concierto. Durante dos horas, el estadio Hiram Bithorn se convirtió en una auténtica (5) _____. Recientemente, Ricky Martin ha colaborado con otros (6) _____ y ha hecho algunos (7) _____ con otros artistas. Sus fans creen que Ricky Martin va a (8) _____ un nuevo álbum pronto.

**3  Gustos musicales** En parejas, contesten las preguntas.

1. ¿Escuchas música a menudo? ¿Cuál es tu género preferido? ¿Y tu grupo?
2. ¿Te gusta ir a conciertos? ¿Has ido a alguno recientemente?
3. ¿Te gusta bailar? ¿Crees que el baile es una parte imprescindible de la música?
4. ¿Tocas algún instrumento? Cuenta tu experiencia.

S Practice more at
vhlcentral.com.

# La bachata, ritmo dominicano

## Fiestas y música popular: el origen de la bachata

Hoy en día, la bachata es una de las señas° de identidad de la República Dominicana y uno de los géneros musicales y bailes latinos más populares en todo el mundo, pero no siempre fue así.

La palabra "bachata", que significa fiesta o jolgorio, se utilizaba para referirse a las reuniones sociales en las que se tocaba música popular. No fue hasta principios de los años 60 cuando el término se empezó a utilizar para nombrar al género musical nacido en la República Dominicana. En un principio, la bachata fue considerada una variante del bolero, pero poco a poco y debido a la influencia de otros géneros e instrumentos fue adquiriendo un estilo propio. Así, las maracas del bolero fueron sustituidas por la güira, y se incorporaron instrumentos como el bongó, característico del son cubano, y las guitarras de los populares tríos latinos. Las letras de sus canciones se caracterizaban por su melancolía y trataban generalmente sobre romances, desamor y despecho°. De hecho, la bachata también era conocida como música de amargue°. En esta época, la bachata era considerada un género musical típico de las clases sociales bajas y los barrios más pobres, ignorada e incluso rechazada por las clases sociales medias y altas.

"Borracho de amor", de José Manuel Calderón, es la primera canción de bachata que se grabó. Sin embargo, fue el cantautor Rafael Encarnación quien hizo que la bachata fuera ganando popularidad entre los gustos de la gente, con temas como "Muero contigo", "Ya es muy tarde" y "Esclavo de tu amor".

## Hacia el éxito

En los años 80 la bachata ganó mayor fama y dejó de considerarse un género musical de las clases sociales más bajas para empezar a convertirse en referente de la música dominicana. Radio Guarachita, una emisora de radio de Santo Domingo, contribuyó en gran parte a este éxito difundiendo las voces de una nueva generación de cantantes de bachata. Luis Segura, con su canción "Pena por ti", fue uno de los grandes nombres de esta época. ▪

Además, el género fue evolucionando en cuanto a arreglos° musicales y letras, de forma que se crearon canciones y álbumes más elaborados y de mayor calidad.

*signs*

*spite*
*bitterness*

*arrangements*

25

30

En 1990, el cantante y músico dominicano Juan Luis Guerra, que era ya un artista consagrado°, lanzó al mercado su álbum *Bachata Rosa*. Este se convirtió en todo un éxito comercial y difundió el género musical de la bachata no solo por la República Dominicana y América Latina, sino por países de todo el mundo.

A mediados de la década, tuvo lugar otro de los momentos clave para la historia de la bachata y esta vez el lugar de origen fue Estados Unidos. Cuatro amigos de origen dominicano-estadounidense formaron en El Bronx el grupo Los Tinellers (más tarde rebautizado° como Aventura) y se convirtieron prácticamente en los embajadores° contemporáneos de este género musical. Uno de los grandes méritos de la banda fue su carácter innovador, al fusionar la bachata tradicional con ritmos modernos como el hip hop y el rhythm and blues. En 2002, su canción "Obsesión" se convirtió en uno de los temas más escuchados en radios de todo el mundo.

En 2011, Aventura anunció su separación, pero su vocalista, Romeo Santos, comenzó su carrera en solitario. En la actualidad se le conoce como el "rey de la bachata del siglo XXI" y es uno de los artistas latinos más influyentes. Su música se caracteriza por una fusión con estilos más urbanos y temáticas diferentes a las habituales. Siguiendo este camino, la bachata actual está marcada por la fusión con otros géneros musicales y la introducción de otros instrumentos.

## El baile

La bachata es un baile romántico y rítmico que se baila en pareja. Sus movimientos están centrados en los pies y se baila en ocho tiempos°, divididos en dos partes de cuatro tiempos cada una. Los movimientos básicos de la bachata consisten en tres pasos y un toque° final con la planta° del pie. Esta es la bachata tradicional y auténtica que fuera de la República Dominicana se conoce como bachata dominicana. Sin embargo, en paralelo a la evolución de la bachata como género musical, en el baile también han surgido diferentes estilos. Algunos de estos estilos son la bachata sensual, que se caracteriza por la cercanía de los bailarines y los movimientos corporales más complejos, o la bachata urbana, que incorpora movimientos de hip hop.

El éxito de la bachata está muy ligado a la expansión internacional de su baile. En la actualidad, la bachata es uno de los bailes latinos más populares y está extendido por todo el mundo a través de escuelas de danza, congresos, competiciones y otros eventos. Así, la bachata pasó de ser un género humilde, popular y asociado a las clases sociales bajas, a convertirse en un fenómeno mundial y un símbolo de identidad de la República Dominicana. ■

> El éxito de la bachata está muy ligado a la expansión internacional de su baile.

*renowned*

*renamed*
*ambassadors*

*beats*
*tap*
*sole*

Watch related video at vhlcentral.com.

**1 Comprensión** Contesta las preguntas.

1. ¿A qué hacía referencia originalmente la palabra "bachata"?
2. ¿Qué elementos hicieron que la bachata se convirtiera en un género propio diferenciado del bolero?
3. ¿Por qué a la bachata también se la llamaba música de amargue?
4. ¿Por qué Radio Guarachita fue importante para la historia de la bachata?
5. ¿En qué se diferencia la bachata sensual de la bachata dominicana?

**2 Opiniones** En parejas, conversen sobre estas preguntas.

1. ¿Por qué creen que la bachata fue rechazada inicialmente por las clases sociales altas?
2. ¿Qué factores creen que influyen en los gustos y preferencias musicales?
3. ¿Por qué creen que el desamor es un tema recurrente en las letras de las canciones de bachata? Mencionen otros temas frecuentes en las canciones de otros géneros musicales.
4. ¿Creen que la radio sigue contribuyendo hoy en día a la difusión de géneros musicales y artistas? Comparen su influencia con la de la televisión e Internet.

**3 Otros géneros** Elige un género musical surgido en tu país y completa la tabla.

| GÉNERO MUSICAL | |
|---|---|
| Lugar y época de origen | |
| Origen social y cultural | |
| Instrumentos | |
| Artistas y canciones famosos | |
| Baile y otros elementos característicos | |

**4 Citas** En grupos de tres, expliquen qué significan estas citas. Luego, contesten las preguntas.

"La música es una cosa amplia, sin límites, sin fronteras, sin banderas."
—**León Gieco, músico y compositor argentino**

"Cada uno tiene su forma de agarrar la guitarra, y para eso no hay profesión."
—**Carlos Santana, guitarrista mexicano**

• ¿Creen que la música es un lenguaje universal o creen que cada género está ligado a una cultura determinada?
• ¿Piensan que es positivo que los géneros musicales evolucionen y se fusionen?

Practice more at
vhlcentral.com.

## SOBRE LA AUTORA

**E**lda Susana Álvarez nació en Buenos Aires, Argentina, en una familia de inmigrantes rusos y españoles. Se dedicó durante más de 30 años a la enseñanza y, posteriormente, al derecho. La literatura, su gran pasión, la llevó a participar en talleres y certámenes literarios, en los que obtuvo premios por sus cuentos. "Gorki el mago" forma parte de su libro *¿Te cuento...?*, publicado en 2005. Por medio de un lenguaje coloquial, la autora aborda temas históricos, fantásticos y anecdóticos.

### NOTA CULTURAL

Argentina tiene una larga historia en el mundo del circo. El primer circo de la zona del Río de la Plata data del año 1757. Los espectáculos se realizaban en carpas (*tents*) y se representaban en varios pueblos. Las obras teatrales tenían un papel importante en este tipo de circo ambulante, conocido como circo criollo. Los números se dividían en una primera parte dedicada a las habilidades y una segunda parte destinada a la representación. Hoy en día muchos circos argentinos siguen el modelo del circo criollo y viajan durante todo el año a diferentes partes del mundo.

| Vocabulario de la lectura | | Vocabulario útil | |
|---|---|---|---|
| el cerrojo | lock | adivinar | to guess |
| el cofre | chest | ambulante | traveling |
| la función | performance | el circo | circus |
| la galera | top hat | el/la espectador(a) | spectator |
| el/la mago/a | magician | la magia | magic |
| el número | act | el/la malabarista | juggler |
| el parque de diversiones | amusement park | el/la payaso/a | clown |
| el telón | (theater) curtain | | |
| el truco | trick | | |

### 1 Vocabulario Completa las oraciones.

1. El mago sacó una paloma (*dove*) de la _____.
2. Cuando se abrió el _____, vimos a los actores y aplaudimos.
3. Mi _____ preferido fue el de los acróbatas.
4. Algunos niños de la fiesta rieron mucho con el _____, pero otros le tenían miedo.
5. Los trucos del mago no sorprendieron a los _____.

### 2 Abracadabra Contesta las preguntas y comparte tus respuestas con un(a) compañero/a.

1. ¿Sabes algún truco de magia? Si no, ¿te gustaría aprender? ¿Por qué?
2. ¿Te gusta ver funciones de magia? ¿Qué sensaciones te provoca?
3. ¿Por qué crees que a las personas les atrae la magia?
4. Hay personas que opinan que la magia es solo para niños. ¿Estás de acuerdo?
5. ¿Crees que es posible que exista la magia más allá de la que se realiza con trucos?
6. El escritor Roald Dahl dijo: "El que no cree en la magia nunca la encontrará". ¿Estás de acuerdo? ¿Crees que es aplicable a otros aspectos de la vida?

# Gorki el mago

## Elda Susana Álvarez

Desde que el Parque de Diversiones llegó a Campo Seco estábamos fascinados. Muy temprano nos apostábamos° alrededor del baldío° para no perdernos detalle. De a poco nos acercábamos a las casas rodantes° y acoplados°.

*placed / empty land*

*caravans*

*trailers*

5 Aparecían lonas°, alfombras desteñidas°, tapices gastados°, sogas° de todos los tamaños, caños° y trozos de estructuras metálicas.

*canvases / faded / worn tapestries / ropes*
*pipes*

Entre la batahola° de hierros y golpes, los hombres trajinaban°. Mirándome uno me gritó "che pibe, alcanzame esa pala°". Obedecí, contento de poder ayudar.

*din / were on the move*

*hey, kid, hand me that shovel*

Los gritos rebotaban° sobre el empedrado desparejo° despertando al
10 pueblo adormilado.

*bounced / uneven stone pavement*

De a poco se fue inflando una carpa° enorme. Era un globo sucio y colorido, esto ya era un suceso en Campo Seco donde nunca pasaba nada.

*tent*

Llegó el sábado, desde un Ford antiguo que recorría las calles se anunciaba por megáfono: *"esta noche el Infierno del Dante... Piérdanse en el*
15 *Laberinto de los Espejos... naveguen en las góndolas venecianas escuchando el canto de las sirenas... admiren al gran ilusionista de todos los tiempos: el gran mago Gorki secundado por Géminis, la Dama del Tarot...".*

La voz ronca° prometía una velada° mágica, con fondo de una música estridente y farandulesca° se colaba por las casas y nadie podría ignorar el estreno
20 del Parque.

*hoarse / evening*

*circus-like*

**Una fuerte vibración electrizó mi brazo. Giré y ahí parado junto a mí, mirándome con sus ojos brillantes, estaba Gorki.**

Esa noche fui de los primeros en entrar. Caminé sobre el aserrín° entre los juegos hasta que una bola de cristal iluminada me indicó lo que yo buscaba. El cartel anunciaba: Aquí el gran Mago Gorki y Géminis, la Dama del Tarot.

*sawdust*

Me senté solo en la primera fila. La gente fue colmando° la sala. Por fin se apagaron las luces y grandes focos° iluminaron el telón plateado°.

*filling*

*spotlights*

*silver*

Envueltos° en una nube blanca aparecieron el mago Gorki y su ayudante, Géminis. Ella lucía una malla rutilante° de lentejuelas° rojas y empuñaba° un gran abanico° de cartas de tarot, Gorki de frac negro con solapas° plateadas, delgado,
35 elegante con su barba oscura.

*Wrapped*

*sparkling tights / sequins / clenched*
*fan / lapels*

*fired-up audience*

*doves*

*delighted*

*handcuffed*

*beam*

*lid*

*stroking*

*erupted*

*cloak / satin*

*disturbed*

*curled up*

*felt*

*let me down*

Y empezaron las pruebas, la platea enardecida° gritaba "Bravo... ¡Increíble!". Pañuelos multicolores, palomas° que volaban sobre el auditorio, conejos saltarines salían de la galera encantada. Nos deleitó° un buen rato hasta que anunciaron el número final: Gorki desaparecería del interior de un cofre cerrado.

El mago se acomodó maniatado° y antes de cerrar la caja, Géminis le entregó cuatro cartas de tarot marcadas a la vista del público. Un haz° potente de luz iluminó la escena. Pasaron instantes de silencio expectante... Géminis abrió la tapa°. El cofre estaba vacío. Una fuerte vibración electrizó mi brazo. Giré y ahí parado junto a mí, mirándome con sus ojos brillantes, estaba Gorki acariciándose° la barba. Me habló:

—Busca, por favor... en tu bolsillo.

Obedecí. Palpé y con asombro saqué cuatro cartas de tarot, marcadas, las mismas que Géminis le había dado.

Un aplauso fenomenal estalló° y yo quedé sin palabras, era un milagro.

Por unos días no hice más que contar lo sucedido a todos mis amigos y vecinos. En una cajita guardé celosamente las cartas.

Cuando a los diez años volvió el Parque a Campo Seco excitado fui a la primera función.

Gorki ya lucía una barba gris y la Dama del Tarot, más robusta había cambiado su atuendo por un manto° largo de raso° plateado.

Repitieron los mismos trucos y por fin llegó el del cofre. Yo me había sentado en el mismo lugar con el deseo de ser nuevamente protagonista del truco.

Géminis corrió los cerrojos una vez que Gorki se acomodó en la caja. Pasó un minuto largo. Gran silencio. Géminis, muy turbada°, por fin abrió la tapa.

Un grito aterrador, todos nos paramos tratando de ver. Pude acercarme, allí estaba Gorki, acurrucado°, inmóvil, con sus ojos extremadamente abiertos.

Salí consternado, hacía frío y metí las manos en los bolsillos. Mis dedos chocaron con° algo duro. Llegué hasta la luz... eran cuatro cartas de tarot.

El Gran Gorki no me había defraudado°. ∎

40

45

50

55

60

**1 Comprensión** Contesta las preguntas.

1. ¿Quién es Géminis?
2. ¿Con quién va el narrador a ver el número de magia la primera vez que acude al Parque de Diversiones? ¿Y la segunda?
3. ¿En qué consiste el truco final de Gorki y Géminis?
4. ¿Por qué le dice Gorki al narrador que se mire en los bolsillos?
5. ¿Por qué está Géminis turbada cuando el mago está dentro del cofre la segunda vez?
6. ¿Qué tenía el narrador en el bolsillo al final del cuento?

**2 Interpretar** En parejas, contesten las preguntas.

1. ¿Por qué el Parque de Diversiones representaba un gran evento para los habitantes de Campo Seco?
2. ¿Qué dan a entender los fragmentos sobre la percepción de la magia que tiene el narrador?
   - "una bola de cristal iluminada me indicó lo que yo buscaba"
   - "una fuerte vibración electrizó mi brazo"
   - "y yo quedé sin palabras, era un milagro."
3. ¿Por qué el narrador va solo a ver la función?
4. ¿Qué le pasó al mago al final de la historia? ¿Por qué crees que ocurrió de esa manera?
5. ¿Cómo llegaron las cartas al bolsillo del narrador?
6. ¿Cómo crees que se sentía el mago Gorki después de tantos años haciendo los mismos trucos?

**3 Pasado y presente** En parejas, completen la tabla con descripciones del pasado y el presente y contesten las preguntas.

|  | Hace 10 años | Ahora |
|---|---|---|
| **El narrador** |  |  |
| **El mago Gorki** |  |  |
| **Géminis** |  |  |
| **El Parque de Diversiones** |  |  |
| **El truco del cofre** |  |  |

- ¿Qué importancia tiene el paso del tiempo en el contexto de la historia?
- ¿En qué época creen que está basado el cuento?
- ¿Por qué creen que el mago y su asistente seguían haciendo los mismos trucos?
- ¿Cómo creen que ha cambiado la vida del narrador en estos diez años? ¿Y la vida de Gorki y de Géminis?

**4** **Houdini** En grupos de tres, lean el párrafo y contesten las preguntas.

Harry Houdini (1874-1926) fue uno de los magos más famosos de todos los tiempos. Inmigrante húngaro en Estados Unidos, se dedicó al mundo del circo y de la magia desde muy joven. El truco que lo llevó a la fama fue "la metamorfosis". Houdini se metía atado dentro de un saco en un cofre con cerrojos. Su asistente se subía al cofre con una cortina. Cuando bajaba la cortina, era Houdini el que aparecía encima del cofre y su asistente estaba dentro. Se calcula que realizaron este truco más de diez mil veces. Hoy en día sigue siendo un número popular.

- ¿Qué similitudes existen entre el mago Gorki y el mago Houdini?
- ¿Piensan que Houdini arriesgaba (*risked*) su vida cada vez que ejecutaba "la metamorfosis"? ¿Y las personas que se ponen en una diana ante el lanzador de cuchillos?
- La magia está relacionada con la percepción y la atención del público. ¿Por qué creen que la gente se siente tan fascinada por la magia aún sabiendo que no es real?

**5** **Circos** Realiza la actividad y comparte tus respuestas con la clase.

1. Compara un circo que haya estado en tu comunidad con el Parque de Diversiones del cuento.
2. En varios países hispanos se han prohibido los animales salvajes en los circos. ¿Existen leyes parecidas en tu país? ¿Cuál es tu opinión acerca del uso de animales en el circo?
3. Escribe qué piensas sobre la vida de los trabajadores del circo.
4. Comenta qué vida te parece más difícil: ¿la de los payasos, los acróbatas, los magos…? Si trabajaras en un circo, ¿qué te gustaría ser?

**6** **Cuento fantástico** En parejas, indiquen si cada una de las características se pueden aplicar a "Gorki el mago" y expliquen por qué.

ALGUNAS CARACTERÍSTICAS DEL CUENTO FANTÁSTICO

- Pertenece al género narratio
- Contiene elementos sobrenaturales que invaden el "mundo normal"
- Los eventos les ocurren a personajes comunes
- Los eventos se narran de forma realista, aunque no lo sean

- La narración invita a los lectores a ser cómplices y a aceptar los hechos
- El punto de vista es subjetivo
- Normalmente, el/la narrador(a) utiliza la primera persona del singular

**7** **Otro final** Escribe un final diferente para el cuento "Gorki el mago".

Practice more at vhlcentral.com.

En esta lección has hablado sobre el tiempo libre y el entretenimiento. Ahora vas a escribir una narración sobre el fin de semana pasado.

# Planificar y preparar la escritura

**1** **Estrategia: Determina el tema de tu narración** Piensa en qué hiciste el fin de semana pasado. ¿Practicaste algún deporte? ¿Hiciste algo especial con tu familia o amigos? ¿Qué hiciste para divertirte? Elige el tema central sobre el que escribir. Completa el diagrama para ayudarte con la secuencia de sucesos.

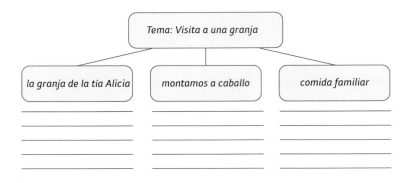

Tema: Visita a una granja

la granja de la tía Alicia — montamos a caballo — comida familiar

**2** **Estrategia: Desarrolla el cuerpo de la narración**

- Piensa en cómo usar los datos de tu diagrama para escribir tu narración.
- Desarrolla el cuerpo de la narración con la información del diagrama. Aporta más datos que la complementen y te ayuden a describir el fin de semana.

# Escribir

**3** **Tu narración** Ahora escribe tu narración. Utiliza la información que has reunido y sigue estos pasos.

- **Introducción:** Presenta el tema del fin de semana: cómo fue, dónde y con quién estuviste. Usa palabras descriptivas.
- **Desarrollo:** Explica qué hiciste durante el fin de semana en un orden lógico. Agrega algún detalle curioso y expresa tu opinión personal.
- **Conclusión:** Resume tus observaciones y termina la narración.

# Revisar y leer

**4** **Lectura** Léeles tu narración a varios/as compañeros/as. Pídeles que te hagan preguntas sobre puntos interesantes que les hayan llamado la atención.

# La buena vida

## Así lo decimos

**la afición** *hobby*
**el ajedrez** *chess*
**el boleto** *ticket*
**las cartas** *cards*
**el concierto** *concert*
**los dados** *dice*
**el/la deportista** *athlete*
**el/la entrenador(a)** *coach*
**el entrenamiento** *practice*
**el estreno** *premiere*
**la exposición** *exhibition*
**la ficha** *tile; game piece*
**el gimnasio** *gym*
**el juego de mesa** *board game*
**la liga** *league*
**la obra (de arte/teatro)** *work of art; play*
**el ocio** *leisure*
**la partida** *game; hand*
**el pasatiempo** *pastime*
**el videojuego** *video game*

**aburrirse** *to get bored*
**dársele bien/mal (algo a alguien)**
  *to be good/bad (at something)*
**disfrutar** *to enjoy*
**divertirse (e:ie)** *to have fun*
**empatar** *to tie (a game)*
**hacer trampa** *to cheat*
**marcar (un gol/punto)** *to score*
  *(a goal/point)*
**tocar** *to play (an instrument)*

**agotado/a** *sold out*
**al aire libre** *outdoors*

## Documental

**el/la comerciante** *business owner*
**el éxito** *success*
**las letras** *lyrics*
**el ritmo** *rhythm*
**el trayecto** *route*
**el vocablo** *term*

**aprovechar** *to take advantage of*
**entretenerse** *to have fun*

**incentivar** *to encourage*
**incomodarse** *to feel uncomfortable*
**promover (o:ue)** *to promote*
**recorrer** *to go through*

**agradable** *nice*
**pegajoso/a** *catchy*
**pintoresco/a** *picturesque*

## Artículo

**el azar** *fate*
**la baraja** *deck of cards*
**el blanco** *target*
**el campeonato** *championship*
**la derrota** *defeat*
**la jerga** *slang*
**la jugada** *move*
**la peña** *club*
**la regla** *rule*

**apuntarse** *to sign up*
**arriesgarse** *to take a risk*
**interponerse** *to interfere*
**pasar el rato** *to spend time*
**rendirse (e:i)** *to give up*

——— ■ ———

**el baile de salón** *ballroom dance*
**el/la cantante** *singer*
**el/la cantautor(a)** *singer-songwriter*
**el/la compositor(a)** *composer*
**el disco** *record*
**la discoteca** *nightclub*
**el dúo** *duet*
**la emisora** *(radio) station*
**el grupo** *band*
**el jolgorio** *revelry*
**la melodía** *tune*
**la pista de baile** *dance floor*
**el/la solista** *solo artist*
**el tema** *song*

**grabar** *to record*
**lanzar** *to release (an album)*
**poner música** *to play music*

## Literatura

**el cerrojo** *lock*
**el circo** *circus*
**el cofre** *chest*
**el/la espectador(a)** *spectator*
**la función** *performance*
**la galera** *top hat*
**la magia** *magic*
**el/la mago/a** *magician*
**el/la malabarista** *juggler*
**el número** *act*
**el parque de diversiones**
  *amusement park*
**el/la payaso/a** *clown*
**el telón** *(theater) curtain*
**el truco** *trick*

**adivinar** *to guess*

**ambulante** *traveling*

## Ahora yo puedo...

- identificar la idea principal de textos orales y escritos sobre las aficiones y el tiempo libre.
- intercambiar ideas sobre las formas de entretenimiento en mi país frente a otros países.
- escribir un artículo acerca de los deportes y juegos que representan la identidad de mi comunidad.
- comparar los productos relacionados con festivales y parques de atracciones en mi cultura y otras.
- seguir las normas de protocolo para participar en celebraciones, juegos y eventos musicales con mis compañeros hispanohablantes.

# Los seres queridos

## LESSON OBJECTIVES
### You will learn how to...

- identify the main idea of spoken and written texts related to family and personal relationships.
- participate in spontaneous conversations on marriage, friendship, and family traditions.
- communicate information, make presentations, and express how individuals interact.
- compare perspectives about food, music, and other celebrations in your own and other cultures.
- interact appropriately at events with family and friends based on cultural norms.

### ARGENTINA Y CHILE

ARGENTINA

CHILE

## La familia

Los padres de Ana **se casaron** jóvenes y son muy activos. Ana **se lleva bien** con los dos, aunque tiene una **relación** especial con su madre. Sus dos hermanos pequeños son muy traviesos (*mischievous*) y **se pelean** de vez en cuando, pero **se quieren** mucho. A veces Ana visita a su prima, Carla, quien es **hija única** y quisiera tener hermanos. Sueña con tener una **familia numerosa** algún día.

**casarse**  *to get married*
**la familia numerosa**  *large family*
**el/la familiar**  *relative*
**el/la hijo/a único/a**  *only child*
**llevarse bien/mal**  *to get along well/badly*
**el matrimonio**  *marriage*
**pelear(se)**  *to argue*
**querer(se) (e:ie)**  *to love (each other)*
**la relación**  *relationship*

## Los amigos

Carlos piensa que la base de la verdadera **amistad** es la **confianza** y la **sinceridad**. Tiene **intereses** en común con sus amigos y **lo pasan bien** juntos, pero lo que más **valora** es poder **contar con** ellos cuando los necesita. Siempre se escuchan y se **apoyan**.

**la amistad**  *friendship*
**apoyar**  *to support*
**la confianza**  *trust*
**contar (o:ue) con**  *to count on*
**el interés**  *interest*
**pasarlo bien/mal**  *to have a good/bad time*
**la sinceridad**  *sincerity*
**valorar**  *to value*

## Las relaciones en Internet

Armando pasa mucho tiempo en **redes sociales** y ha decidido buscar **pareja** en Internet. Después de crear su **perfil** y publicar su foto en un sitio web, ha hecho una **búsqueda** para ver quiénes son compatibles con él. Ha encontrado a 12 chicas que **comparten** sus intereses y viven cerca de él.

**la búsqueda**  *search*
**compartir**  *to share*
**compatible**  *compatible*
**conocerse en persona**  *to meet in person*
**estar conectado/a**  *to be online*
**la pareja**  *couple; partner*
**el perfil**  *profile*
**la privacidad**  *privacy*
**la red social**  *social network*

## Los sentimientos y las emociones

Carmen no ve a su esposo Mario y a sus dos hijos adolescentes desde que trabaja en el extranjero (*abroad*). Por eso, a veces **se siente sola**, los **extraña** y está un poco **nostálgica**. **Tiene ganas de** verlos y piensa visitarlos muy pronto.

**emocionado/a** *excited*
**extrañar** *to miss*
**impaciente** *eager; impatient*
**nostálgico/a** *homesick*
**sentir(se) (e:ie)** *to feel*
**solo/a** *lonely, alone*
**tener (e:ie) ganas (de)** *to look forward to*

**1** **Vocabulario** Completa las oraciones.

| apoyar | extrañar | pareja |
| casarse | impaciente | redes sociales |
| confianza | llevarse bien | |

1. Antes, Alberto discutía mucho con su hermano, pero poco a poco han podido _____.
2. Estoy _____ por empezar la universidad y hacer amigos nuevos.
3. Marisa y yo nos contamos prácticamente todo. Es una de mis mejores amigas y tengo mucha _____ con ella.
4. Luis y Clara quieren _____ en verano y hacer una fiesta en la playa. ¡Seguro que será una celebración muy divertida!
5. Mis vecinos son una _____ encantadora. Llevan muchos años juntos y se ven muy felices.
6. Gracias a las _____ podemos estar en contacto con familiares y amigos que están lejos.
7. Alicia ha encontrado un trabajo en otro país. Sus compañeros se alegran mucho por ella, pero seguro que la van a _____.
8. Los padres deben _____ a sus hijos siempre y estar a su lado en los momentos difíciles.

**2** **Comparte** En parejas, contesten estas preguntas.

1. ¿Tienes hermanos? ¿Cómo te llevas con ellos?
2. ¿Crees que es mejor ser hijo/a único/a o tener hermanos? ¿Por qué?
3. ¿Cómo piensas que debe ser una buena relación entre padres e hijos?
4. ¿Tienes una relación cercana con otros familiares como abuelos, tíos o primos?

**3** **El mensaje** Vuelve a leer el párrafo "Las relaciones en Internet". Imagina que Armando decide enviarle un mensaje a una de las chicas. ¿Cómo es este mensaje? Escríbelo y luego compáralo con el de un(a) compañero/a.

Practice more at **vhlcentral.com**.

 **Vocabulary Tools**

| Vocabulario del documental | | Vocabulario útil | |
|---|---|---|---|
| **el anillo** | ring | **la boda** | wedding |
| **aumentar** | to increase | **el compromiso** | engagement; commitment |
| **el/la (bis)nieto/a** | (great-)grandchild | | |
| **divorciarse** | to get divorced | **enamorarse (de)** | to fall in love (with) |
| **la esperanza de vida** | life expectancy | **las nupcias** | nuptials, wedding |
| **fallecer** | to pass away, die | **el/la prometido/a** | fiancé(e) |
| **el flechazo** | love at first sight | **romper** | to break up |
| **el/la novio/a** | boyfriend/girlfriend; groom/bride | **la ruptura** | breakup |
| | | **soltero/a** | single |
| **la petición de mano** | marriage proposal | **viudo/a** | widowed |

| Expresiones | |
|---|---|
| **de frentón** | directly (Chile) |
| **en alza** | on the rise |
| **en el fondo** | deep down |
| **estar a punto de (+ inf.)** | to be about to (+ inf.) |

**1 Vocabulario** Elige la opción correcta.

1. Promesa de matrimonio.
   a. esperanza    b. compromiso    c. ruptura

2. Terminar un matrimonio por vía legal.
   a. divorciarse    b. aumentar    c. fallecer

3. Hacerse mayor la cantidad de una cosa.
   a. aumentar    b. romper    c. enamorarse

4. Amor que se siente repentinamente.
   a. novio    b. boda    c. flechazo

5. Hijo del hijo de una persona.
   a. anillo    b. prometido    c. nieto

**2 Conversación** Completa la conversación.

**ANDRÉS** Escuché que Miguel está a (1) _____ de pedirle matrimonio a Gabi. ¿Sabes si ya le dio el (2) _____?

**CRISTIAN** ¡No te lo vas a creer! Miguel decidió no hacerlo. En el (3) _____, a él le gustaría casarse, pero Gabi le dijo casualmente el otro día que no era partidaria de las segundas (4) _____. Como ya sabes, los dos se (5) _____ de sus respectivas parejas el año pasado.

**ANDRÉS** Ya veo. Yo le daría una segunda oportunidad al amor, pero entiendo que tengan miedo a una posible (6) _____. ¡Qué complicado es el amor!

**3 Argumentos** En parejas, expliquen si están de acuerdo con estas dos posturas sobre el matrimonio. Den argumentos y ejemplos para justificar su opinión.

- El matrimonio debe entenderse como un compromiso para toda la vida. Las parejas casadas deben trabajar juntas para solucionar cualquier problema.

- En ocasiones, lo más recomendable para una pareja casada es el divorcio. Existen dificultades que no pueden solucionarse y lo más importante es la felicidad individual.

**4 Preparación** En parejas, háganse las preguntas.

1. ¿Cuáles crees que son los motivos principales por los que las parejas se separan?

2. ¿Cuál crees que es el porcentaje de divorcios anual en tu país?

3. ¿Qué porcentaje piensas que hay de parejas que deciden casarse por segunda vez después de un divorcio?

4. ¿Cómo son percibidas las parejas divorciadas por la sociedad en general?

5. ¿Qué diferencias hay entre tu generación y la de tus padres o abuelos con respecto a la aceptación del divorcio?

6. ¿Piensan que el hecho de que exista la opción al divorcio quita validez al compromiso del matrimonio?

7. ¿Creen que vale la pena (*it's worth it*) casarse, aun conociendo que un gran porcentaje de matrimonios terminan en divorcio? ¿Por qué?

8. ¿Piensan que las parejas con hijos deben esperar a que estos crezcan para poder separarse? Expliquen su respuesta.

**5 Fotogramas** En grupos de tres, observen los fotogramas y contesten las preguntas.

1. ¿Cómo creen que se conoció cada pareja?

2. ¿Qué relación tienen: son novios, están comprometidos o están casados? ¿Por qué lo imaginan?

3. ¿Son felices juntos? ¿Cómo lo saben?

4. ¿Sobre qué piensan que están siendo entrevistados?

5. El documental que van a ver se titula *Amor después del amor.* ¿Qué temas creen que se tratarán?

Practice more at vhlcentral.com.

# *Amor después del amor*

**Los segundos matrimonios crecen un 35% en Chile**

# Escenas

## ARGUMENTO

En Chile, el divorcio ya no es percibido como algo fatalista, sino como el final de un proyecto que no funcionó. En los últimos años, ha habido un incremento de personas que decidieron casarse por segunda vez. Pablo y Milena, junto a Ruth y Juan, son algunos de ellos.

**REPORTERA:** Ella debe llevar algo prestado y algo azul, pero todos sabemos que eso no es suficiente.

**REPORTERA:** Pablo y Milena pertenecen a un grupo de chilenos en alza.

**REPORTERA:** Ambos ya divorciados, decidieron seguir juntos.

**SOCIÓLOGO:** (El divorcio) ya no es visto de una manera fatalista, como era en la sociedad tradicional.

**REPORTERA:** Ruth tenía ya cuatro hijas y estaba a punto de irse a Canadá cuando conoció a Juan.

**PABLO:** Hoy día es cuando mejor lo estoy pasando, eso es fantástico.

**1** **¿Cierto o falso?** Indica si las oraciones son ciertas o falsas. Corrige las falsas.

1. El primer matrimonio de Pablo no duró mucho.
2. Pablo y Milena se conocieron después de sus respectivos divorcios.
3. Pablo tiene una hija de su matrimonio anterior.
4. Entre 2010 y 2015 hubo un incremento en el número de personas que decidieron contraer segundas nupcias.
5. Según el sociólogo Emilio Torres, el divorcio permite reinventarse.
6. Ruth y Juan se conocieron un año antes de casarse.

**2** **Reflexión** En parejas, reflexionen sobre las preguntas.

1. ¿Crees que el hecho de que Pablo se casara tan joven contribuyó a su divorcio? ¿Por qué?
2. Milena cuenta que hubo gente que la apoyó mucho y otra que hablaba de la desgracia que era divorciarse para una mujer con hijos. ¿Cómo se vería un caso como el de Milena en tu comunidad?
3. ¿Qué pensarían tus abuelos de una persona que se casa por segunda vez? ¿Y tus padres? ¿Y tú?
4. ¿Es común que una amistad de años como la de Pablo y Milena se convierta en amor? ¿Crees que las redes sociales favorecen este tipo de relaciones?
5. ¿Por qué Juan esperó a que su mujer falleciera para volverse a casar? ¿Qué habrías hecho tú?
6. Según el sociólogo, la esperanza de vida es un factor importante en los segundos matrimonios. ¿Qué otros factores crees que contribuyen?

**3** **Encuesta** Pasea por la clase y haz las preguntas a cinco o seis compañeros/as. Después, organicen un debate en la clase acerca de las preguntas que consideren más polémicas.

| Preguntas | Respuestas |
|---|---|
| ¿Piensas que casarse es un paso necesario para una pareja? | *Ben:* No, puedes convivir con la persona que amas sin la necesidad de un papel. *Alicia:* Sí, es necesario que las parejas formalicen su unión. |
| ¿Cuál es la edad ideal para casarse? | |
| ¿Qué tipo de matrimonio te parece mejor: el civil o el religioso? | |
| ¿Crees que las parejas deberían ir a terapia antes de divorciarse? | |
| ¿Te volverías a casar después de divorciarte? | |
| ¿Es posible vivir sin amor? | |

**4 Tradiciones** En el video, la reportera menciona algunas tradiciones de las bodas, como que la novia debe llegar tarde, debe llevar algo prestado o algo azul, etc. En parejas, busquen en qué país es popular cada tradición. Después, contesten las preguntas.

> | Chile | Guatemala | México | Puerto Rico | Venezuela |

1. En _____, los novios intercambian anillos de compromiso y los llevan en la mano derecha. En el día de la boda, los pasan a la mano izquierda.

2. En _____, en la mesa principal se coloca una muñeca con el mismo vestido que lleva la novia.

3. En _____, la recepción se hace en la casa del novio. Allí, la madre del novio rompe una campana de la que sale arroz, harina y trigo, que cae encima de los novios.

4. En _____, los novios se escapan en secreto antes de que termine la boda.

5. En _____, los novios bailan con los invitados y a cambio estos les colocan billetes con alfileres (*pins*) en sus trajes.

• ¿Qué tradiciones y supersticiones relacionadas con las bodas existen en su cultura? ¿Cómo se comparan con las de la cultura hispana?

• ¿Creen en este tipo de costumbres y supersticiones?

• Si se casan algún día, ¿van a seguir alguna tradición? ¿Cuál?

• ¿Cuál de las tradiciones hispanas les ha parecido más interesante? Investiguen sobre una de ellas y presenten la información ante la clase.

**5 Ventajas y desventajas** En parejas, hagan una lista de las ventajas y desventajas que puede tener divorciarse. Después, compartan sus ideas con la clase.

| Ventajas | Desventajas |
|---|---|
| • *Oportunidad de empezar de cero y ser más feliz* | • *Posibles problemas con la custodia de los hijos* |
| | |
| | |
| | |

**6 Investigar** En grupos de tres, investiguen cuál es el porcentaje de divorcios anuales en su país y cuántas de las personas divorciadas deciden contraer segundas nupcias. Creen una gráfica en la que comparen las cifras de Chile y de su país.

**7 Reportaje** En grupos de cinco, preparen una actuación para la clase. Van a crear un reportaje sobre una pareja que se ha casado por segunda vez. El reportaje puede tener un tono emotivo, humorístico o dramático. Dos de ustedes representan a la pareja; otros dos, a los ex, y la otra persona es el/la reportero/a. Incluyan una introducción y un mínimo de dos preguntas a cada persona.

Practice more at vhlcentral.com.

# 4.1 The subjunctive in adjective clauses

● When an adjective clause describes an antecedent that is known to exist, use the indicative. When the antecedent is unknown or uncertain, use the subjunctive.

| MAIN CLAUSE: ANTECEDENT UNCERTAIN | CONNECTOR | SUBORDINATE CLAUSE: SUBJUNCTIVE |
|---|---|---|
| **Busco una amistad** | **que** | **dure toda la vida.** |

| Antecedent certain → Indicative | Antecedent uncertain → Subjunctive |
|---|---|
| Necesito el libro que **tiene** información sobre los nuevos modelos de familia. *I need the book that has information about the new family models.* | Necesito un libro que **tenga** información sobre los nuevos modelos de familia. *I need a book that has information about the new family models.* |
| Buscamos los documentos que **describen** el patrimonio de nuestros antepasados. *We're looking for the documents that describe our ancestors' heritage.* | Buscamos documentos que **describan** el patrimonio de nuestros antepasados. *We're looking for (any) documents that (may) describe our ancestors' heritage.* |
| Tiene un esposo que la **trata** con respeto y comprensión. *She has a husband who treats her with respect and understanding.* | Quiere un esposo que la **trate** con respeto y comprensión. *She wants a husband who will treat her with respect and understanding.* |

● When the antecedent of an adjective clause contains a negative word (e.g., **nadie, ninguno/a**), the subjunctive is used.

| Antecedent certain → Indicative | Antecedent uncertain → Subjunctive |
|---|---|
| Elena tiene tres familiares que **viven** en Buenos Aires. *Elena has three relatives who live in Buenos Aires.* | Elena no tiene **ningún** familiar que **viva** en La Plata. *Elena doesn't have any relatives who live in La Plata.* |
| De los cinco nietos, hay dos que **se parecen** a la abuela. *Of the five grandchildren, there are two who resemble their grandmother.* | De todos mis nietos, no hay **ninguno** que **se parezca** a mí. *Of all my grandchildren, there's not one who looks like me.* |
| Tengo un amigo que **usa** las redes sociales para encontrar pareja. *I have a friend who uses social networks to find a partner.* | No conozco a **nadie** que **use** las redes sociales para encontrar pareja. *I don't know anyone who uses social networks to find a partner.* |

- Do not use the personal **a** with direct objects that represent hypothetical persons.

| Antecedent uncertain → Subjunctive | Antecedent certain → Indicative |

Busco una chica que **sea** inteligente, divertida y sincera.
*I'm looking for a girl who is smart, funny and sincere.*

Conozco **a** una chica que **es** inteligente, divertida y sincera.
*I know a girl who is smart, funny and sincere.*

- Use the personal **a** before **nadie** and **alguien**, even when their existence is uncertain.

| Antecedent uncertain → Subjunctive | Antecedent certain → Indicative |

No conozco **a nadie** que **se queje** tanto como mi suegro.
*I don't know anyone who complains as much as my father-in-law.*

Yo conozco **a alguien** que **se queja** aún más... ¡el mío!
*I know someone who complains even more... mine!*

- The subjunctive is commonly used in questions with adjective clauses when the speaker is trying to find out information about which he or she is uncertain. If the person who responds knows the information, the indicative is used.

| Antecedent uncertain → Subjunctive | Antecedent certain → Indicative |

¿Me recomiendas un restaurante que le **guste** a tu hermano?
*Can you recommend a restaurant that your brother likes?*

Sí, conozco un restaurante argentino que le **gusta** mucho.
*Yes, I know an Argentinean restaurant that he likes a lot.*

Oigan, ¿no me pueden poner algún apodo que me **quede** mejor?
*Hey, can't you give me a nickname that fits me better?*

Bueno, si tú insistes, pero Flaco es el apodo que te **queda** mejor.
*OK, if you insist, but Skinny is the nickname that suits you best.*

Si leyó en Gente algo con lo que no está de acuerdo, discútalo con alguien que le preste atención. Con Gente.

Nos gusta saber lo que piensa. Envíe sus mensajes electrónicos al buzón de Gente.

Revista Gente
Correo-e:
suscriptores@revistagente.com
México, D.F.

**1 Combinar** Combina las frases de las dos columnas para formar oraciones lógicas. Decide qué oraciones necesitan el subjuntivo y cuáles el indicativo.

____ 1. Mario tiene un hermano que

____ 2. Tengo dos cuñados que

____ 3. No conozco a nadie que

____ 4. Pedro busca una novia que

____ 5. Quiero tener nietos que

a. sea alta y simpática.

b. sean respetuosos y estudiosos.

c. canta cuando se ducha.

d. hablan alemán.

e. entienda más de dos idiomas.

**2 El agente de viajes** Gabriela va a ir de vacaciones a Valparaíso, Chile, y le escribe un correo electrónico a su agente de viajes explicándole sus planes. Completa el correo con el subjuntivo o el indicativo.

**NOTA CULTURAL**

**Chile** es el país más austral del mundo y posee una variada geografía, compuesta por desiertos, bosques, lagos, volcanes y glaciares milenarios.
**Valparaíso**, en particular, es conocida por sus cerros, su puerto, sus calles coloridas y su arte urbano.

✉ Mensaje — Recibidos —Viaje a Valparaíso    21 de julio de 2021, 10:09    — + ✕

De    Gabriela <gabriela@micorreo.com>

Para    Santiago <santiago@micorreo.com>

Bandeja de entrada    Responder    Reenviar

Querido Santiago:

Estoy muy contenta porque el mes que viene voy a viajar a Valparaíso para tomar unas vacaciones. Quiero ir a un hotel que (1) _____ (ser) de cinco estrellas y que (2) _____ (tener) vista al mar. Me gustaría hacer una ruta que (3) _____ (pasar) por los cerros y que me (4) _____ (permitir) ver los murales y grafitis más populares. ¿Qué te parece?

Mi hermano me dice que en la principal agencia de viajes de Valparaíso hay un guía turístico llamado Luis Eduardo que (5) _____ (conocer) las mejores playas de la región y que me (6) _____ (poder) llevar a verlas. Al parecer, Luis Eduardo es muy conocido en la zona porque (7) _____ (tener) mucha clientela. La gente dice que (8) _____ (ser) un guía muy simpático y divertido. ¡Tal como a mí me gusta! ¿Crees que lo puedes localizar?

Gabriela

📁 Más recientes    🗑 5 de 1202    ◀ Anteriores

**3 Reunión familiar** Completa las oraciones con las opciones de la lista. Haz los cambios necesarios.

| gustarle a tío Alberto | dedicarse a organizar | venir a limpiar |
| hacer cortes de pelo modernos | ser festivo/a | tocar merengue |

1. Ana Paola piensa reservar la banda Son y Sabor, que _____.

2. Sebastián busca un peluquero que _____.

3. Ana Paola planea preparar el plato que _____.

4. Sebastián quiere comprar decoraciones que _____.

5. Al final, Ana Paola va a contratar una compañía que _____.

6. Ana Paola lo hará todo porque no conoce a ningún familiar que _____ eventos.

Practice more at vhlcentral.com.

# Comunicación

**4** **Sueños y realidad** En parejas, hablen sobre lo que ustedes imaginan que los personajes tienen y desean tener. Utilicen el subjuntivo y el indicativo, y las palabras de la lista.

**Modelo**   María Teresa tiene un novio que enseña Historia en la universidad y que es muy responsable, pero ella sueña con tener un novio que toque la guitarra eléctrica y que sea muy rebelde.

| buscar | apartamento |
|--------|-------------|
| conocer | computadora |
| necesitar | hermano/a |
| querer | mascota (*pet*) |
| tener | vecino/a |

**5** **Anuncios** En grupos de cuatro, describan detalladamente lo que buscan la familia Pérez y los hermanos Silva usando el indicativo o el subjuntivo. Después, escriban dos anuncios más para enseñárselos a la clase.

**6** **El ideal** En parejas, imaginen cómo es el/la compañero/a ideal en cada una de estas situaciones. Utilicen el subjuntivo o el indicativo de acuerdo a la situación.

**Modelo**   Lo ideal es <u>vivir</u> con alguien <u>que no se queje demasiado.</u>

- vivir
- trabajar
- ver películas de amor o de aventuras
- dar un paseo

- comprar ropa
- estudiar
- viajar por el Sahara
- cocinar

## 4.2 Reflexive verbs

- In a reflexive construction, the subject of the verb both performs and receives the action. Reflexive verbs **(verbos reflexivos)** always use reflexive pronouns **(me, te, se, nos, os, se).**

**Reflexive verb**

Elena **se lava** la cara.

**Non-reflexive verb**

Elena **lava** los platos.

### Reflexive verbs

lavarse *to wash (oneself)*

| | |
|---|---|
| **yo** | me **lavo** |
| **tú** | te **lavas** |
| **Ud./él/ella** | se **lava** |
| **nosotros/as** | nos **lavamos** |
| **vosotros/as** | os **laváis** |
| **Uds./ellos/ellas** | se **lavan** |

- Many of the verbs used to describe daily routines and personal care are reflexive.

| | | |
|---|---|---|
| **acostarse** *to go to bed* | **dormirse** *to fall asleep* | **peinarse** *to comb (one's hair)* |
| **afeitarse** *to shave* | **ducharse** *to take a shower* | **ponerse** *to put on (clothing)* |
| **arreglarse** *to dress up* | **lavarse** *to wash (oneself)* | **secarse** *to dry off* |
| **bañarse** *to take a bath* | **levantarse** *to get up* | **quitarse** *to take off (clothing)* |
| **cepillarse** *to brush (one's hair, teeth)* | **maquillarse** *to put on makeup* | **vestirse** *to get dressed* |
| **despertarse** *to wake up* | | |

- In Spanish, most transitive verbs can also be used as reflexive verbs to indicate that the subject performs the action to or for himself or herself.

Félix **divirtió** a los invitados con sus chistes.
*Félix amused the guests with his jokes.*

Félix **se divirtió** en la fiesta.
*Félix had fun at the party.*

Ana **acostó** a los gemelos antes de las nueve.
*Ana put the twins to bed before nine.*

Ana **se acostó** muy tarde.
*Ana went to bed very late.*

---

**¡ATENCIÓN!**

A transitive verb is one that takes an object. An intransitive verb does not take an object.

**Transitive:**
**Mariela compró <u>dos boletos.</u>**
*Mariela bought two tickets.*

**Intransitive:**
**Johnny nació en Chile.**
*Johnny was born in Chile.*

● Many verbs change meaning when they are used reflexively.

| | |
|---|---|
| **aburrir** *to bore* | **aburrirse** *to become bored* |
| **acordar** *to agree* | **acordarse (de)** *to remember* |
| **comer** *to eat* | **comerse** *to eat up* |
| **dormir** *to sleep* | **dormirse** *to fall asleep* |
| **ir** *to go* | **irse (de)** *to leave* |
| **llevar** *to carry; to wear* | **llevarse** *to carry away* |
| **mudar** *to change* | **mudarse** *to move (change residence)* |
| **parecer** *to seem* | **parecerse (a)** *to resemble, to look like* |
| **poner** *to put* | **ponerse** *to put on (clothing)* |
| **quitar** *to take away* | **quitarse** *to take off (clothing)* |

● Some Spanish verbs and expressions are reflexive even though their English equivalents may not be. Many of these are followed by the prepositions **a, de,** and **en.**

| | |
|---|---|
| **acercarse (a)** *to approach, to get close* | **fijarse (en)** *to take notice (of)* |
| **arrepentirse (de)** *to regret* | **morirse (de)** *to die (of)* |
| **atreverse (a)** *to dare (to)* | **olvidarse (de)** *to forget (about)* |
| **convertirse (en)** *to become* | **preocuparse (por)** *to worry (about)* |
| **darse cuenta (de)** *to realize* | **quejarse (de)** *to complain (about)* |
| **enterarse (de)** *to find out (about)* | **sorprenderse (de)** *to be surprised (about)* |

● *To get* or *become* is frequently expressed in Spanish by the reflexive verb **ponerse** + [*adjective*]

Mi hijo **se pone feliz** cuando nos visitan los abuelos.
*My son gets happy when their grandparents visit us.*

Si no duermo bien, **me pongo insoportable.**
*If I don't sleep well, I become unbearable.*

● In the plural, reflexive verbs can express reciprocal actions done *to one another.*

¡Mi esposa y yo **nos peleamos** demasiado!
*My wife and I fight too much!*

¿Será porque ustedes no **se respetan?**
*Could it be because you don't respect each other?*

● The reflexive pronoun precedes the direct object pronoun when they are used together in a sentence.

¿Te comiste el pastel entero?
*Did you eat the whole cake?*

Sí, **me lo** comí todo.
*Yes, I ate it all up.*

**COMPARACIONES**

El significado de algunos verbos en español cambia cuando se usan con un pronombre reflexivo. Como has visto, este es el caso de **aburrir** y **aburrirse**. También en inglés, el significado de algunos verbos cambia cuando se usan con una preposición. Estos verbos, como *find* y *find* **out** o *pick* y *pick* **up**, se llaman *phrasal verbs*.

1. En parejas, escriban una lista de tres pares (*pairs*) de verbos adicionales en español como **aburrir** y **aburrirse**. ¿Cómo cambia el significado en cada par cuando el verbo se usa con el pronombre reflexivo?
2. Escriban una lista de tres pares de verbos adicionales en inglés como *find* y *find* **out**. ¿Cómo cambia el significado en cada par cuando el verbo se usa con la preposición?
3. Expliquen: ¿Qué demuestra este proceso sobre el vocabulario de los dos idiomas?

**TALLER DE CONSULTA**

**Hacerse** and **volverse** also mean *to become*. See **Manual de gramática 4.4, p. 418.**
When used with infinitives and present participles, reflexive pronouns follow the same rules of placement as object pronouns. See **3.2, pp. 102–103.**

**1** **Reflexivos** Completa las oraciones conjugando cada verbo de forma reflexiva, si hace falta. Agrega el pronombre cuando sea necesario.

1. Yo siempre _____ (dormir/dormirse) bien cuando estoy en mi casa de verano.
2. Pablo, ¿ _____ (acordar/acordarse) de cuando fuimos de vacaciones a Cancún hace dos años?
3. Víctor es ese bebé de allí que _____ (parecer/parecerse) tanto a su padre.
4. No me gusta esta fiesta. Quiero _____ (ir/irse) cuanto antes.
5. Carolina y Miguel _____ (llevar/llevarse) a los niños a esa escuela.
6. Eduardo va a _____ (poner/ponerse) una camisa nueva.

**2** **Todos los sábados**

**A.** En parejas, describan la rutina que siguen Eduardo y sus amigos todos los sábados.

Eduardo

Marcos

Nicolás

Sandra

Carlos

Mónica

**B.** ¿Qué hacen los sábados por la mañana otros cuatro amigos de Eduardo? Describan sus rutinas. Utilicen verbos reflexivos y sean creativos.

# Comunicación

**3** **¿Y tú?** En parejas, túrnense para hacerse estas preguntas. Contesten con oraciones completas y expliquen sus respuestas.

1. ¿A qué hora te despiertas regularmente los lunes por la mañana? ¿Por qué?
2. ¿Te duermes en las clases?
3. ¿A qué hora te acuestas normalmente los fines de semana?
4. ¿A qué hora te duchas durante la semana?
5. ¿Te levantas siempre a la misma hora que te despiertas? ¿Por qué?

6. ¿Qué te pones para salir los fines de semana? ¿Y tus amigos?
7. ¿Cuándo te vistes elegantemente?
8. ¿Te diviertes cuando vas a una discoteca? ¿Y cuando vas a una reunión familiar?
9. ¿Te fijas en la ropa que lleva la gente?
10. ¿Te preocupas por tu imagen?

11. ¿De qué se quejan tus amigos regularmente? ¿Y tus padres u otros miembros de la familia?
12. ¿Conoces a alguien que se preocupe constantemente por todo?
13. ¿Te arrepientes a menudo de las cosas que haces?
14. ¿Te peleas con tus amigos? ¿Y con tus familiares?
15. ¿Te sorprendes de una costumbre o un hábito de alguna persona mayor que conoces?

**4** **En un café** Imagina que estás en un café y ves a tu exnovio/a besándose con alguien. ¿Qué haces? En grupos de tres, representen la escena. Utilicen por lo menos cinco verbos de la lista.

| | | | |
|---|---|---|---|
| acercarse | atreverse | enterarse | ponerse |
| acordarse | convertirse | fijarse | preocuparse |
| alegrarse | darse cuenta | irse | quejarse |
| arrepentirse | enojarse | olvidarse | sorprenderse |

# 4.3 *Por* and *para*

- **Por** and **para** are both translated as *for*, but they are not interchangeable.

—*El matrimonio, **para** los chilenos, ya no es algo irreversible.*

—*Está más aceptado hoy **por** nuestros padres.*

## Uses of *para*

| | |
|---|---|
| **Destination**<br>*(toward, in the direction of)* | David sale **para** España pronto.<br>*David is leaving for Spain soon.* |
| **Deadline or a specific time in the future**<br>*(by, for)* | El libro debe estar listo **para** las 12.<br>*The book should by ready by 12.* |
| **Goal** (para + [*infinitive*])<br>*(in order to)* | **Para** terminar el libro a tiempo, Carla trabaja día y noche.<br>*In order to finish the book on time, Carla works day and night.* |
| **Purpose** (para + [*noun*])<br>*(for, used for)* | Nadie compró la comida **para** la semana.<br>*Nobody bought food for the week.* |
| **Recipient**<br>*(for)* | Él ahorró dinero **para** sus hijos.<br>*He saved money for his children.* |
| **Comparison with others or opinion**<br>*(for, considering)* | **Para** ser tan joven, él ha leído mucho.<br>*For being so young, he has read a lot.*<br><br>**Para** la abuela, su nieto es muy inteligente.<br>*For the grandmother, her grandson is very intelligent.* |
| **Employment**<br>*(for)* | Sonia y su hermano trabajan **para** su tía.<br>*Sonia and her brother work for their aunt.* |

## Expressions with *para*

| | |
|---|---|
| **no estar para bromas** *to be in no mood for jokes* | **para colmo** *to top it all off* |
| | **para que sepas** *just so you know* |
| **no ser para tanto** *to not be so important* | **para siempre** *forever* |

**¡ATENCIÓN!**

Remember to use the infinitive, not the subjunctive, after **para** if there is no change of subject.
**Me despierto a las cinco para llegar temprano.**
*I wake up at five in order to arrive early.*

- Note that the expression **para que** is followed by the subjunctive.

  Paco enciende la computadora **para que** su abuelo **lea** las noticias.
  *Paco turns on the computer so that his grandfather can read the news.*

—*Hay espacio y tiempo*
***para*** *rehacer la vida.*

## Uses of *por*

| | |
|---|---|
| **Motion or a general location** <br> *(along, through, around, by)* | Gloria entró **por** la puerta y lo saludó. <br> *Gloria came through the door and greeted him.* |
| **Duration of an action** <br> *(for, during, in)* | El muchacho quiere quedarse **por** varios días. <br> *The boy wants to stay for a few days.* |
| **Reason or motive for an action** <br> *(because of, on account of, on behalf of)* | Él ayuda a su abuelo **por** razones personales. <br> *He is helping his grandfather for personal reasons.* |
| **Object of a search** <br> *(for, in search of)* | Fui a la cocina **por** el café. <br> *I went to the kitchen for coffee.* |
| **Means by which** <br> *(by, by way of, by means of)* | Su madre lo llamó **por** teléfono. <br> *His mother called him on the phone.* |
| **Exchange or substitution** <br> *(for, in exchange for)* | Cambió la computadora **por** un móvil. <br> *He exchanged the computer for a cell phone.* |
| **Unit of measure** <br> *(per, by)* | El metro puede ir a 50 km **por** hora. <br> *The subway can go 50 km per hour.* |
| **Agent (passive voice)** <br> *(by)* | El libro fue escrito **por** su autor favorito. <br> *The book was written by his favorite author.* |

**¡ATENCIÓN!**

In many cases it is grammatically correct to use either **por** or **para** in a sentence. The meaning of each sentence, however, is different.
**Trabajó por Alberto.**
*He worked for (in place of) Alberto.*
**Trabajó para Alberto.**
*He worked for (in the employment of) Alberto.*

**TALLER DE CONSULTA**

The passive voice is discussed in detail in **10.1, p. 372.**

## Expressions with *por*

| | |
|---|---|
| **por allí/aquí** *around there/here* | **por lo tanto** *therefore* |
| **por casualidad** *by chance/accident* | **por lo visto** *apparently* |
| **por ejemplo** *for example* | **por más/mucho que** *no matter how much* |
| **por eso** *therefore, for that reason* | **por otro lado/otra parte** *on the other hand* |
| **por fin** *finally* | **por primera vez** *for the first time* |
| **por lo general** *in general* | **por si acaso** *just in case* |
| **por lo menos** *at least* | **por supuesto** *of course* |

**1** **Otra manera** Lee la primera oración y completa la segunda versión usando **por** o **para**.

1. Cuando voy a Argentina, siempre visito Córdoba.
   Paso _____ Córdoba cuando voy a Argentina.
2. El hotel era muy barato. Pagué solo cien dólares.
   Conseguí la habitación _____ solo cien dólares.
3. Fui porque quería visitar a mis suegros.
   Yo quería ir _____ visitar a mis suegros.
4. Mi familia les envió muchos regalos a ellos.
   Mi familia envió muchos regalos _____ ellos.
5. Mis suegros se alegraron mucho de nuestra visita.
   Mis suegros se pusieron muy felices _____ nuestra visita.

**2** **Completar** Completa la carta con **por** y **para**.

Querida abuela:

(1) _____ fin llegué a esta tierra. La Ciudad de Buenos Aires es hermosa. Todavía no he pasado (2) _____ el estadio La Bombonera porque debo ir con un guía. Puedo contratar uno (3) _____ pocos dólares. En los tres meses del viaje por Suramérica pensé en ti y en el abuelo (4) _____ lo mucho que esta tierra representa para ustedes.

Sé que (5) _____ conocer mejor este país y su cultura tendré que quedarme (6) _____ lo menos un mes.

(7) _____ eso, no volveré hasta finales de mayo. (8) _____ que sepas, voy a quedarme en el hotel "Rioplatense".

(9) _____ mí es un hotel muy cómodo (10) _____ estar tan cerca del centro de la ciudad.

¡Muchos saludos al abuelo!

José

**3** **Oraciones** En parejas, escriban oraciones lógicas utilizando una palabra de cada columna. Luego, inventen una historia incorporando las oraciones que escribieron.

**Modelo** Mi hermana preparó una cena especial para mi mamá.

| | | | | |
|---|---|---|---|---|
| caminar | jugar | para | él | mi mamá |
| comprar | preparar | por | la fiesta | su edad |
| hacer | trabajar | | el parque | su hermana |

# Comunicación

**4 Soluciones** En parejas, comenten la mejor manera de lograr los objetivos de la lista. Sigan el modelo y utilicen **por** y **para**.

**Modelo** Para ser saludable, lo mejor es comer cinco frutas o verduras por día porque tienen muchas vitaminas.

| | |
|---|---|
| concentrarse al estudiar | relajarse |
| divertirse | ser famoso/a |
| hacer muchos amigos | ser organizado/a |
| mantener tradiciones familiares | ser saludable (*healthy*) |

**5 Una familia** Los miembros de una familia no siempre se llevan bien. En parejas, miren la foto y escriban un párrafo sobre estas personas. ¿Por qué se pelean? Usen por lo menos cinco de estas expresiones en su relato.

**Modelo** Para empezar, Sofía llegó a casa muy tarde y por eso...

| | | |
|---|---|---|
| no fue para tanto | por casualidad | por lo menos |
| para colmo | por eso | por lo tanto |
| para siempre | por fin | por supuesto |

**6 Conversación** En parejas, elijan una de las situaciones e improvisen una conversación. Utilicen **por** y **para**, y algunas de las expresiones de la actividad 5.

| A | B |
|---|---|
| Abelardo, tu vecino millonario, está escribiendo su testamento (*will*). Él no tiene herederos y quiere dejarle toda su fortuna a una sola persona. Está pensando en ti y en el alcalde del pueblo. Convence a Abelardo de que te deje toda su fortuna a ti. | Hace un año que trabajas en una librería y nunca has tenido vacaciones. Dile a tu jefe/a que quieres tomarte unas vacaciones de dos semanas en el Caribe. Tu jefe/a dice que no y te da sus razones. Explícale las tuyas para convencerlo/la. |

### Tres costumbres gauchas

La literatura argentina hizo del gaucho un símbolo de independencia, rebeldía y coraje. Los gauchos de hoy son hombres que trabajan y viven en el campo. Igual a los gauchos de los libros, aman a su caballo y se reúnen junto al fogón° a tomar mate amargo°, a comer asado° y a jugar al truco, el juego de naipes° más popular en Argentina.

### Fiesta de la Vendimia

La cosecha° de las uvas, o la vendimia, es un momento muy importante de la producción del vino, y en la zona del Valle Central de Chile se celebra cada año con una fiesta. Durante marzo y abril, gente de todas partes viaja hasta allí para probar la gastronomía típica y los vinos del lugar, mientras participan de tradiciones como la competencia de pisoneo° de uvas y la elección de la reina de la vendimia.

### Las milongas y el tango

El tango nació a finales del siglo XIX, y sus letras hablan de la vida urbana y los desengaños° amorosos. Los salones donde la gente se junta para bailarlo se llaman milongas. Allí no hay diferencias de edades ni clase social, pero se respetan ciertos códigos: los hombres están de un lado y las mujeres del otro. El hombre hace una señal con la cabeza a la mujer para invitarla a bailar, y ella acepta o no. Hoy en día, las mujeres también pueden sacar a bailar a los hombres.

### La once

En Chile existe una comida tradicional que prácticamente reemplaza la cena: la once se hace a partir de° las cinco de la tarde, a la salida del trabajo, y combina en su estilo el "five o'clock tea" inglés con la merienda° española de pan y leche. Familiares o amigos se reúnen para conversar mientras beben té o café y comen pan con mantequilla, queso, huevos o jamón, y también mermeladas y pasteles.

**fogón** *campfire* **amargo** *bitter* **asado** *barbecue* **naipes** *cards* **cosecha** *harvest*
**pisoneo** *stomping* **desengaños** *disappointments* **a partir de** *starting at* **merienda** *snack*

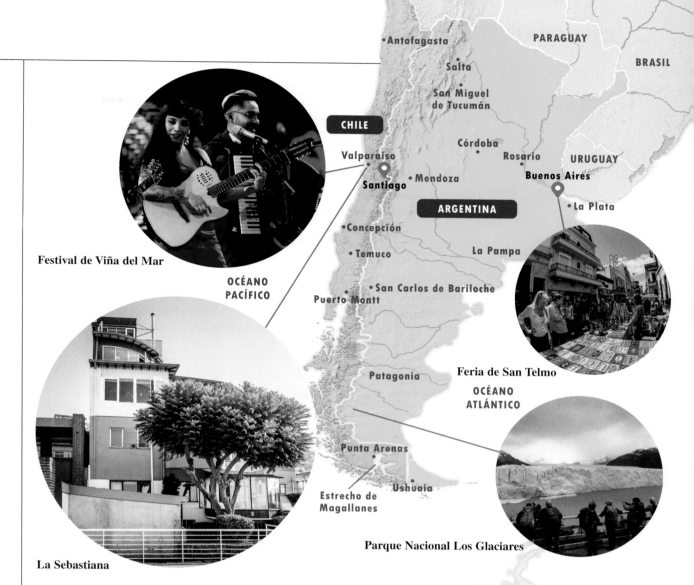

BOLIVIA

PARAGUAY

BRASIL

• Antofagasta

• Salta

• San Miguel de Tucumán

**CHILE**

Córdoba

Rosario

URUGUAY

Valparaíso

**Buenos Aires**

Santiago • Mendoza

• La Plata

**ARGENTINA**

**Festival de Viña del Mar**

• Concepción

La Pampa

OCÉANO PACÍFICO

• Temuco

• San Carlos de Bariloche

Puerto Montt

**Feria de San Telmo**

Patagonia

OCÉANO ATLÁNTICO

Punta Arenas

Ushuaia

Estrecho de Magallanes

**Parque Nacional Los Glaciares**

**La Sebastiana**

LA ANTÁRTIDA

**1  Perspectivas** En parejas, contesten las preguntas.

1. ¿Qué personaje literario del país donde viven ustedes representa valores (*values*) similares a los del gaucho? Expliquen.

2. ¿Existen en su país personas que conservan costumbres antiguas en su vida diaria? ¿Quiénes?

3. ¿Existen en su país áreas que celebran comunitariamente una cosecha u otros momentos importantes del año? ¿Dónde?

4. ¿Por qué creen que antes era el hombre quien tenía que invitar a la mujer a bailar tango? ¿Sucede o sucedía igual en su país con otros bailes o en otras situaciones? Expliquen.

5. ¿Hay lugares de encuentro en su ciudad donde es obligatorio cumplir un código de comportamiento para participar? Cómparalos con las milongas.

6. ¿En qué momentos especiales se reúnen familia o amigos a comer y a conversar en su país? ¿Existe algo similar a la once? Expliquen.

Practice more at
vhlcentral.com.

**Audio**

El audio "La familia y la convivencia familiar" habla de la importancia de la familia y la convivencia (*living together*) en la sociedad. En la entrevista, el terapeuta Horacio Guzmán explica que la familia es la célula primaria de la sociedad y nos enseña valores fundamentales.

## Antes de escuchar

**1** **Activar el conocimiento previo** Escribe dos oraciones sobre algunos de los valores que aprendemos en la familia como el respeto, la tolerancia, la paciencia y la lealtad. Después, comparte tus oraciones con dos o tres compañeros/as. ¿Cuáles son las ideas comunes? Identifiquen los puntos más importantes.

## Mientras escuchas

**2** **Estrategia: Predecir** Para poder predecir la información más importante del audio, primero lee las preguntas de la actividad de **Comprensión**. Anota algunas ideas que crees que van a mencionarse en el audio.

 **3** **Escucha una vez** Escucha el audio para captar las ideas generales. Anota en la tabla los beneficios más importantes mencionados en el audio.

| Beneficios de vivir en familia | Apuntes |
|---|---|
| | |
| | |
| | |

**4** **Escucha de nuevo** Ahora, basándote en lo que escuchas la segunda vez, comprueba la tabla de "Beneficios de vivir en familia" y añade o corrige la información para completarla.

## Después de escuchar

**5** **Comprensión e interpretación** En grupos de tres, contesten las preguntas.

1. ¿Por qué la familia es la célula de la sociedad?
2. ¿Qué quiere decir Horacio Guzmán cuando menciona que los hijos deben ser educados para ser responsables "hacia afuera"?
3. ¿Qué otros grupos sociales se mencionan en el audio, además de la familia?
4. ¿Qué significa el dicho "la confianza apesta (*stinks*)"? ¿Están de acuerdo?
5. ¿Qué responsabilidad tienen los padres hacia sus hijos?

**6** **Discusión** En parejas, comenten esta cita del audio. Expliquen su significado y den ejemplos personales.

"La familia es un equipo muy importante donde hay mucho amor […] y la familia nos va a estructurar como equipo para integrarnos a otros grupos."

 Practice more at vhlcentral.com.

## SOBRE EL AUTOR

**B**rian Winter es editor jefe de *Americas Quarterly* y vicepresidente de política del Consejo de las Américas. Pasó una década viviendo en Latinoamérica como periodista. Es autor o coautor de cuatro libros, incluyendo *Why Soccer Matters*, *No Lost Causes* y *Long After Midnight at the Niño Bien*.

| Vocabulario de la lectura | | | | Vocabulario útil | |
|---|---|---|---|---|---|
| **alejado/a** | *far away* | **mudarse** | *to move (from one home to another)* | **al extranjero** | *abroad* |
| **apenas** | *barely* | | | **el amigote** | *buddy* |
| **el apodo** | *nickname* | **la pérdida** | *loss* | **el atentado** | *attack* |
| **la camiseta** | *T-shirt* | **la presión** | *pressure* | **el cariño** | *affection* |
| **el colegio** | *school* | **reunido/a** | *gathered* | **íntimo/a** | *close* |
| **el lazo** | *bond* | **la tragedia** | *tragedy* | | |
| **la madrugada** | *early morning* | | | | |

**1** **Mismo significado** Une las palabras.

___ 1. apodo
___ 2. colegio
___ 3. lazo
___ 4. cariño
___ 5. atentado
___ 6. alejado

a. ataque
b. nombre alternativo
c. afecto
d. escuela
e. unión
f. apartado

**2** **Mis amigos más íntimos** En parejas, hagan una lista de sus amigos íntimos y las actividades que hacen con ellos. Luego, contesten las preguntas. Usen términos del nuevo vocabulario en sus respuestas.

1. ¿Cuánto tiempo hace que conoces a tus amigos más íntimos?
2. ¿De qué manera son importantes el uno para el otro?
3. ¿Crees que tus amigos y tú seguirán siendo íntimos en el futuro? ¿Por qué?
4. ¿Has viajado alguna vez con tus amigos? ¿Adónde fueron?

**3** **Refrán** En grupos de tres, expliquen el significado de este refrán sobre la amistad. Compartan un ejemplo de sus propias vidas.

Amigo en la adversidad, amigo de verdad.

 Practice more at **vhlcentral.com.**

# Estos chicos representaban lo mejor de

# ARGENTINA

## Brian Winter

YO ERA PRÁCTICAMENTE UN NIÑO, TENÍA 22 años, cuando me mudé a Argentina en el año 2000 con la loca idea de convertirme en periodista. Increíblemente, el Buenos Aires Herald no se apresuró° a contratar a un texano sin experiencia, y la economía parecía estar un poco complicada. Solo conocía a dos argentinos, ambos encantadores° pero mayores, con hijos y vidas propias. Así que pasé días sofocantes andando por las calles y usando el bus #60 (cruzaba toda la ciudad desde Constitución hasta Tigre por menos de un dólar y además te podías refrescar) mientras que devoraba empanadas, ñoquis y sándwiches de jamón con un presupuesto° semanal de 70 pesos, que en esa época equivalían a 70 dólares.

Los fines de semana era cuando me sentía más desolado. Leía a Borges, Arlt y Mafalda. Me la pasaba viendo el Weather Channel en castellano y me aprendí la letra de una canción de Rodrigo. Finalmente, después de haber visto la posesión° del presidente uruguayo Julio María Sanguinetti por televisión de principio a fin, decidí que tenía que buscarme una vida o regresar a casa.

Finalmente, dos cosas me salvaron. La primera, aunque es un cliché, fueron clases de tango, que se convirtieron en un buen hobby y, años después, en un libro. La segunda, mucho más importante, fue una docena de chicos argentinos de Temperley,

un viejo suburbio ferroviario° de Buenos Aires, a quienes conocí a través de un amigo en común que 30 teníamos en Estados Unidos. Ellos se conocían desde el colegio, pasaban los fines de semana jugando tenis, haciendo asados y yendo a boliches° hasta las 5 de la madrugada. Se tenían apodos ridículos como Wallet, Lobo y Boti. Me acogieron°, por motivos que 35 aún no entiendo bien, y me bautizaron° "Caruso" por un actor infantil argentino de esa época, el único otro "Brian" que conocían.

Yo ya tenía mi grupo de amigos en Texas, pero rápidamente descubrí que el talento argentino 40 para crear amistades grupales que duran toda la vida es único en su clase. Estos chicos hacían todo juntos. Tenían chistes internos que databan una década (uno de ellos siempre "se iba a casar en primavera del año que viene") y un lunfardo° 45 indescifrable. También eran honestos acerca de sus problemas, a veces sorprendentemente (los problemas con novias, las pérdidas de trabajos y las disputas familiares eran disecadas° tanto con humor como con sutil compasión). Se iban de vacaciones 50 juntos: Villa Gesell, Bariloche, los glaciares. Los acompañé varias veces, impresionado por la fuerza de sus lazos, convencido (correctamente, como comprobé° después) de que este grupo seguiría junto, incluso después de casarse, tener hijos y carreras 55 profesionales establecidas.

Pensé en estos chicos después del terrible ataque terrorista en la ciudad de Nueva York, donde ahora vivo. Entre las ocho víctimas fatales había cinco hombres argentinos, amigos del colegio que estaban 60 en un viaje grupal para celebrar los 30 años de su graduación, justo el tipo de cosas que haría mi grupo de amigos de Temperley. Cuando vi la foto de esos amigos reunidos en el aeropuerto de Rosario, usando camisetas que decían "LIBRE", entendí 65 de inmediato qué significaba este viaje para ellos. Por supuesto, iban a ser "libres" durante el fin de semana que iban a estar alejados de las presiones profesionales y familiares de la mediana edad, pero sé que eso era secundario. Antes que nada, esta era 70 una oportunidad para mantener esos lazos, para volver a hacer esos chistes de hace tres décadas y para reír hasta las 5 de la madrugada.

**" Antes que nada, esta era una oportunidad para mantener esos lazos. "**

Según los reportes de prensa, Ariel Erlij, de 48 años, tenía una carrera exitosa° como un empresario del acero° en Rosario, donde el grupo había estudiado. 75 Les ayudó a sus amigos a pagar sus boletos de avión (un gesto nada pequeño en un país que apenas está saliendo de una dura recesión). Aterrizaron° en Nueva York y luego viajaron brevemente a Boston, donde ahora vive un miembro del grupo. Volvieron 80 a la Gran Manzana y decidieron hacer un tour en bicicleta del sur de Manhattan. Erlij y otros cuatro (Hernán Diego Mendoza, Diego Enrique Angelini, Alejandro Damián Pagnucco y Hernán Ferruchi) perdieron sus vidas. Uno de los sobrevivientes° le 85 dijo a *La Nación*: "Ellos esperaban este viaje desde hace mucho tiempo; no se puede creer que haya terminado así".

He vivido en otros países latinoamericanos desde entonces y allí los lazos sociales son muy 90 cercanos también. Pero, insisto, hay algo especial en Argentina. Muchas cosas han salido mal en su historia reciente: la brutal dictadura de los 70, la hiperinflación de los 80 y la devastadora crisis económica de 2001–02, que viví de primera mano (y 95 que eventualmente cubrí en mi primer trabajo como periodista). ¿Por qué la gente no ha, simplemente, abandonado el país? Bueno, muchos lo hicieron. Pero esos argentinos que se quedaron te dirían casi todos que lo hicieron por esos lazos (familiares, sí, pero 100 también con amigos del colegio o la universidad). El talento nacional para forjar camaradería que dure toda la vida es seguramente lo mejor de Argentina. Verlo ahora en el epicentro de una tragedia internacional, en la ciudad en la que vivo… Lo siento 105 mucho. Me rompe el corazón. ∎

**no se apresuró** *didn't rush*
**encantadores** *charming*
**presupuesto** *budget*
**posesión** *inauguration*
**ferroviario** *railroad*
**boliches** *dance clubs*
**me acogieron** *took me in*
**bautizaron** *named*
**lunfardo** *Argentinean slang*
**disecadas** *analyzed*
**comprobé** *confirmed*
**exitosa** *successful*
**acero** *steel*
**Aterrizaron** *They landed*
**sobrevivientes** *survivors*

**1 Discusión** En parejas, expliquen su opinión sobre cada afirmación.

1. Las amistades argentinas son diferentes a las de tu país.
2. La tragedia en Nueva York tuvo un fuerte impacto en el autor.
3. Los eventos en la historia podrían referirse perfectamente a un grupo de amigas.

**2 Amistad y cultura** En grupos de tres, discutan estas preguntas.

1. ¿Es posible en su país encontrar grupos grandes de amigos para toda la vida que pasen mucho tiempo juntos? Expliquen.
2. ¿Es posible que en algunas culturas la gente nunca experimente los mismos lazos estrechos y duraderos que los argentinos? Expliquen.
3. Las víctimas del atentado llevan una camiseta en la que pone "LIBRE". ¿Alguna vez han conmemorado ustedes una amistad creando algo? ¿Aprecian ese objeto? Expliquen.

**3 Tipos de amistades** En parejas, dividan a sus amigos en tres categorías y luego dibujen y rellenen un diagrama de Venn como el que aparece dibujado. ¿Cómo de diferentes son las actividades que hacen con los amigos en cada categoría? ¿Qué tipo de conversaciones tienen?

Categoría 1: _____

Categoría 2: _____

Categoría 3: _____

**4 Amigos del alma** En parejas, elijan una de las preguntas y escriban un párrafo breve para contestarla.

1. ¿Les gustaría pertenecer a un gran grupo de amigos para toda la vida como el que se describe en la lectura? ¿Por qué?
2. ¿Les gustaría tener tener uno o más amigos con los que hacer todo juntos? ¿Cuáles son los pros y contras de una amistad así?

Practice more at
vhlcentral.com.

| Vocabulario de la lectura | | Vocabulario útil | |
|---|---|---|---|
| **la barrera lingüística** | *language barrier* | **la calidad de vida** | *standard of living* |
| **cercano/a** | *close* | **el choque cultural** | *culture shock* |
| **la costumbre** | *custom* | **el estereotipo** | *stereotype* |
| **el destino** | *destination* | **el estilo de vida** | *lifestyle* |
| **el/la extranjero/a** | *foreigner* | **el hábito** | *habit* |
| **leal** | *loyal* | **el/la inmigrante** | *immigrant* |
| **reunirse** | *to meet* | **instalarse** | *to settle* |
| | | **la personalidad** | *personality* |

**1** **Emparejar** Une cada palabra con su definición.

1. choque cultural \_\_\_\_       a. actitudes y formas de comportamiento
2. destino \_\_\_\_       b. persona de un país distinto al propio
3. estereotipo \_\_\_\_       c. sentimiento de confusión al cambiar de cultura
4. estilo de vida \_\_\_\_       d. acción de juntarse dos o más personas
5. extranjero \_\_\_\_       e. carácter de una persona
6. hábito \_\_\_\_       f. idea fija y generalizada sobre algo o alguien
7. personalidad \_\_\_\_       g. práctica común que se repite con frecuencia
8. reunirse \_\_\_\_       h. lugar de llegada

**2** **En otro país** En parejas, contesten las preguntas.

1. ¿Has vivido en otro país? ¿Cómo fue la experiencia? Si no, ¿te gustaría vivir en otro país alguna vez? ¿Dónde?
2. ¿Qué es lo que más extrañarías del lugar donde vives si te mudaras a un lugar diferente?
3. ¿Cómo crees que cambiaría tu vida al vivir en otro país?
4. Imagina que te acabas de mudar a otro país o ciudad. ¿Cómo harías nuevos amigos?

**3** **¿Qué sabes sobre Chile?** En grupos de tres, indiquen si creen que estas afirmaciones son ciertas o falsas.

| | Cierto | Falso |
|---|---|---|
| 1. Chile es un país con muchos contrastes, tanto en sus paisajes (*landscapes*) naturales como en su sociedad. | ☐ | ☐ |
| 2. El inglés es una lengua mayoritaria en Chile. | ☐ | ☐ |
| 3. Chile es un país que mantiene sus costumbres y tradiciones. | ☐ | ☐ |
| 4. En Chile, existe la costumbre de reunirse con amigos o familiares para tomar té. | ☐ | ☐ |
| 5. La edad media para tener hijos en Chile es superior a la de Norteamérica. | ☐ | ☐ |

**Practice more at vhlcentral.com.**

# Vivir en Chile

### Así es vivir en el país del fin del mundo

La idea de vivir en el extranjero supone un reto° personal emocionante y valioso. Mudarse a otro país implica descubrir otras culturas y lenguas, y cada vez son más los que deciden dar el salto° y conocer de cerca otras sociedades.

Chile, conocido como el país del fin del mundo por ser el país más austral° de la Tierra, ha pasado a ser uno de los destinos más populares para quienes buscan mudarse a un país de habla hispana. Miles de norteamericanos viven ya allí, adaptándose a sus costumbres y asimilando los cambios culturales a los que se enfrentan°. Según el Instituto Nacional de Estadísticas de Chile (INE), el número de extranjeros residentes se situó en 2018 por encima de 1.250.000, de los cuales más de 16.000 son de Estados Unidos. ¿Y cómo es vivir en Chile? A continuación exploramos qué opinan los norteamericanos sobre la cultura chilena.

### Hospitalarios, pero reservados y tradicionales

Para un norteamericano, mudarse a Chile implica conocer una sociedad que lo acoge° de manera generosa, pero también discreta. Sus experiencias muestran que la gente de Chile es amable y hospitalaria, aunque mantiene un carácter un tanto reservado, a diferencia de la imagen extrovertida que se tiene de otros países hispanohablantes. Todos coinciden en que los chilenos reciben a los extranjeros con interés, amabilidad y afecto. Sin embargo, por su carácter reservado, crear una relación de amistad con los chilenos puede llevar más tiempo. Generalmente muchos norteamericanos afirman que les es difícil mantener relaciones personales estrechas° con los chilenos, y que su círculo de amigos está compuesto principalmente por otros norteamericanos. No obstante°, cuando los lazos se estrechan, los chilenos se muestran muy cercanos con sus nuevos amigos, dispuestos a compartir su tiempo, involucrarlos° en su vida y tratarlos prácticamente como si fueran familia. Hay norteamericanos que los describen como las personas más generosas y leales que han conocido. ▣

*challenge*

*to take the leap*

*southern*

*confront*

*welcomes*

*close*

*nevertheless*

*involve them*

20

25

30

35

places
nuances

Algo que sorprende a los norteamericanos es que los contrastes de Chile no solo están presentes en sus parajes° naturales, sino en su cultura llena de matices°. Chile es una de las naciones más estables de América del Sur, con una economía fuerte y un ambiente ideal para iniciar una aventura profesional o montar una empresa. Es un país moderno y desarrollado, pero también conservador. Generalmente los norteamericanos que viven allí piensan que se trata de un país bastante tradicional. Por ejemplo, una diferencia cultural que suelen señalar es que en Chile la familia es el núcleo de la vida social, y que muchos jóvenes viven con su familia hasta que se casan. También destacan° que los chilenos suelen tener hijos a una edad más temprana. Esto contrasta con los ritmos de vida actuales de Norteamérica, donde la edad media para tener hijos supera° los 26 años.

emphasize

surpasses

## El idioma y el horario chilenos

Chile ofrece la oportunidad para aprender que el español es una lengua compleja, rica y con multitud de variaciones. A pesar de haber estudiado español durante años, muchos norteamericanos explican que los chilenos utilizan gran cantidad de expresiones y vocabulario nuevos para ellos. Además, en Chile el inglés no es una lengua mayoritaria, aunque hay quienes lo hablan como segunda lengua. De hecho, a varios norteamericanos que han vivido allí les sorprende aprender que en muchas zonas del país el segundo idioma más hablado no es el inglés, sino el alemán.

Para los norteamericanos viviendo en Chile, esto significa tener menos ocasiones de hablar en su idioma nativo y más oportunidades de practicar el español y aprenderlo a través de una inmersión real. Sin embargo, muchos explican que en un primer momento

### Aseguran que con el tiempo la barrera lingüística se supera.

is overcome
¿comprendes?
schedules

esto también supone un obstáculo a la hora de hacer amigos chilenos. Aun así, aseguran que con el tiempo la barrera lingüística se supera°, hasta el punto de que preguntar "¿cachái?°", por ejemplo, acaba siendo una expresión natural para ellos.

Vivir en Chile también requiere adaptarse a nuevos ritmos y a unos horarios° diferentes a los de Estados Unidos. Por ejemplo, muchos norteamericanos se sienten confundidos la primera vez que los invitan a tomar la once. A pesar de su nombre, la once no se toma a las 11 a.m. ni a las 11 p.m. Esta costumbre chilena consiste en una merienda° que se toma por la tarde y que normalmente incluye té, café, tortas° o pan con diferentes acompañamientos.

snack
cakes

extends

En general, los norteamericanos tienen la sensación de que el tiempo que se dedica a la vida social se alarga°. Las fiestas en Chile comienzan tarde, cerca de las 11 p.m., aunque los chilenos suelen reunirse algo más temprano con los amigos antes de salir. Los bares y discotecas suelen cerrar sobre las 4 a.m., mucho más tarde que en Norteamérica.

strive

En definitiva, vivir en Chile permite descubrir un país que mantiene sus tradiciones y costumbres. También, supone adaptarse a nuevos ritmos y esforzarse° por aprender los matices de su idioma. Y, sobre todo, invita a conocer una sociedad que al principio se muestra reservada pero que, con el tiempo, hace sentir al extranjero como en su propia casa. ■

Watch related video at vhlcentral.com.

**1 Comprensión** Elige la opción correcta.

1. El número de estadounidenses viviendo en Chile en 2018 era mayor de ___.
   a. 15.000          b. 1.250.000

2. En muchas zonas de Chile, el segundo idioma más estudiado es el ___.
   a. alemán          b. francés

3. Muchos jóvenes chilenos ___.
   a. viven solos o con amigos          b. viven con su familia hasta que se casan

4. La once se toma ___.
   a. por la mañana          b. por la tarde

5. En Chile, los bares y las discotecas ___.
   a. no abren hasta la medianoche          b. cierran más tarde que en Norteamérica

**2 ¿Qué aprendiste?** En parejas, contesten las preguntas.

1. ¿Por qué a Chile se le conoce como "el país del fin del mundo"?

2. El artículo dice que Chile es un país con contrastes. Den algún ejemplo.

3. Por qué muchos norteamericanos dicen que su círculo de amigos está compuesto principalmente por otros norteamericanos, en lugar de por chilenos?

4. ¿Cuáles son algunas costumbres de los chilenos cuando salen con sus amigos?

5. ¿En qué consiste tomar la once?

6. Teniendo en cuenta lo que aprendieron, ¿piensan que les gustaría vivir en Chile? ¿Por qué?

7. ¿Creen que les resultaría fácil o difícil adaptarse a la vida allí? Expliquen.

8. ¿Cómo creen que sería para un(a) joven chileno/a mudarse a Norteamérica?

**3 Choque cultural** En parejas, hagan una lista de las semejanzas y las diferencias entre el estilo de vida de un(a) joven chileno/a y de un(a) joven norteamericano/a.

| Semejanzas | Diferencias |
|---|---|
|  |  |
|  |  |
|  |  |
|  |  |
|  |  |

**4 Foro** Piensa en alguna pregunta más que tengas sobre la vida en Chile. Luego, busca en Internet un foro u otro sitio web chileno, y escribe ahí tu pregunta. Finalmente, escribe un resumen donde explicas lo que aprendiste a través de las respuestas.

Practice more at
vhlcentral.com.

## SOBRE LA AUTORA

**Lourdes Márquez Barrios** nació en Maracaibo (Venezuela). Confiesa que siempre quiso ser actriz, pero que acabó estudiando periodismo. Quizá eligió esa carrera profesional por su afición a la escritura. Al final de su cuento *Anacrusa*, la autora escribe: "Siempre me ha gustado escribir y lo sigo intentando". Este cuento fue seleccionado por la revista madrileña de relatos breves *Cuentos para el andén* y se publicó en noviembre de 2017.

| Vocabulario de la lectura | | Vocabulario útil | |
|---|---|---|---|
| la carcajada | *guffaw* | la añoranza | *longing* |
| la carretera | *highway* | echar de menos | *to miss* |
| la grabadora | *recorder* | independizarse | *to become independent* |
| importar(le) un pepino | *couldn't care less* | la infancia | *childhood* |
| la monja | *nun* | el nido familiar | *family nest* |
| partir | *to leave* | el recuerdo | *memory* |
| el silbido | *whistle* | | |

**1** **Vocabulario** Completa el párrafo con palabras del vocabulario.

Mi (1) _____ es la etapa de la que más (2) _____ tengo; imposible olvidar mis años de colegio. Todavía recuerdo cuando la señorita Jacinta, la (3) _____ superiora, descubrió la (4) _____ que Andrea y yo escondíamos (*hid*) bajo el pupitre. Cuando escuchó lo que había en ella, no pudo evitar soltar (*let out*) una gran (5) _____. La grabación de Andrea y mía cantando el himno nacional sonó en medio de la clase. Las niñas reían al escucharnos cantar y acompañaron el himno con un armonioso (6) _____. ¡Qué (7) _____ siento al recordar aquellos maravillosos años!

**2** **Independencia** En parejas, discutan las siguientes preguntas.

1. ¿Crees que es necesario que los jóvenes dejen el nido familiar para sentir la verdadera experiencia que es la vida universitaria? ¿Por qué?

2. ¿Qué ventajas tiene vivir en casa de los padres durante los años universitarios? ¿Qué desventajas? ¿Dónde vives o piensas vivir tú?

3. ¿A qué edad te independizaste o crees que te vas a independizar? ¿Por qué?

**3** **Refrán** En grupos de tres, expliquen el significado de este refrán. Digan si están de acuerdo con lo que dice y expliquen por qué.

De músico, poeta y loco todos tenemos un poco.

Practice more at
vhlcentral.com.

# Anacrusa

## Lourdes Márquez Barrios

Algunas veces no escuchaba la puerta al abrirse, pero siempre estaba el silbido anunciando su llegada. Era una melodía sencilla y única. Daba igual si estaba jugando, estudiando o en el baño. Era escuchar el silbido y salir corriendo a abrazar a mi padre.

5 Los primeros años era solo yo, luego se unieron los trotes de mi hermano. Los brazos de mi padre tenían sitio° de sobra para ambos. No le importaba tirar al suelo° su maletín o las bolsas de la compra. Los abrazos al llegar a casa eran sagrados°. Nos colgábamos° de su cuello y él se reía a carcajada limpia, como si le hiciéramos cosquillas° en la barriga.

10 Mi padre silbaba° todo el tiempo. De sus labios en forma de beso salían canciones conocidas o improvisadas en el momento. Si le gustaba mucho lo que estaba creando, me pedía que le trajera su grabadora para que no se le olvidara. La solía poner en su mesita de noche, por si tenía que grabar música que salía de su cabeza por arte de magia°, incluso durmiendo.

15 Si me iba a buscar al colegio y no me divisaba° entre el grupo de gente, entonaba su silbido y yo reaccionaba. Lo escuchaba por encima de cualquier griterío°. Creo que vibraba en ondas° especiales.

Las monjas me sorprendieron un día silbando y me dijeron que eso no era de señoritas. Cuando se lo conté a mi padre, me dijo que tenían razón, silbar no era 20 de señoritas, era de niñas felices a las que les importaba un pepino ser señoritas.

> **A partir de quién sabe qué momento, dejé de correr al escuchar el silbido tras las llaves en la puerta.**

Yo escupí° una carcajada y nos pusimos a silbar juntos, mientras la risa nos ahogaba° por momentos. "Pero mejor no silbes en el colegio —me dijo, picándome un ojo°— dejemos que sigan pensando que quieres ser una señorita".

Mi padre tocaba el cuatro y cantaba a ritmo de valses, bambucos°, gaitas° o merengues. Mi madre lo acompañaba con la percusión de sus 30 manos amasando° o aplaudiendo. Mi hermano aprendió pronto a tocar la guitarra. Yo bailaba por los pasillos con mis propias coreografías.

Cuando íbamos de viaje por carretera, ponía algún casete de un artista o grupo criollo y nos desgañitábamos° todos cantando por el camino. Él siempre ha dicho 35 que todo el mundo debería cantar, que todos tenemos derecho porque "Dios nunca hizo un casting a los pájaros".

*room*
*ground*
*sacred / hung*
*tickled*
*whistled*

*as if by magic*
*didn't spot me*

*shouting / waves*

*spat*

*suffocated*

*winking*

*traditional Colombian music*
*Venezuelan music genre*

*patting*

*screamed our heads off*

crying

strumming

spring

stream

circled

As of

trembling /
appeared

drums

noise / surrounded

soundtrack

haven

take off / bothered

weak

Un buen día, mi hermano decidió irse a la capital a estudiar música en la universidad y algunas de sus notas fueron sustituidas por el tímido llanto° de nostalgia de mi madre. Papá seguía silbando y rasgueando° el cuatro. Sin embargo, el manantial° de sus melodías comenzó a dejar escapar un casi imperceptible chorrito° de tristeza. La grabadora era menos requerida. El silencio se convirtió en una mascota, rondaba° entre los pies de mi familia y se iba instalando poco a poco entre nosotros.

A partir° de quién sabe qué momento, dejé de correr al escuchar el silbido tras las llaves en la puerta. Saludaba a mi padre a lo lejos y él se acercaba a darme un beso en la cabeza. El cuatro solo sonaba en los cumpleaños y en las visitas de mi hermano. Un ligero temblor° se asomaba° a la voz de mi padre cuando cantaba.

Yo comencé a pasar más tiempo en mis cosas fuera de casa. La universidad, los chicos y las fiestas. Prefería escuchar la música de moda, con letras en inglés, guitarra eléctrica y batería°. Dejé de inventarme mis propios bailes, me daba vergüenza. El bullicio° de la ciudad me rodeaba°, pero a veces me sorprendía a mí misma silbando sola en la calle.

La lavadora, el ventilador o los tonos de los teléfonos celulares se convirtieron en la nueva banda sonora° de casa. Los cantos se hicieron muy esporádicos y dejamos de viajar juntos por carretera. Me parecía mejor plan ir a la playa con mis amigos.

Para la época en la que mi casa era un remanso° de paz, yo también decidí partir. Papá me regaló un cuatro para que tocara las pocas canciones que me sabía cuando me sintiera sola. Mi madre me dio un casete con canciones "para viajes en carretera".

Ese día me subí a un avión y las turbinas al despegar° me aturdieron°. Mis oídos se bloquearon y el ruido a mi alrededor se hizo tenue°. Mientras me alejaba a otro continente solo podía escuchar el silbido de mi padre al llegar a casa. ∎

40

45

50

55

60

**1 ¿Cierto o falso?** Indica si las oraciones son ciertas o falsas. Corrige las falsas.

1. La protagonista corría a abrazar a su padre cada vez que escuchaba su silbido. _____
2. La protagonista tiene dos hermanos. _____
3. El padre grababa su música en un celular. _____
4. La protagonista iba a un colegio religioso. _____
5. A la madre de la protagonista no le gustaba la música. _____
6. La familia solía hacer viajes por carretera. _____
7. El hermano de la protagonista se fue a estudiar a la capital. _____
8. Después de que el hermano se fue, la protagonista nunca salía de casa. _____
9. El ambiente en la casa cambió cuando se fue el hermano. _____
10. La protagonista comenzó a echar de menos a su familia cuando estaba en el avión. _____

**2 Interpretar** Contesta las preguntas sobre el cuento. Explica tus respuestas.

1. ¿Cómo son los recuerdos que tiene la protagonista de su infancia?
2. ¿Cómo era el colegio de la protagonista?
3. ¿Cómo afectó a los padres que su hijo se fuera de casa?
4. ¿Por qué crees que llegó un momento en que la chica ya no corría al escuchar el silbido de su padre?
5. ¿Qué papel (*role*) tiene la música en la infancia de la protagonista? ¿Qué papel tiene en su adolescencia?
6. ¿De qué se dan cuenta los personajes con el paso de los años?

**3 Citas** En parejas, discutan estas citas. Expliquen la importancia que tienen en el contexto del cuento. Después, compartan sus ideas con la clase.

"Si le gustaba mucho lo que estaba creando, me pedía que le trajera su grabadora para que no se le olvidara."

"A partir de quién sabe qué momento, dejé de correr al escuchar el silbido tras las llaves en la puerta."

"Mientras me alejaba a otro continente solo podía escuchar el silbido de mi padre al llegar a casa."

**4 El título** En grupos de tres, lean la definición de la palabra **anacrusa** y discutan por qué la autora decidió titular el cuento con esta palabra. Compartan sus interpretaciones con la clase.

**anacrusa**
Nota o notas musicales que van antes del primer tiempo fuerte de una melodía.

**5** **Los sonidos** El cuento *Anacrusa* tiene muchas referencias a diferentes tipos de sonidos. En parejas, busquen estas referencias y anoten los sonidos agradables en la primera columna y los desagradables en la segunda.

| Sonidos agradables | Sonidos desagradables |
|---|---|
| *Los silbidos del papá* | *La lavadora* |
| | |
| | |

**6** **¿Y tú?** Contesta las preguntas.

1. ¿Vives lejos de algunos de tus seres queridos? ¿Qué es lo que más extrañas de ellos?

2. Si pudieras revivir algún momento del pasado, ¿cuál sería?

3. ¿Consideras que ha cambiado mucho tu vida desde que eras niño/a? ¿En qué aspectos ha cambiado?

4. ¿A qué edad es habitual en tu país que los jóvenes dejen de vivir en el hogar familiar? ¿Cuáles son los principales motivos por los que los jóvenes se independizan?

5. ¿Crees que en tu país los padres suelen reaccionar igual que los de la protagonista cuando sus hijos se independizan? Explica.

6. ¿Cómo crees que sería tu vida en otro continente? ¿Cómo recordarías tu vida actual desde otro lugar?

**7** **Un correo electrónico** Imagina que eres la protagonista del cuento. Escribe un correo electrónico a tus padres y a tu hermano donde les cuentas sobre tu nueva vida. Utiliza los siguientes puntos como guía.

- ¿Dónde vives ahora?
- ¿Cómo fue tu adaptación al nuevo país?
- ¿Qué es lo que más extrañas de tu familia?
- ¿Qué es lo que más te está gustando de vivir en otro país?
- ¿Cómo son tus nuevos amigos?
- ¿Qué tipo de actividades haces en tu tiempo libre?
- ¿Qué diferencias hay entre tus viajes en carretera actuales con los de tu infancia?
- ¿Dónde te ves dentro de diez años?

Practice more at
vhlcentral.com.

Vas a escribir una descripción sobre un(a) familiar o un(a) amigo/a. La descripción debe relatar de manera vívida a una persona.

# Planificar y preparar la escritura

**1** **Estrategia: Determina el sujeto de tu ensayo** Elige la persona sobre la que vas a escribir. Utiliza el diagrama para hacer un mapa de ideas sobre esta persona. ¿Cómo es físicamente? ¿Cómo es su carácter? ¿Cuál es tu relación con ella? Completa el diagrama con detalles y anécdotas.

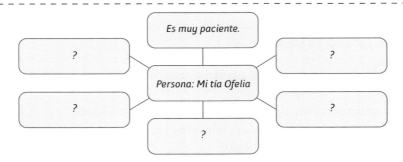

**2** **Estrategia: Desarrolla el cuerpo del ensayo**

- Piensa en cómo usar los detalles de tu mapa de ideas para escribir tu ensayo.
- Desarrolla el cuerpo del ensayo con estos detalles. Utiliza la descripción física de la persona y sus rasgos (*traits*) de personalidad, ofreciendo tu opinión y anécdotas.

# Escribir

**3** **Tu ensayo descriptivo** Ahora escribe tu ensayo. Utiliza la información que has reunido y sigue estos pasos.

- **Introducción:** Presenta a la persona, sus rasgos y cualidades usando palabras descriptivas.
- **Desarrollo:** Explica alguna anécdota que te ayude a describir a esa persona. Ofrece tu opinión personal.
- **Conclusión:** Resume tus observaciones y termina el ensayo.

# Revisar y leer

**4** **Revisión** Pídele a un(a) compañero/a que lea tu ensayo y sugiera cómo mejorarlo. Revísalo incorporando sus sugerencias y prestando atención a los siguientes elementos.

- ¿Utilizaste palabras descriptivas para crear una imagen viva de la persona?
- ¿Explicaste tu relación personal y tus opiniones sobre esa persona? ¿Ofreciste anécdotas o detalles personales para crear una descripción más dinámica?
- ¿La conclusión resume las cualidades de la persona y tu actitud ante ella?
- ¿Son correctas la gramática y la ortografía?

# Los seres queridos

## Así lo decimos

la **amistad** *friendship*
la **búsqueda** *search*
la **confianza** *trust*
la **familia numerosa** *large family*
el/la **familiar** *relative*
el/la **hijo/a único/a** *only child*
el **interés** *interest*
el **matrimonio** *marriage*
la **pareja** *couple; partner*
el **perfil** *profile*
la **privacidad** *privacy*
la **red social** *social network*
la **relación** *relationship*
la **sinceridad** *sincerity*

**apoyar** *to support*
**casarse** *to get married*
**compartir** *to share*
**conocerse en persona** *to meet in person*
**contar (o:ue) con** *to count on*
**estar conectado/a** *to be online*
**extrañar** *to miss*
**llevarse bien/mal** *to get along well/badly*
**pasarlo bien/mal** *to have a good/bad time*
**pelear(se)** *to argue*
**querer(se) (e:ie)** *to love (each other); to want*
**sentir(se) (e:ie)** *to feel*
**tener (e:ie) ganas (de)** *to look forward to*
**valorar** *to value*

**compatible** *compatible*
**emocionado/a** *excited*
**impaciente** *eager; impatient*
**nostálgico/a** *homesick*
**solo/a** *lonely, alone*

## Documental

el **anillo** *ring*
el/la **(bis)nieto/a** *(great-)grandchild*
la **boda** *wedding*
el **compromiso** *engagement; commitment*
la **esperanza de vida** *life expectancy*

el **flechazo** *love at first sight*
el/la **novio/a** *boyfriend/girlfriend; groom/bride*
las **nupcias** *nuptials, wedding*
la **petición de mano** *marriage proposal*
el/la **prometido/a** *fiancé(e)*
la **ruptura** *breakup*

**aumentar** *to increase*
**divorciarse** *to get divorced*
**enamorarse (de)** *to fall in love (with)*
**fallecer** *to pass away, die*
**romper** *to break up*

**soltero/a** *single*
**viudo/a** *widowed*

## Artículo

el **amigote** *buddy*
el **apodo** *nickname*
el **atentado** *attack*
la **camiseta** *T-shirt*
el **cariño** *affection*
el **colegio** *school*
el **lazo** *bond*
la **madrugada** *early morning*
la **pérdida** *loss*
la **presión** *pressure*
la **tragedia** *tragedy*

**mudarse** *to move (from one home to another)*

**al extranjero** *abroad*
**alejado/a** *far away*
**apenas** *barely*
**íntimo/a** *close*
**reunido/a** *gathered*

— ∎ —

la **barrera lingüística** *language barrier*
la **calidad de vida** *quality of life*
el **choque cultural** *culture shock*
la **costumbre** *custom*
el **destino** *destination*
el **estereotipo** *stereotype*
el **estilo de vida** *lifestyle*
el/la **extranjero/a** *foreigner*

el **hábito** *habit*
el/la **inmigrante** *immigrant*
la **personalidad** *personality*

**instalarse** *to settle*
**reunirse** *to meet*

**cercano/a** *close*
**leal** *loyal*

## Literatura

la **añoranza** *longing*
la **carcajada** *guffaw*
la **carretera** *highway*
la **grabadora** *recorder*
la **infancia** *childhood*
la **monja** *nun*
el **nido familiar** *family nest*
el **recuerdo** *memory*
el **silbido** *whistle*

**echar de menos** *to miss*
**importar(le) un pepino** *couldn't care less*
**independizarse** *to become independent*
**partir** *to leave*

## Ahora yo puedo...

- identificar la idea principal de textos hablados y escritos sobre las relaciones familiares y de amistad.
- participar en conversaciones espontáneas sobre el matrimonio, la amistad y las tradiciones familiares.
- comunicar información, hacer presentaciones y expresar ideas acerca de las diferentes formas que tienen las personas de interactuar.
- comparar las perspectivas sobre la comida, la música y otras celebraciones de mi cultura y otras.
- interactuar apropiadamente en eventos familiares y de amigos de acuerdo a las normas culturales.

# Perspectivas
## profesionales

## COLOMBIA Y VENEZUELA

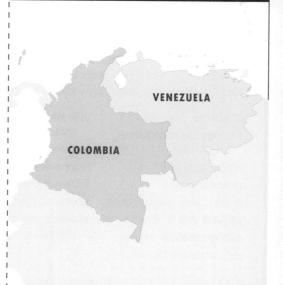

VENEZUELA

COLOMBIA

## LESSON OBJECTIVES
You will learn how to…

- identify the main idea in spoken and written contexts related to work and education.

- exchange opinions related to educational approaches.

- write a cover letter describing your personal, academic, and professional skills and goals.

- compare perspectives related to college and employment in your own and other cultures.

- consider the benefits of inclusive education at your school and a school in another country.

## Los estudios

Cuando Santiago terminó la escuela secundaria, tuvo que **examinarse** para acceder a la universidad. Sus resultados fueron muy buenos y pudo **matricularse** en la **carrera** de Economía en la Universidad Central de Venezuela. Las **asignaturas** le gustan mucho, pero necesita esforzarse (*strive*) para **aprobar** sus exámenes.

**aprobar (o:ue)** *to pass*
**la asignatura** *subject*
**la beca** *scholarship*
**la carrera** *major; career*
**examinarse** *to take an examination*
**la maestría** *master's degree*

**la matrícula** *tuition; enrollment*
**matricularse** *to enroll*
**la sala de estudio** *study hall*
**suspender** *to fail*
**el/la universitario/a** *college student*

## Buscar trabajo

Sara está buscando trabajo de ingeniera informática. Hace dos semanas encontró una oferta que le interesaba, así que preparó su **currículum** y su **carta de presentación** y **solicitó el empleo**. Hoy tuvo la primera entrevista. Cuando la compañía conozca a todos los **candidatos**, le dirán si continúa en el **proceso de selección**.

**el/la candidato/a** *candidate*
**la carta de presentación** *cover letter*
**el currículum** *résumé*
**la oferta** *offer*
**el proceso de selección** *hiring process*
**el puesto** *position*

**la referencia** *referral*
**la salida laboral** *job opportunities*
**solicitar (un empleo)** *to apply (for a job)*
**la vocación** *vocation*

## El empleo

La **jornada laboral** en la compañía donde trabaja Felipe es de ocho horas al día, pero últimamente ha tenido que trabajar **horas extras**. Afortunadamente, Felipe va a recibir un **ascenso** pronto y va a poder **contratar** a más **empleados** para que lo ayuden con el proyecto.

**el ascenso** *promotion*
**a tiempo completo/parcial** *full/part-time*
**cobrar** *to be paid*
**contratar** *to hire*
**el desempleo** *unemployment*
**despedir (e:i)** *to fire; to lay off*
**el/la empleado/a** *employee*
**el/la empleador(a)** *employer*

**el/la emprendedor(a)** *entrepreneur*
**las horas extras** *overtime*
**la jornada laboral** *workday*
**jubilarse** *to retire*
**la nómina** *payroll*
**el sueldo (mínimo)** *salary, (minimum) wage*

## El ambiente laboral

La organización y la comunicación son muy importantes para conseguir un buen ambiente laboral. Por eso, los **gerentes** suelen organizar **reuniones** semanales con su equipo. Tener una buena relación con los **compañeros de trabajo** también es fundamental. Finalmente, hacer una **pausa** durante el día puede mejorar la productividad.

**el/la compañero/a de trabajo** *coworker*
**el/la dueño/a** *owner*
**el/la gerente** *manager*
**el/la pasante** *intern*
**la pausa** *break*
**la reunión** *meeting*
**el/la socio/a** *partner*
**trabajador(a)** *hard-working*

**1 Adivinanzas** Completa con la palabra que corresponde a cada definición.

1. Situación en la que una persona no tiene trabajo: _____
2. Paso de un puesto a otro superior: _____
3. Parar de trabajar a partir de los 65 años: _____
4. No aprobar un examen: _____
5. Cada una de las personas que solicitan un puesto de trabajo: _____
6. Estudios universitarios: _____
7. Cantidad de dinero correspondiente a un trabajo: _____

**2 Comparte** En parejas, contesten estas preguntas.

1. Cuando eras niño/a, ¿qué profesión querías tener en el futuro? ¿Sigue siendo la misma?
2. ¿Cuándo decidiste qué carrera querías estudiar? ¿Por qué la elegiste?
3. ¿Alguna vez has tenido una entrevista de trabajo? ¿Cómo fue la experiencia?
4. ¿Qué significa para ti "tener un buen trabajo"? ¿Qué elementos son los más importantes?

**3 ¿Qué harías?** En grupos de cuatro, debatan sobre qué harían en estas situaciones.

- La semana que viene debes matricularte en la universidad, pero aún no has decidido qué carrera estudiar. Te gusta Biología, pero crees que tiene pocas salidas laborales. Tu familia te recomienda estudiar Ingeniería Civil porque las matemáticas y la física se te dan bien. Te gusta la naturaleza y quieres que tu futuro trabajo ayude a la sociedad.

- Estás haciendo entrevistas para un puesto administrativo en tu compañía y tienes que decidir entre dos candidatos. La primera persona tiene varios años de experiencia profesional y es muy organizada. La segunda persona no tiene experiencia, pero ha estudiado una maestría en Administración y se adapta con facilidad a los cambios.

Practice more at **vhlcentral.com**.

| Vocabulario del documental | | Vocabulario útil | |
|---|---|---|---|
| el aula | classroom | ajustarse | to accommodate |
| el bachillerato | high school (studies) | el alumnado | student body |
| el/la escolar | student | el aprendizaje | learning |
| fortalecer (c:zc) | to strengthen | la audición | hearing |
| el gesto | gesture | el audífono | hearing aid |
| el grado | degree | discriminatorio/a | discriminatory |
| la herramienta | tool | involucrarse | to get involved |
| la lengua de señas | sign language | la sordera | deafness |
| el/la oyente | hearing person | | |
| la primaria | elementary school | | |
| sordo/a | deaf | | |

| Expresiones | |
|---|---|
| ante la necesidad de | given the need for |
| en igualdad de condiciones | on a level playing field |
| en la práctica | in practice |
| o sea… | in other words… |
| ¡Y ya! | And that's all! |

**1  Definiciones** Completa con la palabra que corresponde a cada definición.

1. _____ : estudios de enseñanza secundaria
2. _____ : persona que no oye
3. _____ : participar en algo
4. _____ : estudios de enseñanza básica
5. _____ : aparato (*device*) que ayuda con la audición
6. _____ : estudiante
7. _____ : disminución de la capacidad de oír
8. _____ : valor o medida de algo cuya intensidad puede variar

**2  Expresiones** Completa cada situación con una expresión del vocabulario.

1. Vas a una entrevista de trabajo y la gerente te habla sobre la compañía. Te dice: "En nuestro proceso de selección, todas las personas, independientemente de su raza, género o estatus social, están _____."

2. Tu mejor amigo te habla de su nuevo empleo. Te cuenta: "Mi día laboral es de ocho horas, pero _____, solo trabajo siete porque tomo una hora de almuerzo."

3. Tu profesora anuncia en la clase: "_____ de ofrecerles más horas de instrucción antes del examen, decidí cambiar la fecha al 25 de mayo."

4. Le preguntas a tu amiga por qué no te contestaba al celular. Ella te responde: "Estaba en el cine con Eva. _____"

**3 Preguntas** En parejas, háganse las preguntas.

1. ¿Cómo describirías la escuela primaria a la que fuiste? ¿Y la secundaria?

2. Cuando estabas en la escuela primaria, ¿cuántos maestros tenías? ¿Cuántos estudiantes había en tu clase?

3. En tu opinión, ¿se ajustaba la metodología de enseñanza a las diferentes formas de aprendizaje de todos los estudiantes? Explica tu respuesta.

4. ¿Piensas que los estudiantes sordos deben estudiar en clases especiales o crees que pueden estudiar con los estudiantes oyentes? Explica tu respuesta.

5. ¿Conoces la lengua de señas americana o sabes de alguna persona que la conozca? ¿Te gustaría aprenderla? ¿Por qué?

**4 Opciones** En grupos de tres, elijan una opción para cada pregunta. Después, busquen las respuestas en Internet para corroborarlas. ¿Cuántas acertaron?

1. El uso de las lenguas de señas es ___.
   a. relativamente nuevo          b. tan antiguo como el de las lenguas orales

2. El vocabulario y la gramática de las lenguas de señas ___.
   a. varían según el lugar        b. son estándares y universales

3. Las lenguas de señas ___.
   a. son lenguas artificiales     b. son lenguas naturales

4. Existen más de ___ de personas sordas en el mundo.
   a. 140 millones                 b. 70 millones

5. Hay más de ___ lenguas de señas.
   a. 500                          b. 300

6. El día internacional de las lenguas de señas es el ___.
   a. 23 de septiembre             b. 8 de abril

7. ___ era sordo.
   a. Beethoven                    b. Mozart

**5 Fotogramas** En grupos de tres, observen los fotogramas y discutan qué pasa en cada uno de ellos.

Practice more at vhlcentral.com.

# *"Mis manos, mi voz", para una educación inclusiva*

**Educación inclusiva para los niños sordos**

# Escenas

## ARGUMENTO

El Colegio Federico García Lorca I.E.D de Colombia ofrece un modelo de instrucción inclusiva para niños sordos a través del proyecto "Mis manos, mi voz".

**NANCY MILENA:** Este proyecto surgió° en 1999 ante la necesidad de dar atención de calidad educativa para los escolares sordos.

**NANCY MILENA:** En la primaria, el principal objetivo es que ellos puedan integrarse en un aula con escolares oyentes.

**SANDRA YANETH:** Se les busca una estrategia para que ellos pueden visualizar lo que se está explicando.

**MARTHA BELÉN:** Lo primero que tenemos que buscar es que los estudiantes aprendan la lengua de señas.

**MARTHA BELÉN:** Los talleres° tienen dos objetivos: el primero es que los padres aprendan a comunicarse con sus hijos.

**MARTHA BELÉN:** Y el segundo es que ellos puedan apoyar el estudio de los niños.

**surgió** *emerged*
**talleres** *workshops*

**1** **¿Cierto o falso?** Indica si las oraciones son ciertas o falsas. Corrige las falsas.

1. El proyecto de inclusión de niños sordos en las aulas del Colegio Federico García Lorca surgió en 1999.
2. El programa va de preescolar hasta el grado 11 de bachillerato.
3. Los estudiantes comienzan a aprender la lengua de señas en el bachillerato.
4. En las clases con niños sordos hay un mediador comunicativo o intérprete.
5. Los estudiantes sordos reciben una instrucción totalmente distinta a la del resto de estudiantes.
6. En la escuela, hay clases de primaria exclusivas para estudiantes sordos.
7. Los estudiantes sordos se integran en las clases con los estudiantes oyentes en quinto de primaria.
8. Los padres de los niños que entran a la escuela ya conocen bien la lengua de señas.

**2** **Ampliación** En parejas, discutan las preguntas.

1. ¿Cómo se beneficiaron los estudiantes sordos con el proyecto "Mis manos, mi voz"? ¿Cómo creen que se beneficiaron los estudiantes oyentes con la llegada de sus compañeros sordos?
2. La instrucción, la metodología y los criterios de evaluación son los mismos para los estudiantes oyentes y no oyentes. ¿Qué indica este dato acerca de la calidad del programa? Expliquen su respuesta.
3. La mayoría de los estudiantes sordos de la escuela tiene padres oyentes. ¿En qué consistía la forma de comunicación que tenían estos estudiantes antes de comenzar a la escuela? ¿En qué se diferencia de la lengua de señas?

**3** **Citas** En grupos de tres, lean las citas de la docente (*teacher*) Martha Belén Cuintaco y contesten las preguntas.

"Los talleres con los padres tienen dos objetivos muy grandes: el primero es que los padres aprendan a comunicarse con sus hijos. Y el segundo es que ellos puedan apoyar los estudios de los niños."

"Hay muchas cosas bonitas. Una muy bonita es ver el cambio del estudiante. Lo otro es ver cómo los papitos empiezan a creer en su hijo."

- ¿Qué importancia tiene que los padres participen y se involucren en los estudios de los hijos, ya sean sordos o no?
- ¿Por qué creen que hay un cambio tan grande cuando los padres comienzan a creer en sus hijos?
- ¿Por qué es importante que los niños sordos aprendan la lengua de señas?
- ¿Cuáles serían los beneficios si las personas oyentes estudiaran las señas básicas para comunicarse con las personas sordas?
- ¿Creen que las palabras de Martha Belén podrían haber sido pronunciadas por una docente de su comunidad? ¿Por qué?

**4 Lenguas** En parejas, lean las preguntas e investiguen las respuestas en Internet. Luego, creen un diagrama de Venn en el que comparen los aspectos lingüísticos de las lenguas de señas con los de las lenguas orales.

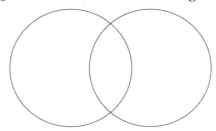

**Lenguas orales**          **Lenguas de señas**

- ¿Cómo se comparan los dos tipos de lenguas en cuanto a su gramática y vocabulario?
- ¿Cómo se comparan en cuanto a sus variedades lingüísticas?
- ¿Existen más similitudes o diferencias de las que pensaban? Den algunos ejemplos.
- ¿Qué dato les sorprendió más de su investigación?

**5 Lenguas de señas** Del mismo modo que las personas oyentes no hablan una única lengua, las personas sordas usan diferentes lenguas de señas. Divídanse en seis grupos. Cada grupo debe elegir una palabra básica e investigar cuál es la seña utilizada para referirse a ella en tres de los países de la lista. Compartan sus hallazgos con la clase.

- Colombia
- Venezuela
- Argentina
- México
- España
- Estados Unidos

**6 Integración** En parejas, investiguen acerca de las preguntas.

1. ¿Cuántas personas sordas hay en su país?
2. ¿A qué escuelas de su comunidad pueden asistir los niños sordos? ¿Qué tipo de escuelas son: públicas o privadas? ¿Tienen un sistema de integración o son las aulas únicamente para estudiantes sordos?
3. ¿Qué programas existen en su comunidad para los adultos, sordos u oyentes, que quieran aprender la lengua de señas?
4. ¿Qué otros recursos existen en su comunidad para personas sordas?
5. ¿Qué porcentaje de programas de televisión cuenta con subtítulos para sordos? ¿Cuántos cuentan con un intérprete simultáneo?

**7 Correo** Escribe un correo electrónico dirigido a un(a) estudiante sordo/a o a una clase con estudiantes sordos del Colegio Federico García Lorca. Explícale un poco sobre ti y pídele que te cuente sobre sus experiencias en esa escuela.

Practice more at
vhlcentral.com.

## 5.1 The future

### Forms of the future tense

Ana Tulia Alfaro
Madre de Érika Valentina

*Ana piensa que en el futuro su hija **será** una gran doctora.*

- The future tense (**el futuro**) takes the same endings for all **–ar, –er,** and **–ir** verbs. For regular verbs, the endings are added to the infinitive.

| The future tense | | |
|---|---|---|
| hablar | deber | abrir |
| hablaré | deberé | abriré |
| hablarás | deberás | abrirás |
| hablará | deberá | abrirá |
| hablaremos | deberemos | abriremos |
| hablaréis | deberéis | abriréis |
| hablarán | deberán | abrirán |

- For verbs with irregular future stems, the same endings are added to the irregular stem.

| infinitive | stem | future |
|---|---|---|
| caber | cabr– | cabré, cabrás, cabrá, cabremos, cabréis, cabrán |
| haber | habr– | habré, habrás, habrá, habremos, habréis, habrán |
| poder | podr– | podré, podrás, podrá, podremos, podréis, podrán |
| querer | querr– | querré, querrás, querrá, querremos, querréis, querrán |
| saber | sabr– | sabré, sabrás, sabrá, sabremos, sabréis, sabrán |
| poner | pondr– | pondré, pondrás, pondrá, pondremos, pondréis, pondrán |
| salir | saldr– | saldré, saldrás, saldrá, saldremos, saldréis, saldrán |
| tener | tendr– | tendré, tendrás, tendrá, tendremos, tendréis, tendrán |
| valer | valdr– | valdré, valdrás, valdrá, valdremos, valdréis, valdrán |
| venir | vendr– | vendré, vendrás, vendrá, vendremos, vendréis, vendrán |
| decir | dir– | diré, dirás, dirá, diremos, diréis, dirán |
| hacer | har– | haré, harás, hará, haremos, haréis, harán |

# Uses of the future tense

- In Spanish, as in English, the future tense is one of many ways to express actions or conditions that will happen in the future.

**¡ATENCIÓN!**

The future tense is used less frequently in Spanish than in English.
**Te llamo mañana.**
*I'll call you tomorrow.*
**Espero que vengan.**
*I hope they will come.*

---

| Present indicative |
| --- |

**Llegan a Caracas mañana.**
*They arrive in Caracas tomorrow.*
**(conveys a sense of certainty that the action will occur)**

| Present subjunctive |
| --- |

**Prefiero que lleguen a Caracas mañana.**
*I prefer that they arrive in Caracas tomorrow.*
**(refers to an action that has yet to occur)**

| ir a + [*infinitive*] |
| --- |

**Van a llegar a Caracas mañana.**
*They are going to arrive in Caracas tomorrow.*
**(expresses the near future; is commonly used in everyday speech)**

| Future tense |
| --- |

**Llegarán a Caracas mañana.**
*They will arrive in Caracas tomorrow.*
**(expresses an action that will occur; often implies more certainty than ir a + [infinitive])**

- The English word *will* can refer either to future time or to someone's willingness to do something. To express willingness, Spanish uses the verb **querer** + [*infinitive*], not the future tense.

¿**Quieres buscar** trabajo cuando termines tus estudios?
*Will you look for a job when you finish your studies?*

**Quiero solicitar** un puesto en esa empresa.
*I'll apply for a position at that company.*

- In Spanish, the future tense may be used to express conjecture or probability, even about present events. English expresses this in various ways, using words and expressions such as *wonder, bet, must be, may, might*, and *probably*.

¿Qué hora **será**?
*I wonder what time it is.*

Ya **serán** las dos de la mañana.
*It must be 2 a.m. by now.*

---

¿**Estará** lloviendo en Medellín?
*Do you think it's raining in Medellín?*

**Hará** un poco de sol y un poco de viento.
*It's probably a bit sunny and windy.*

- When the present subjunctive follows a conjunction of time like **cuando, después (de) que, en cuanto, hasta que,** and **tan pronto como**, the future tense is often used in the main clause of the sentence.

**Trabajaré** como pasante **después de que terminen** las clases.
*I'll work as an intern after classes end.*

**En cuanto salgamos** de la oficina, **regresaremos** a casa.
*As soon as we leave the office, we'll go back home.*

**Tan pronto como encuentre** un buen puesto, **prepararé** mi carta de presentación.
*As soon as I find a good position, I'll work on my cover letter.*

**TALLER DE CONSULTA**

For a detailed explanation of the subjunctive with conjunctions of time, see **6.1, pp. 220–221.**

**1 Predicciones** Completa las predicciones, conjugando los verbos entre paréntesis en el futuro.

**TRABAJO** Esta semana tú (1) _____ (tener) que trabajar duro. (2) _____ (salir) poco y no (3) _____ (poder) divertirte. Pero (4) _____ (valer) la pena. Muy pronto (5) _____ (conseguir) el puesto que esperas.

**DINERO** (6) _____ (venir) dificultades económicas. No malgastes tus ahorros.

**SALUD** El médico (7) _____ (resolver) tus problemas respiratorios, pero tú (8) _____ (deber) cuidarte la garganta.

**AMOR** (9) _____ (recibir) una noticia muy buena. Una persona especial te (10) _____ (decir) que te ama. (11) _____ (venir) días felices.

**2 Horóscopo chino** En el horóscopo chino cada signo está representado por un animal. En parejas, escriban el horóscopo de su compañero/a. Utilicen verbos en futuro y las frases de la lista. Luego, compartan sus predicciones con la clase.

| | | |
|---|---|---|
| aprobar un examen | ganar/perder dinero | recibir una visita |
| conocer a alguien | haber una sorpresa | tener suerte |
| empezar una relación | hacer un viaje | venir amigos |
| estudiar | poder solucionar problemas | viajar al extranjero |

Dragón:
1940-1952-1964-
1976-1988-2000

Serpiente:
1941-1953-1965-
1977-1989-2001

Caballo:
1942-1954-1966-
1978-1990-2002

Cabra:
1943-1955-1967-
1979-1991-2003

Mono:
1944-1956-1968-
1980-1992-2004

Gallo:
1945-1957-1969-
1981-1993-2005

Perro:
1946-1958-1970-
1982-1994-2006

Cerdo:
1947-1959-1971-
1983-1995-200

Rata:
1948-1960-1972-
1984-1996-2008

Búfalo:
1949-1961-1973-
1985-1997-2009

Tigre:
1950-1962-1974-
1986-1998-2010

Gato:
1951-1963-1975-
1987-1999-2011

# Comunicación

**3 Tus planes** En parejas, pregúntense qué planes tienen para el próximo verano. Pueden hacerse preguntas que no estén en la lista. Después, compartan la información con la clase.

1. ¿Trabajarás? ¿En qué?
2. ¿Tomarás clases? ¿De qué?
3. ¿Te irás de viaje? ¿Adónde?
4. ¿Harás algo extraordinario? ¿Qué?
5. ¿Conocerás gente? ¿Cómo?
6. ¿Practicarás deportes? ¿Cuáles?

**4 Viaje de aventura** Tú y tu compañero/a están planeando un viaje de dos semanas. Decidan cuándo y a cuál de estos países irán y qué harán allí, usando el anuncio como guía. Conjuguen los verbos en el futuro.

## ECOTURISMO

| Colombia | Venezuela |
| --- | --- |
| • acampar en la costa | • explorar un tramo de los Andes |
| • hacer *rafting* por el río Tobia | • ascender un tepuy (*flat-topped mountain*) |
| • visitar la región amazónica colombiana | • hacer una expedición por un río |
| • disfrutar de la naturaleza y las playas en el Parque Nacional Tayrona | • explorar las islas del Parque Nacional Mochima en kayak |

**5 ¿Qué será de...?** Todo cambia con el tiempo. En parejas, conversen sobre el futuro de cada lugar, producto o animal.

- las ballenas
- Venecia
- el libro impreso (*printed*)
- la televisión
- Internet
- las hamburguesas
- el hielo (*ice*) en los polos norte y sur
- la selva amazónica
- Los Ángeles
- el petróleo

**6 ¿Dónde estarán en veinte años?** En grupos de tres, hagan una lista de cinco personas famosas y anticipen lo que será de ellas dentro de veinte años.

**7 Situaciones** En parejas, seleccionen uno de estos temas e inventen un diálogo usando el tiempo futuro.

1. Dos jóvenes han terminado sus estudios y hablan sobre lo que harán para convertirse en millonarios.
2. Dos ladrones/as acaban de robar todo el dinero de un banco internacional. Ahora se preguntan cómo escaparán de la policía.
3. Dos hermanas han decidido convertir su granja (*farm*) en un centro de ecoturismo. Deben desarrollar atracciones para los turistas.
4. Dos emprendedores/as se reúnen para pensar en su próxima idea de negocio y decidir cómo será la empresa que crearán.

## 5.2 The conditional

Sandra Yaneth Segura
Docente IE Colegio Federico García Lorca

*¿Qué estrategia **recomendaría** para una educación inclusiva?*

- The conditional tense (**el condicional**) takes the same endings for all **–ar, –er,** and **–ir** verbs. For regular verbs, the endings are added to the infinitive.

### The conditional

| dar | ser | vivir |
|--------|--------|---------|
| daría | sería | viviría |
| darías | serías | vivirías |
| daría | sería | viviría |
| daríamos | seríamos | viviríamos |
| daríais | seríais | viviríais |
| darían | serían | vivirían |

**¡ATENCIÓN!**

Note that all of the conditional endings carry a written accent mark.

- Verbs with irregular future stems have the same irregular stem in the conditional.

| infinitive | stem | conditional |
|------------|--------|-------------|
| caber | cabr– | cabría, cabrías, cabría, cabríamos, cabríais, cabrían |
| haber | habr– | habría, habrías, habría, habríamos, habríais, habrían |
| poder | podr– | podría, podrías, podría, podríamos, podríais, podrían |
| querer | querr– | querría, querrías, querría, querríamos, querríais, querrían |
| saber | sabr– | sabría, sabrías, sabría, sabríamos, sabríais, sabrían |
| poner | pondr– | pondría, pondrías, pondría, pondríamos, pondríais, pondrían |
| salir | saldr– | saldría, saldrías, saldría, saldríamos, saldríais, saldrían |
| tener | tendr– | tendría, tendrías, tendría, tendríamos, tendríais, tendrían |
| valer | valdr– | valdría, valdrías, valdría, valdríamos, valdríais, valdrían |
| venir | vendr– | vendría, vendrías, vendría, vendríamos, vendríais, vendrían |
| decir | dir– | diría, dirías, diría, diríamos, diríais, dirían |
| hacer | har– | haría, harías, haría, haríamos, haríais, harían |

# Uses of the conditional

- The conditional is used to express what would occur under certain circumstances.

  **¿Qué ciudad de Colombia visitarías primero?**
  *Which city in Colombia would you visit first?*

  **Iría primero a Bogotá y después a Medellín.**
  *First I would go to Bogotá and then to Medellín.*

- The conditional is also used to make polite requests.

  **¿Podrías ayudarme a preparar mi currículum, por favor?**
  *Could you help me prepare my résumé, please?*

  **¿Le importaría (a usted) hablar con el gerente?**
  *Would you mind speaking with the manager?*

- Just as the future tense is one of several ways of expressing a future action, the conditional is one of several ways of expressing a future action as perceived in the past. In this case, the conditional expresses what someone said or thought *would* happen.

  **Dicen que mañana se reunirán.**
  *They say they will meet tomorrow.*

  **Creía que se reunirían hoy.**
  *I thought they would meet today.*

  ---

  **Dicen que mañana van a reunirse.**
  *They say they're going to meet tomorrow.*

  **Creía que iban a reunirse hoy.**
  *I thought they were going to meet today.*

- In Spanish, the conditional may be used to express conjecture or probability about a past event. English expresses this in various ways using words and expressions such as *wondered, must have been,* and *was probably.*

  **¿A qué hora regresaría?**
  *I wonder what time he returned.*

  **Serían las ocho.**
  *It must have been eight o'clock.*

¿No sería ahora el momento justo para ir de vacaciones a **San Andrés?**

---

**¡ATENCIÓN!**

The English *would* is used to express the conditional, but it can also express what *used to* happen. To express habitual past actions, Spanish uses the imperfect, not the conditional.

**Cuando era pequeña, iba a la playa todos los veranos.**
*When I was young, I would (used to) go to the beach every summer.*

---

**TALLER DE CONSULTA**

The conditional is also used in contrary-to-fact sentences. See **9.3, p. 341.**

**1** **Ambición** Completa el diálogo con el condicional de los verbos entre paréntesis.

**DARÍO** Si yo pudiera formar parte de esta organización, (1) _____ (estar) dispuesto (*ready*) a ayudar en todo lo posible.

**CONSUELO** Sí, lo sé, pero tú no (2) _____ (poder) hacer mucho. No tienes la preparación necesaria. Tú (3) _____ (necesitar) estudios de biología.

**DARÍO** Bueno, yo (4) _____ (ayudar) con las cosas menos difíciles. Por ejemplo, (5) _____ (hacer) el café para las reuniones.

**CONSUELO** Estoy segura de que todos (6) _____ (agradecer) tu colaboración. Les preguntaré si necesitan ayuda.

**DARÍO** Eres muy amable, Consuelo. (7) _____ (dar) cualquier cosa por trabajar con ustedes. Y (8) _____ (considerar) la posibilidad de volver a la universidad para estudiar biología. (9) _____ (tener) que trabajar duro, pero lo (10) _____ (hacer) porque no (11) _____ (saber) qué hacer sin un buen trabajo. Por eso sé que el esfuerzo (12) _____ (valer) la pena.

**2** **Cortesía** Cambia estos mandatos por mandatos indirectos que usen el condicional.

| Mandatos directos | Mandatos indirectos |
|---|---|
| 1. Dame tu número de teléfono. | ¿Podrías darme tu número de teléfono, por favor? |
| 2. No llegues tarde. | |
| 3. Envía tu currículum. | |
| 4. Explícame esta actividad. | |
| 5. Deja de trabajar horas extras. | |
| 6. Ven a la reunión. | |
| 7. No olvides los documentos. | |

**3** **Lo que hizo Irma** Utilizamos el condicional para expresar el futuro en el contexto de una acción pasada. Explica lo que quiso hacer Irma e inventa lo que al final pudo hacer.

**Modelo** pensar / desayunar
Irma pensó que desayunaría con su amiga Gabi, pero Gabi no tenía hambre.

1. pensar / comer
2. decir / poner
3. imaginar / tener
4. escribir / venir
5. contarme / querer
6. suponer / hacer
7. explicar / salir
8. calcular / valer

Practice more at
vhlcentral.com.

# Comunicación

**4 De vacaciones** Tu tío Ignacio y su familia van a Ciudad Bolívar en Venezuela. Ellos te han llamado para pedirte consejos sobre lo que deben hacer. En grupos de cuatro, háganles sugerencias de acuerdo a sus gustos y a la información de la Nota cultural. Usen el condicional.

**Modelo**   María Fernanda podría visitar los parques nacionales de la región.

### NOTA CULTURAL

El estado de **Bolívar**, en el sur de **Venezuela**, limita al norte con el **río Orinoco** y al sur con el estado de **Amazonas** en **Brasil**. La capital del estado se llama **Ciudad Bolívar** y se distingue por sus casas de estilo colonial. También cuenta con dos importantes museos que presentan el lado moderno de la ciudad: el **Museo de Arte Moderno Jesús Soto** y el **Ecomuseo**. En la región también encontramos dos parques nacionales que ofrecen una abundante flora y fauna.

Tía Rosa: No le gusta estar al aire libre. Odia los mosquitos.

Tío Ignacio: Le encanta acampar.

María Fernanda: Le encantan los animales salvajes.

Eduardito: Le gusta jugar con la computadora y leer.

**5 ¿Qué harías?** Piensa en lo que harías en estas situaciones. Luego, en parejas, compartan sus reacciones usando el condicional.

1.

2.

3.

4.

5.

**TALLER DE CONSULTA**

See **Manual de gramática 5.4, p. 420** to review the uses of **qué** and **cuál** in asking questions.

## 5.3 Relative pronouns

### The relative pronoun *que*

Yeimy Paola Pachón
Docente IE Colegio Federico García Lorca

—*Somos maestros **que** sabemos la lengua de señas.*

**¡ATENCIÓN!**

Relative pronouns are used to connect short sentences or clauses to create longer, more fluid sentences. Unlike the interrogative words **qué, quién(es),** and **cuál(es),** relative pronouns never carry accent marks.

- **Que** (*that, which, who*) is the most frequently used relative pronoun (**pronombre relativo**). It can refer to people or things, subjects or objects, and can be used in restrictive clauses (without commas) or nonrestrictive clauses (with commas). Note that while some relative pronouns may be omitted in English, they must always be used in Spanish.

El candidato **que** entrevistamos ayer parecía muy responsable.
*The candidate (that) we interviewed yesterday seemed very responsible.*

Los alumnos **que** suspendieron la prueba pueden repetirla.
*The students who failed the test can take it again.*

Estaba cansada después de la reunión, **que** duró más de dos horas.
*I was tired after the meeting, which lasted over two hours.*

- In a restrictive (without commas) clause where no preposition or personal **a** precedes the relative pronoun, always use **que**.

La sala de estudio **que** abrieron en este edificio es muy cómoda.
*The study hall they opened in this building is very comfortable.*

### *El que/La que*

**¡ATENCIÓN!**

When used with **a** or **de**, the contractions **al que/al cual** and **del que/del cual** are formed.

- After prepositions, **que** follows the definite article: **el que, la que, los que,** or **las que**. The article must agree in gender and number with the antecedent (the noun or pronoun to which it refers). When referring to *things* (but not *people*), the article may be omitted after short prepositions, such as **en, de,** and **con**.

Vi a la mujer **para la que** trabajas.
*I saw the woman (whom) you work for.*

El edificio **en (el) que** viven es viejo.
*The building (that) they live in is old.*

**El que, la que, los que,** and **las que** are also used for clarification to refer to a previously mentioned person or thing.

Hay varios candidatos, pero solo entrevistaré a **los que** tengan experiencia.
*There are several candidates but I will only interview those who have experience.*

Si puedes optar entre dos compañías, elige **la que** paga más.
*If you can choose between two companies, pick the one that pays more.*

## El cual/La cual

- **El cual, la cual, los cuales,** and **las cuales** are generally interchangeable with **el que, la que, los que,** and **las que** after prepositions. They are often used in more formal speech or writing. Note that when **el cual** and its forms are used, the definite article is never omitted.

El edificio **en el cual** viven es viejo.
*The building in which they live is old.*

## Quien/Quienes

- **Quien** (sing.) and **quienes** (pl.) only refer to people. **Quien(es)** can therefore generally be replaced by forms of **el que** and **el cual,** although the reverse is not always true.

Los investigadores, **quienes (los que/los cuales)** estudian la erosión, son de Venezuela.
*The researchers, who are studying erosion, are from Venezuela.*

El investigador **de quien (del que/del cual)** hablaron era mi profesor.
*The researcher (whom) they spoke about was my professor.*

- Although **que** and **quien(es)** may both refer to people, their use depends on the structure of the sentence. In restrictive clauses (without commas), only **que** is used if no preposition or personal **a** is necessary. If a preposition or personal **a** is necessary, **quien** (or a form of **el que/el cual**) is used instead.

Los empleados **que** trabajan en esa empresa ganan buenos salarios.
*The employees who work at that company earn good salaries.*

Estos son los candidatos **a quienes (a los que/a los cuales)** llamamos.
*These are the candidates (whom) we called.*

- In nonrestrictive clauses (with commas) that refer to people, **que** is more common in spoken Spanish, but **quien(es)** (or a form of **el que/el cual**) is preferred in written speech.

Juan y María, **que** trabajan en mi equipo, están en un viaje de negocios.
*Juan and María, who work on my team, are on a business trip.*

Las expertas, **quienes** por fin se reunieron con nosotros, nos dieron una solución.
*The experts, who finally met with us, gave us a solution.*

## The relative adjective *cuyo*

- The relative adjective **cuyo (cuya, cuyos, cuyas)** means *whose* and agrees in number and gender with the noun it precedes. When asking to whom something belongs, use **¿de quién(es)?**, not a form of **cuyo.**

La gerente, **cuyas** ideas mejoraron el plan, no tiene tiempo para realizar el proyecto.
*The manager, whose ideas improved the plan, doesn't have time to do the project.*

**¿De quién** es este mapa de Venezuela?
*Whose map of Venezuela is this?*

---

**TALLER DE CONSULTA**

The neuter forms **lo que** and **lo cual** are used when referring to situations or abstract concepts that have no gender. See **Manual de gramática 5.5, p. 422.**

**¿Qué es lo que te molesta?**
*What is it that's bothering you?*

**Ella habla sin parar, lo cual me enoja mucho.**
*She won't stop talking, which is making me really angry.*

**COMPARACIONES**

En inglés, *whose* puede ser adjetivo o pronombre: ***Whose** book is this?* (adjetivo); *That person,* ***whose** book I have, is here.* (pronombre). En español, **cuyo/a** solo es adjetivo y no se usa para hacer preguntas.

1. En parejas, traduzcan las dos oraciones en inglés de arriba. ¿Qué usan para *whose* en cada oración?
2. Identifiquen otra diferencia con respecto a las cláusulas relativas entre los dos idiomas.
3. Expliquen: En inglés, muchos pronombres relativos consisten en una sola palabra, e.g., *which, whom.* ¿Por qué creen que existen más formas de estos pronombres en español?

**1** **Relativos** Selecciona la palabra o frase adecuada para completar cada oración.

1. El señor Gómez, ___ empresa se dedica al ecoturismo, está en una reunión.
   a. cuya          b. cuyo          c. cuyos

2. Hay muchas decisiones ___ no estoy de acuerdo.
   a. con la que       b. con las que       c. con quienes

3. El científico, ___ busca una solución para el consumo de energía, hace estudios en Chicaque.
   a. del cual         b. quien         c. quienes

4. Los amigos ___ me viste quieren visitar el Parque Natural Chicaque.
   a. en quien         b. de quien         c. con quienes

**2** **La entrevista** Completa con pronombres relativos de la lista. Algunos pronombres pueden repetirse.

### LA ENTREVISTA DE TRABAJO

| | |
|---|---|
| con quien<br>cuyas<br>cuyo<br>de las cuales<br>de que<br>del que<br>el cual<br>en que<br>las cuales<br>que<br>quien | Ana tuvo una entrevista de trabajo ayer, en una empresa (1) _____ se dedica al diseño. Uno de sus amigos, (2) _____ se reunió recientemente, fue (3) _____ le habló de este trabajo. Ana, (4) _____ principales habilidades son la creatividad y la adaptación, es una gran candidata para el puesto. El entrevistador le hizo muchas preguntas, (5) _____ le permitieron conocerla mejor. Fue una entrevista (6) _____ Ana se sintió muy cómoda y natural. El entrevistador, (7) _____ era muy amable, le dijo que se pondría en contacto con ella muy pronto. Hoy Ana supo que continúa en el proceso de selección, (8) _____ siguiente paso será una prueba. |

**3** **Seamos concisos** Combina estas oraciones usando un pronombre o adjetivo relativo apropiado.

**Modelo**    **El desempleo es un problema. El gobierno habla del desempleo.**
        El desempleo es un problema del cual el gobierno habla.

1. Los jóvenes son estudiantes universitarios. Los jóvenes quieren trabajar como pasantes.

2. La reunión será mañana a las diez. Te hablé de la reunión.

3. El gobierno aprobó una ley. El contenido de la ley modifica la jornada laboral.

4. Los estudiantes no pueden ir a la clase. La computadora de la clase no funciona.

5. La empresa tiene muchos empleados. La empresa está en crisis.

# Comunicación

**4** **Tus prioridades**

**A.** Completa el recuadro de acuerdo con tus hábitos, planes y opiniones.

| | Sí | No | Depende |
|---|---|---|---|
| 1. No voy a clase en mi carro. Siempre viajo en autobús o en bicicleta. | ☐ | ☐ | ☐ |
| 2. Estudio mucho. | ☐ | ☐ | ☐ |
| 3. Voy a la sala de estudio con otros compañeros de clase. | ☐ | ☐ | ☐ |
| 4. El próximo verano voy a buscar trabajo. | ☐ | ☐ | ☐ |
| 5. Me pondría nervioso/a en una entrevista de trabajo. | ☐ | ☐ | ☐ |
| 6. Quiero un trabajo donde pueda ayudar a la sociedad. | ☐ | ☐ | ☐ |
| 7. Quiero trabajar en una empresa donde los salarios sean muy altos. | ☐ | ☐ | ☐ |
| 8. Pienso que estudiar y trabajar a la vez no es recomendable. | ☐ | ☐ | ☐ |
| 9. Solo el gobierno debe preocuparse por el desempleo. | ☐ | ☐ | ☐ |
| 10. Voy a viajar a otro país para estudiar un idioma. | ☐ | ☐ | ☐ |

**B.** En parejas, compartan la información del recuadro. Después, usando pronombres relativos, informen a la clase de lo que hayan aprendido sobre su compañero/a.

**Modelo**  Rafael va a clase cada día en su carro. Es una persona
a quien le gusta ir a la sala de estudio con sus compañeros.
Quiere un trabajo en el cual pueda ayudar a la sociedad.

**5** **¿Quién es quién?** La clase se divide en dos equipos. Un(a) integrante del equipo A piensa en un(a) compañero/a y da tres pistas. El equipo B tiene que adivinar de quién se trata. Si adivina con la primera pista, obtiene 3 puntos; con la segunda, obtiene 2 puntos; con la tercera, obtiene 1 punto.

**Modelo**  Estoy pensando en alguien con quien almorzamos.
Estoy pensando en alguien cuyos ojos son marrones.
Estoy pensando en alguien que lleva pantalones azules.

**6** **Evolución de ideas** En parejas, hagan una lista de seis creencias (*beliefs*) erróneas que los humanos hemos tenido en los últimos cien años acerca de estos temas. Escriban oraciones y usen por lo menos tres pronombres relativos distintos.

**Modelo**  Los alimentos que tienen mucho azúcar afectan
más a la salud de lo que pensábamos.

- la alimentación
- la familia
- la guerra
- la salud
- el trabajo
- el universo

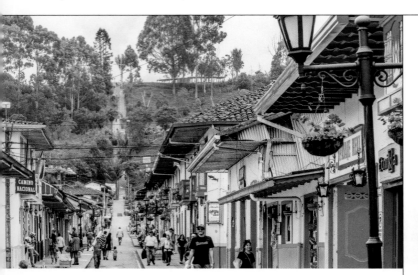

### Salento

En la zona del Eje° cafetero colombiano, entre montañas verdes, antiguas haciendas convertidas en hoteles y santuarios naturales de pájaros, está Salento. Los turistas visitan este pueblo para comer la típica trucha° dorada sobre patacón (banana frita), tomar un tintico (café negro) y ver las casas de estilo colonial bahareque°, con sus puertas y ventanas de colores.

### La Feria de las Flores de Medellín

A Medellín le dicen "la ciudad de la eterna primavera". Cada mes de agosto se celebra allí la Feria de las Flores. Durante una semana, las calles se cubren de girasoles°, claveles°, lirios° y orquídeas *Cattleya trianae*, la flor nacional de Colombia. Los protagonistas son los silleteros, campesinos que desfilan cargando arreglos con las flores que cultivan.

**Eje** *Axis* **trucha** *trout* **bahareque** *adobe* **girasoles** *sunflowers*
**claveles** *carnations* **lirios** *lilies* **furruco** *hand drum* **tortas** *cakes*
**aplanadas** *flattened* **precocida** *precooked* **plancha** *griddle* **parrilla** *grill*

### Las gaitas navideñas venezolanas

La gaita venezolana es un género musical folklórico de ritmo alegre y festivo. Se dice que nació a principios del siglo XIX en el estado de Zulia. Sin embargo, no se sabe bien si surgió para celebrar las ideas republicanas, como canto religioso o como protesta de los esclavos contra los españoles. Se canta especialmente en tiempo de Navidad, acompañada de instrumentos de percusión como las maracas, el furruco° y el cuatro.

### Arepas venezolanas

Para los venezolanos, las arepas son un símbolo nacional. Estas tortas° circulares y aplanadas°, hechas de harina de maíz precocida°, existen desde mucho antes de la llegada de los españoles a América. Se cocinan a la plancha°, a la parrilla°, al horno o se fríen. Se pueden rellenar con diferentes ingredientes, como queso, carnes, mariscos, verduras, huevos, salsas o frijoles.

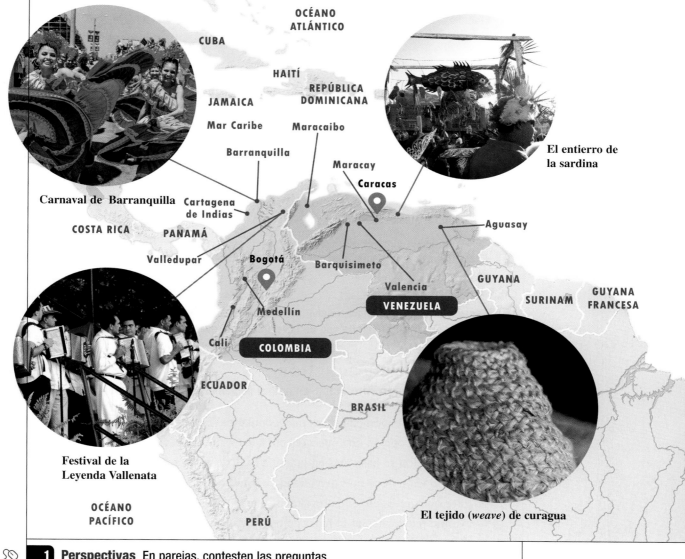

Carnaval de Barranquilla

El entierro de la sardina

Festival de la Leyenda Vallenata

El tejido (*weave*) de curagua

**1 Perspectivas** En parejas, contesten las preguntas.

1. ¿Te gustaría visitar Salento? ¿Por qué? ¿Cómo crees que el turismo impacta la vida de las personas que viven allí?

2. ¿Qué lugar recomendarías para pasar un fin de semana ideal en tu comunidad? ¿Por qué?

3. ¿Cómo notas cada año que llega la primavera a tu ciudad?

4. ¿Por qué piensas que a Medellín se le llama "la ciudad de la eterna primavera"? ¿Qué características asocias con ella?

5. ¿Qué significados tienen las flores en tu cultura?

6. ¿Qué música es característica de la Navidad en tu país? ¿Cómo se compara con las gaitas?

7. ¿Hay algún producto en tu país similar a las arepas? ¿Cuál? ¿En qué se parecen?

Practice more at
**vhlcentral.com.**

El audio "¿Universidad o Formación Profesional?" trata de las diferencias entre las dos opciones educativas y de cómo elegir entre ellas.

# Antes de escuchar

**1** **Activar el conocimiento previo** Haz una lista de lo que sabes sobre la Universidad y la Formación Profesional (FP) para poder compararlas. ¿Qué opción crees que es mejor? ¿Por qué? ¿Qué tiene de positivo respecto a la otra opción?

# Mientras escuchas

**2** **Estrategia: Detalles** Mientras escuchas el audio, presta atención a los detalles que se mencionan. Anota algunos de ellos en una lista con dos categorías: Universidad y Formación Profesional.

**3** **Escucha una vez** Escucha el audio y concéntrate en el vocabulario nuevo. Anota palabras que no conozcas.

**4** **Escucha de nuevo** Ahora, vuelve a escuchar el audio y completa tu lista inicial. Trata de descifrar el significado de las palabras nuevas.

# Después de escuchar

**5** **Comprensión e interpretación** En grupos pequeños, contesten las preguntas.

1. ¿Cuál es la opción educativa más popular en España, según el audio?
2. ¿Cuál es la opción que más conecta a los estudiantes con el mundo real?
3. ¿Qué opción se basa más en la teoría? ¿Cuál se basa más en la práctica?
4. ¿Qué opción tiene más diversidad de estudios?
5. ¿Por qué creen que el entrevistador dice que "estudiar abre puertas"?
6. ¿Cómo puede afectar el lugar de residencia de un estudiante a su decisión entre Universidad o Formación Profesional?

**6** **Discusión** En grupos pequeños, reflexionen y comenten sobre lo que han aprendido en el audio. Tengan en cuenta las preguntas.

1. ¿Qué datos les han sorprendido?
2. ¿Creen que en su país existen las mismas diferencias entre las dos opciones educativas que las que se mencionan en el audio? Expliquen.
3. ¿Qué factores tendrían ustedes en cuenta para elegir entre la Universidad o la Formación Profesional?
4. ¿Qué opción tiene mejores salidas laborales en su país? Expliquen.
5. ¿Qué opción les ayudaría más para realizar su profesión deseada?
6. ¿Qué opción es más común en su país? ¿Por qué?

 Practice more at vhlcentral.com.

## SOBRE EL AUTOR

**G**ustavo Ocando Álex es un periodista y editor venezolano. Trabaja como *freelancer* para la *BBC*, el *Miami Herald* y *NPR*, entre otros, y ha colaborado con el *New York Times*. En 2004, se graduó en la Escuela de Comunicación Social de la Universidad del Zulia, pero lleva escribiendo desde 2001 sobre la política, la economía y la sociedad venezolanas.

| Vocabulario de la lectura | | Vocabulario útil | |
|---|---|---|---|
| ahorrar | *to save (money)* | el alojamiento | *housing* |
| la clase presencial | *face-to-face class* | atreverse | *to dare* |
| el/la cursante | *student* | estar dispuesto/a a | *to be willing to* |
| el/la docente | *instructor* | la factura | *bill* |
| la empresa | *company* | el nivel de vida | *standard of living* |
| la inscripción | *enrollment* | el préstamo estudiantil | *student loan* |
| la meta académica | *academic goal* | el sector inmobiliario | *real-estate sector* |

**1  Vocabulario**  Indica qué palabra corresponde a cada definición.

____ 1. Documento con el precio de un producto o servicio

____ 2. Persona que enseña

____ 3. Lugar en el que se aloja una persona

____ 4. Guardar dinero para el futuro o evitar un gasto

____ 5. Registro del nombre de una persona en una lista

____ 6. Organización con fines lucrativos

a. ahorrar
b. docente
c. inscripción
d. empresa
e. factura
f. alojamiento

**2  Finanzas**  En grupos de tres, reflexionen sobre las preguntas.

1. ¿Cuál creen que es el costo aproximado de los estudios universitarios en su país? ¿Les parece elevado o justo?

2. ¿Qué gastos mensuales adicionales piensan que tiene el estudiante promedio en su país?

3. ¿Es habitual en su país tener préstamos estudiantiles?

4. ¿Piensan que las universidades deberían ser públicas y gratuitas? ¿Por qué?

5. ¿Debería el gobierno ofrecer ayudas económicas a los universitarios? ¿De qué gastos creen que podría prescindir el gobierno de su país para que pudiera ofrecer más ayudas estudiantiles?

6. ¿Estarían dispuestos/as a mudarse a otra ciudad para ahorrarse dinero en sus estudios? ¿Y a otro país? Expliquen.

Practice more at
vhlcentral.com.

# Los profesionales de
# COLOMBIA Y ECUADOR
## que aprovechan la crisis de Venezuela para estudiar en la universidad (y ahorrar mucho dinero)

### Gustavo Ocando Álex

MIENTRAS MILES DE ESTUDIANTES venezolanos abandonan sus estudios y el país para huir° de la crisis, otros universitarios extranjeros hacen el camino inverso.

5 Tito Bohórquez, ingeniero agrónomo, viaja dos veces al año una distancia de 2.500 kilómetros entre su natal provincia de Los Ríos, en Ecuador, y Maracaibo, en el noroeste de Venezuela, para participar en clases presenciales de su doctorado
10 en Ciencias Agropecuarias°. El primero de los vuelos que toma tarda tres horas antes de hacer escala° en Caracas. Debe pagar también por estadías° en hoteles, comidas y taxis. El desgaste° vale la pena, dice.

15 Profesor contratado y director de la carrera de Agropecuaria en la Universidad Técnica de Babahoyo, en Ecuador, Bohórquez es parte de un grupo cada vez más numeroso de profesionales ecuatorianos y colombianos que cursan estudios
20 de postgrado en la Universidad del Zulia (LUZ) en Maracaibo, cerca de la frontera con Colombia. Estudian especialidades, maestrías y doctorados

en Medicina, Odontología, Ingeniería, Derecho°, Veterinaria, Humanidades y Agronomía.

"Nunca pensé en estudiar acá", admite Bohórquez 25 antes de explicar por qué se decidió. Es la segunda de sus tres estancias de clases intensivas en Venezuela durante su doctorado. La primera fue en abril, también por tres semanas.

Profesionales de Colombia y Ecuador interesados en 30 cursos de cuarto y quinto nivel académico hallan° en las universidades públicas de Venezuela una combinación perfecta: matrícula muy económica y calidad en la educación, a pesar de° la crisis.

Bohórquez y el resto de cursantes de doctorados 35 pagan en LUZ US$1.500 dólares cada semestre. La inscripción les costó US$500. A eso le suman gastos de vuelos, hospedaje°, alimentación y transporte cada vez que viajan a Maracaibo: unos US$1.000. La inscripción y el pago de su 40 doctorado en LUZ representarán, al final de sus estudios, una inversión aproximada de US$8.000.

## 66 Hallan en las universidades públicas de Venezuela una combinación perfecta. 99

"La colegiatura y los viáticos° de un doctorado en Perú saldrían en entre US$28.000 y US$30.000.
45 En Colombia, los cursos son cada tres semanas y cuestan US$40.000. En Chile, igual, y hay que residir allá", dice Bohórquez.

### Boom por ahorro y calidad

El interés en los postgrados de la Universidad
50 del Zulia de parte de extranjeros ha aumentado exponencialmente desde hace siete años, dice Rosa Raaz, coordinadora de Doctorados de la Facultad de Agronomía.

El proyecto en el que participa Bohórquez,
55 por ejemplo, inició en 2011 exclusivamente con estudiantes venezolanos. En 2012, dos profesionales de Cúcuta, ciudad colombiana en la frontera con Venezuela, se registraron. En 2013, otros dos colombianos de Barranquilla.

60 "Y en 2017 hubo un boom", cuenta Raaz a BBC Mundo. "Hubo dos cohortes con 33 estudiantes ecuatorianos de universidades de Manabí, Machala y Guayaquil, también de empresas privadas, solo en Agronomía."

65 ### "Ganar-ganar"

La experiencia ha sido también económicamente beneficiosa para la Universidad del Zulia, una institución centenaria que depende del Estado venezolano y cuyas autoridades se quejan de un
70 déficit presupuestario°.

Los ingresos° por estudios de postgrados permiten a las facultades de LUZ reparar su infraestructura, pagar salarios a los docentes participantes o adquirir equipos. "Es una relación ganar-ganar. Significa
75 mantener la universidad abierta", opina la profesora.

Los cursos, en una Venezuela que experimenta una economía hiperinflacionaria y con un control cambiario desde 2003, tuvieron su pizca° de polémica. El diario local *Versión Final* publicó en junio una serie de reportajes sobre la venta de 80 cupos° de postgrado en LUZ a extranjeros por hasta US$5.000. El decanato° de la Facultad de Medicina anunció entonces el despido de cuatro empleados por participar en tales extorsiones.

### Agradecido con Venezuela 85

Rafael Palmera Crespo, arquitecto y profesor colombiano de 51 años, tiene tres años cruzando a pie la frontera de Maicao con la Guajira venezolana para luego emprender° un viaje por carretera de tres horas hasta Maracaibo. Cada 15 días repite el 90 extenuante viaje. Su motivación es académica: asistir a las clases presenciales en la Universidad del Zulia para completar su doctorado en Arquitectura.

"No fue muy fácil llegar", admite en conversación con BBC Mundo desde Barranquilla, donde reside 95 y trabaja. Ya alista° su tesis sobre la emancipación de los suelos, con la esperanza de graduarse en mayo de 2019.

Su meta académica le costaría en Colombia entre 80 y 100 millones de pesos (US$31.000 al cambio 100 oficial). Los gastos del curso, estadía, alimentación y transporte en Venezuela suman 4 millones de pesos (US$1.250). Es un 96% menos de dinero que si hubiese estudiado en su país.

"Estoy muy agradecido con Venezuela, 105 independientemente de las condiciones en que viven y que lamentamos los colombianos. En Venezuela es más asequible la educación en este nivel que en Colombia." Además del ahorro, la calidad docente es tal como se la habían descrito 110 otros colegas: "Única", dice.

| | |
|---|---|
| **huir** *to flee* | **viáticos** *travel expenses* |
| **Agropecuarias** *Agricultural* | **presupuestario** *budgetary* |
| **hacer escala** *connecting* | **ingresos** *income* |
| **estadías** *stays* | **pizca** *hint* |
| **desgaste** *wear and tear* | **cupos** *spots* |
| **Derecho** *Law* | **decanato** *dean's office* |
| **hallan** *find* | **emprender** *undertake* |
| **a pesar de** *despite* | **alista** *is preparing* |
| **hospedaje** *lodging* | |

# 66 El nivel académico de Venezuela es uno de los atractivos. 99

## Patrimonio que no se devalúa

El nivel académico de Venezuela es uno de los atractivos. Docentes locales con títulos de doctor,
115 la mayoría formados en universidades de América del Norte y Europa, garantizan que el programa sea de alta calidad.

Víctor Granadillo, doctor en Química, autor de 300 artículos en revistas arbitradas y tutor de alumnos
120 extranjeros, certifica que los 50 profesores que integran su departamento en la Facultad de Ciencias tienen doctorados.

Ketty, su esposa y también profesora de la Facultad de Economía de LUZ, asegura que la excelencia
125 universitaria ha sobrevivido a la diáspora o la crisis en su departamento. "El conocimiento es un patrimonio que jamás se devalúa", dice.

Medicina es una de las carreras con mayor demanda. Hay en ella al menos 600 colombianos y ecuatorianos
130 entre especialidades y doctorados, según Freddy Pachano, médico cirujano° pediatra y director de Postgrado de esa facultad.

La participación de médicos sudamericanos ha sido tal que está a punto de igualarse a la de venezolanos.
135 Este año, se censaron 120 extranjeros y 170 profesionales locales solo en las especialidades.

## "Venezuela no está devastada"

Pese a las ventajas económicas, Bohórquez, el agrónomo de Los Ríos, Ecuador, tuvo miedo de
140 estudiar en Venezuela. Los índices de inseguridad, las tensiones políticas y la hiperinflación le alarmaban. Dos médicos amigos que cursan estudios en LUZ desde 2017 lo animaron°.

"Venezuela no está devastada", cree. Pero la inflación —la peor del mundo— es tan ruda que
145 pulveriza el poder hasta de las monedas duras. Los dólares valían más en el mercado venezolano durante su primer viaje, en abril, cuando un día de servicio de taxi le costaba US$3. Hoy, esa tarifa° cubre solo una hora de transporte privado. Su grupo de
150 amigos estudiantes ya no cena con frecuencia en restaurantes y puestos callejeros. Prefieren cocinar en sus apartamentos para rendir el dinero°.

Antes de la entrevista, Bohórquez asistió a una clase junto a siete compañeros en una de las habitaciones
155 que alquilan. Improvisaron el encuentro tras un inconveniente eléctrico en los salones de la facultad, algo habitual por las fallas eléctricas que padece° esta región venezolana.

Los problemas no le hacen arrepentirse. "El
160 conocimiento es un diamante en bruto° que tienen las universidades de Venezuela. Esta es una oportunidad de oro." ∎

**cirujano** *surgeon*
**animaron** *encouraged*
**tarifa** *fee*
**rendir el dinero** *make the money last*
**padece** *suffers*
**diamante en bruto** *diamond in the rough*

**1 Comprensión** Contesta las preguntas.

1. ¿Por qué muchos venezolanos abandonan sus estudios?
2. ¿Por qué hay muchos extranjeros estudiando en la Universidad del Zulia?
3. ¿De qué países extranjeros son los estudiantes que se han inscrito en LUZ en los últimos años?
4. ¿Cómo afecta la llegada de estudiantes extranjeros a LUZ?
5. ¿Por qué el decanato de la Facultad de Medicina expulsó a cuatro empleados?
6. ¿Cómo es el nivel académico de las universidades de Venezuela?

**2 Reflexionar** En parejas, háganse estas preguntas.

1. ¿Te parece que vale la pena viajar y pagar alojamiento en otro país para ahorrar dinero en los estudios universitarios? ¿Lo harías? ¿Por qué?
2. ¿Qué opción elegirías tú: mudarte a Venezuela durante toda la carrera o ir esporádicamente y tomar clases intensivas durante tu estancia?
3. ¿Estás de acuerdo con que los estudiantes extranjeros y la universidad forman una "relación ganar-ganar"? ¿Crees que ganan todos?
4. ¿Qué crees que ocurrirá en el futuro con la situación descrita en el artículo?

**3 Crisis** En grupos de tres, lean el párrafo y discutan las preguntas.

> En 2013 comenzó en Venezuela una crisis económica, política y social principalmente a causa de la caída de precio del petróleo, el déficit en el sector inmobiliario y las restricciones del control de cambio de moneda. En 2014, la pobreza llegó al 30% de la población. En 2019, la tasa de desempleo alcanzó el 40%. Para los residentes que sí tenían empleo, el sueldo promedio no llegaba a los diez dólares mensuales. Como consecuencia de la crisis, muchos jóvenes emigraron a otros países.

- ¿Qué les parece que los jóvenes venezolanos no tengan la oportunidad de estudiar en universidades de Venezuela mientras que otros estudiantes extranjeros sí?
- ¿Qué creen que el gobierno venezolano podría hacer para que los estudiantes venezolanos pudieran estudiar gratuitamente en su país?
- ¿Cómo crees que una crisis económica como la de Venezuela afectaría al sistema educativo de tu país?
- ¿Conocen a alguien que haya emigrado a otro país para estudiar? ¿A dónde? ¿Cuáles fueron sus motivos?

 **4 Cálculos** Elige un país hispanohablante e investiga sobre sus precios universitarios y el costo de vida en general. Puedes consultar los datos en Internet o pedir información por teléfono. Después, compara los precios con los de tu país.

**5 Estudiar fuera** Escribe una composición en la que detallas las ventajas y los inconvenientes de estudiar en un país extranjero. Menciona un mínimo de cuatro ventajas y cuatro inconvenientes.

Practice more at vhlcentral.com.

| Vocabulario de la lectura | | Vocabulario útil | |
|---|---|---|---|
| ausentarse | to be absent | la carga | burden |
| la brecha | gap | compaginar | to combine |
| conciliar | to reconcile | la desventaja | disadvantage |
| el día hábil | business day | la eficiencia | efficiency |
| el día libre | day off | estar de baja | to be on leave |
| hacer diligencias | to run errands | garantizar | to guarantee |
| la licencia | leave | la legislación | legislation |
| la normativa | regulation | reivindicar | to reclaim |
| retribuido/a | paid | la ventaja | advantage |

## 1 Vocabulario  Completa las oraciones.

| | | |
|---|---|---|
| brecha | días hábiles | licencia |
| día libre | estar de baja | reivindicar |

1. Maribel no podrá venir a la reunión el lunes porque tiene el _____.
2. En Colombia, la _____ por maternidad es de 18 semanas.
3. La manifestación (*demonstration*) se organizó para _____ mejores condiciones laborales y salarios más justos.
4. Tengo 15 _____ de vacaciones al año.
5. En muchos países todavía existe una _____ de salarios entre hombres y mujeres.
6. Marcos está enfermo y va a _____ toda la semana.

## 2 Condiciones laborales  En parejas, contesten las preguntas.

1. ¿Piensan que es fácil compaginar el trabajo con los estudios universitarios?
2. ¿Creen que los horarios de trabajo deben ser fijos o es mejor que sean flexibles?
3. ¿Qué relación hay entre el número de horas que una persona trabaja al día y su productividad?
4. ¿Qué derechos y beneficios deben garantizar los empleadores a sus empleados?

## 3 Prioridades  Haz una lista con al menos cinco prioridades en tu vida. Ordénalas según su importancia. Después, en grupos de cuatro, compartan sus listas y reflexionen sobre las preguntas.

- ¿Qué diferencias y semejanzas hay en sus listas?
- ¿Cómo distribuyen su tiempo entre sus prioridades? Expliquen si el tiempo que les dedican corresponde con el orden de importancia que les dieron.
- Imaginen que vuelven a hacer sus listas después de quince años. ¿Creen que sus prioridades serán las mismas? ¿Por qué? ¿Cuáles añadirían o eliminarían?

Practice more at vhlcentral.com.

# El balance entre la vida laboral y la vida personal en Colombia

Uno de los grandes retos° del mundo laboral actual es hacer compatible la vida personal con el trabajo. Por una parte, las personas deben disponer° del tiempo necesario para atender su vida personal y familiar. Esto incluye tiempo para cuidar de hijos u otros familiares, pero también tiempo propio para el ocio, el descanso, la formación° u otras responsabilidades personales. Por otra parte, las personas deben tener la posibilidad de participar en el mercado laboral y desempeñar° su trabajo en buenas condiciones. Por tanto, el objetivo de la conciliación laboral y familiar es conseguir un sistema equilibrado que permita desarrollarse al mismo tiempo en los dos ámbitos. Para las empresas, este balance también es positivo, ya que muchos estudios demuestran que potencia° la productividad y la satisfacción de los trabajadores.

20     Para analizar el balance que existe en un determinado país entre la vida personal y laboral, hay que prestar atención a diferentes elementos. Estos elementos son principalmente la duración y distribución de la jornada laboral, las políticas° de vacaciones y permisos retribuidos y las licencias por maternidad y paternidad. En Colombia, estos aspectos están regulados por el Código Sustantivo del Trabajo.

### 25   Las condiciones laborales en Colombia

En Colombia, la jornada laboral máxima es de 48 horas semanales. En el año 2017, el Código Sustantivo del Trabajo de Colombia fue modificado y la jornada diaria máxima aumentó de ocho a diez horas. Esto significa que desde entonces los empleadores tienen la opción de repartir° las 48 horas en cinco días en lugar 30 de seis. De este modo, los trabajadores pueden tener dos días libres a la semana en lugar de uno. 🎥

    En cuanto a los permisos por tiempo libre y vacaciones, en Colombia los trabajadores tienen derecho a un período de descanso retribuido de 15 días hábiles consecutivos al año. Además, hay alrededor de 18 días feriados en Colombia, que 35 incluyen tanto fiestas religiosas como cívicas. Colombia es uno de los países en América Latina que más días feriados tiene.

    Por otra parte, más allá de las vacaciones y los días feriados, existen otros permisos o licencias retribuidas que permiten a los trabajadores ausentarse del trabajo para hacer diligencias o por determinados asuntos° personales.

*challenges*

*dispose*

*training*

*carry out*

*boosts*

*policies*

*split*

*matters*

*family emergency / bereavement*

*union*

Entre ellos, se encuentran los permisos por calamidad doméstica°, por luto°, por voto o por asuntos sindicales°. También hay que tener en cuenta las licencias por enfermedad, que en Colombia son de hasta 180 días. Durante ese período de incapacidad laboral, los trabajadores continúan recibiendo un porcentaje de su salario habitual.

*training / processes*

Aparte de estas situaciones que especifica la normativa laboral colombiana, pueden existir otras circunstancias en las que los trabajadores necesiten tiempo libre. Algunos ejemplos pueden ser permisos para acudir a citas médicas o para realizar actividades familiares, actividades formativas° o trámites° administrativos. En estos casos, son las empresas las que deciden si conceder permisos adicionales y bajo qué condiciones. Sus políticas y sus prácticas pueden contribuir en gran medida a que la vida personal y laboral estén realmente equilibradas. ▣

## Los derechos de los padres y madres trabajadores

El equilibrio entre la vida laboral y personal no solo hace referencia a las responsabilidades familiares y al cuidado de los hijos, sino a cualquier aspecto más allá del trabajo. Conciliar la vida personal con el trabajo debería ser una cuestión individual y no solo familiar. Sin embargo, muchas veces el tema se vincula° a la familia y al cuidado de los hijos.

*is linked*

*key*

En este sentido, las licencias por maternidad y paternidad y los derechos de los trabajadores que van a ser padres son un factor clave°. Así, en Colombia, el Código Sustantivo del Trabajo expresa la prohibición de despido por motivo de embarazo. Este derecho era exclusivo de las mujeres, pero en 2017 se extendió también a los hombres en aquellos casos en los que las madres dependan económicamente de ellos.

*delivery*

En cuanto a la licencia por maternidad, las trabajadoras tienen derecho a un permiso retribuido de 18 semanas contadas a partir de la fecha de parto° o del tiempo que el médico determine que la embarazada debe ausentarse de su trabajo. El permiso se amplió en 2017, pues hasta entonces era de 14 semanas. El permiso de paternidad, por su parte, es de ocho días hábiles.

En los últimos años, existe un debate sobre la duración del permiso de paternidad. Para quienes reclaman la ampliación de la licencia para los padres, el objetivo es conseguir los mismos derechos para ambos y eliminar las desigualdades para la mujer en el ámbito laboral. Históricamente, después de tener hijos los hombres mantienen su vida laboral en las mismas condiciones, mientras que las mujeres pasan a trabajar jornadas parciales o renuncian a su trabajo más habitualmente. ▣

*harmed*

La conciliación entre la vida familiar y laboral no solo consiste en tener tiempo para dedicarse a los dos ámbitos. También supone que un ámbito no se vea perjudicado° a causa del otro. En Colombia, esta situación ocurre más frecuentemente para las mujeres.

> # En los últimos años, existe un debate sobre la duración del permiso de paternidad.

Por este motivo, en muchas ocasiones las conversaciones sobre balance entre la vida profesional y familiar se entrelazan con la equidad laboral de género. ∎

40

45

50

55

60

65

70

75

80

Watch related video at vhlcentral.com.

**1** **Cierto o falso** Indica si estas afirmaciones sobre Colombia son **ciertas** o **falsas**. Corrige las falsas.

1. La jornada laboral máxima es de ocho horas al día.
2. Los trabajadores solo tienen un día libre a la semana.
3. Los trabajadores tienen permiso retribuido para ir a votar.
4. La prohibición de despido por motivo de embarazo solo se aplica a las mujeres.
5. El permiso retribuido de maternidad es de 18 semanas.
6. El porcentaje de desempleo es más alto para las mujeres que para los hombres.

**2** **Derechos laborales** Crea una tabla en la que compares la jornada laboral, las políticas de vacaciones, bajas y permisos, y las licencias por maternidad y paternidad de Colombia y de tu país. Después, en grupos de tres, contesten las preguntas.

1. ¿En qué país consideran que existen mejores condiciones laborales? Expliquen.
2. ¿Creen que la reforma del Código Sustantivo del Trabajo de 2017 supuso ventajas o desventajas para los trabajadores colombianos? ¿Por qué?
3. ¿Piensan que tener más días de vacaciones y de permisos afecta positiva o negativamente a la productividad de los trabajadores?
4. ¿Creen que las bajas por paternidad deberían tener la misma duración que las bajas por maternidad? ¿Por qué?

**3** **Medidas efectivas** Ordena las medidas de mayor a menor efectividad para ayudar a conseguir el equilibrio entre la vida personal y la vida laboral. Después, en parejas, comparen sus listas y piensen en otras tres medidas que podrían ser efectivas.

Crear guarderías (*daycare*) en los centros de trabajo
Trabajar menos horas
Trabajar desde casa
Horarios de trabajo flexibles
Trabajar por objetivos en lugar de por horas
Más días de vacaciones al año
Permisos de maternidad y paternidad más largos
Potenciar la igualdad de género en las empresas

**4** **Proyecto** En grupos de cuatro, investiguen qué portales de búsqueda de empleo son los más populares en Colombia y seleccionen uno de ellos. Consulten algunos anuncios de empleo e identifiquen las referencias a la jornada laboral, los permisos y otros beneficios. Compartan sus conclusiones con la clase.

- ¿Cuál es la jornada laboral más habitual?
- ¿Hay referencias al número de vacaciones o días libres que las empresas ofrecen?
- ¿Qué beneficios se mencionan en los anuncios?

Practice more at
vhlcentral.com.

## SOBRE EL AUTOR

**M**anuel Rivas nació en 1957 en Galicia, España. Se inició en la escritura a los 15 años, cuando comenzó a colaborar como periodista, profesión que sigue ejerciendo. Ha escrito poesía y narrativa en lengua gallega, que él mismo suele traducir impecablemente al español. Entre sus obras, destacan *Un millón de vacas*, *El lápiz del carpintero* y *¿Qué me quieres, amor?*, recopilación donde aparece el cuento "La lengua de las mariposas". En este cuento se basó el director español José Luis Cuerda para rodar la galardonada (*awarded*) película del mismo título en 1996.

### Vocabulario de la lectura

| | |
|---|---|
| el castigo | *punishment* |
| la excursión | *field trip* |
| la mariposa | *butterfly* |
| la mentira | *lie* |
| la merienda | *snack* |
| pegar | *to hit* |
| el recreo | *recess* |

### Vocabulario útil

| | |
|---|---|
| el/la campesino/a | *country person* |
| la dictadura | *dictatorship* |
| la enseñanza | *teaching* |
| la época | *time, era* |
| el golpe de estado | *coup d'état* |
| el sindicato | *(labor) union* |

**NOTA CULTURAL**

El cuento "La lengua de las mariposas" fue escrito originalmente en lengua gallega. El gallego es una de las lenguas oficiales de España junto al castellano, el catalán, el valenciano, el aranés y el euskera. Al igual que el español, el gallego es una lengua romance, es decir, procede del latín. Se habla mayoritariamente en la comunidad autónoma de Galicia y está emparentada con el portugués. Observa este diálogo en versión original del final del fragmento que vas a leer:

*"Os mestres non gañan o que tiñan que gañar", sentenciaba, con sentida solemnidade, o meu pai. "Eles son as luces da República."*

**1 Vocabulario** Reescribe las oraciones sustituyendo las palabras subrayadas.

1. El estudiante recibió <u>una reprimenda</u> de su maestra porque <u>golpeó</u> (*hit*) a un niño durante <u>el descanso</u>.
2. El trabajador contó <u>hechos falsos</u> a la unión.
3. <u>La instrucción</u> es muy importante para los niños de la escuela elemental.
4. El país vive <u>la tiranía</u> de su presidente. Los más afectados son <u>los trabajadores del campo</u>.
5. Hicimos <u>una salida</u> con la escuela para ver <u>insectos voladores</u>.

**2 Historia** En grupos de tres, discutan sobre las preguntas.

1. ¿Piensan que los eventos negativos de la historia, como las guerras, deben ser olvidados o recordados? ¿Por qué?
2. Se dice que la historia la escriben los ganadores. ¿Están de acuerdo?
3. ¿Creen que es importante que las obras literarias tengan un contexto histórico y cultural? ¿Por qué?
4. ¿Qué obras literarias conocen que narren eventos históricos de su país? ¿Y de algún país hispanohablante?

**3 Ideal** En parejas, hagan una lista de diez características de un(a) maestro/a ideal.

Practice more at
vhlcentral.com.

# La lengua de las mariposas

(FRAGMENTO)

## Manuel Rivas

"Hoy el maestro ha dicho que las mariposas también tienen lengua, una lengua finita° y muy larga, que llevan enrollada como el muelle° de un reloj. Nos la va a enseñar con un aparato que le tienen que enviar de Madrid. ¿A que parece mentira eso de que las mariposas tengan lengua?"

*thin / spring*

5 "Si él lo dice, es cierto. Hay muchas cosas que parecen mentira y son verdad. ¿Te ha gustado la escuela?"

"Mucho. Y no pega. El maestro no pega."

No, el maestro don Gregorio no pegaba. Al contrario, casi siempre sonreía con su cara de sapo°. Cuando dos se peleaban durante el recreo, él los llamaba, "parecéis

*toad*

10 carneros°", y hacía que se estrecharan la mano°. Después los sentaba en el mismo pupitre°. Así fue como conocí a mi mejor amigo, Dombodán, grande, bondadoso° y torpe°. Había otro chaval°, Eladio, que tenía un lunar en la mejilla°, al que le hubiera zurrado° con gusto, pero nunca lo hice por miedo a que el maestro me mandase darle la mano y que me cambiase del lado de Dombodán. La forma que don Gregorio tenía

*rams / shake hands*

*desk / kind*
*clumsy / kid /*
*mole on the cheek*

*punched*

15 de mostrarse muy enfadado era el silencio.

"Si vosotros no os calláis, tendré que callarme yo."

Y se dirigía hacia el ventanal°, con la mirada ausente, perdida en el Sinaí. Era un silencio prolongado, descorazonador°, como si nos hubiese dejado abandonados en un extraño país. Pronto me di cuenta de que el silencio del maestro era el peor

*large window*

*disheartening*

20 castigo imaginable. Porque todo lo que él tocaba era un cuento fascinante. El cuento podía comenzar con una hoja de papel, después de pasar por el Amazonas y la sístole y diástole del corazón. Todo conectaba, todo tenía sentido. La hierba, la lana, la oveja, mi frío. Cuando el maestro se dirigía hacia el mapamundi°, nos quedábamos atentos como si se iluminase la pantalla del cine Rex. Sentíamos el

*world map*

25 miedo de los indios cuando escucharon por vez primera el relinchar de los caballos y el estampido del arcabuz°, íbamos a lomos° de los elefantes de Aníbal de Cartago por las nieves de los Alpes, camino de Roma. Luchábamos con palos y piedras en Ponte Sampaio contra las tropas de Napoleón. Pero no todo eran guerras. Fabricábamos hoces y rejas de arado° en las herrerías° del Incio. Escribíamos

*bang of the arquebus (type of old gun) / back*

*sickles and plowshares / forges*

30 cancioneros de amor en la Provenza y en el mar de Vigo. Construíamos el Pórtico de la Gloria. Plantábamos las patatas que habían venido de América. Y a América emigramos cuando llegó la peste de la patata.

"Las patatas vinieron de América", le dije a mi madre a la hora de comer, cuando me puso el plato delante.

"¡Qué iban a venir de América! Siempre ha habido patatas", sentenció ella. 35

"No, antes se comían castañas°. Y también vino de América el maíz." Era la *chestnuts*
primera vez que tenía clara la sensación de que gracias al maestro yo sabía cosas
importantes de nuestro mundo que ellos, mis padres, desconocían.

Pero los momentos más fascinantes de la escuela eran cuando el maestro
hablaba de los bichos. Las arañas de agua inventaban el submarino. Las hormigas 40
cuidaban de un ganado° que daba leche y azúcar y cultivaban setas°. Había un *cattle / mushrooms*
pájaro en Australia que pintaba su nido° de colores con una especie de óleo que *nest*
fabricaba con pigmentos vegetales. Nunca me olvidaré. Se llamaba el tilonorrinco°. *satin bowerbird*
El macho° colocaba una orquídea en el nuevo nido para atraer a la hembra°. *male / female*

Tal era mi interés que me convertí en el suministrador° de bichos de don *supplier* 45
Gregorio y él me acogió como el mejor discípulo. Había sábados y festivos que
pasaba por mi casa e íbamos juntos de excursión. Recorríamos las orillas° del *banks*
río, las gándaras°, el bosque y subíamos al monte Sinaí. Cada uno de esos viajes *uncultivated ground*
era para mí como una ruta del descubrimiento. Volvíamos siempre con un tesoro.
Una mantis. Un caballito del diablo°. Un ciervo volante°. Y cada vez una mariposa *damselfly / stag beetle* 50
distinta, aunque yo solo recuerdo el nombre de una a la que el maestro llamó Iris, y
que brillaba hermosísima posada en el barro° o el estiércol°. *mud / dung*

Al regreso, cantábamos por los caminos como dos viejos compañeros.
Los lunes, en la escuela, el maestro decía: "Y ahora vamos a hablar de los
bichos de Pardal". 55

Para mis padres, estas atenciones del maestro eran un honor. Aquellos días de
excursión, mi madre preparaba la merienda para los dos: "No hace falta, señora,
yo ya voy comido", insistía don Gregorio. Pero a la vuelta decía: "Gracias, señora,
exquisita la merienda".

"Estoy segura de que pasa necesidades", decía mi madre por la noche. 60

"Los maestros no ganan lo que tendrían que ganar", sentenciaba, con sentida
solemnidad, mi padre. "Ellos son las luces de la República."

"¡La República, la República! ¡Ya veremos adónde va a parar° la República!" ■ *ends up*

**1 Comprensión** Contesta las preguntas.

1. ¿Qué hace don Gregorio cuando los niños se pelean?
2. ¿Quién es Dombodán?
3. ¿Cuáles son los momentos más fascinantes de la escuela para Pardal?
4. ¿Qué hacen Pardal y don Gregorio los fines de semana?
5. ¿Qué opinan los padres de Pardal de su relación con don Gregorio?
6. ¿Por qué dice el padre de Pardal que los maestros deberían ganar más?

**2 Interpretar** En parejas, contesten las preguntas.

1. ¿Qué tipo de aparato le tienen que mandar al maestro desde Madrid?
2. ¿Por qué Pardal enfatiza que el maestro no pega?
3. ¿Qué significan los silencios de don Gregorio? ¿Por qué son el peor castigo para Pardal?
4. ¿Cómo es la relación de Pardal con don Gregorio?
5. ¿Por qué la madre de Pardal está segura de que don Gregorio pasa necesidades?
6. ¿Quién narra la historia? ¿Quién consideran que es el protagonista? ¿Por qué?
7. Según Manuel Rivas, "La lengua de las mariposas" trata de amor y libertad. ¿Por qué creen que utiliza estas palabras?

**3 Contexto histórico** En parejas, lean el párrafo y contesten las preguntas.

El cuento "La lengua de las mariposas" está ambientado en un pueblo gallego durante el comienzo de la Guerra Civil Española (1936-1939). Esta guerra se dio entre el bando republicano y el nacional. El bando republicano era de izquierdas y estaba formado por el gobierno democrático de Manuel Azaña. El bando nacional estaba representado por generales influyentes como Francisco Franco, la Iglesia y, por lo general, las clases más altas. Durante el gobierno de Azaña, Franco y otros generales dieron un golpe de estado, lo que dio lugar a una de las guerras más duras que ha vivido España. Con la victoria de Franco en 1939, comenzó una dictadura que no terminó hasta su muerte, en 1975.

- ¿Qué ideología política creen que tiene el maestro? ¿Y el padre y la madre de Pardal? Incluyan referencias del cuento.
- ¿Qué quiere decir el padre de Pardal con "Ellos son las luces de la República"?
- ¿Cómo creen que acaba el cuento? ¿Qué piensan que va a pasar con el maestro? ¿Y con los padres de Pardal?
- ¿Creen que es posible que la educación y la sociedad españolas sigan afectadas de alguna forma por esta guerra? ¿Cómo?
- ¿Qué eventos históricos han influido en la sociedad de tu comunidad y de tu país? Da algunos ejemplos.

**4  Enseñanza**  En grupos de tres, lean las citas y contesten las preguntas.

"Si él lo dice, es cierto. Hay muchas cosas que parecen mentira y son verdad."

"… gracias al maestro yo sabía cosas importantes de nuestro mundo que ellos, mis padres, desconocían."

"Estoy segura de que pasa necesidades."

- ¿Quién dice cada una de las citas? ¿Qué significado tienen en el contexto del cuento?
- ¿Qué tipo de maestro es don Gregorio? ¿Qué opinan de sus métodos de enseñanza y disciplina?
- ¿Creen que don Gregorio es un maestro típico de la época de la Guerra Civil Española? ¿Por qué?
- ¿Cuál creen que era la situación económica de los maestros en esa época?
- ¿Qué nivel académico piensan que tienen los padres de Pardal?

 **5  Cuestionario**  Completa el cuestionario. Después, en grupos de tres, comparen y comenten sus respuestas.

1. **¿Cuál es el mejor método de enseñanza?**
   a. La enseñanza tradicional: los maestros deben transmitir sus conocimientos a los estudiantes.
   b. La enseñanza moderna: los maestros deben ser guías para que los estudiantes adquieran los conocimientos por sí mismos.

2. **¿Qué se debe estudiar en la escuela elemental?**
   a. Se debe estudiar un poco de todo.
   b. Cada estudiante se debe especializar en sus áreas de interés.

3. **¿Qué es más importante en el aprendizaje de hoy en día?**
   a. Memorizar datos
   b. Saber cómo seleccionar y acceder a los datos cuando se necesiten

4. **¿Cómo deben los maestros lidiar (deal) con la disciplina?**
   a. Los estudiantes que no se comportan deben ser castigados.
   b. Los castigos no son efectivos. Hay que premiar los buenos comportamientos.

5. **¿Cuál de estas dos formas de evaluación es más efectiva?**
   a. Los exámenes
   b. Los proyectos y la participación en clase

**6  Comparación**  Elige uno de estos temas para escribir una comparación.

**A.** Entrevista a un(a) hispanohablante y compara su experiencia en la escuela de su país natal con tu propia experiencia.

**B.** Compara la época de la Guerra Civil Española con una época difícil de los Estados Unidos.

**C.** Elige a un(a) de tus maestros/as de la escuela elemental y compáralo/la con don Gregorio.

Practice more at vhlcentral.com.

Vas a aprender a escribir una carta de solicitud de empleo. En este tipo de cartas, describes tus aptitudes profesionales y explicas por qué solicitas un puesto de trabajo determinado.

# Planificar y preparar la escritura

**1** **Estrategia: Determina el contenido de tu carta** Piensa en el puesto de trabajo en el que estás interesado/a. ¿En qué consiste? ¿Qué experiencia tienes que sea relevante? ¿Por qué eres un(a) buen(a) candidato/a? Utiliza el diagrama de flor para organizar tus ideas.

> *Detalle #1:*
> *Practico mucho deporte y conozco el material necesario*

> *Detalle #5:*

> *Razón principal*
> *Conseguir trabajo como encargado de una tienda de deportes*

> *Detalle #2:*

> *Detalle #4:*

> *Detalle #3:*

**2** **Estrategia: Desarrolla el cuerpo de la carta**

- Organiza los datos de tu diagrama de manera lógica para utilizarlos en tu carta.
- Desarrolla el cuerpo de la carta con la información del diagrama. Recuerda exponer bien las razones por las que eres ideal para el puesto de trabajo.

# Escribir

**3** **Tu carta** Ahora escribe tu carta. Utiliza la información que has reunido y sigue estos pasos.

- **Introducción:** Explica por qué solicitas el trabajo y por qué crees que eres un(a) buen(a) candidato/a.
- **Desarrollo:** Describe tu experiencia profesional relevante al empleo que solicitas. Añade detalles personales interesantes que ayuden a explicar por qué eres bueno/a para el puesto.
- **Conclusión:** Resume los puntos positivos de tu solicitud y termina la carta.

# Revisar y leer

**4** **Lectura** Léele tu carta a un(a) compañero/a. Pídele que te haga preguntas como si te estuviera entrevistando para el puesto. Comenten cómo mejorar la carta.

# Perspectivas profesionales

## Así lo decimos

**el ascenso** *promotion*
**la asignatura** *subject*
**la beca** *scholarship*
**el/la candidato/a** *candidate*
**la carrera** *major; career*
**la carta de presentación** *cover letter*
**el/la compañero/a de trabajo** *coworker*
**el currículum** *résumé*
**el desempleo** *unemployment*
**el/la dueño/a** *owner*
**el/la empleado/a** *employee*
**el/la empleador(a)** *employer*
**el/la emprendedor(a)** *entrepreneur*
**el/la gerente** *manager*
**las horas extras** *overtime*
**la jornada laboral** *workday*
**la maestría** *Master's degree*
**la matrícula** *tuition; enrollment*
**la nómina** *payroll*
**la oferta** *offer*
**el/la pasante** *intern*
**la pausa** *break*
**el proceso de selección** *hiring process*
**el puesto** *position*
**la referencia** *referral*
**la reunión** *meeting*
**la sala de estudio** *study hall*
**la salida laboral** *job opportunities*
**el/la socio/a** *partner*
**el sueldo (mínimo)** *salary, (minimum) wage*
**el/la universitario/a** *college student*
**la vocación** *vocation*

**aprobar (o:ue)** *to pass*
**cobrar** *to be paid*
**contratar** *to hire*
**despedir (e:i)** *to fire; to lay off*
**examinarse** *to take an examination*
**jubilarse** *to retire*
**matricularse** *to enroll*
**solicitar (un empleo)** *to apply (for a job)*
**suspender** *to fail*

**a tiempo completo/parcial** *full/part-time*
**trabajador(a)** *hard-working*

## Documental

**el alumnado** *student body*
**el aprendizaje** *learning*
**la audición** *hearing*
**el audífono** *hearing aid*
**el aula** *classroom*
**el bachillerato** *high school (studies)*
**el/la escolar** *student*
**el gesto** *gesture*
**el grado** *degree*
**la herramienta** *tool*
**la lengua de señas** *sign language*
**el/la oyente** *hearing person*
**la primaria** *elementary school*
**la sordera** *deafness*

**ajustarse** *to accommodate*
**fortalecer (c:zc)** *to strengthen*
**involucrarse** *to get involved*

**discriminatorio/a** *discriminatory*
**sordo/a** *deaf*

## Artículo

**el alojamiento** *housing*
**la clase presencial** *face-to-face class*
**el/la cursante** *student*
**el/la docente** *instructor*
**la empresa** *company*
**la factura** *bill*
**la inscripción** *enrollment*
**la meta académica** *academic goal*
**el nivel de vida** *standard of living*
**el préstamo estudiantil** *student loan*
**el sector inmobiliario** *real-estate sector*

**ahorrar** *to save (money)*
**atreverse** *to dare*
**estar dispuesto/a a** *to be willing to*

———— ∎ ————

**la brecha** *gap*
**la carga** *burden*
**la desventaja** *disadvantage*
**el día hábil** *business day*
**el día libre** *day off*

**la eficiencia** *efficiency*
**la legislación** *legislation*
**la licencia** *leave*
**la normativa** *regulation*
**la ventaja** *advantage*

**ausentarse** *to be absent*
**compaginar** *to combine*
**conciliar** *to reconcile*
**estar de baja** *to be on leave*
**garantizar** *to guarantee*
**hacer diligencias** *to run errands*
**reivindicar** *to reclaim*

**retribuido/a** *paid*

## Literatura

**el/la campesino/a** *country person*
**el castigo** *punishment*
**la dictadura** *dictatorship*
**la enseñanza** *teaching*
**la época** *time, era*
**la excursión** *field trip*
**el golpe de estado** *coup d'état*
**la mariposa** *butterfly*
**la mentira** *lie*
**la merienda** *snack*
**el recreo** *recess*
**el sindicato** *(labor) union*

**pegar** *to hit*

## Ahora yo puedo...

- identificar la idea principal de contextos orales y escritos sobre el trabajo y la educación.
- intercambiar opiniones sobre métodos educacionales.
- escribir una carta de solicitud de empleo con mis habilidades y objetivos profesionales.
- comparar las prácticas y perspectivas relacionadas con la vida universitaria y el empleo en mi cultura y otras.
- considerar los beneficios de la educación inclusiva en mi escuela y en una escuela de otro país.

# En comunidad

**NICARAGUA, COSTA RICA
Y PANAMÁ**

NICARAGUA

COSTA RICA

PANAMÁ

**LESSON OBJECTIVES**
You will learn how to...

• understand the main idea and key information of
spoken and written texts related to politics.

• compare and contrast your views with your
peers' regarding private and public institutions.

• make a presentation about the role of minority
groups in politics.

• compare perspectives on healthcare and the
military in your own and other cultures.

• discuss government spending in different
countries with peers from the target culture.

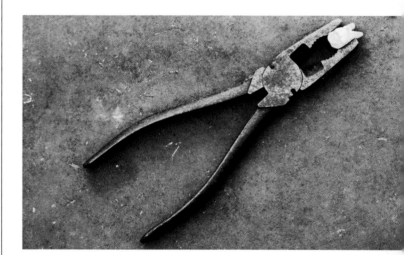

## La política

Carlos Alvarado es un escritor, periodista y **político** costarricense. Según los **sondeos**, su **partido** era el más popular en la **campaña electoral** de 2018. Alvarado fue elegido presidente de Costa Rica ese mismo año. En su primer **discurso**, habló de promover la seguridad y el empleo.

**la bandera** *flag*

**la campaña electoral** *election campaign*

**el discurso** *speech*

**electo/a** *elected*

**ir a las urnas** *to go to the polls*

**el mitin** *rally*

**el partido** *party*

**el/la político/a** *politician*

**el sondeo** *poll*

## Las instituciones y los servicios

Desde 1948, Costa Rica es uno de los pocos países en el mundo que no tiene **ejército**. Esta decisión tuvo ventajas para el **bienestar social** y permitió invertir en otros aspectos como **infraestructura**, educación y **sanidad**.

**el ayuntamiento** *city hall*

**el bienestar social** *social welfare*

**el ejército** *army*

**la entidad** *entity*

**la infraestructura** *infrastructure*

**la sanidad** *healthcare*

**sin ánimo de lucro** *nonprofit*

## Las comunidades

Los gunas son un pueblo indígena de Panamá y Colombia. Habitan en diferentes zonas cercanas a la **frontera** entre los dos países, pero la mayoría vive en la comarca Guna Yala, que **pertenece** a Panamá. Los gunas se esfuerzan por **preservar** sus costumbres y transmitir su **herencia** cultural a las futuras generaciones.

**asimilarse** *to assimilate*

**la frontera** *border*

**la herencia** *heritage*

**la inclusión** *inclusion*

**integrarse** *to become part of*

**pertenecer** *to belong*

**preservar** *to preserve*

## Las leyes y los derechos

El pasado viernes se **convocó** una **manifestación** en contra de la reforma del sistema laboral. Los manifestantes consideran que las nuevas **medidas** aumentan las **desigualdades** económicas. Numerosos **activistas** de organizaciones sociales planean continuar las protestas hasta que el gobierno **revoque** la reforma.

| | |
|---|---|
| **el/la abogado/a** *lawyer* | **el/la juez(a)** *judge* |
| **el/la activista** *activist* | **la manifestación** *demonstration* |
| **convocar** *to summon* | **la medida** *measure* |
| **la desigualdad** *inequality* | **oprimido/a** *oppressed* |
| **encarcelar** *to imprison* | **la polémica** *controversy* |
| **el/la fiscal** *prosecutor* | **revocar** *to revoke* |
| **la huelga** *strike* | |

 Practice more at **vhlcentral.com.**

---

**1** **Definiciones** Elige la opción correcta.

1. Nombrado/a por elección para un determinado rol o cargo.
   a. electo/a     b. activista     c. político/a

2. Reunión pública para expresar protesta o defensa de algo.
   a. medida     b. polémica     c. manifestación

3. Exposición sobre un tema que se lee o se expresa oralmente en público.
   a. frontera     b. herencia     c. discurso

4. Mantener o proteger.
   a. integrarse     b. preservar     c. convocar

5. Cancelar o dejar sin efecto una medida o resolución.
   a. revocar     b. pertenecer     c. ir a las urnas

6. Estudio o encuesta (*survey*) para conocer la opinión pública.
   a. mitin     b. sondeo     c. bandera

---

**2** **Ideas políticas** En parejas, contesten las preguntas.

1. ¿Te interesa conocer la situación política de tu país? ¿Y la de otros países?

2. ¿Cómo te informas sobre la actualidad política? ¿Prefieres la televisión o Internet?

3. ¿Qué formas de gobierno conoces? ¿En qué se diferencian?

4. ¿Qué opinas del sistema electoral de tu país?

5. ¿Qué elementos crees que determinan el bienestar de un país o una sociedad?

6. ¿Alguna vez has asistido a una manifestación? Explica la experiencia.

---

**3** **Citas** En grupos de tres, reflexionen sobre el significado de las citas y expliquen si están de acuerdo con ellas. Luego, indiquen si las citas pueden aplicarse a alguna situación política o social actual.

"Ningún hombre es demasiado bueno para gobernar a otro sin su consentimiento."
**—Abraham Lincoln**

"Uno de los errores más grandes es juzgar a los políticos y sus programas por sus intenciones, en vez de por sus resultados." **—Milton Friedman**

| Vocabulario del documental | | Vocabulario útil | |
|---|---|---|---|
| **abarrotar** | *to fill up* | **el apoyo** | *support* |
| **la aseguradora** | *insurance company* | **costoso/a** | *costly* |
| **atender (e:ie)** | *to see (a patient)* | **la emergencia** | *emergency* |
| **la cirugía** | *surgery* | **la riqueza** | *wealth* |
| **desembolsar** | *to pay out* | **el seguro (médico)** | *(health) insurance* |
| **el Estado** | *government* | **solucionar** | *to solve* |
| **estatal** | *public* | **el tratamiento** | *(medical) treatment* |
| **el producto interno bruto (PIB)** | *gross domestic product (GDP)* | **(médico)** | |
| **rebajar** | *to reduce* | | |

| Expresiones | |
|---|---|
| **de escasos recursos económicos** | *low-income* |
| **en promedio** | *on average* |
| **estar al alcance** | *to be accessible* |
| **estar obligado/a a** | *to be required to* |
| **Se debe a…** | *It is due to…* |

**1 Vocabulario** Indica qué palabra corresponde a cada definición.

**A**

____1. reducir el precio de algo

____2. hacer que un problema o dificultad no exista más

____3. llenar por completo un espacio

____4. que tiene un alto precio

____5. compañía que provee (*provides*) seguros

____6. conjunto de métodos que se usan para curar una enfermedad

____7. operación

____8. pagar una cantidad de dinero

**B**

a. cirugía

b. abarrotar

c. aseguradora

d. tratamiento

e. solucionar

f. costoso

g. rebajar

h. desembolsar

**2 Expresiones** Completa el párrafo con las expresiones de la lista. Haz los cambios necesarios.

El éxito del hospital público del este de la ciudad (1) _____ apoyo del Estado, el sector privado y muchos voluntarios. El hospital atiende, (2) _____, a quinientas personas por día.
Todos los ciudadanos tienen seguro médico, así que el costo de las visitas (3) _____ de la mayoría de pacientes. Los ciudadanos (4) _____ están exentos (*exempt*) de pago, es decir, no (5) _____ pagar nada.

**3 Preparación** En parejas, contesten las preguntas.

1. ¿Cuándo fue la última vez que fuiste al médico?
2. ¿Te atendieron pronto o tuviste que esperar mucho?
3. ¿Tuviste que pagar algo o tu seguro médico cubrió todo el gasto?
4. ¿Sabes cuál es el costo de tu seguro médico anualmente? ¿Crees que el costo es justo?
5. ¿Estás satisfecho/a con la calidad de la atención médica que recibes?

 **4 Público frente a privado** En grupos de cuatro, discutan y comparen sus experiencias con organizaciones públicas y privadas.

- Escuelas públicas frente a escuelas privadas
- Universidades públicas frente a universidades privadas
- Servicio postal público frente a servicio postal privado
- Establecimientos deportivos públicos frente a clubes deportivos privados

 **5 Sistema de salud** En grupos de tres, hablen sobre el sistema de salud de su país.

1. ¿Qué tipos de hospitales hay: públicos, privados o ambos?
2. ¿Todos los ciudadanos de su país tienen seguro médico?
3. ¿Están los tratamientos médicos al alcance de la mayoría de los ciudadanos?
4. ¿Creen que los costos de los tratamientos médicos se corresponden con el nivel de calidad y la atención que reciben los pacientes?

 **6 Fotogramas** En grupos de tres, observen los fotogramas y discutan qué pasa en cada uno de ellos.

Practice more at vhlcentral.com.

# *El sistema de salud de Costa Rica*

## Es uno de los mejores del mundo, pero se encuentra saturado

# Escenas

## ARGUMENTO

El sistema de salud público de Costa Rica, pese a ser uno de los mejores del mundo, está abarrotado debido a la alta demanda de pacientes y el déficit de personal°. Los que pueden pagar los gastos médicos optan por la medicina privada.

**REPORTERA:** El sistema de salud de Costa Rica es el mejor de toda Centroamérica.

**REPORTERA:** La aseguradora estatal es la Caja Costarricense de Seguro Social.

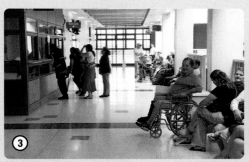

**REPORTERA:** El 93% de los ciudadanos están incorporados y el restante°, que no puede pagar, es cubierto por el Estado.

**MÉDICO:** Para nadie es un secreto que los tiempos de espera a veces en el sector público hacen que muchos de los pacientes busquen opciones a nivel privado.

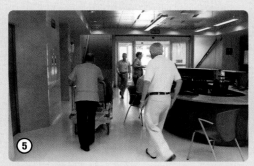

**REPORTERA:** La persona que elige el método privado paga por privacidad, inmediatez y atención personalizada.

**MÉDICO:** Es muy probable que haya muchas cirugías muy complejas que no se hacen en los hospitales privados, solo en los nuestros.

**personal** *personnel*
**restante** *remaining*

**1** **¿Cierto o falso?** Indica si las oraciones son ciertas o falsas. Corrige las falsas.

1. El sistema de salud de Costa Rica está entre los cinco mejores del mundo.
2. Costa Rica tiene mejor infraestructura hospitalaria que Panamá.
3. Los trabajadores costarricenses pueden escoger si contribuyen a la Caja o no.
4. Costa Rica tiene la esperanza de vida más alta de América Latina.
5. Los hospitales privados de Costa Rica no están al alcance de todos los costarricenses por razones económicas.
6. Algunos hospitales privados de Costa Rica tienen instalaciones similares a las de los hoteles.
7. En Costa Rica, las cirugías más complejas solo se hacen en los hospitales privados.
8. Del total de hospitales en Costa Rica, el 50% son públicos.

**2** **La Caja** Contesta las preguntas.

1. ¿Cuál es la función de la Caja Costarricense de Seguro Social?
2. ¿Se puede atender en los hospitales públicos a los ciudadanos que no puedan contribuir dinero a la Caja? ¿Por qué?
3. Además del trabajador, ¿quiénes contribuyen a la Caja para su seguro médico?
4. ¿Cuál de las partes contribuye el mayor porcentaje? ¿Y el menor?

**3** **Hospitales** Completa el cuadro. Luego, en parejas, contesten las preguntas.

|  | San Vicente de Paul | Clínica Bíblica |
|---|---|---|
| **Pacientes por día** |  |  |
| **Pacientes en emergencias** |  |  |
| **Médicos** |  |  |
| **Camas por habitación** |  |  |
| **Costo de hospitalización** |  |  |

1. ¿Cuál es la diferencia fundamental entre ambos hospitales con relación a la forma en que se financian?
2. ¿Cuál es el número de pacientes por día que en promedio atiende un médico en el área de emergencias en el Hospital San Vicente de Paul?
3. ¿Cuál es el número de pacientes por día que en promedio atiende un médico en el Hospital Clínica Bíblica?
4. ¿Cómo afecta a los pacientes si el número de pacientes que tienen que atender los médicos en un determinado día es muy alto?
5. ¿Quién paga el costo de hospitalización en cada hospital?
6. Una persona de escasos recursos económicos, ¿a qué hospital iría? ¿Y una persona de muchos recursos que desea que la atiendan pronto?

**4** **Reflexión** En grupos de tres, contesten las preguntas.

1. ¿Qué factores piensan que hacen que el sistema de salud de Costa Rica sea uno de los mejores del mundo?

2. ¿Cómo creen que se puede mejorar la situación de los hospitales públicos en Costa Rica?

3. ¿Cómo se compara el sistema de salud de su país con el de Costa Rica?

4. ¿Qué aspectos del sistema de salud de su país consideran que podrían mejorarse? Expliquen.

 **5** **Discusión** En grupos de cuatro, discutan las ventajas y desventajas de los sistemas de salud estadounidense y costarricense. Luego, lleguen a un consenso para escoger el sistema que preferirían que tuviera su país. Pueden escoger una versión modificada de cualquiera de ambos sistemas.

| | Ventajas | Desventajas |
|---|---|---|
| Sistema estadounidense | | |
| Sistema costarricense | | |

**6** **El futuro** ¿Cuáles crees que van a ser las consecuencias del desarrollo de la tecnología en los sistemas de salud del mundo? En parejas, discutan sobre el tema y den tres consecuencias.

**Modelo** Cuando haya máquinas que reemplacen el trabajo de muchos doctores, habrá menos tiempo de espera en los hospitales.

**7** **Situación** Piensa en una situación memorable, positiva o negativa, que hayas vivido en una oficina pública en la que te atendieron (correo, oficina para obtener licencias de conducir, biblioteca…). Luego, compártela con tu compañero/a.

**8** **Investiga** El producto interno bruto es un indicador económico que se utiliza para medir la riqueza de un país. Según el video, Costa Rica gasta aproximadamente el 10% de su producto interno bruto en salud. Escribe un párrafo en el que contestes las preguntas.

1. ¿Cuál es el porcentaje del producto interno bruto de tu país que se gasta en salud?

2. ¿Cómo se compara con el gasto de Costa Rica en salud?

3. ¿Cuál es la esperanza de vida en ambos países?

4. ¿Crees que el gasto de ambos países se refleja en la esperanza de vida de sus habitantes?

Practice more at
vhlcentral.com.

## 6.1 The subjunctive in adverbial clauses

- In Spanish, adverbial clauses are commonly introduced by conjunctions. Certain conjunctions require the subjunctive, while others can be followed by the subjunctive or the indicative, depending on the context.

**TALLER DE CONSULTA**

The following grammar topics are covered in the **Manual de gramática, Lección 6.**
6.4 Adverbs, p. 424
6.5 Diminutives and augmentatives, p. 426

*El sistema de salud pública no mejorará a menos que **incrementen** la inversión.*

### Conjunctions that require the subjunctive

- Certain conjunctions are always followed by the subjunctive because they introduce actions or states that are uncertain or have not yet happened. These conjunctions commonly express purpose, condition, or intent.

| MAIN CLAUSE | CONNECTOR | SUBORDINATE CLAUSE |
|---|---|---|
| **No habrá justicia para las víctimas** | **sin que** | encarcelen **a los criminales.** |

| Conjunctions that require the subjunctive | |
|---|---|
| **a menos que** *unless* | **en caso (de) que** *in case* |
| **antes (de) que** *before* | **para que** *so that, in order* |
| **con tal (de) que** *provided that, as long as* | **sin que** *without, unless* |

**¡ATENCIÓN!**

An adverbial clause (**cláusula adverbial**) is one that modifies or describes verbs, adjectives, or other adverbs. It describes how, why, when, or where an action takes place.

El Ejército siempre debe estar preparado **en caso de que haya** un ataque.
*The army must always be prepared, in case there is an attack.*

El candidato hablará con su familia **antes de que conceda** la derrota.
*The candidate will talk to his family before he concedes defeat.*

- If there is no change of subject in the sentence, always use the infinitive after the prepositions **para** and **sin**, and drop the **que**.

La abogada investigará todos los detalles del caso **para defender** a su cliente.
*The lawyer will investigate every detail of the case in order to defend her client.*

- The use of the infinitive without **que** when there is no change of subject is optional after the prepositions **antes de**, **con tal de**, and **en caso de**. After **a menos que**, however, always use the subjunctive.

Debo leer sobre el candidato **antes de votar** por él.
*I must read about the candidate before voting for him.*

La senadora va a perder **a menos que mejore** su imagen.
*The senator is going to lose unless she improves her image.*

# Conjunctions followed by the subjunctive or the indicative

- If the action in the main clause has not yet occurred, then the subjunctive is used after conjunctions of time or concession.

*Cuando **haya** más personal médico, las filas de espera se reducirán.*

### Conjunctions followed by the subjunctive or the indicative

| | |
|---|---|
| **a pesar de que** *despite* | **hasta que** *until* |
| **aunque** *although; even if* | **luego (de) que** *after* |
| **cuando** *when* | **mientras que** *while* |
| **después (de) que** *after* | **siempre que** *as long as* |
| **en cuanto** *as soon as* | **tan pronto como** *as soon as* |

Trabajaremos duro **hasta que** no **haya** más abusos de poder.
*We will work hard until there are no more abuses of power.*

**Aunque mejore** la seguridad, siempre tendrán miedo de viajar en avión.
*Even if security improves, they will always be afraid to travel by plane.*

**Cuando hablen** con la prensa, van a exigir la libertad para los prisioneros.
*When they speak with the press, they are going to demand freedom for the prisoners.*

- If the action in the main clause has already happened, or happens habitually, then the indicative is used in the adverbial clause.

**Tan pronto como se supieron** los resultados, el partido anunció su victoria.
*As soon as the results were known, the party announced its victory.*

Mi padre y yo siempre nos peleamos **cuando hablamos** de política.
*My father and I always fight when we talk about politics.*

- **A pesar de, después de**, and **hasta** can also be followed by an infinitive, instead of **que** + [*subjunctive*], when there is no change of subject.

Algunos ladrones se reforman **después de salir** de la cárcel.
*Some thieves reform after leaving jail.*

Algunos ladrones se reforman **después de que salgan** de la cárcel.
*Some thieves reform after they leave jail.*

**¡ATENCIÓN!**

Note that although **después (de) que** and **luego (de) que** both mean *after*, the latter expression is used less frequently in spoken Spanish.

**1** **Declaraciones** Elige la conjunción adecuada para completar la conversación.

**PERIODISTA** Gobernadora Ibáñez, ¿qué le parecieron las declaraciones del presidente?

**GOBERNADORA** (1) (Aunque / Cuando) no pienso igual que él, en este caso creo que debemos trabajar juntos (2) (a pesar de que / para que) la situación económica mejore. (3) (Hasta que / Tan pronto como) el presidente vuelva de su viaje, insistiré en hablar con él sobre mis ideas.

**PERIODISTA** ¿Cuándo cree que podrán reunirse?

**GOBERNADORA** (4) (En cuanto / Aunque) regrese la semana que viene. Quiero hablar con él (5) (sin que / para que) sepa que todos los miembros del partido estamos dispuestos (*willing*) a trabajar muy duro (6) (con tal de que / luego que) la situación de este país mejore.

**2** **Completar** Completa las oraciones usando el indicativo, el subjuntivo o el infinitivo.

1. El candidato no va a viajar a menos que su esposa lo _____ (acompañar).
2. El abogado va a hablar con el presidente antes de que _____ (llegar) los manifestantes.
3. Los liberales y los conservadores hacen todo lo necesario con tal de _____ (ganar) las elecciones.
4. Los miembros del partido se fueron tan pronto como _____ (saber) que habían perdido las elecciones.
5. Los políticos viajan por el país para _____ (hablar) con la gente.
6. El pueblo votará por la candidata con tal de no _____ (ver) al otro candidato ganar.
7. La gente recuerda las promesas de los políticos cuando _____ (votar).
8. El alcalde olvidó sus promesas después de _____ (ganar) las elecciones.
9. El tribunal no podrá continuar sin _____ (juzgar) al acusado.
10. Los periodistas van a estar con los candidatos hasta que _____ (terminar) las elecciones.

**3** **Tendencias políticas** Forma oraciones completas usando los elementos. Usa el presente del indicativo para el primer verbo y haz otros cambios que sean necesarios.

**Modelo** (nosotros) / escuchar / debates / con tal de que / candidato / inspirarnos
Escuchamos los debates con tal de que el candidato nos inspire.

1. (yo) / llamarte / mañana / en cuanto / (ellas) / llegar / manifestación
2. cada año / partido / anunciar / victoria / después de que / contarse / último voto
3. gobiernos / chantajear / víctimas / para que / nadie / descubrir / injusticias
4. (tú) / siempre / pelear / por / nuestros derechos / sin que / (nosotros) / pedírtelo
5. guerra civil / ir a / empezar / antes de que / políticos / poder / explicar /escándalos
6. candidatos / hacer / falsas promesas / con tal de que / (nosotros) / votar / por ellos

# Comunicación

**4 Instrucciones** La primera dama le dejó una lista de tareas a su secretario. Luego se dio cuenta de que había olvidado ciertos detalles y dejó otra lista. En parejas, túrnense para unir los detalles de las dos listas y crear oraciones desde el punto de vista del secretario. Después, inventen dos oraciones adicionales. Usen estas conjunciones.

**Modelo** **Pídele los archivos de todas sus decisiones. / ¡Puede pasar el juez!**
Le pido los archivos de todas sus decisiones en caso de que pase el juez.

| a menos que | cuando | para que |
| a pesar de que | en caso de que | siempre que |
| con tal de que | en cuanto | tan pronto como |

**Lista de tareas**
1. Contesta llamadas y correos electrónicos.
2. Escríbeles cartas a los senadores.
3. No hagas declaraciones.
4. Dile al ministro de educación que lo llamaré.

**Lista de tareas**
1. ¡Deben ser urgentes!
2. ¡Tienen que saber que no estaré en mi oficina!
3. ¡Pueden llamar los periodistas!
4. ¡Debe acabarse primero el almuerzo de gala!

**5 Posibilidades** En parejas, túrnense para completar estas oraciones y expresar sus puntos de vista.

1. Terminaré mis estudios a tiempo a menos que…
2. Me iré a vivir a otro país en caso de que…
3. Ahorraré mucho dinero para que…
4. Yo cambiaré de carrera en cuanto…
5. Me jubilaré cuando…

**6 Programa** En grupos de cuatro, imaginen que son los asesores (*advisors*) de un político. Expliquen qué hará el candidato en distintas situaciones usando conjunciones con el subjuntivo.

**Modelo** Para que los ecologistas estén contentos, el alcalde dará más dinero para limpiar el río. Volverá a ser una parte importante en la vida de los ciudadanos con tal de que toda la comunidad ayude a mantenerlo.

## 6.2 The past subjunctive

### Forms of the past subjunctive

**TALLER DE CONSULTA**

See **2.1, pp. 56–57**, for the preterite forms of regular, irregular, and stem-changing verbs.

- The past subjunctive (**el pretérito imperfecto del subjuntivo**) of all verbs is formed by dropping the **–ron** ending from the **ustedes/ellos/ellas** form of the preterite and adding the past subjunctive endings.

| The past subjunctive | | |
|---|---|---|
| **caminar (caminaron)** | **perder (perdieron)** | **vivir (vivieron)** |
| **caminara** | **perdiera** | **viviera** |
| **caminaras** | **perdieras** | **vivieras** |
| **caminara** | **perdiera** | **viviera** |
| **camináramos** | **perdiéramos** | **viviéramos** |
| **caminarais** | **perdierais** | **vivierais** |
| **caminaran** | **perdieran** | **vivieran** |

**¡ATENCIÓN!**

The past subjunctive is also referred to as the imperfect subjunctive (**el imperfecto del subjuntivo**).
The **nosotros/as** form of the past subjunctive always takes a written accent.

Queríamos que el gobierno **respetara** los derechos humanos.
*We wanted the government to respect human rights.*

Me pareció increíble que los liberales **perdieran** las elecciones.
*It seemed unbelievable to me that the liberals lost the election.*

Nos sorprendió que el abogado no **supiera** cómo reaccionar ante la amenaza.
*It surprised us that the lawyer did not know how to react to the threat.*

- Verbs that have stem changes or irregularities in the **ustedes/ellos/ellas** form of the preterite have those same irregularities in all forms of the past subjunctive.

| infinitive | preterite form | past subjunctive forms |
|---|---|---|
| pedir | pidieron | pidiera, pidieras, pidiera, pidiéramos, pidierais, pidieran |
| sentir | sintieron | sintiera, sintieras, sintiera, sintiéramos, sintierais, sintieran |
| dormir | durmieron | durmiera, durmieras, durmiera, durmiéramos, durmierais, durmieran |
| influir | influyeron | influyera, influyeras, influyera, influyéramos, influyerais, influyeran |
| saber | supieron | supiera, supieras, supiera, supiéramos, supierais, supieran |
| ir/ser | fueron | fuera, fueras, fuera, fuéramos, fuerais, fueran |

- In Spain and other parts of the Spanish-speaking world, the past subjunctive is also used with an alternate set of endings: **–se, –ses, –se, –semos, –seis, –sen**. You will also see these forms in literary texts.

Marcos me pidió que **fuera/fuese** con él al tribunal.
*Marcos asked me to go with him to court.*

Nadie creyó que **estuviéramos/estuviésemos** entre los manifestantes.
*No one believed that we were among the demonstrators.*

# Uses of the past subjunctive

- The past subjunctive is required in the same contexts as the present subjunctive, except that the point of reference is in the past. When the verb in the main clause is in the past, the verb in the subordinate clause is in the past subjunctive.

*Me recomendaron que*
**buscara** *información sobre*
*clínicas privadas.*

| **Present time** | **Past time** |
|---|---|

| | |
|---|---|
| Ellos sugieren que **vayamos** a la reunión. *They suggest that we go to the meeting.* | Ellos sugirieron que **fuéramos** a la reunión. *They suggested that we go to the meeting.* |
| Espero que no **tengan** problemas con los políticos. *I hope they won't have any problems with the politicians.* | Esperaba que no **tuvieran** problemas con los políticos. *I was hoping they wouldn't have any problems with the politicians.* |
| Necesitamos un presidente que **apoye** nuestra causa. *We need a president who will support our cause.* | Necesitábamos un presidente que **apoyara** nuestra causa. *We needed a president who would support our cause.* |
| Tú la defiendes aunque **sea** culpable. *You defend her even though she's guilty.* | Tú la defendiste aunque **fuera** culpable. *You defended her even though she was guilty.* |

- The expression **como si** (*as if*) is always followed by the past subjunctive.

Habla de la guerra **como si** no le **importara**.
*He talks about the war as if he didn't care.*

¿Por qué siempre me andas espiando **como si fuera** un ladrón?
*Why do you always go around spying on me as if I were a thief?*

Reaccionarán **como si trajéramos** malas noticias.
*They will react as if we brought bad news.*

Me saludó **como si** no me **conociera**.
*She greeted me as if she didn't know me.*

- The past subjunctive is commonly used with **querer** to make polite requests, to express wishes, or to soften statements.

**Quisiera** verlos hoy si es posible, por favor.
*I'd like to see you today if it's possible, please.*

**Quisiéramos** paz y justicia para nuestro pueblo.
*We wish for peace and justice for our people.*

---

**TALLER DE CONSULTA**

The past subjunctive is also frequently used in si clauses. See **9.3, pp. 340–341.**

**¿Tú te imaginas qué pasaría si a cada uno se le ocurriera expresar sus ideas políticas en el trabajo?**
*Can you imagine what would happen if everyone decided to express their political opinions at work?*

**¡ATENCIÓN!**

When using the past subjunctive of **querer** or the conditional of any verb in a main clause, use the past subjunctive in the subordinate clause.
**Quisiéramos que volvieran mañana.**
*We'd like you to return tomorrow.*
**Sería mejor que me dijeras la verdad.**
*It would be better for you to tell me the truth.*

**1 El documento** Completa este párrafo con el pretérito imperfecto del subjuntivo.

La senadora me dijo que era importante que nosotros (1) _____
(guardar) este documento en un lugar seguro. Me sugirió que no
(2) _____ (hacer) copias y que no (3) _____ (hablar)
sobre esto con nadie más del partido por ahora. También me recomendó que no
(4) _____ (responder) a ninguna pregunta de los periodistas.
A mí me pareció curioso que me (5) _____ (aconsejar) tanta
discreción y no me (6) _____ (dar) más datos, pero me dijo
que (7) _____ (estar) tranquilos y (8) _____
(confiar) en ella. Me pidió que hoy no la (9) _____ (llamar)
a menos que (10) _____ (haber) algún problema y me dijo que
(11) _____ (convocar) una reunión para mañana. Creo que
el documento contiene información sobre los resultados del sondeo. Ella
hablaba como si estos datos (12) _____ (ser) muy relevantes.

**2 ¿Qué le pidieron?** Lucía Bermúdez es rectora (*chancellor*) de una universidad.
En parejas, usen la tabla para preparar un diálogo en el que ella cuenta lo que le
pidieron el primer día de clases.

**Modelo** —¿Qué le pidió su secretaria?
—Mi secretaria me pidió que le diera menos trabajo.

| Personajes | Verbo | Actividad |
|---|---|---|
| los profesores | | construir un estadio nuevo |
| los estudiantes | me pidió que | hacer menos ruido |
| el club ecologista | me pidieron que | plantar más árboles |
| los vecinos de la universidad | | dar más días de vacaciones |
| el entrenador del equipo de fútbol | | comprar más computadoras |

**3 Dueño estricto** En parejas, imaginen que ustedes compartían un apartamento.
Túrnense para comentar las reglas del edificio y usen el pretérito imperfecto
del subjuntivo.

**Modelo** **No cocinar comidas aromáticas**
El dueño del apartamento me dijo/pidió/ordenó que no cocinara
comidas aromáticas.

1. No usar la calefacción en abril
2. Limpiar los pisos dos veces al día
3. No recibir visitas en el apartamento después de las 10 de la noche
4. No traer mascotas
5. Sacar la basura todos los días
6. No encender las luces antes de las 8 de la noche

**4** **De niño** En parejas, háganse estas preguntas sobre su niñez. Después, añadan información adicional usando un verbo distinto en el pretérito imperfecto del subjuntivo.

**Modelo**
—¿**Esperabas que tus padres te compraran videojuegos?**
— Sí, y también esperaba que me dieran más independencia./
No, pero esperaba que me llevaran al cine todos los sábados.

## La imaginación

¿Esperabas que tus padres te compraran videojuegos?

¿Dudabas que los súper héroes existieran?

¿Esperabas que Santa Claus te trajera los regalos que le pedías?

## Las relaciones

¿Querías que tu primer amor durara toda la vida?

¿Querías que tus padres te compraran todo lo que pedías?

¿Querías que tus familiares pasaran menos o más tiempo contigo?

## El colegio

¿Soñabas con que el/la maestro/a cancelara la clase todos los días?

¿Esperabas que tus amigos de la infancia siguieran siendo tus amigos toda la vida?

¿Deseabas que las vacaciones de verano se alargaran (*were longer*)?

**5** **¿Qué sucedió?** En parejas, preparen una conversación inspirada en esta situación utilizando el pretérito imperfecto del subjuntivo. Después, represéntenla ante la clase.

Rosaura y Orlando fueron de viaje a Costa Rica el año pasado. Rosaura se enojó con Orlando porque él se quedó en el hotel y no quiso acompañarla en sus excursiones. A ella le encanta la naturaleza, pero a él no. Ahora están planeando otras vacaciones y discuten sobre lo que pasó durante las últimas.

**Modelo**
**ROSAURA** Quería que tú me acompañaras.
**ORLANDO** Era importante que tú entendieras mis gustos.

## 6.3 Comparatives and superlatives

### Comparisons of inequality

**TALLER DE CONSULTA**

The use of diminutives and augmentatives is common in comparative and superlative statements. See **Manual de gramática 6.5, p. 426.**

- With adjectives, adverbs, nouns, and verbs, use these constructions to make comparisons of inequality (*more than/less than*).

**Adjective**

Soy **menos liberal que** tú.
*I am less liberal than you are.*

**Noun**

Tienes **menos poder que** yo.
*You have less power than I have.*

**Adverb**

¡Llegaste **más tarde que** yo!
*You arrived later than I did!*

**Verb**

¡**Nos peleamos más que** los niños!
*We fight more than the kids do!*

- Before a number (or equivalent expression), *more/less than* is expressed with **más/menos de**.

Tuvieron que pagar a su abogado **más de** diez mil dólares.
*They had to pay their lawyer more than ten thousand dollars.*

Pensé que acabaron pagando **menos de** cinco mil.
*I thought they ended up paying less than five thousand.*

### Comparisons of equality

- The following constructions are used to make comparisons of equality (*as...as*).

**Adjective**

El debate de anoche fue **tan aburrido como** el de la semana pasada.
*Last night's debate was as boring as last week's.*

**Noun**

La señora Pacheco habló con **tanta convicción como** el señor Quesada.
*Mrs. Pacheco spoke with as much conviction as Mr. Quesada.*

**Adverb**

Llegaste **tan pronto como** yo.
*You arrived as soon as I did.*

**Verb**

Ella **miente tanto como** él.
*She lies as much as he does.*

**¡ATENCIÓN!**

**Tan** and **tanto** can also be used for emphasis, rather than to compare.

**tan** *so*

**tanto** *so much*

**tantos/as** *so many*

**¡Tus ideas son tan anticuadas!**

*Your ideas are so outdated!*

**¿Por qué te enojas tanto?**

*Why do you get so angry?*

**Lo hemos hablado tantas veces y nunca logro convencerte.**

*We've talked about it so many times, and I never manage to convince you.*

# Superlatives

- Use this construction to form superlatives (**superlativos**). The noun is preceded by a definite article, and **de** is the equivalent of *in*, *on*, or *of*.

el/la/los/las + | *noun* | + más/menos + | *adjective* | + de

Esta **es la playa más bonita de** la costa nicaragüense.
*This is the prettiest beach on the coast of Nicaragua.*

Es **el hotel menos caro del** pueblo.
*It is the least expensive hotel in town.*

- The noun may also be omitted from a superlative construction.

Me gustaría comer en **el restaurante más elegante del** barrio.
*I would like to eat at the most elegant restaurant in the neighborhood.*

Las Dos Palmas es **el más elegante de** la ciudad.
*Las Dos Palmas is the most elegant one in the city.*

## Irregular comparatives and superlatives

| Adjective | Comparative form | Superlative form |
|---|---|---|
| **bueno/a** *good* | **mejor** *better* | **el/la mejor** *best* |
| **malo/a** *bad* | **peor** *worse* | **el/la peor** *worst* |
| **grande** *big* | **mayor** *bigger* | **el/la mayor** *biggest* |
| **pequeño/a** *small* | **menor** *smaller* | **el/la menor** *smallest* |
| **viejo/a** *old* | **mayor** *older* | **el/la mayor** *oldest* |
| **joven** *young* | **menor** *younger* | **el/la menor** *youngest* |

- When **grande** and **pequeño** refer to size and not age or quality, the regular comparative and superlative forms are used.

Ernesto es **más pequeño** que yo.
*Ernesto is smaller than I am.*

Ese edificio es **el más grande**.
*That building is the biggest one.*

- When **mayor** and **menor** refer to age, they follow the noun they modify. When they refer to quality, they precede the noun.

Lucía es mi hermana **menor**.
*Lucía is my younger sister.*

La corrupción es su **menor** problema.
*Corruption is the least of his problems.*

- The adverbs **bien** and **mal** also have irregular comparatives.

| | |
|---|---|
| **bien** *well* | **mejor** *better* |
| **mal** *badly* | **peor** *worse* |

Ayúdame, que **tú** lo haces **mejor que yo**.
*Give me a hand; you do it better than I do.*

**COMPARACIONES**

En inglés, hay dos formas de expresar el equivalente de **más** + [*adjetivo*] + **que**. Para los adjetivos de una o dos sílabas, se añade *-er* (*smaller*). Para los de tres o más sílabas, se usa *more* (*more important*).

1. En parejas, escriban una oración en español con **menos** + [*adjetivo*] + **que** y tradúzcanla al inglés. ¿Aplica la regla de arriba? Expliquen.
2. ¿Qué sucede en el caso de los superlativos? Expliquen con ejemplos de ambos idiomas.
3. Expliquen: ¿Qué similitudes hay entre los comparativos irregulares de los dos idiomas?

**1** **El mejor** Marta y Roberto son de diferentes partidos políticos. Completa su diálogo utilizando las palabras de la lista.

| como | más | mejor | peor |
|------|-----|-------|------|
| malísimo | mayor | muchísimos | que |

**ROBERTO** Mi candidato está tan preparado para ser presidente de este país (1) _____ el tuyo. Estudió en la (2) _____ universidad del país y ha sido uno de los abogados (3) _____ reconocidos de los últimos cinco años. Además, habla (4) _____ idiomas.

**MARTA** ¡Solo habla español! Mi hermana (5) _____ trabaja en la oficina de tu candidato y dice que es el (6) _____ abogado de la ciudad.

**ROBERTO** No te creo. Es verdad que no ha tenido mucha suerte últimamente, pero ha perdido menos casos (7) _____ tu candidato, que es un abogado (8) _____.

**2** **Oraciones**

**A.** Escribe oraciones con superlativos usando la información del cuadro.

**Modelo** *Cien años de soledad* es el libro latinoamericano más popular del siglo XX.

| | | |
|---|---|---|
| *Cien años de soledad* | libro | popular |
| Sofía Vergara | banda | famosa |
| La Antártida | jugador | caro |
| Shakira | continente | frío |
| El Amazonas | cantante | rico |
| Machu Picchu | actriz | largo |
| Lionel Messi | montaña | importante |
| el grupo Aventura | río | alta |
| El Aconcagua | país | impresionante |
| México | lugar | poblado |

**B.** Ahora, vuelve a escribir oraciones, pero esta vez usa comparativos.

**Modelo** *Cien años de soledad* es más popular que *La casa de los espíritus*.

# Comunicación

**3 Cita** Anoche tuviste una cita a ciegas (*blind date*). En parejas, hablen sobre la cita usando comparativos y superlativos. Utilicen las palabras de la lista.

**Modelo** La cita de anoche fue la peor de mi vida porque fue aburrida.

| | | |
|---|---|---|
| carne | conversación | pelo |
| carro | ensalada | restaurante |
| chistes | película | ropa |

**4 ¿Punta Arenas o Miami?** Néstor y Ofelia están planeando unas vacaciones. Néstor quiere ir a Miami, pero Ofelia prefiere visitar Punta Arenas.

**A.** En parejas, decidan qué frases de la lista corresponden a cada lugar

1. *Hacer un crucero por la Antártida*
2. *Hacer un crucero por el Caribe*
3. *Hace mucho calor*
4. *Hace mucho frío*
5. *Ir a la playa con pantalones cortos y camiseta*
6. *Ir a la playa con abrigo y guantes*
7. *Visitar la Plaza de Armas*
8. *Visitar la Pequeña Habana*

Punta Arenas

Miami

Frases:

Frases:

**B.** Ahora, dramaticen un diálogo entre Néstor y Ofelia. Cada uno tiene que explicar las razones por las cuales prefiere ir a cada lugar. Utilicen comparativos y superlativos.

**5 Debate presidencial** En grupos de tres, imaginen un debate en el que dos de ustedes son candidatos/as presidenciales. La tercera persona es un(a) periodista que hace preguntas. Usen oraciones con comparativos y superlativos.

### El sombrero pintao

El sombrero pintao es un sombrero típico panameño. Se hace a mano con fibras naturales de cinco plantas. La técnica de tejido° es una tradición familiar y su fabricación es una importante fuente de ingresos° para las comunidades de artesanos y cultivadores°. En 2017, el sombrero fue declarado Patrimonio Cultural Inmaterial de la Humanidad por la UNESCO.

### Las bebidas de Panamá

En Panamá es muy popular el chicheme, una bebida de origen prehispánico que se puede tomar fría o caliente. Se hace con maíz pilado°, leche y especias como canela°, clavo de olor°, nuez moscada°, vainilla o chocolate y raspadura, un tipo de azúcar. Otras bebidas típicas son las chichas, jugos naturales de frutas, y el guarapo, jugo de caña de azúcar.

### Los puentes colgantes de Costa Rica

Cerca del Volcán Arenal en Costa Rica, un sendero° de más de tres kilómetros con dieciséis puentes recorre la reserva protegida de bosque nuboso° en el Parque Místico. Este parque, junto a las cascadas y los campos de lava, es un verdadero paraíso del ecoturismo. Seis de los puentes son colgantes° y están tendidos° entre las copas° de los árboles. Allí los visitantes pueden observar quetzales, tucanes, monos y otros animales en su hábitat natural.

### La Fiesta de San Lázaro

En Nicaragua, los perros se visten de fiesta para el día de San Lázaro. Siguiendo una antigua tradición, el 7 de abril cientos de personas disfrazan° a sus perros con ropa de colores o trajes típicos y los llevan a la parroquia° María Magdalena de Masaya para recibir bendiciones o agradecer° favores al santo. También hay bailes folklóricos y artesanos que venden dulces típicos. Al final del día se entrega el premio al perro mejor vestido.

tejido *weaving*  fuente de ingresos *source of income*  cultivadores *farmers*
maíz pilado *hominy*  canela *cinnamon*  clavo de olor *clove*  nuez moscada *nutmeg*
sendero *trail*  bosque nuboso *cloud forest*  colgantes *hanging*  tendidos *stretched*
copas *tops*  disfrazan *dress up*  parroquia *parish*  agradecer *express gratitude for*

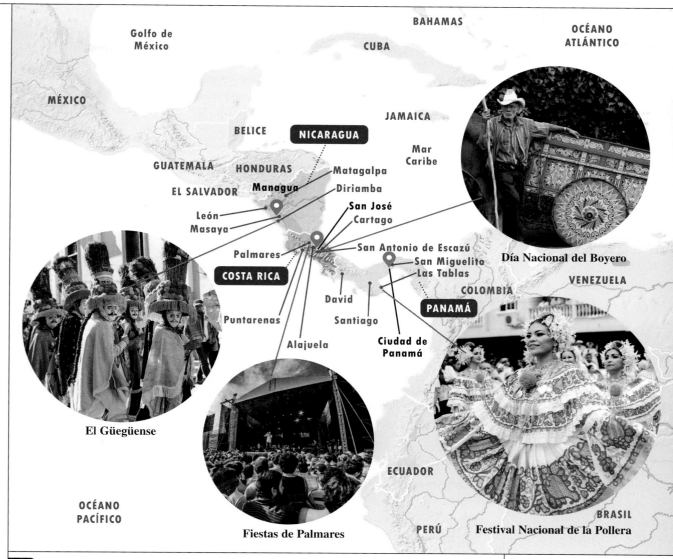

BAHAMAS

OCÉANO ATLÁNTICO

Golfo de México

CUBA

MÉXICO

JAMAICA

BELICE

NICARAGUA

Mar Caribe

GUATEMALA     HONDURAS     Matagalpa

EL SALVADOR     Managua     Diriamba

León     San José

Masaya     Cartago

San Antonio de Escazú

Palmares     San Miguelito

COSTA RICA     Las Tablas

David     PANAMÁ

Puntarenas     Santiago

Alajuela     Ciudad de Panamá

COLOMBIA

VENEZUELA

**Día Nacional del Boyero**

**El Güegüense**

ECUADOR

OCÉANO PACÍFICO

PERÚ

BRASIL

**Fiestas de Palmares**

**Festival Nacional de la Pollera**

---

**1** **Perspectivas** En parejas, contesten las preguntas.

1. ¿Hay alguna prenda de vestir (*garment*) típica de tu comunidad, como lo es el sombrero pintao en Panamá? ¿Cuál? ¿En qué se parecen?

2. ¿En tu familia existe algún saber (*knowledge*) que se pasa de generación en generación? ¿Qué te gustaría aprender para trasmitírselo a tus descendientes?

3. ¿Hay alguna bebida o comida que te traiga recuerdos cuando la hueles o pruebas? ¿Cuál?

4. ¿Cuáles son las bebidas típicas de tu país? ¿Cómo se comparan con las bebidas típicas de Panamá?

5. ¿Te atreverías a cruzar uno de los puentes colgantes de Costa Rica? ¿Qué animales te gustaría observar desde allí?

6. ¿Qué opinas de vestir a las mascotas? Explica por qué estás a favor o en contra.

7. ¿Qué aspecto de la Fiesta de San Lázaro te gusta más? ¿Por qué? Compárala con una fiesta o un evento similar en tu país.

Practice more at **vhlcentral.com**.

En el audio "Es un delito decir la verdad", se entrevista a un estudiante nicaragüense que pidió la renuncia del presidente Daniel Ortega. Ortega entró en el poder en 1985 tras el triunfo de la Revolución Sandinista. Luego, en 2007, volvió a asumir la presidencia de Nicaragua. Sin embargo, tras la muerte de cientos de estudiantes que protestaban en contra de sus leyes en 2018, muchas personas y organizaciones consideraron que Ortega se había convertido en un dictador.

# Antes de escuchar

 **1** **Activar el conocimiento previo** Comenta con un(a) compañero/a el papel de los jóvenes en la política y en los problemas sociales de la actualidad. ¿Cómo pueden conseguir los jóvenes que cambien las cosas que no van bien? ¿Qué influencia tienen? ¿Por qué es importante que las generaciones jóvenes afronten los problemas que nos preocupan y que hablen sobre ellos?

# Mientras escuchas

**2** **Estrategia: Detalles** Mientras escuchas el audio, presta atención al discurso del estudiante. Anota algunas de las cosas que le dice al presidente.

 **3** **Escucha una vez** Escucha el audio y concéntrate en el vocabulario nuevo. Anota palabras que no conozcas.

**4** **Escucha de nuevo** Ahora, vuelve a escuchar el audio y completa tus anotaciones iniciales. Trata de descifrar el significado de las palabras nuevas.

# Después de escuchar

 **5** **Comprensión e interpretación** En grupos pequeños, contesten las preguntas.

1. ¿Por qué dice el presentador que "todavía no hay justicia en Nicaragua"?
2. ¿Quién es Lesther Alemán?
3. Según Lesther Alemán, ¿qué es lo que "hizo cambiar la historia"? ¿Por qué?
4. ¿Cuáles fueron para el estudiante las consecuencias de su discurso?
5. ¿Cuál es la causa de que el número de protestas y el número de manifestantes se haya reducido?

 **6** **Discusión** En grupos de cuatro, hablen sobre otros jóvenes que están enfrentándose a los problemas mundiales.

1. ¿Conocen el nombre de otros jóvenes conocidos públicamente por enfrentarse a problemas políticos o sociales?
2. ¿A qué tipo de problemas y crisis se están enfrentando?
3. ¿Qué acciones toman para protestar y luchar contra esas situaciones?
4. ¿Qué temas son más relevantes y urgentes para ustedes? ¿Por qué?

 Practice more at vhlcentral.com.

## SOBRE LA AUTORA

**C**indy **Regidor** es una periodista nicaragüense con experiencia en prensa, televisión y medios digitales. Trabaja como corresponsal para *France 24 Español* en Costa Rica y colabora con el periódico nicaragüense *Confidencial* y la revista *Niú*. Ha trabajado también como productora, reportera de noticias y presentadora de un popular programa de televisión en Nicaragua.

| Vocabulario de la lectura | | Vocabulario útil | |
|---|---|---|---|
| el cuartel (militar) | military headquarters | los asuntos (internacionales) | (international) affairs |
| el hito | milestone | el desglose | breakdown |
| inédito/a | unprecedented | el impuesto | tax |
| lograr | to achieve | la postura (política) | (political) position |
| el/la mandatario/a | president | prescindir (de) | to do without |
| el/la militar | soldier | repercutir (en) | to affect |
| la tasa | rate | | |

**1 Sinónimos** Escribe un sinónimo para cada palabra.

1. actitud: _____
2. conseguir: _____
3. influir: _____
4. nuevo: _____

5. omitir: _____
6. presidenta: _____
7. separación: _____
8. tributos: _____

**2 Prioridades** En grupos de tres, ordenen estos aspectos según la prioridad que piensan que deberían tener desde un punto de vista gubernamental. Después contesten las preguntas.

- Asuntos internacionales
- Ciencia y tecnología
- Defensa
- Desempleo y servicios sociales
- Educación y cultura
- Pensiones
- Protección del medio ambiente
- Salud
- Seguridad ciudadana
- Servicios públicos

1. ¿Les fue fácil ponerse de acuerdo para ordenar los aspectos? ¿En qué estaban de acuerdo? ¿En qué diferían sus opiniones?
2. ¿Hay algún otro aspecto que añadirían? ¿Hay alguno que quitarían?
3. ¿Creen que el orden de su lista se puede aplicar a cualquier país? Expliquen.

**3 Título** El artículo que van a leer se titula "¿Cómo vive un país sin ejército? Costa Rica cumple 70 años sin él". En parejas, predigan qué ideas se van a mencionar.

Practice more at vhlcentral.com.

# ¿Cómo vive un país SIN EJÉRCITO?
## Costa Rica cumple 70 años sin él

### Cindy Regidor

COSTA RICA ES UNO DE APENAS UNA veintena de países en todo el mundo desprovisto de° fuerzas armadas. En un hecho inédito en la región, hace 70 años abolió su ejército y apostó° a la inversión en educación, salud e infraestructura.

Un cuartel militar ubicado en el centro de San José pasó a ser el Museo Nacional de Costa Rica hace 70 años, luego de que allí se aboliera oficialmente el Ejército de Costa Rica. Fue el entonces presidente José Figueres quien, con un simbólico mazazo° al muro del cuartel, dio por eliminado el cuerpo castrense°.

Ocurrió un primero de diciembre de 1948 y se trató de un hecho inédito en la región y poco usual en el mundo entero, un hito que ha destacado al país a nivel mundial, pero que además ha traído beneficios a su sociedad.

Fue allí donde el actual° mandatario Carlos Alvarado, quien presidió el acto oficial de conmemoración del hecho histórico este 1 de diciembre, y quien visiblemente emocionado concluyó un discurso cargado de orgullo por esa decisión que ha marcado la vida del país.

## Una apuesta al desarrollo humano: infraestructura, salud y educación

"Imaginemos lo que es no invertir en tanques, en armas o en personal militar durante 70 años de manera consistente… el ahorro que eso implica, pero, a su vez, eso también explica por qué hemos logrado hacer otras inversiones importantes en educación, en medio ambiente. Además, invertir en eso nos ha permitido un desarrollo humano que consideramos positivo", dijo Alvarado a *France 24*. Con el fin de una guerra civil y la abolición del ejército a finales de la década de 1950, Costa Rica ha venido aumentando su gasto en infraestructura, salud y educación. Es esa la inversión en desarrollo humano de la que habla Alvarado, quien a la vez destacó° que otros frutos de esa decisión han sido la práctica de la democracia y la estabilidad sociopolítica a lo largo de siete décadas.

Precisamente, esa estabilidad política "excepcional y única en Latinoamérica" es uno de los hallazgos° del estudio 'Adiós a las armas: los efectos en el desarrollo de largo plazo de la abolición del ejército de Costa Rica'. "Los países latinoamericanos han tenido 97 golpes de estado, 21 episodios de violencia política, más de 120 episodios de violencia civil, en cambio, Costa Rica ha tenido un solo intento de golpe de estado fallido en 1955", explicó Suráyabi Ramírez, coautor del estudio del Observatorio del Desarrollo de la Universidad de Costa Rica.

Otro de los descubrimientos de este estudio ha sido un mayor crecimiento económico. Si Costa Rica no hubiera abolido el ejército, el PIB del país sería mucho más bajo hoy. "La abolición del ejército implicó un aumento en la tasa de crecimiento del PIB per cápita del país. Básicamente fue un aumento de un punto porcentual. Es decir, antes estábamos creciendo alrededor de 1,31% de PIB per cápita por año, antes de 1950, y después de ahí hasta 2010 crecíamos alrededor de 2,44%", describió Alejandro Abarca, también autor de la investigación.

En un país sin ejército "se vive una cultura de paz", aseguró el presidente Alvarado. "Obviamente no es el paraíso porque en todo país existen problemas,

hay asaltos° y demás… pero siento que se vive muy tranquilo, caminar sin ver militares con armas", coincidió el joven de Limón, del caribe costarricense, Christopher Aguilar.

No es el único ciudadano que aplaude este hecho. "Me siento muy orgullosa de que mi país haya decidido eliminar el ejército", aseguró Amanda Hernández, otra joven costarricense.

**" En un país sin ejército 'se vive una cultura de paz'. "**

"Si usted le pregunta a un costarricense, más bien lo difícil es imaginarse cómo se puede vivir con ejército. Un gran contraste con todos los países latinoamericanos es que aquí no desfilan militares. No son los militares los que representan los valores cívicos, son los estudiantes los que salen a las calles a celebrar nuestros valores patrióticos", apuntó Ramírez.

Una nación sin ejército, por supuesto, no significa que no tenga cuerpos de seguridad. Es la policía la encargada de la protección ciudadana. El Ministerio de Seguridad Pública, a través de sus distintas direcciones, realiza las tareas de las cuales se encargan los ejércitos en otros países, tales como el control de drogas o el resguardo° de costas y fronteras.

Con la decisión de eliminar sus fuerzas armadas, Costa Rica, además, ha apostado al diálogo, la diplomacia y el multilateralismo para dirimir° conflictos nacionales y regionales, agregó Alvarado.

¿Pueden otros países aspirar a seguir el curso de esta nación? Alvarado cree que sí. "Tenemos 70 años de vivir así y es un ejemplo vivo de que eso se puede hacer, así como nos propusimos revertir la deforestación, o como logramos tener 100% energía eléctrica limpia. Un mundo diferente es posible", finalizó. ◼

**desprovisto de** *without*
**apostó a** *made a commitment*
**mazazo** *sledgehammer blow*
**castrense** *military*
**actual** *current*

**destacó** *emphasized*
**hallazgos** *findings*
**asaltos** *muggings*
**resguardo** *protection*
**dirimir** *resolve*

**1 ¿Cierto o falso?** Indica si las oraciones son ciertas o falsas. Corrige las falsas.

1. Costa Rica es el único país en el mundo que no tiene fuerzas armadas.
2. Carlos Alvarado era el presidente de Costa Rica cuando se abolió el ejército.
3. Desde que se abolió el ejército, no ha habido ningún intento de golpe de estado en Costa Rica.
4. Según el estudio mencionado en el artículo, el PIB de Costa Rica sería más alto si Costa Rica no hubiera abolido el ejército.
5. Aunque Costa Rica no tenga ejército, sí tiene policía que se encarga de la protección ciudadana.
6. Carlos Alvarado cree que no todos los países están preparados para prescindir de las fuerzas armadas.

**2 El ejército** En parejas, háganse estas preguntas.

1. Antes de leer el artículo, ¿sabías que Costa Rica no tenía ejército? ¿Sabías que existían otros países sin fuerzas armadas o con fuerza militar limitada?
2. Además de los recursos para infraestructura, salud y educación, ¿qué otros beneficios de no tener ejército se mencionan en el artículo?
3. Carlos Alvarado dice que en un país sin ejército "se vive una cultura de paz". ¿Crees que es posible vivir una cultura de paz en un país con ejército?
4. ¿Crees que sería posible para tu país funcionar sin ejército? ¿Cómo repercutiría la abolición a nivel nacional e internacional?
5. En el artículo se describe la abolición como "esa decisión que ha marcado la vida del país". ¿Qué decisión o evento histórico marcó la vida de tu país?

**3 Investigar** En grupos de tres, investiguen qué otros países no tienen ejército.

- Averigüen cuál fue el primer país en abolir su ejército.
- Indiquen cuáles de estos países son hispanohablantes.
- Elijan tres de los países e investiguen por qué no tienen ejército y qué ocurriría en caso de ser atacados.
- Busquen quién dijo: "No quiero un ejército de soldados, sino de educadores."

**4 Encuesta** Pasea por la clase y pregunta a tus compañeros/as si creen que sería una buena idea abolir las fuerzas armadas en su país. Cada persona debe dar dos razones.

| Nombre | ¿A favor o en contra? | Razones |
|---|---|---|
| Julie S. | A favor | • Mejor economía<br>• Camino hacia la paz mundial |

**5 Comparación** Investiga sobre el desglose de gastos del gobierno estadounidense y del costarricense y crea un gráfico de barras que ilustre la comparación de los gastos. Después, escribe un párrafo en el que analizas los resultados.

Practice more at
vhlcentral.com.

**S** Vocabulary Tools

| Vocabulario de la lectura | | Vocabulario útil | |
|---|---|---|---|
| la autogestión | self-management | bélico/a | warlike |
| la comarca | region | el deber | duty |
| el/la diputado/a | congressman/ | ejercer | to practice |
| | congresswoman | la etiqueta | etiquette |
| militar (en) | to be active in | la financiación | funding |
| el pueblo | people; town | el mandato | term of office |
| la toma de posesión | inauguration | postularse | to run for office |
| velar (por) | to look out for | retar | to challenge |

---

**1 Escoger** Completa las oraciones con la opción correcta.

1. Los políticos tienen el ___ de representar al pueblo.
   a. deber            b. diputado            c. autogestión

2. Hoy se celebra la ___ de la nueva Asamblea Nacional.
   a. comarca            b. toma de posesión      c. etiqueta

3. Su hermano ___ en el mismo partido político durante veinte años.
   a. retó            b. postuló            c. militó

4. La presidenta cumplió todas sus promesas en los cuatro años que duró su ___.
   a. financiación      b. mandato            c. pueblo

5. El vicepresidente  aseguró que va a ___ por la seguridad de todos
   los ciudadanos.
   a. velar            b. militar            c. ejercer

6. Antes de ser elegida diputada, ___ como abogada.
   a. retaba            b. velaba            c. ejercía

---

**2 Debate** En parejas, reflexionen sobre estas preguntas.

1. ¿Consideran que acceder a cargos políticos es más difícil para las mujeres
   que para los hombres? Pongan ejemplos actuales (*current*).

2. ¿Tienen las comunidades indígenas representación en el país donde viven
   ustedes? Expliquen.

3. ¿Cuál es la labor del órgano legislativo de un país? ¿Creen que en su país
   los diputados representan los intereses de la población?

4. ¿Piensan que en política es importante respetar el protocolo? ¿Hay casos
   en que esté justificado no respetarlo?

---

**3 Actualidad política** En grupos de tres, investiguen sobre el sistema político
de Panamá.

- ¿Qué tipo de gobierno tiene Panamá?

- ¿Quién es el/la presidente/a? ¿A qué partido pertenece?

- ¿Cuáles son los principales partidos políticos de la oposición?

- ¿Cuándo fueron las últimas elecciones? ¿Cuándo serán las próximas?

Practice more at
vhlcentral.com.

# Petita Ayarza,
## líder panameña guna

Petita Ayarza es una política y empresaria° del sector turístico de Panamá. Nació en 1965 en la comarca Guna Yala y se trasladó° a Ciudad de Panamá para continuar sus estudios. Es licenciada° en Sociología y técnica° en Turismo Geográfico Ecológico. Aunque llevaba trabajando muchos años en política, su nombre cobró° una relevancia especial cuando se convirtió en la primera mujer guna en ser elegida diputada para la Asamblea Nacional.

En un principio, Petita quiso dedicarse por completo a su proyecto etnoturístico en Guna Yala, pero su anhelo° por mejorar la calidad de vida en su comarca la acercó a la política. Petita ha militado en el Partido Revolucionario Democrático durante más de 20 años, donde fue delegada en las comunidades y presidenta del partido en su comarca.

Sin embargo, su camino hacia la Asamblea Nacional planteaba° más retos. Petita consideraba que los diputados que representaban a su comarca no actuaban en favor del pueblo. Además, se trataba de un momento en que los panameños reclamaban un cambio en la Asamblea, pues esta se había visto afectada por escándalos y casos de corrupción y abuso de poder. Así, Petita decidió presentarse como candidata y convertirse en una líder que realmente velara por las necesidades de la población indígena. Estaba convencida de que, desde la Asamblea, sus medidas podrían tener más impacto en su comunidad.

*businesswoman*

*moved*
*holds a college degree /*
*holds a technical degree*

*gained*

*yearning*

*posed*

15

20

25

30

Según ella, fue un período complejo en el que tuvo que trabajar en su propio empoderamiento° y en defender la posición de las mujeres en la escena política.

En mayo de 2019, Petita fue elegida diputada del circuito 10-1 por el Partido Revolucionario Democrático a votación popular. Su victoria marcó un hito, pues históricamente este circuito no había tenido representación parlamentaria femenina.

*empowerment*

## Un símbolo de identidad

Tras ser elegida diputada, Petita no tardó° en llevar a la práctica algunos de los principios que habían marcado su discurso político: defender los derechos de los pueblos indígenas, fortalecer° el reconocimiento de la diversidad cultural y visibilizar a las mujeres gunas. Así, declaró que vestiría de mola en el acto de instalación de la nueva Asamblea Nacional. Esta decisión estuvo cargada de simbolismo. Fue su forma de mostrarse orgullosa de su cultura y defender su identidad. Petita no siempre había vestido con el atuendo tradicional guna, pero en determinado momento de su vida decidió incorporarlo permanentemente. Por eso, desde un principio declaró que así es como se presentaría a su primer acto oficial como diputada de la Asamblea. Esto, sin embargo, generó cierta controversia, ya que hubo quienes cuestionaron que no siguiera el protocolo del día. En Panamá, la norma indica que los diputados y diputadas electos deben ir vestidos de blanco durante la toma de posesión en la Asamblea. El blanco representa las intenciones de pureza y honestidad del nuevo gobierno. De hecho, la blusa que llevó Petita sí era blanca, pero iba cosida° con una mola de color cuyo diseño representaba la espiritualidad.

*did not take long*

*to strengthen*

> Fue su forma de mostrarse orgullosa de su cultura y defender su identidad.

*sewn*

## Propuestas políticas

Las primeras propuestas clave° de Petita Ayarza como diputada estuvieron enfocadas en mejorar el nivel de vida de las comunidades indígenas, principalmente en cuanto a educación y sanidad. En educación, Petita resaltaba° la importancia del acceso a un sistema público de calidad y adecuado al entorno social y cultural de los estudiantes. Por ello, una de sus primeras medidas fue trabajar en el reconocimiento de las lenguas indígenas y fomentar la educación bilingüe intercultural. En cuanto a sanidad, señalaba la necesidad de trabajar en crear y mejorar centros de salud y en facilitar el acceso a los medicamentos.

Otra piedra angular° de su programa político era la autogestión de la comarca Guna Yala. Por su formación y su experiencia profesional en el sector turístico, sus propuestas se basaban en gran parte en diversificar el turismo de la comarca. Cuando Petita se convirtió en diputada, veía a Guna Yala como una comarca con mucho que ofrecer a través de otros tipos de turismo como el agroturismo o el etnoturismo; una comunidad que todavía estaba despertando y abriéndose al exterior. ■

*key*

*highlighted*

*cornerstone*

### NOTA CULTURAL

Las molas son paneles de tejidos (*fabrics*) artesanales hechos por los gunas. Se caracterizan por su colorido y por sus diseños geométricos o basados en elementos naturales. El origen de las molas se encuentra en la tradición de las mujeres gunas de pintar sus cuerpos. Otros elementos —como un arete (*small ring*) en la nariz o un pañuelo para la cabeza (*headscarf*) rojo y amarillo— completan el atuendo típico de las mujeres gunas.

55

60

65

70

75

Watch related video at vhlcentral.com.

**1 Comprensión** Contesta las preguntas.

1. ¿Por qué decidió Petita Ayarza dedicarse a la política?
2. ¿Cuál era la opinión popular sobre la Asamblea panameña antes de las elecciones de 2019?
3. ¿Por qué la elección de Petita Ayarza como diputada fue un hito?
4. ¿A qué otro sector profesional se dedica Petita Ayarza, además de a la política?
5. ¿Por qué los diputados de Panamá deben ir vestidos de blanco en su primer acto oficial?
6. ¿Por qué Petita Ayarza decidió vestir de mola en su primer acto como diputada?

**2 Reflexión** En parejas, contesten las preguntas.

1. ¿Por qué Petita Ayarza enfrentaba retos para convertirse en diputada? ¿Cómo piensan que influyó el hecho de ser una mujer indígena?
2. ¿Qué opinan de la decisión de Petita Ayarza de vestir de mola el día de instalación de la Asamblea? Expliquen.
3. ¿Qué medidas ayudarían a garantizar una educación bilingüe en Guna Yala y el reconocimiento de la lengua guna en todo el país? Hagan una lista.
4. ¿Piensan que es importante que la comarca Guna Yala se autogestione? ¿Por qué?
5. ¿Creen que el etnoturismo favorece o desfavorece a las comunidades indígenas? ¿Cómo?
6. ¿Existe en su país alguna entidad o forma de organización similar a las comarcas indígenas de Panamá? Comparen.

**3 Personajes políticos** Busca información sobre una persona indígena que tenga un papel destacado en la política norteamericana. Luego, escribe una presentación breve que incluya estos datos.

- Etnia a la que pertenece
- Datos biográficos
- Trayectoria profesional
- Ideología política
- Conexión entre su cultura y sus propuestas políticas

**4 Proyecto turístico** En grupos de cuatro, investiguen acerca de alternativas de etnoturismo, agroturismo y ecoturismo.

1. Escojan una zona de su país o de otro país y desarrollen un proyecto turístico con el fin de diversificar y dinamizar su oferta actual.
2. Presenten su proyecto ante la clase. Una vez que todos los grupos hayan hecho sus presentaciones, debatan las propuestas con su grupo y asignen una puntuación a cada proyecto (del 1 al 10). Tengan en cuenta estos aspectos:

- Creatividad
- Interés
- Sostenibilidad
- Rentabilidad

## SOBRE EL AUTOR

**Gabriel García Márquez** (1928-2014) nació en Aracataca, Colombia. Vivió hasta los ocho años en casa de sus abuelos, donde comenzó su inspiración literaria con las fantásticas historias que contaba su abuela. Fue periodista, guionista, editor y uno de los escritores más prolíficos e influyentes de la literatura latinoamericana. En 1962, publicó la colección de cuentos *Los funerales de la mamá grande*, entre los que se encuentra "Un día de estos". Veinte años después, ganó el Premio Nobel de Literatura con la novela *Cien años de soledad*.

| Vocabulario de la lectura | | Vocabulario útil | |
|---|---|---|---|
| el/la alcalde/alcaldesa | mayor | el abuso de poder | abuse of power |
| el gabinete | office | amenazar | to threaten |
| la muela | molar | en defensa propia | in self-defense |
| el municipio | town | el enfrentamiento | confrontation |
| pegar un tiro | to shoot | extraer | to extract |
| el rencor | resentment | la venganza | revenge |
| el/la teniente | lieutenant, deputy | vengativo/a | vindictive |
| el título | degree | | |

**1  Vocabulario**  Completa las oraciones.

1. Esta mañana el dentista me extrajo una _____.
2. El dentista del pueblo no tenía _____ universitario, pero era un gran profesional. Su _____ siempre estaba lleno.
3. El martes hubo elecciones. María Gutiérrez es la nueva _____ de nuestro _____.
4. Manuel es una persona muy _____, por eso ha hablado con el director sobre los problemas que tuvimos.

**2  Preguntas**  En parejas, túrnense para hacerse estas preguntas.

1. ¿Qué sentimientos son habituales antes de una visita al dentista?
2. ¿Has vivido alguna situación injusta en la que alguien hacía abuso de su poder? ¿Qué pasó?
3. ¿Te consideras una persona rencorosa o vengativa? ¿En qué casos están el rencor o la venganza justificados?

**3  Cita**  En grupos de tres, comenten el significado de la cita y den su opinión.

"Yo creo que todavía no es demasiado tarde para construir una utopía que nos permita compartir la tierra." —**Gabriel García Márquez**

# Un día de estos

## Gabriel García Márquez

El lunes amaneció tibio° y sin lluvia. Don Aurelio Escovar, dentista sin título y buen madrugador°, abrió su gabinete a las seis. Sacó de la vidriera° una dentadura postiza° montada aún en el molde de yeso° y puso sobre la mesa un puñado° de instrumentos que ordenó de mayor a menor, como en una exposición. Llevaba una camisa a rayas, sin cuello, cerrada arriba con un botón dorado, y los pantalones sostenidos con cargadores° elásticos. Era rígido, enjuto°, con una mirada que raras veces correspondía a la situación, como la mirada de los sordos°.

Cuando tuvo las cosas dispuestas sobre la mesa, rodó la fresa° hacia el sillón de resortes° y se sentó a pulir° la dentadura postiza. Parecía no pensar en lo que hacía, pero trabajaba con obstinación, pedaleando en la fresa incluso cuando no se servía de ella.

Después de las ocho hizo una pausa para mirar el cielo por la ventana y vio dos gallinazos° pensativos que se secaban al sol en el caballete° de la casa vecina. Siguió trabajando con la idea de que antes del almuerzo volvería a llover. La voz destemplada° de su hijo de once años lo sacó de su abstracción.

—Papá.

—Qué.

—Dice el alcalde que si le sacas una muela.

—Dile que no estoy aquí.

Estaba puliendo un diente de oro. Lo retiró a la distancia del brazo y lo examinó con los ojos a medio cerrar.

*warm*

*early riser / glass cabinet*
*dentures / plaster*

*handful*

*suspenders / lean*

*deaf*

*moved the drill*

*dental chair / to polish*

*buzzards / roof ridge*

*shrill*

—Dice que si no le sacas la muela te pega un tiro.

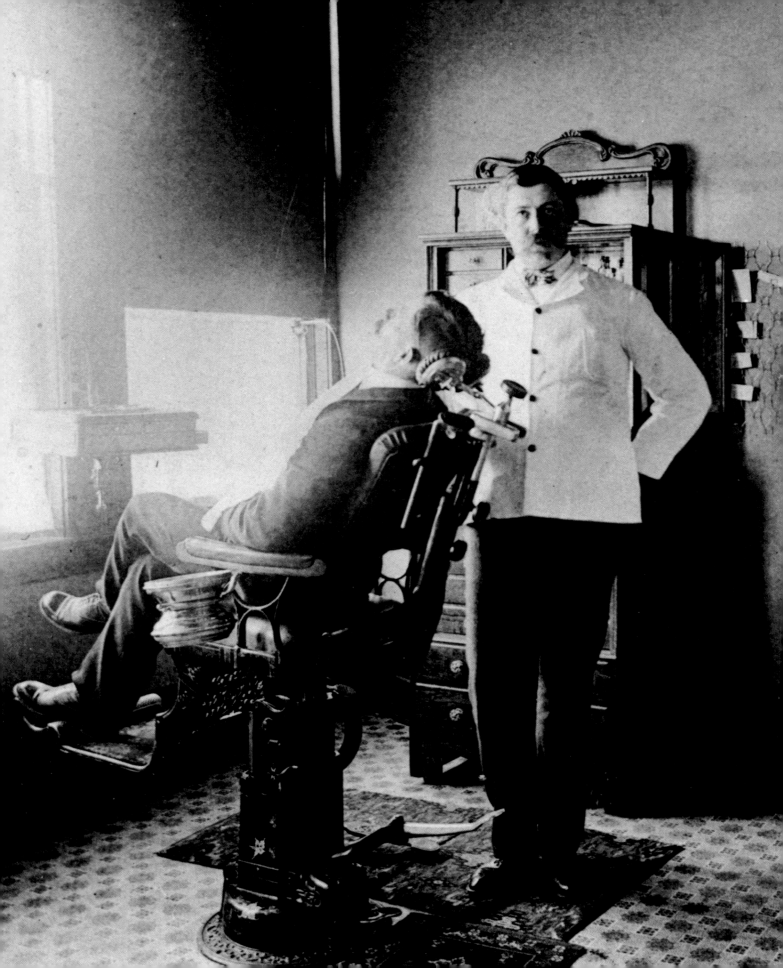

En la salita de espera volvió a gritar su hijo.

—Dice que sí estás porque te está oyendo.

El dentista siguió examinando el diente. Solo cuando lo puso en la mesa con los trabajos terminados, dijo:

—Mejor.

Volvió a operar la fresa. De una cajita de cartón donde guardaba las cosas por hacer, sacó un puente° de varias piezas y empezó a pulir el oro.

*dental bridge*

—Papá.

—Qué.

Aún no había cambiado de expresión.

—Dice que si no le sacas la muela te pega un tiro.

Sin apresurarse, con un movimiento extremadamente tranquilo, dejó de pedalear en la fresa, la retiró del sillón y abrió por completo la gaveta° inferior de la mesa. Allí estaba el revólver.

*drawer*

—Bueno —dijo—. Dile que venga a pegármelo.

Hizo girar el sillón hasta quedar de frente a la puerta, la mano apoyada en el borde de la gaveta. El alcalde apareció en el umbral°. Se había afeitado la mejilla° izquierda, pero en la otra, hinchada° y dolorida, tenía una barba de cinco días. El dentista vio en sus ojos marchitos° muchas noches de desesperación. Cerró la gaveta con la punta de los dedos y dijo suavemente:

*doorway / cheek*

*swollen*

*dull*

—Siéntese.

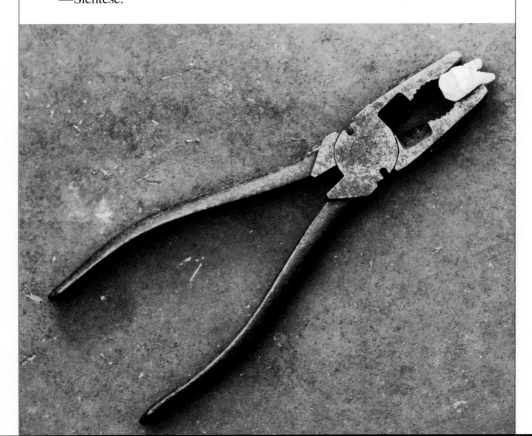

—Buenos días —dijo el alcalde.

—Buenos —dijo el dentista.

Mientras hervían° los instrumentos, el alcalde apoyó el cráneo en el cabezal° de la silla y se sintió mejor. Respiraba un olor glacial. Era un gabinete pobre: una vieja silla de madera, la fresa de pedal, y una vidriera con pomos de loza°. Frente a la silla, una ventana con un cancel de tela° hasta la altura de un hombre. Cuando sintió que el dentista se acercaba, afirmó los talones° y abrió la boca.

Don Aurelio Escovar le movió la cara hacia la luz. Después de observar la muela dañada, ajustó la mandíbula con una cautelosa presión de los dedos.

—Tiene que ser sin anestesia —dijo.

—¿Por qué?

—Porque tiene un absceso.

El alcalde lo miró en los ojos.

—Está bien —dijo, y trató de sonreír. El dentista no le correspondió. Llevó a la mesa de trabajo la cacerola° con los instrumentos hervidos y los sacó del agua con unas pinzas° frías, todavía sin apresurarse. Después rodó la escupidera° con la punta del zapato y fue a lavarse las manos en el aguamanil°. Hizo todo sin mirar al alcalde. Pero el alcalde no lo perdió de vista.

Era una cordal° inferior. El dentista abrió las piernas y apretó la muela con el gatillo° caliente. El alcalde se aferró a° las barras de la silla, descargó toda su fuerza en los pies y sintió un vacío helado en los riñones°, pero no soltó un suspiro°. El dentista solo movió la muñeca°. Sin rencor, más bien con una amarga ternura, dijo:

—Aquí nos paga veinte muertos, teniente.

El alcalde sintió un crujido° de huesos en la mandíbula y sus ojos se llenaron de lágrimas. Pero no suspiró hasta que no sintió salir la muela. Entonces la vio a través de las lágrimas. Le pareció tan extraña a su dolor, que no pudo entender la tortura de sus cinco noches anteriores. Inclinado sobre la escupidera, sudoroso°, jadeante°, se desabotonó la guerrera° y buscó a tientas° el pañuelo en el bolsillo del pantalón. El dentista le dio un trapo° limpio.

—Séquese las lágrimas —dijo.

El alcalde lo hizo. Estaba temblando. Mientras el dentista se lavaba las manos, vio el cielo raso desfondado° y una telaraña° polvorienta con huevos de araña e insectos muertos. El dentista regresó secándose las manos.

—Acuéstese —dijo— y haga buches° de agua de sal. —El alcalde se puso de pie, se despidió con un displicente° saludo militar y se dirigió a la puerta estirando las piernas, sin abotonarse la guerrera.

—Me pasa la cuenta —dijo.

—¿A usted o al municipio?

El alcalde no lo miró. Cerró la puerta, y dijo, a través de la red metálica:

—Es la misma vaina°. ∎

## El dentista vio en sus ojos marchitos muchas noches de desesperación.

*Glosses (left margin):*
- boiled
- headrest
- ceramic bottles
- cloth curtain
- heels
- pot
- tweezers / spittoon
- washbasin
- wisdom tooth
- forceps / grasped
- kidneys
- sigh / wrist
- crunch
- sweaty / panting
- unbuttoned his military jacket / fumbled for rag
- crumbling ceiling / spider web
- gargle
- offhand
- thing

*Line numbers (right margin):* 45, 50, 55, 60, 65, 70, 75, 80, 85

**1 Comprensión** Ordena los acontecimientos según aparecen en el cuento.

____ a. El alcalde pasa al gabinete de don Aurelio y se sienta.

____ b. El hijo de don Aurelio le dice que el alcalde necesita que le saque una muela.

____ c. El alcalde pide la cuenta a don Aurelio.

____ d. Don Aurelio abre su gabinete y comienza a trabajar en una dentadura.

____ e. El alcalde amenaza con pegar un tiro a don Aurelio.

____ f. Don Aurelio le dice a su hijo que le diga al alcalde que no está allí.

____ g. Don Aurelio extrae la muela del alcalde.

____ h. Don Aurelio le pregunta al alcalde si le debe pasar la cuenta a él o al municipio.

____ i. Don Aurelio le comunica al alcalde que le debe sacar la muela sin anestesia.

____ j. Don Aurelio abre la gaveta de su mesa, donde hay un revólver.

**2 Interpretar** En parejas, contesten las preguntas.

1. ¿Qué tipo de trabajador es don Aurelio? ¿Cómo lo saben?

2. ¿Por qué don Aurelio no quiere recibir al alcalde al principio? ¿Qué lo hace cambiar de opinión?

3. ¿Piensan que el dentista tiene miedo de que el alcalde le pegue un tiro? Expliquen su respuesta.

4. ¿Creen que el dentista podría haber extraído la muela con anestesia? ¿Por qué la extrae sin anestesia?

5. ¿Por qué don Aurelio hace su trabajo sin mirar al alcalde a la cara? ¿Por qué después le ofrece un trapo y consejos para que se cure?

6. ¿Por qué creen que el cuento se titula "Un día de estos"? ¿Qué otro título podría haber tenido?

**3 El poder** En grupos de tres, contesten las preguntas.

1. En un día cualquiera, ¿qué personaje creen que tiene más poder: el alcalde o el dentista?

2. ¿Quién tiene más poder el día en que sucede la historia?

3. ¿Abusa el alcalde de su poder? ¿Y el dentista? Incluyan referencias del cuento.

4. ¿Qué creen que quiere decir el dentista con "Aquí nos paga veinte muertos, teniente"?

5. ¿Piensan que al final se hace justicia? ¿Creen que el poder y la justicia son compatibles?

6. ¿Qué crítica hace Gabriel García Márquez con este cuento?

**4 Contexto** En parejas, vuelvan a leer la Nota cultural de la página de Preparación y relacionen la información con las citas a continuación.

—Dice que si no le sacas la muela te pega un tiro. […]
—Bueno —dijo—. Dile que venga a pegármelo.

Vio el cielo raso desfondado y una telaraña polvorienta con huevos de araña e insectos muertos.

—¿A usted o al municipio? […]
—Es la misma vaina.

- ¿A qué grupo de la sociedad representa el dentista: al pueblo o al Estado? ¿Y el alcalde? ¿Quién creen que gana? ¿Por qué?
- ¿Cómo creen que habría continuado el cuento si el dentista no hubiera tenido un revólver en la gaveta?
- ¿Qué referencias del cuento muestran la corrupción que representa el alcalde?
- ¿Qué simboliza el dolor de muela? ¿Qué otras metáforas aparecen en el cuento?

**5 Técnicas narrativas** En parejas, completen la tabla con los adjetivos que describen los elementos del cuento. Después, contesten las preguntas.

| Elementos | Descripción |
|-----------|-------------|
| Ambiente | ¿Qué día es? ¿Qué tiempo hace? |
| Personajes | ¿Cómo es Aurelio Escovar? ¿Cómo es el alcalde? |
| Lugar | ¿Cómo es el gabinete? |

1. ¿Qué importancia tienen las descripciones en la trama del cuento?
2. "Un día de estos" alterna la narración, la descripción y el diálogo. ¿Qué efecto tiene esta técnica en los lectores? ¿Cuál le da más fuerza al cuento?
3. ¿Qué otras técnicas utiliza el autor para mantener la tensión en el cuento?
4. ¿Qué tipo de narrador tiene el cuento? ¿De qué personaje nos da el narrador más información? ¿Por qué utiliza el autor esta estrategia?

**6 Representación** En parejas o en grupos de tres, escojan una escena del cuento, aprendan su parte del diálogo y represéntenla ante la clase.

**7 Escribir** Elige una de las opciones.

A. Escribe un cuento original en el que uno o más personajes abusan de su poder. Incluye narración, descripciones y diálogos.

B. Escribe una continuación del cuento "Un día de estos" en la que el alcalde ya está recuperado de su dolor. Incluye a los tres personajes originales y a un cuarto personaje.

C. Escribe un análisis literario de "Un día de estos". Incluye tu opinión.

Practice more at
vhlcentral.com.

En esta lección has aprendido sobre la política, las comunidades y las instituciones. Ahora vas a escribir una comparación entre dos candidatos/as políticos/as.

# Planificar y preparar la escritura

**1** **Estrategia: Determina los/las candidatos/as de tu comparación** Investiga en Internet a dos políticos/as de uno de los países de esta lección: Nicaragua, Costa Rica o Panamá. Reúne algunos datos básicos: ¿Cómo se llaman? ¿A qué partido pertenecen? Utiliza una tabla como la de abajo para comparar las ventajas y desventajas de cada candidato/a.

**Candidato 1: Alberto Gijón (Panamá)**

| Ventajas | Desventajas |
| --- | --- |
| Promueve medidas para cuidar el medio ambiente. | No tiene muchos años de experiencia. |

**2** **Estrategia: Desarrolla el cuerpo de la comparación**

- Piensa en cómo usar los datos de tu tabla para escribir tu comparación.
- Desarrolla el cuerpo de la comparación escribiendo sobre las ventajas y las desventajas de cada candidato/a.

# Escribir

 **3** **Tu comparación** Ahora escribe tu comparación. Utiliza la información que has reunido y sigue estos pasos.

- **Introducción:** Presenta a las dos personas en líneas generales. Usa palabras descriptivas.
- **Desarrollo:** Explica la postura de cada político/a. Describe las ventajas y desventajas de cada uno/a, según tu opinión. Ofrece detalles o ejemplos que apoyen tus afirmaciones.
- **Conclusión:** Resume tus observaciones y termina la comparación.

# Revisar y leer

**4** **Revisión** Pídele a un(a) compañero/a que lea tu comparación y que te haga sugerencias sobre los/las candidatos/as. Revisa tu texto incorporando nueva información y prestando atención a los siguientes elementos.

- ¿La comparación está escrita de manera ordenada y lógica?
- ¿Explicaste bien las posturas de cada político/a con palabras descriptivas?
- ¿Enlazaste de manera fluida tus observaciones?
- ¿Son correctas la gramática y la ortografía?

Practice more at
vhlcentral.com.

# En comunidad

## Así lo decimos

**el/la abogado/a** *lawyer*
**el/la activista** *activist*
**el ayuntamiento** *city hall*
**la bandera** *flag*
**el bienestar social** *social welfare*
**la campaña electoral** *election campaign*
**la desigualdad** *inequality*
**el discurso** *speech*
**el ejército** *army*
**la entidad** *entity*
**el/la fiscal** *prosecutor*
**la frontera** *border*
**la herencia** *heritage*
**la huelga** *strike*
**la inclusión** *inclusion*
**la infraestructura** *infrastructure*
**el/la juez(a)** *judge*
**la manifestación** *demonstration*
**la medida** *measure*
**el mitin** *rally*
**el partido** *party*
**la polémica** *controversy*
**el/la político/a** *politician*
**la sanidad** *healthcare*
**el sondeo** *poll*

**asimilarse** *to assimilate*
**convocar** *to summon*
**encarcelar** *to imprison*
**integrarse** *to become part of*
**ir a las urnas** *to go to the polls*
**pertenecer** *to belong*
**preservar** *to preserve*
**revocar** *to revoke*

**electo/a** *elected*
**oprimido/a** *oppressed*
**sin ánimo de lucro** *nonprofit*

## Documental

**el apoyo** *support*
**la aseguradora** *insurance company*
**la cirugía** *surgery*
**la emergencia** *emergency*

**el Estado** *government*
**el producto interno bruto (PIB)** *gross domestic product (GDP)*
**la riqueza** *wealth*
**el seguro (médico)** *(health) insurance*
**el tratamiento (médico)** *(medical) treatment*

**abarrotar** *to fill up*
**atender (e:ie)** *to see (a patient)*
**desembolsar** *to pay out*
**rebajar** *to reduce*
**solucionar** *to solve*

**costoso/a** *costly*
**estatal** *public*

## Artículo

**los asuntos (internacionales)** *(international) affairs*
**el cuartel (militar)** *military headquarters*
**el desglose** *breakdown*
**el hito** *milestone*
**el impuesto** *tax*
**el/la mandatario/a** *president*
**el/la militar** *soldier*
**la postura (política)** *(political) position*
**la tasa** *rate*

**lograr** *to achieve*
**prescindir (de)** *to do without*
**repercutir (en)** *to affect*

**inédito/a** *unprecedented*

— ■ —

**la autogestión** *self-management*
**la comarca** *region*
**el deber** *duty*
**el/la diputado/a** *congressman/ congresswoman*
**la etiqueta** *etiquette*
**la financiación** *funding*
**el mandato** *term of office*
**el pueblo** *people; town*
**la toma de posesión** *inauguration*

**ejercer** *to practice*
**militar (en)** *to be active in*

**postularse** *to run for office*
**retar** *to challenge*
**velar (por)** *to look out for*

**bélico/a** *warlike*

## Literatura

**el abuso de poder** *abuse of power*
**el/la alcalde/alcaldesa** *mayor*
**el enfrentamiento** *confrontation*
**el gabinete** *office*
**la muela** *molar*
**el municipio** *town*
**el rencor** *resentment*
**el/la teniente** *lieutenant, deputy*
**el título** *degree*
**la venganza** *revenge*

**amenazar** *to threaten*
**extraer** *to extract*
**pegar un tiro** *to shoot*

**en defensa propia** *in self-defense*
**vengativo/a** *vindictive*

## Ahora yo puedo...

- entender la idea principal e información clave de textos orales y escritos sobre política.
- comparar y contrastar mis puntos de vista con los de mis compañeros acerca de instituciones públicas y privadas.
- hacer una presentación sobre el papel de las minorías en la política.
- comparar las prácticas y las perspectivas sobre el sistema sanitario y el ejército en mi cultura y otras.
- discutir con compañeros hispanohablantes sobre los gastos gubernamentales en diferentes países.

# Tesoros visuales

**ESPAÑA**

ESPAÑA

**LESSON OBJECTIVES**
You will learn how to...

- understand the main idea and key information of spoken and written texts related to visual arts.
- exchange ideas about the concept of art and the different kinds of arts.
- present a proposal for a piece of protest art.
- compare how traditions and events influence art, and vice versa, in your own and other cultures.
- consider the historical and cultural contexts of the target countries when discussing art pieces or visiting museums.

## Las artes visuales

Federico visita a menudo el museo de arte **contemporáneo** de su ciudad. Este mes se ha inaugurado una exposición que **rinde homenaje** a artistas locales destacados. El **comisario** explicó que es importante ofrecer espacios para los artistas más jóvenes. Federico estudia **Bellas Artes** y sueña con **exponer** sus obras en este museo algún día.

**abstracto/a** *abstract*
**el arte callejero** *street art*
**las bellas artes** *fine arts*
**comisariar** *to curate*
**el/la comisario/a** *curator*
**contemporáneo/a** *contemporary*
**exponer** *to exhibit*
**el/la mecenas** *patron of the arts*
**rendir (e:i) homenaje** *to pay tribute*

## La pintura y la escultura

Rosa está tomando clases de pintura. En su primera clase, se sintió emocionada al verse delante del **caballete** con el **lienzo** en blanco. El primer **cuadro** en el que trabajará será un **bodegón**. El profesor les ha explicado que el proyecto de final de curso será un **autorretrato**.

**la acuarela** *watercolor*
**la arcilla** *clay*
**el autorretrato** *self-portrait*
**el boceto** *sketch*
**el bodegón** *still life*
**el caballete** *easel*
**el cincel** *chisel*

**el cuadro** *painting*
**el lienzo** *canvas*
**el mármol** *marble*
**el óleo** *oil painting*
**el pincel** *brush*
**tallar** *to sculpt; to carve*
**el taller** *studio; workshop*

## La arquitectura

Barcelona es conocida por su arquitectura modernista. Uno de sus **arquitectos** más famosos fue Antoni Gaudí, que **diseñó** la Sagrada Familia y otros edificios emblemáticos. El templo destaca por sus impresionantes **fachadas**, su **bóveda** y sus **vidrieras**. Otro elemento característico de las obras de Gaudí son los **mosaicos**.

**el/la arquitecto/a** *architect*
**la bóveda** *vault; dome*
**diseñar** *to design*
**la fachada** *facade*
**la maqueta** *model, mockup*
**el mosaico** *mosaic*
**el pilar** *pillar*
**la vidriera** *stained glass*

## El cine y la fotografía

Pedro Almodóvar se dedicó desde su adolescencia al **montaje** cinematográfico. Luego, **rodó** algunos **cortometrajes**. A finales de la década de 1970, dirigió su primera película. Hoy es uno de los directores de cine españoles más famosos. El surrealismo, los colores vivos y los **planos** muy cuidados caracterizan muchas de sus escenas.

**el cortometraje** *short film*
**desenfocado/a** *out of focus*
**el encuadre** *framing*
**enfocar** *to focus*
**el montaje** *film editing*
**el objetivo** *lens*
**el plano** *shot*
**rodar (o:ue)** *to film*

Practice more at
**vhlcentral.com.**

**1 Relaciones** Indica qué palabra no está relacionada.

| | | |
|---|---|---|
| 1. a. rodar | b. enfocar | c. tallar |
| 2. a. boceto | b. fachada | c. maqueta |
| 3. a. bóveda | b. cuadro | c. pilar |
| 4. a. abstracto | b. óleo | c. acuarela |
| 5. a. arquitecto | b. comisario | c. encuadre |
| 6. a. objetivo | b. autorretrato | c. bodegón |
| 7. a. caballete | b. montaje | c. lienzo |
| 8. a. exponer | b. taller | c. comisariar |
| 9. a. vidriera | b. arcilla | c. mármol |

**2 ¿Y tú?** En parejas, contesten las preguntas.

1. ¿Te interesan las artes visuales? ¿Te interesan más como creador(a) o como espectador(a)?

2. ¿Quién es tu artista visual preferido/a? ¿Qué te gusta de su estilo?

3. ¿Qué características crees que debe tener una obra para ser considerada arte?

4. ¿Crees que el cine actual tiene más de arte o de espectáculo? ¿Por qué?

**3 Arte callejero** En grupos de cuatro, reflexionen sobre el arte urbano.

Julieta xlf

• ¿Consideran que el grafiti es un arte? ¿Por qué?

• ¿Qué distingue al arte callejero de otras formas de arte tradicional como la pintura o la escultura?

• ¿Cuál creen que es la opinión popular actual sobre el arte callejero? ¿Cómo ha evolucionado?

• ¿Cómo afecta el arte callejero a los espacios públicos?

• ¿Creen que el arte callejero debe estar regulado? ¿Por qué?

| Vocabulario del documental | | Vocabulario útil | |
|---|---|---|---|
| **el bombardeo** | *bombing* | **el almacén** | *warehouse* |
| **el cargamento** | *load* | **el acontecimiento** | *event* |
| **embalar** | *to pack up* | **combatir** | *to fight* |
| **el/la herido/a** | *wounded* | **cruento/a** | *bloody* |
| **el incendio** | *fire* | **el legado** | *legacy* |
| **íntegro/a** | *whole* | **proteger** | *to protect* |
| **la joya** | *treasure* | **recuperar** | *to recover* |
| **el/la restaurador(a)** | *restorer* | **el resguardo** | *protection* |
| **el sótano** | *basement* | | |
| **trasladar** | *to transfer* | | |

| Expresiones | |
|---|---|
| **apenas tener veinte, etc., años** | *to be only twenty, etc., years old* |
| **correr la misma fortuna que…** | *to be as lucky as…* |
| **de pronto** | *all of a sudden* |
| **en un primer momento** | *initially* |
| **estar a un paso de** | *to be one step away from* |
| **llamar(le) la atención (algo a alguien)** | *to catch someone's attention* |
| **ponerse a salvo** | *to get to safety* |

**1 Definiciones** Empareja cada palabra con su definición.

____ 1. parte de un edificio situada bajo el nivel del suelo      a. acontecimiento

b. resguardo

____ 2. protección

c. cruento

____ 3. sangriento

d. incendio

____ 4. evento

e. íntegro

____ 5. fuego de grandes proporciones

f. sótano

____ 6. entero

**2 Expresiones** Completa cada situación con una expresión de la lista. Haz los cambios necesarios.

1. Estás en una exposición de arte español y el guía dice: "Esta es una de las primeras obras de Velázquez. La pintó cuando _____ diez años."

2. La profesora de arte explica a sus alumnos: "_____, las obras de Goya eran de estilo rococó, pero después evolucionaron hacia el neoclasicismo y el prerromanticismo."

3. Tu compañero de cuarto acaba de volver de una visita al Museo del Prado que le impresionó muchísimo. Te dice: "Lo que más _____ fueron las *Pinturas negras* de Goya."

**3** **El arte** En parejas, túrnense para hacerse las preguntas. ¿Coinciden en sus respuestas?

1. ¿Qué importancia tiene el arte para ti?
2. ¿Con qué frecuencia vas a museos de arte?
3. ¿Qué museos de arte hay en tu ciudad o estado? ¿Cuál es tu favorito? ¿Por qué?
4. ¿Conoces o has escuchado de algún museo de arte español? ¿Qué pintores u obras maestras españolas conoces?
5. ¿Qué importancia tiene que los seres humanos conserven sus representaciones artísticas?
6. ¿Cómo te imaginas un mundo sin arte?

 **4** **El Museo del Prado** En grupos de cuatro, cada estudiante debe buscar información sobre uno de los pintores para completar la tabla. Después, compartan los datos con el resto del grupo.

| Pintor | Año de nacimiento | Estilo | Obra emblemática |
|---|---|---|---|
| Diego Velázquez | | | |
| Francisco de Goya | | | |
| El Greco | | | |
| José de Ribera | | | |

**5** **Fotogramas** En grupos de tres, observen los fotogramas y contesten las preguntas.

- ¿Qué ocurre en cada fotograma?
- ¿Por qué piensan que hay dos fotogramas en color y dos en blanco y negro?
- ¿A qué época creen que pertenecen los fotogramas en blanco y negro?
- ¿Reconocen alguna de las obras de arte del último fotograma?

Practice more at vhlcentral.com.

# *Los cuadros que salvó la República del Museo del Prado*

Una operación pionera

# Escenas

## ARGUMENTO

La Segunda República Española evacuó las obras del Museo del Prado para salvarlas de las bombas de la Guerra Civil Española (1936-1939).

**NARRADOR:** Las tropas del ejército franquista están a un paso de tomar Cataluña y la Segunda República, de desaparecer.

**NARRADOR:** Un grupo de ocho personas y cientos de soldados° coordinan una operación histórica.

**NARRADOR:** Entre las obras, viajaban más de quinientas joyas del Museo del Prado. Regresaron todas.

**CATEDRÁTICO:** Las obras fueron emigrando primero a Valencia, después a Barcelona y finalmente al norte de Cataluña.

**CATEDRÁTICO:** El Prado se conservó íntegro. En ese cargamento, estaban todos los Velázquez, los Goya, los Greco…

soldados *soldiers*

**INVESTIGADOR:** Daban ganas de tirar los cuadros para recoger a esa gente por los caminos.

**1** **¿Cierto o falso?** Indica si las oraciones son ciertas o falsas. Corrige las falsas.

1. En febrero de 1939, el restaurador del Museo del Prado vio unos incendios en Figueres.
2. La evacuación de las joyas del Museo del Prado ocurrió durante el ataque del ejército franquista.
3. Azaña, el Presidente de la República, no estaba en España durante el traslado de las obras.
4. El primer traslado estuvo muy bien planeado.
5. Según el documental, de las más de 500 obras que se trasladaron del Museo del Prado, regresaron todas.
6. El traslado de las obras de Madrid a Ginebra se efectúo en un año.
7. No todos los especialistas en patrimonio estaban de acuerdo en que las obras debían ser trasladadas.
8. Todas las obras del Prado fueron evacuadas.

**2** **Comprensión** Contesta las preguntas.

1. El traslado de las obras del Prado fue un precedente de la política de evacuación de la Segunda Guerra Mundial. ¿Cómo se conservaban las obras hasta entonces?
2. ¿Por qué dice el catedrático Arturo Colorado que (los españoles) "podemos felicitarnos"?
3. ¿De qué pintor eran los cuadros que se dañaron en Benicarló?
4. ¿Por qué iba el tren con las obras de vuelta a España con las luces apagadas?

**3** **Ampliación** En parejas, contesten las preguntas.

Josep
Renau

1. De acuerdo a lo que han aprendido en el documental y en las lecciones anteriores, ¿qué dos bandos estaban enfrentados durante la Guerra Civil Española? ¿Quién era Franco?
2. ¿Qué bando evacuó las obras del Prado? ¿Qué bando ganó la guerra?
3. ¿Qué otra guerra empezaba cuando transportaban los cuadros de Ginebra a Madrid? ¿En qué año?
4. ¿Por qué creen que la decisión que tomó Josep Renau, director general de Bellas Artes, de evacuar las obras fue la decisión más complicada de su vida? ¿Qué habrían hecho ustedes en su lugar?

**4** **Citas** En grupos de tres, lean las citas del documental y contesten las preguntas.

> "Si acertamos en esto, nadie va a recordar nuestros nombres. Pero como lo hagamos mal, no nos van a olvidar en toda la eternidad."

> "Es absolutamente falso. A la República jamás se le ocurrió la posibilidad de vender una sola obra, aunque fuera para comprar tanques."

- ¿Quién dice cada una de las citas? ¿Qué significado tienen?
- ¿Les sorprende que en medio de una cruenta guerra hubiera tantas personas interesadas en proteger el patrimonio artístico del país? ¿Qué creen que ocurriría en un caso similar en su país en el día de hoy?
- ¿Qué importancia tiene que las obras fueran protegidas?

 **5** *Las meninas*

**A.** *Las meninas* (1656) de Velázquez, la obra emblemática del Museo del Prado, estaba en el cargamento. En parejas, observen el cuadro y discutan las preguntas.

1. ¿Cuál es el personaje central?
2. ¿Quién creen que es el señor que pinta? ¿Qué otros personajes aparecen?
3. ¿Cuántos planos pueden identificar en el cuadro?
4. ¿Cómo son los colores y la luz de cada plano?
5. ¿Qué parte del cuadro capta más su atención? ¿Por qué?

**B.** Ahora, investiguen sobre el cuadro y contesten las preguntas.

1. ¿Quiénes son los personajes que aparecen en el cuadro?
2. ¿Qué es una menina?
3. ¿Qué aspectos hacen que este cuadro sea tan importante?
4. ¿Qué otros cuadros del cargamento son representativos del arte español?
5. ¿Qué obra de arte consideran que es de las más representativas de su país? ¿Cómo se compara con *Las meninas*?

 **6** **Debate** En 2019, las donaciones de millones de euros para reconstruir la Catedral de Notre Dame en París tras su incendio crearon un debate sobre si ese dinero debería destinarse para combatir el hambre en el mundo. De igual modo, se podría argumentar que los camiones que transportaban las obras podrían haberse usado para salvar vidas. Dividan la clase en dos bandos. Uno defiende la conservación del arte por encima de todo. El otro, la idea de que el arte es secundario.

Practice more at **vhlcentral.com.**

## 7.1 The present perfect

—*La guerra* **ha terminado**.

**TALLER DE CONSULTA**

See the **Manual de gramática, Lección 7,** for these grammar topics.
**7.4 Past participles used as adjectives, p. 428.**
**7.5 Time expressions with** *hacer*, **p. 430.**

- In Spanish, as in English, the present perfect tense (**el pretérito perfecto**) expresses what *has happened*. It generally refers to recently completed actions or to a past that still bears relevance in the present.

El museo de Ciencias **ha inaugurado** una nueva exposición.
*The Science Museum has inaugurated a new exhibition.*

Josefina quiere tomar una clase de pintura, pero aún no **ha decidido** dónde.
*Josefina wants to take a painting class but still hasn't decided where.*

- Form the present perfect with the present tense of the verb **haber** and a past participle. Regular past participles are formed by adding **–ado** to the stem of **–ar** verbs, and **–ido** to the stem of **–er** and **–ir** verbs.

| The present perfect | | |
|---|---|---|
| **comprar** | **beber** | **recibir** |
| **he comprado** | **he bebido** | **he recibido** |
| **has comprado** | **has bebido** | **has recibido** |
| **ha comprado** | **ha bebido** | **ha recibido** |
| **hemos comprado** | **hemos bebido** | **hemos recibido** |
| **habéis comprado** | **habéis bebido** | **habéis recibido** |
| **han comprado** | **han bebido** | **han recibido** |

**TALLER DE CONSULTA**

When used as adjectives (**la puerta** *abierta*, **los documentos** *escritos*), past participles must agree in number and gender with the noun or pronoun they modify. See **Manual de gramática 7.4, p. 428.**
While English speakers often use the present perfect to express actions that *continue* into the present time, Spanish uses the phrase **hace** + [*period of time*] + **que** + [*present tense*]. See **Manual de gramática 7.5, p. 430.**

- Note that past participles do not change form in the present perfect tense.

No **he recibido** la invitación. Mis hijos no **han recibido** las suyas tampoco.
*I haven't received the invitation. My children haven't received theirs, either.*

No se las **hemos mandado** porque mi asistente no **ha tenido** tiempo.
*We haven't sent them to you, because my assistant hasn't had time yet.*

- To express that something *has just happened*, use **acabar de** + [*infinitive*], not the present perfect.

**Acabamos de llegar** al cine.
*We've just arrived at the movie theater.*

- When the stem of an **–er** or **–ir** verb ends in **a, e,** or **o**, the past participle requires a written accent (**–ído**) to maintain the correct stress. No accent mark is needed for stems ending in **u**.

> ca-er → **caído**    le-er → **leído**
> o-ír → **oído**    constru-ir → **construido**

*Siempre **ha creído** que ese fue el momento más duro.*

- Several verbs have irregular past participles.

| | | | |
|---|---|---|---|
| abrir | abierto | morir | muerto |
| cubrir | cubierto | poner | puesto |
| decir | dicho | resolver | resuelto |
| descubrir | descubierto | romper | roto |
| escribir | escrito | ver | visto |
| hacer | hecho | volver | vuelto |

**Han abierto** una nueva galería de arte en el barrio. ¿Quieres ir mañana?
*They've opened a new art gallery in the neighborhood. Do you want to go tomorrow?*

No puedo. Mario me **ha escrito** y ya **hemos hecho** planes.
*I can't. Mario has written me, and we've already made plans.*

- In the present perfect, pronouns and the word **no** precede the verb **haber**.

¿Por qué **no has visto** aún esa película?
*Why haven't you seen that movie yet?*

Porque unos amigos **me han recomendado** que lea el libro primero.
*Because some friends have recommended that I read the book first.*

*¿Por qué esa odisea **no ha tenido** apenas reconocimiento?*

**1 Mentiras** Completa el diálogo con las formas del pretérito perfecto de los verbos entre paréntesis.

DIRECTORA  ¿Dónde (1) _____ (estar) tú toda la mañana y qué (2) _____ (hacer) con mi computadora portátil?

SECRETARIO  Ay, (yo) (3) _____ (tener) la peor mañana de mi vida... Resulta que ayer fui a cinco bancos con su computadora portátil y creo que la olvidé en alguna parte.

DIRECTORA  Me estás mintiendo, en realidad la (4) _____ (romper), ¿no?

SECRETARIO  No, no la (5) _____ (romper); la (6) _____ (perder). Por eso esta mañana (7) _____ (volver) a todos los bancos y le (8) _____ (preguntar) a todo el mundo si la (9) _____ (ver).

DIRECTORA  ¿Y?

SECRETARIO  Me (10) _____ (decir) que vuelva mañana.

**2 ¿Qué has hecho?** Escribe una oración indicando si has hecho o no cada actividad. Si no la has hecho, añade más información.

Modelo    **Visitar el Museo del Prado**
No he visitado el Museo del Prado, pero he visto un documental sobre sus obras.

1. Viajar a un país hispanohablante
2. Ganar la lotería
3. Estar bajo presión
4. Pintar un cuadro
5. Comer caracoles (*snails*)
6. Ahorrar diez mil dólares
7. Conocer al presidente del país
8. Estar despierto/a por más de dos días
9. Rodar un cortometraje
10. Enfermarse durante unas vacaciones

**3 Arquitecto** Juan Carlos responde las preguntas de su amigo Marcos sobre todo lo que ha hecho hasta ahora para buscar un empleo como arquitecto. En parejas, ordenen cronológicamente lo que ha hecho y, luego, representen la conversación ante la clase utilizando el pretérito perfecto.

Modelo    MARCOS: ¿Qué has hecho primero?
JUAN CARLOS: Primero he...

____ a. Leer los anuncios del diario
____ b. Entrevistarme con el director del estudio
____ c. Escribir un currículum
____ d. Enviar el currículum
____ e. Planear una entrevista en un estudio de arquitectura
____ f. Estudiar Arquitectura en la universidad

# Comunicación

**4** **Preguntas** En parejas, háganse preguntas sobre sus experiencias en cada una de estas categorías. Usen el pretérito perfecto. Después, háganse una pregunta más sobre una categoría que no aparezca en la lista.

> **Modelo** **los monumentos**
> —¿Has visitado la Alhambra?
> —No, no he visitado la Alhambra.

1. otros países
2. los deportes
3. los idiomas extranjeros
4. las compras
5. la comida
6. los empleos
7. el cine
8. las personas famosas

**5** **20 preguntas** En grupos de tres, cada uno piensa en una persona famosa sin decir quién es. Túrnense para hacer preguntas usando el pretérito perfecto para adivinar el nombre de cada celebridad.

**6** **Carta** En grupos de tres, imaginen que han estado en España durante algunos días. Escriban una carta contándole a un(a) amigo/a qué actividades han realizado de acuerdo a los dibujos. Usen el pretérito perfecto y sean creativos/as.

# 7.2 The present perfect subjunctive

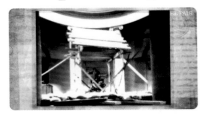

*¿Cómo es posible que un episodio tan espectacular **haya permanecido** casi olvidado?*

- The present perfect subjunctive (**el pretérito perfecto del subjuntivo**) is formed with the present subjunctive of **haber** and a past participle.

### The present perfect subjunctive

| cerrar | perder | asistir |
|---|---|---|
| haya cerrado | haya perdido | haya asistido |
| hayas cerrado | hayas perdido | hayas asistido |
| haya cerrado | haya perdido | haya asistido |
| hayamos cerrado | hayamos perdido | hayamos asistido |
| hayáis cerrado | hayáis perdido | hayáis asistido |
| hayan cerrado | hayan perdido | hayan asistido |

- The present perfect subjunctive is used to refer to recently completed actions or past actions that still bear relevance in the present. It is used mainly in the subordinate clause of a sentence whose main clause expresses will, emotion, doubt, or uncertainty.

| Present perfect indicative | Present perfect subjunctive |
|---|---|
| Luis **ha decidido** ser artista porque le encanta visitar museos. *Luis has decided to be an artist because he loves visiting museums.* | No creo que Luis **haya decidido** ser artista por esa razón. *I don't think Luis has decided to be an artist for that reason.* |

- Note the different contexts in which you must use the subjunctive tenses you have learned so far.

| Present subjunctive | Present perfect subjunctive | Past subjunctive |
|---|---|---|
| **Buscamos** fotógrafos que **tengan** experiencia internacional. *We are looking for photographers who have international experience.* | **Preferimos** contactar con profesionales que **hayan trabajado** en el extranjero. *We prefer to contact professionals who have worked abroad.* | Para la última exposición, **buscábamos** artistas que **tuvieran** experiencia en arte callejero. *For the latest exhibition, we looked for artists who had experience with street art.* |

# Práctica y comunicación

**1 Seleccionar** Elige la opción correcta.

1. Es imposible que (ha / haya) rodado tantas películas en tan pocos años.
2. Prefieren contratar a un fotógrafo que (ha / haya) trabajado haciendo retratos.
3. Estoy casi seguro de que el nuevo profesor de dibujo se (ha / haya) aprendido todos nuestros nombres.
4. Busco al joven que (ha / haya) solicitado empleo en el Museo del Prado.
5. No creo que ese edificio (ha / haya) sido el más visitado.

**2 Mentirosa** Tu amiga Isabel te ha llamado para contarte todos sus éxitos en España. Contesta diciéndole que no crees nada de lo que te dice. Usa el pretérito perfecto del subjuntivo, y los verbos y expresiones de la lista.

| No creo | Es improbable |
|---------|---------------|
| Dudo | No es cierto |
| Es imposible | No es probable |

| Isabel | Tú |
|--------|-----|
| 1. He ido de compras con Letizia Ortiz, la reina de España. | 1. _____ |
| 2. Van a exponer mis obras en el museo más importante de la ciudad. | 2. _____ |
| 3. Una revista me ha declarado la mejor artista del año. | 3. _____ |
| 4. El rey Felipe vendrá a la inauguración de mi exposición. | 4. _____ |
| 5. Mi representante (*manager*) me ha pedido que me quede en España para siempre. | 5. _____ |

**3 El premio** En parejas, imaginen que son dos pintores/as nominados/as a mejor artista del año. Uno/a de ustedes ha ganado el premio y, cuando salen de la gala, se encuentran y discuten. Representen las situación usando el pretérito perfecto del subjuntivo.

**Modelo** —¿Quieres saber la verdad? Me sorprende que te hayan elegido a ti.
—¿Por qué? ¿Dudas que yo haya creado mejores obras que tú este año?

Practice more at vhlcentral.com.

## 7.3 Uses of *se*

### The passive *se*

**TALLER DE CONSULTA**

In passive constructions, the object of a verb becomes the subject of the sentence. Active: **La compañía necesita más fondos**. *The company needs more funds.* Passive: **Se necesitan más fondos**. *More funds are needed.* For more on the passive voice, **see 10.1, p. 372**.

- In Spanish, the pronoun **se** is often used to express the passive voice when the agent performing the action is not stated. The third person singular verb form is used with singular nouns, and the third person plural form is used with plural nouns.

Su nueva película **se estrenará** a final de año.
*Her new film will be released at the end of the year.*

**Se necesitan** invitaciones para asistir al estreno de la película.
*Invitations are needed to attend the movie premiere.*

—*Fue cuando* **se declaró** *la Segunda Guerra.*

- When the passive **se** refers to a specific person or persons, the personal **a** is used and the verb is always singular.

**Se despidió al** actor por llegar tarde.
*The actor was fired for being late.*

**Se informó a** los actores de los cambios en la escena.
*The actors were informed of the scene changes.*

### The impersonal *se*

- **Se** is also used with third person singular verbs in impersonal constructions where the subject of the sentence is indefinite. In English, the words *one, people, we, you,* or *they* are often used for this purpose.

| | |
|---|---|
| **Se habla** mucho de esta artista española. *People are talking about this Spanish artist a lot.* | **Se dice** que fue la mejor pintora de su época. *They say she was the best painter of her time.* |
| **Se espera** que los artistas lleguen mañana. *They expect artists will arrive tomorrow.* | En esta compañía de teatro **se trabaja** muy duro. *We work very hard at this theater company.* |

- Constructions with the impersonal **se** are often used on signs and warnings.

| | |
|---|---|
| **Se prohíbe** tomar fotos. *Taking photos not allowed.* | **Se aconseja** llegar puntual. *On-time arrival is advised.* |
| No **se permite** consumir bebidas. *No drinks allowed.* | No **se puede** entrar con animales. *Do not bring animals inside.* |

## *Se* to express unexpected events

*Se le ocurrió* evacuar las obras para librarlas de las bombas.

- **Se** is also used in statements that describe accidental or unplanned incidents. In this construction, the agent who performs the action is de-emphasized, implying that the incident is not his or her direct responsibility.

| | INDIRECT OBJECT PRONOUN | VERB | SUBJECT |
|---|---|---|---|
| **Se** | **me** | **perdió** | **el reloj.** |

- In this construction, the person(s) to whom the event happened is/are expressed as an indirect object. What would normally be the direct object of the English sentence becomes the subject of the Spanish sentence.

| | INDIRECT OBJECT PRONOUN | VERB | SUBJECT |
|---|---|---|---|
| **Se** | **me** | **acabó** | **el dinero.** |
| | **te** | **cayeron** | **las gafas.** |
| | **le** | **ocurrió** | **una buena idea.** |
| | **nos** | **dañó** | **la radio.** |
| | **os** | **olvidaron** | **las llaves.** |
| | **les** | **perdió** | **el documento.** |

- These verbs are frequently used with **se** to describe unplanned events.

| | |
|---|---|
| **acabar** *to finish, to run out* | **olvidar** *to forget* |
| **caer** *to fall, to drop* | **perder (e:ie)** *to lose* |
| **dañar** *to damage, to break* | **quedar** *to leave behind* |
| **ocurrir** *to occur* | **romper** *to break* |

**Se me quedó** la tarjeta de crédito en el taller.
*I left my credit card at the studio.*

**Se nos dañó** el lienzo al transportarlo.
*We damaged the canvas while transporting it.*

- To clarify or emphasize the person(s) to whom the unexpected occurrence happened, the construction sometimes begins with **a** + [*noun*] or **a** + [*prepositional pronoun*].

**A María** se le olvidó que la inauguración del museo fue ayer.
*María forgot the museum inauguration was yesterday.*

**A mí** se me cayeron todos los documentos en medio de la calle.
*I dropped all the documents in the middle of the street.*

**1** **Unir** Une las frases de la columna A con las frases correspondientes de la columna B.

| A | B |
|---|---|
| ___ 1. A la empresa | a. se les pidió trabajar en una maqueta. |
| ___ 2. A los arquitectos | b. se me ocurrió una idea. |
| ___ 3. A mí | c. se nos convocó a una reunión. |
| ___ 4. A nosotros | d. se le exigió presentar un nuevo proyecto. |
| ___ 5. A ti | e. se te olvidó traer los planos. |

**2** **Completar** Vas a ver una película en el cine y tienes que tener en cuenta algunas reglas. Complétalas con frases impersonales con **se**.

**Las reglas del cine son:**

1. _____ (pedir) guardar silencio.

2. _____ (deber) ser puntual.

3. _____ (exigir) apagar los teléfonos celulares.

4. No _____ (poder) cambiar de asiento.

5. No _____ (permitir) comer en la sala.

6. _____ (prohibir) hablar durante la película.

**3** **Accidentes**

**A.** Describe qué sucedió en cada situación. Usa **se** y el verbo entre paréntesis.

**Modelo**   **No encuentro las llaves por ningún lado. (perder)**
   Se me perdieron las llaves.

1. Dejamos los pinceles en casa. (quedar)
2. Un virus atacó la computadora que compré hace poco. (dañar)
3. Después de pagar todas las deudas, Julián y Pati no tenían más dinero en la cuenta. (acabar)
4. Tienes varias ideas buenas para tu nueva exposición. (ocurrir)
5. Tony no recuerda dónde puso los bocetos que llevaba para la reunión. (perder)
6. Iba con demasiada prisa y tropecé (*tripped*). Ahora los papeles están por todo el suelo. (caer)
7. No pensamos que la maqueta estuviera en peligro encima de esa mesa. (romper)
8. Carlos y Emilia dijeron que traerían las fotos de sus últimas vacaciones, pero no las tienen. (olvidar)

**B.** Usando las oraciones anteriores como modelo, describe tres situaciones que te hayan pasado a ti o a alguien que conoces.

# Comunicación

**4** **Clase de pintura** Marcos y Marta van a un curso de pintura, y les cuentan a sus padres qué se hace en la clase. En parejas, describan lo que se hace usando construcciones con **se** y las notas de Marcos y Marta.

| | |
|---|---|
| Aprender a... | Hablar con... |
| Exponer en... | Crear... |
| Estudiar... | Usar... |
| Hacer... | Practicar... |
| Observar... | Diseñar... |

**5** **Oraciones** En parejas, imaginen que son dueños de un museo y van a hablar con sus empleados sobre algunas decisiones que se han tomado. Formen oraciones con los elementos de la lista e inventen otros.

| | |
|---|---|
| contratar | el dinero |
| exigir | un comisario |
| no se puede | nuevos/as empleados/as |
| se decidió | para el puesto |
| se despidió | para los sueldos |
| se entrevistaron | creativos/as |
| se me acabó | tres estudiantes |

**6** **Carteles** En parejas, imaginen qué otras cosas se hacen en el lugar donde se encuentra cada cartel. Escriban oraciones usando **se**. Luego, la clase tiene que adivinar qué lugar están describiendo.

**Modelo**
—Se prestan libros. Se estudia y se consultan diccionarios. Se pide y se da información para hacer investigaciones.
—Es la biblioteca.

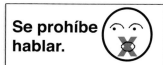
**Se prohíbe hablar.**

**Se venden insectos.**

Se leen las manos.

**Se necesitan estudiantes de español.**

Solo se habla guaraní.

### Los patios andaluces

En el sur de España el paraíso terrenal tiene la forma de un patio andaluz. Su diseño mezcla° la tradición musulmana con la romana: árboles frutales y flores perfumadas crecen° alrededor de fuentes de agua, entre cerámicas azules y muros blancos que dan claridad y frescor. Estos jardines son herencia de Al-Ándalus, como llamaron los árabes a la península ibérica.

### Las tapas y los pinchos

La tradición española de "salir de tapas" consiste en visitar bares para comer y compartir deliciosas comidas típicas, como la tortilla de patatas, las croquetas, el queso manchego, el jamón serrano, las gambas al ajillo o las patatas bravas. En el País Vasco, al norte de España, las tapas se llaman pinchos, porque se utilizan palillos° para sostener los ingredientes; son porciones más pequeñas y se comen con los dedos.

mezcla *mixes* crecen *grow* palillos *toothpicks* peregrina *make a pilgrimage*
sepultado *buried* conchas *shells* flechas *arrows* peregrino *pilgrim, traveler*
hormigón *concrete* acero *steel* vidrio *glass*

### El Camino de Santiago

Desde hace más de mil años, gente de todo el mundo peregrina° a Santiago de Compostela, en Galicia, donde, según la tradición cristiana, está sepultado° el apóstol Santiago. Todavía hoy se viaja durante días a pie o en bicicleta por rutas como el Camino Francés o la Vía de la Plata. Las conchas° (símbolo del Camino) y las flechas° amarillas marcan la dirección. Hay que tener la Credencial del peregrino° para dormir en los albergues y saludar diciendo: ¡Buen camino!

### La Ciudad de las Artes y las Ciencias

Además de ser un complejo científico y cultural, la Ciudad de las Artes y las Ciencias de Valencia es un icono de la arquitectura. El arquitecto Santiago Calatrava buscó belleza, luz y movimiento con materiales como el hormigón° blanco, el acero°, el vidrio° y el *trencadís* (la elaboración de mosaicos a partir de fragmentos cerámicos). Los diseños de sus edificios tienen formas humanas y animales.

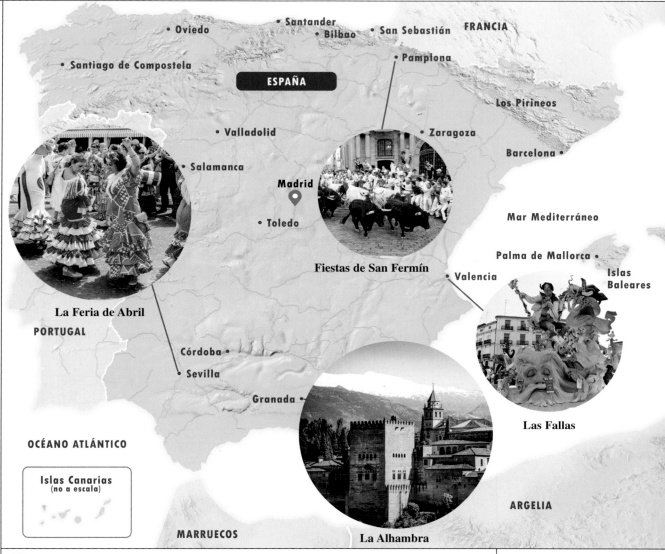

Oviedo • Santander • Bilbao • San Sebastián   **FRANCIA**

• Pamplona

• Santiago de Compostela

**ESPAÑA**

Los Pirineos

• Valladolid

• Zaragoza

Barcelona •

• Salamanca

**Madrid**

Mar Mediterráneo

• Toledo

Palma de Mallorca •

**Fiestas de San Fermín**

Islas Baleares

• Valencia

**La Feria de Abril**

**PORTUGAL**

Córdoba •

• Sevilla

Granada •

**Las Fallas**

**OCÉANO ATLÁNTICO**

**Islas Canarias**
(no a escala)

**ARGELIA**

**MARRUECOS**   **La Alhambra**

**1** **Perspectivas** En parejas, contesten las preguntas.

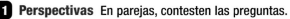

1. ¿Cuál es el lugar central de la casa donde vives? ¿Por qué?

2. ¿Cómo son los jardines y otras zonas comunes exteriores en tu región? ¿Cómo se comparan con los patios andaluces?

3. ¿Es común para ti compartir platos cuando sales con tus amigos o tu familia? Explica.

4. Si viajaras a España, ¿preferirías comer un menú en un restaurante o "salir de tapas"? ¿Por qué? ¿Qué tapa te gustaría probar?

5. ¿Hay algún evento o sendero en tu país similar a la peregrinación del Camino de Santiago? ¿En qué consiste? Compáralos.

6. ¿Cuáles crees que son los motivos por los que tantas personas recorren el Camino de Santiago? ¿Te gustaría recorrerlo? Explica.

7. ¿Qué impresión te causa la Ciudad de las Artes y las Ciencias?

8. ¿Cómo son los edificios de los complejos culturales en tu ciudad?

Practice more at
**vhlcentral.com.**

# Entrevista a un artista  Audio

En el audio "Entrevista al pintor Antonio López", el artista habla sobre cómo la pintura representa varios temas. Antonio López es un pintor y escultor español conocido por retratar objetos y ambientes cotidianos.

## Antes de escuchar

**1** **Activar el conocimiento previo** En grupos pequeños, hablen sobre la pintura y los pintores que conocen. ¿Cuáles son algunos de los pintores que les vienen a la mente? ¿Qué temas representan en sus obras? ¿Conocen el trabajo del pintor Antonio López o de otro/a pintor(a) contemporáneo/a?

## Mientras escuchas

**2** **Estrategia: Resumir** Mientras escuchas el audio, piensa en los puntos que el pintor Antonio López destaca (*emphasizes*). Haz una lista de las ideas importantes.

**3** **Escucha una vez** Escucha el audio y concéntrate en el vocabulario nuevo. Anota palabras que no conozcas.

**4** **Escucha de nuevo** Ahora, vuelve a escuchar el audio y completa tu lista inicial. Trata de descifrar el significado de las palabras nuevas.

## Después de escuchar

**5** **Comprensión e interpretación** En parejas, contesten las preguntas.

1. ¿Por qué elige Antonio López pintar la vida cotidiana?
2. ¿Qué objeto menciona el entrevistador como ejemplo de algo realista y cotidiano que no se había pintado antes en un cuadro?
3. ¿Qué cambio artístico sucedió en el siglo XIX, según el pintor?
4. ¿Por qué crees que Antonio López dice que no siempre "pintas las cosas que amas"?
5. ¿Cómo define el pintor lo que es "atrayente" para representar en su obra?

**6** **Discusión** En grupos de cuatro, comenten qué les ha sorprendido de lo que explica el pintor en el audio. Guíense por las preguntas.

1. ¿Qué opinan sobre la afirmación de Antonio López de que todo arte es realista en cierto modo? ¿Por qué?
2. Según el audio, el pintor Antoni Tàpies decía que él era "el más realista de todos". Investiguen sobre la obra de Tàpies y comenten la cita.
3. ¿Qué les interesa más ver representado en el arte, lo excepcional y elevado o lo habitual y cotidiano? Expliquen.
4. ¿Por qué creen que algunos artistas representan en sus obras lo "terrible"?

## SOBRE LA AUTORA

**Fátima Uribarri** nació en Madrid, España, en 1965. Licenciada en periodismo por la Universidad Complutense de Madrid, comenzó su trayectoria profesional en la revista *Cambio 16*. Fue jefa de Cultura de la revista *Época* y responsable de la sección "Un libro al día" del diario *La Gaceta de los Negocios*. Actualmente, es responsable de la sección "Conocer" de la revista *XLSemanal*.

| Vocabulario de la lectura | | Vocabulario útil | |
|---|---|---|---|
| la bombilla | *light bulb* | el caos | *chaos* |
| el caballo/la yegua | *horse/mare* | de frente | *facing forward* |
| concienciar (sobre) | *to raise awareness (of)* | de perfil | *from the side* |
| el/la enemigo/a | *enemy* | el dolor | *pain* |
| la entrega | *delivery* | encargar | *to commission* |
| la herida | *wound* | la masacre | *massacre* |
| el recurso | *resource* | matar | *to kill* |
| el vestíbulo | *lobby* | el sufrimiento | *suffering* |

**1 Vocabulario** Indica qué palabra corresponde a cada definición.

1. Objeto de cristal que produce luz: _____
2. Pedir u ordenar a una persona que realice un trabajo: _____
3. Hembra (*Female*) del caballo: _____
4. Sala de un edificio cercana a la puerta principal de entrada: _____
5. Matanza de personas producida por un ataque: _____
6. Sensación física desagradable o sentimiento de tristeza: _____

**2 ¿Para qué sirve el arte?** En grupos de tres, discutan sobre estas preguntas.

1. ¿Por qué creen que el ser humano crea arte?
2. ¿Qué diferentes funciones puede tener el arte?
3. ¿Creen que el arte puede utilizarse como arma? ¿Cómo?
4. ¿Qué ejemplos de obras de arte de protesta conocen?

**3 Picasso** En parejas, contesten las preguntas. Después, investiguen sobre Picasso y comprueben sus respuestas.

- ¿Quién fue Picasso? ¿Dónde nació? ¿Cuándo?
- ¿De qué estilo o estilos son sus obras? ¿Qué obras conoces de él?
- ¿Hay alguno de sus trabajos en algún museo de tu país? ¿Dónde?

Practice more at vhlcentral.com.

# ¿Por qué nos fascina el GUERNICA?

## Fátima Uribarri

DESPUÉS DE 80 AÑOS, LA OBRA DE PICASSO sigue siendo un icono universal: personalidades vinculadas con° el mundo del arte nos ofrecen un paseo exclusivo por el cuadro y nos muestran los detalles que para ellos lo hacen único.

Un grupo de españoles con Josep Lluís Sert, Max Aub y José Bergamín a la cabeza fue a pedirle que creara un gran lienzo para el vestíbulo del pabellón español en la Exposición Internacional de París. Tenía que estar listo en primavera y debía ser un mural que ayudara a concienciar sobre la Guerra Civil Española.

Estuvo varios meses haciendo bocetos en los que aparecían elementos habituales en su obra: la mujer, el toro… Pero no arrancaba°. No fueron días fáciles para Picasso. Le llegaban noticias de la guerra en España. Estaba preocupado por sus amigos de Málaga (la ciudad había caído en manos nacionales en febrero), le angustiaba° pensar en su madre y su hermana, que vivían en Barcelona.

Cuando el 28 de abril leyó en *L'Humanité* que miles de bombas (fueron 1.300 kilos) lanzadas° por los aviones de la Legión Cóndor habían arrasado° dos días antes Guernica y vio las fotografías de la ciudad tras el ataque, algo se disparó° en él. Supo por fin lo que iba a pintar.

Quedaban apenas dos meses para la entrega. Se puso en marcha°.

> **"** Cuando vio las fotografías de la ciudad tras el ataque, algo se disparó en él. Supo por fin lo que iba a pintar. **"**

### Manuela Mena: jefa de Conservación de Pintura del Siglo XVIII y Goya del Museo del Prado

"La estructura del cuadro está sometida° a unas matemáticas purísimas", dice Manuela Mena. La mano abierta es uno de sus detalles favoritos. "Por ahí entramos a todo el cuadro. Me emociona pensar que Picasso se inspiró en las fotografías que se publicaron tras el bombardeo de Guernica. En algunas se veía un guante como de motorista en el suelo, entre polvo° y cascotes°. Es posible que Picasso utilizara ese recurso —explica—. Es una mano muy expresiva. La palma de la mano es un arquetipo en la mente humana. En sus rayas° está el destino. Picasso muestra estas líneas en primer término y muy marcadas. Es el destino de un país quebrado°, roto por la violencia de la guerra."

En esta zona del cuadro hay mucha fuerza. "Está el toro, que alude a España. Y hay referencias de las que duelen, como la madre con el niño muerto en brazos."

"Me gusta mucho que decidiera no incluir el color. No ves cómo salta la sangre o una cosa tipo *gore*, sino que Picasso racionaliza el horror para que tenga un sentido universal y eterno." Por supuesto, no puede dejar de mencionar a Goya (es una gran experta): "Picasso ha enfriado° el horror como hizo Goya con *Los fusilamientos del 3 de mayo*." Y también habla del Museo del Prado. "Picasso quería que el *Guernica* estuviera en el Prado", proclama rotunda.

### Manuel Borja-Villel: director del Museo Nacional Centro de Arte Reina Sofía

"Los cuadros históricos acaban teniendo algo de narcisismo y un componente de vencedores y vencidos°", dice.

El *Guernica* es distinto: "Aquí, la guerra es terrible para todos. No hay vencedores y vencidos. Es un 'antimonumento'. En 1937, Picasso está viviendo un mundo nuevo. Ha cambiado el contexto político y social, aparecen los fascismos y hay nuevos lenguajes y un novedoso° tipo de violencia abstracta. Picasso intenta retratar eso", explica. Le fascina la bombilla. "Al principio, Picasso pinta un sol podrido°. Se ve en las fotografías de Dora Maar y en los bocetos preparatorios. El hecho de que acabe pintando un quinqué° y una bombilla eléctrica habla de un bombardeo nocturno, con lo que refleja la desprotección de la gente. Así nos transmite que es una guerra moderna, abstracta, en la que no ves al enemigo. La bombilla es el progreso y al mismo tiempo es como una explosión." Hay dos luces, la otra es la de un quinqué. "En el centro está el quinqué, que es la luz de la razón. Se encuentra en una zona importante del cuadro, cerca de la lengua del caballo, que es como una flecha°, otro detalle significativo."

### Cristina Iglesias: escultora y grabadora. Premio Nacional de Artes Plásticas

"Todo el cuadro es una superposición de fragmentos, de medios cuerpos, bocas, luces, lámparas, cabezas. Es una manera muy efectista° de construir un cuadro y permite una lectura abierta. Me fascina la multiplicidad de puntos de vista", dice. Un elemento muy especial para ella es el cuerpo del caballo. "Cuanto más lo miro, más lo identifico como yegua. Tiene una hendidura°, en realidad tiene dos: una parece que representa la herida, pero también una entrada y un ojo. La otra es el sexo de la yegua. Los planos superpuestos que conforman el cuerpo tienen esas rayitas que son como escisiones°, a mí siempre me han parecido líneas de un texto. También el que todo el cuadro sea blanco, negro y gris te hace ver ese cuerpo como páginas que se superponen. Todo es muy simbólico. En ese momento cubista, todavía hay mucha imagen reconocible. Quizá por eso me interesa tanto ese cuerpo que es más abstracto." ■

| | |
|---|---|
| **vinculadas con** *tied to* | **quebrado** *fractured* |
| **no arrancaba** *he couldn't get started* | **enfriado** *captured* |
| **le angustiaba** *it distressed him* | **vencedores y vencidos** *winners* |
| **lanzadas** *launched* | *and losers* |
| **arrasado** *destroyed* | **novedoso** *original* |
| **se disparó** *was triggered* | **podrido** *rotten* |
| **Se puso en marcha.** *He got to work.* | **quinqué** *oil lamp* |
| **sometida** *subjected* | **flecha** *arrow* |
| **polvo** *dust* | **efectista** *dramatic* |
| **cascotes** *rubble* | **hendidura** *crack* |
| **rayas** *lines* | **escisiones** *cuts* |

**1  Comprensión** Contesta las preguntas.

1. ¿Cuál era la función del lienzo que se le encargó a Picasso?
2. ¿Dónde se iba a exponer el lienzo?
3. ¿Por qué estaba preocupado Picasso por sus amigos de Málaga?
4. ¿Cuándo supo Picasso lo que iba a pintar en el lienzo?
5. ¿Con qué otra pintura compara Manuela Mena el *Guernica*?
6. ¿Por qué dice Manuel Borja-Villel que el *Guernica* es un "antimonumento"?

**2  Elementos** En parejas, completen la tabla sobre los elementos del cuadro comentados en el artículo. ¿Qué elemento les parece más interesante? ¿Por qué?

| Elementos | ¿Quién lo menciona? | ¿Qué menciona? | ¿Qué piensan ustedes? |
|---|---|---|---|
| La mano | | | |
| El toro | | | |
| La madre | | | |
| La bombilla | | | |
| El caballo | | | |

**3  Investigar** En grupos de tres, especulen sobre estas preguntas. Después, busquen la información. y comprueben sus respuestas

1. Josep Lluís Sert, Max Aub y José Bergamín hicieron el encargo del lienzo a Picasso. ¿Quiénes eran estas personas?
2. ¿Dónde vivía Picasso cuando le encargaron el cuadro? ¿Por qué?
3. ¿Quién bombardeó la ciudad de Guernica? ¿Cuál era el objetivo?
4. El artículo menciona que Dora Maar hizo fotografías del proceso de creación del cuadro. ¿Quién fue Dora Maar? ¿Qué relación tuvo con Picasso?
5. Manuela Mena dice: "Picasso quería que el *Guernica* estuviera en el Prado." ¿Dónde está el cuadro ahora? ¿En qué otros lugares estuvo el *Guernica*?
6. ¿Qué dimensiones tiene el cuadro?

**4  Arte de protesta** En grupos de cuatro, imaginen que una organización les encarga una obra de arte con el fin de protestar contra una injusticia en su país. Decidan cuál va a ser el tema de su cuadro, qué estilo es más adecuado para representar el tema, dónde lo van a exponer, etc. Creen un boceto de su obra. Después, presenten su plan y el boceto ante la clase.

| Vocabulario de la lectura | | Vocabulario útil | |
|---|---|---|---|
| **arquitectónico/a** | architectural | **el acero** | steel |
| **el azulejo** | tile | **decorativo/a** | decorative |
| **la burguesía** | middle-class | **la estética** | esthetics |
| **la cúpula** | dome | **el hierro** | iron |
| **el ladrillo** | brick | **el motivo** | motif |
| **el mobiliario** | furniture | **la obra maestra** | masterpiece |
| **el patrón** | pattern | **el ornamento** | ornament |
| **el recinto** | facility | **el vidrio** | glass |

**1** **Vocabulario** Selecciona la palabra correcta.

### EL MODERNISMO

El modernismo es una corriente artística de finales del siglo XIX. En arquitectura, este movimiento quería destacar la belleza y la (1) burguesía / estética de los edificios. Por eso, la decoración y los (2) ornamentos / recintos tienen un papel fundamental. Por ejemplo, las flores son uno de los (3) mobiliarios / motivos más comunes en la arquitectura modernista. Frente al estilo industrial, que utilizaba principalmente el hierro, el modernismo introdujo nuevos materiales, como el (4) acero / patrón y el (5) decorativo / vidrio. La Sagrada Familia es una de las obras (6) cúpulas / maestras del modernismo.

**2** **De visita** En parejas, contesten las preguntas.

1. ¿Prestas atención a la arquitectura cuando visitas un nuevo lugar? ¿Por qué?
2. ¿Recuerdas alguna ciudad que te haya llamado la atención por su arquitectura?
3. ¿Qué estilo arquitectónico te atrae más? ¿Por qué?
4. ¿Cuál es el edificio que más te gusta de tu ciudad? Descríbelo.

**3** **Estilos arquitectónicos** En grupos de tres, observen las fotografías y conversen sobre los edificios. ¿En qué ciudad(es) creen que se encuentran? ¿Cuándo piensan que fueron construidos? ¿Cómo son sus diseños y sus formas?

# Barcelona, la ciudad modernista

Barcelona es una ciudad cosmopolita y ecléctica, la segunda más grande de España y una de las más visitadas de Europa. La ciudad ha construido su personalidad a través de la huella° que han dejado diferentes épocas y de la convivencia armoniosa de sus diferentes estilos arquitectónicos. Pasear por sus calles da la posibilidad de encontrar desde restos romanos milenarios hasta imponentes construcciones medievales. Pero si hay un estilo por el que la ciudad es reconocida y admirada, este es el modernismo.

*trace*

El modernismo como corriente arquitectónica surgió a finales del siglo XIX con la intención de romper con los estilos imperantes° de la época. Buscaba crear un estilo renovado y libre. También representaba nuevos valores y nuevos modos de vida. La Revolución Industrial había hecho posibles numerosos avances y las ciudades experimentaban un gran crecimiento°. En este contexto, sin embargo, el modernismo rechazó° el estilo industrial y se presentó como un movimiento que exaltaba la belleza y usaba nuevos materiales y diseños. En él predominaban los elementos naturales, los patrones orgánicos, las líneas curvas y la asimetría.

*prevailing*

*growth*
*rejected*

La arquitectura modernista se expandió por diferentes ciudades europeas y latinoamericanas, pero en Cataluña, y especialmente en Barcelona, adquirió una personalidad propia. En esta época, la ciudad estaba experimentando una gran transformación. Las

30

murallas° que rodeaban la antigua ciudad habían sido derribadas° y se empezaban a urbanizar nuevos terrenos°, dando lugar al distrito del Eixample°. En 1888, se celebró la Exposición Universal, la cual supuso la rehabilitación de algunas zonas y la mejora de las insfraestructuras. Estaba naciendo una nueva burguesía con ansias° de cambio y de renovación cultural. Esta burguesía vio en la arquitectura una gran oportunidad de modernizarse, expresar su identidad y manifestar su distinción.

35

*walls / demolished*

*lands / Catalan for*
***Ensanche** (Expansion)*

*yearning*

## De ruta

El modernismo fue desarrollado en Barcelona por decenas de arquitectos, pero sin duda hay tres nombres que destacan como sus máximos exponentes: Antoni Gaudí, Lluís Domènech i Montaner y Josep Puig i Cadafalch. Entre ellos, Gaudí es el máximo representante. Su figura es conocida internacionalmente y siete de sus obras están declaradas Patrimonio de la Humanidad.

El modernismo se respira en innumerables rincones de Barcelona. El distrito del *Eixample*, conocido también como el *Quadrat d'Or*° es la zona que concentra la mayor parte de edificios modernistas. En una ruta que se precie° no puede faltar una visita a estas construcciones:

- *Illa de la Discòrdia*° En este tramo° del Paseo de Gracia se encuentran tres edificios extraordinarios obra de los tres arquitectos más representativos. Este bloque recibe su nombre por la supuesta rivalidad entre los tres arquitectos así como por el deseo de cada propietario de tener la casa más bella. La Casa Batlló (Antoni Gaudí) impresiona por sus sinuosas formas, sus columnas de inspiración ósea°, sus balcones que recuerdan a antifaces°, y su fachada de *trencadís*. Justo a su lado se encuentra la Casa Amatller (Josep Puig i Cadafalch), reconocible por su fachada plana de azulejos cerámicos y su parte superior escalonada. Cerca, se encuentra la Casa Lleó Morera (Lluís Domènech i Montaner), un distinguido palacete en el que destacan sus balcones y su cúpula. 📹

- *Casa Milà* (Antoni Gaudí) También es conocida como *La Pedrera*° debido a su exterior, realizado casi totalmente en piedra, excepto por su parte superior, que está cubierta por azulejos blancos. Este diseño, junto a sus formas ondulantes, recuerda al oleaje° marino o a una montaña nevada. También destacan sus chimeneas con apariencia de cabezas de guerreros cubiertas por yelmos°.

- *Casa de les Punxes*° (Josep Puig i Cadafalch) Su exterior recuerda a un castillo medieval, con elementos inspirados en la arquitectura gótica. Su fachada es de ladrillo y el edificio destaca por sus torres cónicas. Sus decoraciones en piedra con elementos florales y vegetales son plenamente modernistas.

- *Palau*° *de la Música Catalana* (Lluís Domènech i Montaner) Nació como sede del *Orfeó Català*°, y hoy sigue dedicado a la música y a otros actos sociales y culturales. Su interior destaca por sus vidrieras policromadas y su gran claraboya° central. Su fachada es reconocida por su combinación de ladrillo con mosaicos florales y esculturas con referencias al mundo de la música.

- *Recinte*° *Modernista de Sant Pau* (Lluís Domènech i Montaner) Fue construido como conjunto de hospitales, o más bien como una ciudad-jardín para los enfermos. Los motivos florales están presentes en todo el recinto. Hoy en día es un campus de investigación y sede de diversos organismos internacionales. 📹

- *Park Güell* (Antoni Gaudí) Fue ideado como zona residencial, pero más tarde se convirtió en un parque donde se fusionan naturaleza y arquitectura. Las formas sinuosas y el *trencadís*, están presentes en todo el parque.

- *Sagrada Família* (Antoni Gaudí) Es la obra cumbre de Gaudí y uno de los monumentos más visitados de Europa. Gaudí proyectó tres fachadas y 18 torres, con la idea de que el templo fuera visible desde cualquier parte de Barcelona. Para su interior, ideó el uso de columnas en forma de tronco de árbol, lo que convierte el interior del templo en una especie de bosque de piedra. Gaudí murió en 1926, cuando esta aún no estaba acabada. ■📹

**Márgenes izquierdos:**

*Catalan for* **Cuadrado de Oro**

*worth its name*

*Catalan for* **Manzana de la Discordia** *(Block of Discord) / section*

*from bones / eye masks*

*Catalan for* **Cantera** *(Quarry)*

*waves*

*helmets*

*Catalan for* **Casa de los Pinchos** *(House of Spikes)*

*Catalan for* **Palacio**

*Catalan for* **Orfeón Catalán** *(Catalan Choir)*

*skylight*

*Catalan for* **Recinto**

---

**NOTA CULTURAL**

El *trencadís* es un término catalán que podría traducirse como "quebradizo" (*brittle*). Como ya sabes, el *trencadís* es una técnica de aplicación del mosaico que utiliza pequeños fragmentos irregulares de azulejos. Fue creado por Gaudí y se encuentra ampliamente presente en sus obras. El *trencadís* le permitía utilizar cerámica de manera flexible, incluso en superficies redondeadas.

Watch related video at vhlcentral.com.

**1 Comprensión** Elige la opción correcta.

1. Barcelona es la ____ de España.
   a. ciudad más grande  b. segunda ciudad más grande  c. ciudad más pequeña

2. El modernismo ____ el estilo industrial.
   a. se inspira en        b. imita                    c. rechaza

3. La zona que concentra la mayor parte de edificios modernistas en Barcelona es ____.
   a. el *Quadrat d'Or*    b. la *Illa de la Discòrdia*        c. el *Park Güell*

4. La *Casa* ____ forma parte de la *Illa de la Discòrdia*.
   a. *Milà*              b. *Batlló*                 c. *de les Punxes*

5. El *Recinte Modernista de Sant Pau* era originalmente un ____.
   a. orfeón             b. parque                  c. hospital

**2 Reflexión** En parejas, discutan estas preguntas.

1. ¿Qué importancia creen que tiene la arquitectura en la popularidad de Barcelona? ¿Conocen otros de sus atractivos?

2. ¿Cuáles son las ciudades más visitadas de su país? ¿En qué se parecen sus atractivos a los de Barcelona? ¿En qué se diferencian?

3. Gaudí dijo: "La originalidad consiste en el retorno al origen." ¿Qué significa? ¿Cómo lo manifestó en sus obras?

4. ¿Qué piensan que es lo más común entre artistas contemporáneos: la rivalidad o la colaboración? Pongan ejemplos.

5. Si tuvieran que elegir un(a) arquitecto/a representativo/a de su país, ¿quién sería? ¿Cuáles son algunas de sus obras?

6. ¿Cuáles son las construcciones más antiguas que existen en su ciudad? ¿Cuáles son los edificios históricos más representativos de su país?

**3 Naturaleza** Completa la tabla con referencias a elementos naturales que se encuentran en la arquitectura modernista de Barcelona. Añade las filas que necesites.

| OBRA | ELEMENTOS NATURALES |
|------|---------------------|
| *Casa Batlló* | Columnas con forma ósea |
|  |  |

**4 Barcelona ecléctica** En grupos de cuatro, investiguen sobre otros estilos arquitectónicos de Barcelona. Elijan uno y creen una guía informativa.

- Escriban una introducción que mencione la época, los elementos y los representantes principales del estilo arquitectónico.

- Describan las obras principales e incluyan fotos y videos.

- Añadan información útil. Busquen en Internet o consignen una dirección de correo electrónico o teléfono donde contactar. ¿Se pueden visitar estos edificios? ¿Es la entrada gratuita? ¿Cuáles son sus horarios?

Practice more at vhlcentral.com.

## SOBRE EL AUTOR

**R**ubén Darío (1867-1916) fue un poeta, periodista y diplomático nicaragüense. Fue el máximo representante y precursor del modernismo literario en español. Comenzó a escribir a una edad muy temprana. A los 13 años, ya había publicado algunos de sus poemas. Viajó por toda Latinoamérica, España y Francia, países en los que ocupó diferentes cargos diplomáticos y periodísticos. De sus obras, destacan *Azul* (1888), *Prosas profanas y otros poemas* (1896) y *Cantos de vida y esperanza* (1905), donde aparece el poema "A Goya".

### NOTA CULTURAL

Rubén Darío escribió el poema "A Goya" en honor al pintor español Francisco de Goya (1746-1828). Los cuadros al óleo de Goya se consideran los máximos exponentes del romanticismo español, aunque su extensa obra, de más de 2.000 pinturas, también abarca otros estilos como el rococó o el neoclasicismo. De este último estilo destaca *La maja desnuda*. Entre 1819 y 1823, aparece su obra cumbre: *Pinturas negras*, una serie de catorce obras murales al óleo de gran innovación para la época. Estas obras, a las que Darío alude en su poema, "A Goya", se caracterizan por la ausencia de luz, lo grotesco y la muerte.

| Vocabulario de la lectura | | Vocabulario útil | |
|---|---|---|---|
| **asombrar** | *to amaze* | **la estrofa** | *stanza* |
| **brillar** | *to shine* | **el hallazgo** | *discovery* |
| **el diablo** | *devil* | **la obra cumbre** | *crowning work* |
| **hechizar** | *to cast a spell* | **el rechazo** | *rejection* |
| **el ingenio** | *ingenuity* | **las tinieblas** | *darkness* |
| **la musa** | *muse* | **el verso** | *verse* |
| **la paleta** | *palette* | | |
| **la sombra** | *shadow, shade* | | |

**1 Vocabulario** Completa la conversación.

**CAMILA** Hola, Víctor, ¿cómo llevas el poema?

**VÍCTOR** Pues la verdad es que todavía no he escrito ni el primer (1) _____. Hoy no me han visitado las (2) _____. ¿Y tú? ¿Cómo llevas tu obra (3) _____?

**CAMILA** Ja, ja, ja, ¡solo estoy aprendiendo! Ahora mismo estoy trabajando en mi (4) _____ de colores.

**VÍCTOR** Sé que va a ser una obra maestra. Siempre me (5) _____ tus trabajos.

**CAMILA** Gracias, Víctor, lo mismo digo de tus poemas. Solo tienes que salir de las (6) _____ y comenzar a escribir.

**2 Arte** En grupos de tres, completen la actividad.

- Comenten qué tienen en común la poesía y la pintura.
- Expliquen qué les parece más importante en una obra de arte o una obra literaria: ¿la forma o el contenido?
- Describan la obra de Goya *3 de mayo de 1808 en Madrid*, que aparece en la siguiente página.

# A Goya

## Rubén Darío

### XXVIII

Poderoso visionario,
raro ingenio temerario°,
por ti enciendo mi incensario°.

Por ti, cuya gran paleta,
caprichosa, brusca°, inquieta°,
debe amar todo poeta;

por tus lóbregas° visiones,
tus blancas irradiaciones,
tus negros y bermellones°;

por tus colores dantescos,
por tus majos¹ pintorescos,
y las glorias de tus frescos.

Porque entra en tu gran tesoro
el diestro° que mata al toro,
la niña de rizos° de oro,

y con el bravo torero,
el infante°, el caballero,
la mantilla° y el pandero°.

Tu loca mano dibuja
la silueta de la bruja°
que en la sombra se arrebuja°,

y aprende una abracadabra
del diablo patas de cabra
que hace una mueca° macabra.

Musa soberbia y confusa,
ángel, espectro, medusa.
Tal aparece tu musa.

Tu pincel asombra, hechiza,
ya en sus claros electriza,
ya en sus sombras sinfoniza;

*reckless*

*incense-burner*

*abrupt / restless*

*gloomy*

*reds*

*bullfighter*

*curls*

*prince*

*shawl / tambourine*

*witch*

*wraps herself up*

*grimace*

**Tu pincel asombra, hechiza,
ya en sus claros electriza,
ya en sus sombras sinfoniza;**

con las manolas² amables,
los reyes, los miserables,
o los cristos lamentables.

En tu claroscuro brilla
la luz muerta y amarilla                                    35
*nightmare*  de la horrenda pesadilla°,

o hace encender tu pincel
los rojos labios de miel
*carnation*  o la sangre del clavel°.

Tienen ojos asesinos                                       40
*countenance*  en sus semblantes° divinos
tus ángeles femeninos.

Tu caprichosa alegría
mezclaba la luz del día
con la noche oscura y fría:                                45

Así es de ver y admirar
*matchless*  tu misteriosa y sin par°
pintura crepuscular.

De lo que da testimonio:
por tus frescos, San Antonio;
por tus brujas, el demonio. ■

¹ La palabra *majo/a* se utilizaba en los siglos XVIII y XIX en Madrid
para referirse a una persona de las clases populares con aspecto
atractivo. Goya incluyó la imagen de los majos en varias de sus
obras. Actualmente, la palabra se utiliza en España como sinónimo
de *agradable* o *guapo/a*.
² La palabra *manolo/a* se usaba en los siglos XVIII y XIX con el
mismo significado que *majo/a*.

Practice more at
vhlcentral.com.

**1** **Comprensión e interpretación** En parejas, contesten las preguntas.

1. ¿Cómo describe el poeta al pintor? ¿Cómo describe su pintura?
2. ¿Cuál es el tono del poema?
3. ¿Cuál es el tema del poema?
4. ¿Qué imágenes aparecen en el poema? ¿A qué hacen referencia?
5. ¿Qué siente el poeta por la obra del pintor?
6. El poema fue escrito después de la muerte del pintor. ¿Por qué crees que Rubén Darío le dedicó el poema?

**2** **Métrica y rima** En parejas, completen la actividad.

1. Una estrofa es un conjunto de versos. ¿Cuántas estrofas tiene el poema "A Goya"? ¿Cuántos versos tiene cada estrofa?
2. Todos los versos del poema tienen el mismo número de sílabas. Analicen la siguiente estrofa e indiquen cuántas sílabas tiene cada verso.

> *por tus colores dantescos,*
> *por tus majos pintorescos,*
> *y las glorias de tus frescos.*

3. Las estrofas pueden seguir diferentes esquemas de rima, dependiendo de la terminación de cada sílaba, por ejemplo: *aba, abc, abb, aab* o *aaa.* ¿Qué esquema sigue "A Goya"?

 **3** **Contrastes** En grupos de tres, lean el párrafo y completen la tabla con ejemplos del poema. Luego, expliquen: ¿Qué efecto tienen las contraposiciones en el poema?.

Darío trata el tema de la dualidad en varios de sus poemas. En su autobiografía, escribió: "En el poema 'A Goya' me inclino ante el poder de aquel genial príncipe de **luces** y **tinieblas**."

| Las luces | Las tinieblas |
|---|---|
| *la niña de rizos de oro* | *el diestro que mata al toro* |

**4** **El modernismo** En parejas, lean algunas de las características de la poesía modernista y busquen referencias de cada una en el poema.

**Características de la poesía modernista**

- Rechazo de la realidad cotidiana y de lo mundano
- Expresión de los sentimientos íntimos del poeta
- Evocación a otras épocas y paisajes exóticos o idealizados
- Referencias a la mitología griega
- Predominio de lo nacional respecto a lo extranjero

**5** **Figuras retóricas** Lee la explicación y completa la actividad. Después, compara tus hallazgos con los de un(a) compañero/a.

En la poesía de Darío, y en el modernismo en general, la búsqueda de la belleza se consigue a través de la aproximación a otras artes, como la música y la pintura. La **aliteración** y la **sinestesia** son figuras retóricas que aparecen recurrentemente creando esa musicalidad y color característicos del modernismo.

1. La **aliteración** es una figura retórica que consiste en la repetición de sonidos en un verso. Observa la repetición del sonido **l** en otro poema de Darío ("Era un aire suave…"): **el ala aleve del leve abanico.** Busca ejemplos de aliteración en "A Goya".

2. La **sinestesia** es una figura retórica que consiste en la unión de dos sensaciones procedentes de diferentes sentidos; por ejemplo, el oído (*hearing*) y la vista (*sight*). Una sinestesia de otro poema de Darío ("Programa matinal") es: **¡Salve al celeste Sol sonoro!** Busca ejemplos de sinestesia en "A Goya".

3. Busca otras figuras retóricas en el poema. Puedes mirar la sección de **Literatura** de la lección 2 para recordar la definición de otras figuras.

**6** **Goya** En grupos de tres, busquen cuatro de estas obras de Goya en Internet. Después indiquen qué versos del poema podrían hacer alusión a cada una de ellas.

- *El quitasol* (1777)
- *El columpio* (1779)
- *Cristo crucificado* (1780)
- *La familia del infante don Luis de Borbón* (1784)
- *Manuel Osorio Manrique de Zúñiga* (1787-1788)
- *El sueño de la razón produce monstruos* (1799)
- *La maja vestida* (1800-1805)
- *Retrato de Isabel Porcel* (1805)
- *Bravo toro* (1825)

**7** **Escribir** Elige una de las opciones.

A. Escribe un poema dedicado a un(a) artista o a una obra de arte. Presta atención a la rima y a la métrica e intenta usar recursos literarios. Después, recita y comenta tu poema ante la clase.

B. Elige uno de estos poemas de Darío y escribe un análisis. Haz comentarios sobre su rima y métrica, su simbolismo y los recursos literarios utilizados.

- "De otoño"
- "Lo fatal"
- "Melancolía"
- "Los tres reyes magos"

Practice more at vhlcentral.com.

En esta lección has aprendido sobre el arte visual. Ahora vas a escribir un texto con consejos para visitar un museo.

# Planificar y preparar la escritura

**1** **Estrategia: Determina cómo organizar tus ideas** Piensa en una visita que hayas hecho a un museo. ¿Qué pasos aconsejarías seguir para aprovechar al máximo la visita? ¿Qué recomendaciones le darías a alguien para visitar un museo? Completa el diagrama para organizar tus ideas antes de escribir.

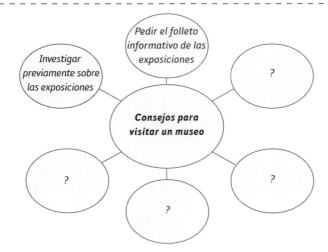

**2** **Estrategia: Desarrolla el cuerpo del texto**

- Piensa en cómo usar los datos de tu diagrama para escribir tu texto.
- Desarrolla el cuerpo del texto con la información del diagrama. Aporta más datos que la complementen y te ayuden a escribir tus consejos.

# Escribir

**3** **Tus consejos** Ahora escribe tus consejos. Utiliza la información que has reunido y sigue estos pasos.

- **Introducción:** Comienza tus consejos de manera ordenada, pensando en una visita a un museo desde la entrada a la salida.
- **Desarrollo:** Explica tus consejos. Agrega algún detalle personal útil sobre tus propias visitas a museos. Si has visitado museos en diferentes países, explica si hay diferencias.
- **Conclusión:** Resume tus observaciones y termina el texto.

# Revisar y leer

**4** **Lectura** Pídele a varios/as compañeros/as que lean tus consejos y que hagan preguntas basadas en su experiencia personal.

Practice more at
vhlcentral.com.

# Tesoros visuales

## Así lo decimos

la acuarela *watercolor*
la arcilla *clay*
el/la arquitecto/a *architect*
el arte callejero *street art*
el autorretrato *self-portrait*
las bellas artes *fine arts*
el boceto *sketch*
el bodegón *still life*
la bóveda *vault; dome*
el caballete *easel*
el cincel *chisel*
el/la comisario/a *curator*
el cortometraje *short film*
el cuadro *painting*
el encuadre *framing*
la fachada *facade*
el lienzo *canvas*
la maqueta *model, mockup*
el mármol *marble*
el/la mecenas *patron of the arts*
el montaje *film editing*
el mosaico *mosaic*
el objetivo *lens*
el óleo *oil painting*
el pilar *pillar*
el pincel *brush*
el plano *shot*
el taller *studio; workshop*
la vidriera *stained glass*

comisariar *to curate*
diseñar *to design*
enfocar *to focus*
exponer *to exhibit*
rendir (e:i) homenaje *to pay tribute*
rodar (o:ue) *to film*
tallar *to sculpt; to carve*

abstracto/a *abstract*
contemporáneo/a *contemporary*
desenfocado/a *out of focus*

## Documental

el acontecimiento *event*
el almacén *warehouse*
el bombardeo *bombing*
el cargamento *load*
el/la herido/a *wounded*
el incendio *fire*
la joya *treasure*
el legado *legacy*
el resguardo *protection*
el/la restaurador(a) *restorer*
el sótano *basement*

combatir *to fight*
embalar *to pack up*
proteger *to protect*
recuperar *to recover*
trasladar *to transfer*

cruento/a *bloody*
íntegro/a *whole*

## Artículo

la bombilla *light bulb*
el caballo/la yegua *horse/mare*
el caos *chaos*
el dolor *pain*
el/la enemigo/a *enemy*
la entrega *delivery*
la herida *wound*
la masacre *massacre*
el recurso *resource*
el sufrimiento *suffering*
el vestíbulo *lobby*

concienciar (sobre) *to raise awareness (of)*
encargar *to commission*
matar *to kill*

de frente *facing forward*
de perfil *from the side*

▬▬ ■ ▬▬

el acero *steel*
el azulejo *tile*
la burguesía *middle-class*
la cúpula *dome*
la estética *esthetics*
el hierro *iron*
el ladrillo *brick*
el mobiliario *furniture*
el motivo *motif*
la obra maestra *masterpiece*
el ornamento *ornament*
el patrón *pattern*
el recinto *facility*
el vidrio *glass*

arquitectónico/a *architectural*
decorativo/a *decorative*

## Literatura

el diablo *devil*
la estrofa *stanza*
el hallazgo *discovery*
el ingenio *ingenuity*
la musa *muse*
la obra cumbre *crowning work*
la paleta *palette*
el rechazo *rejection*
la sombra *shadow, shade*
las tinieblas *darkness*
el verso *verse*

asombrar *to amaze*
brillar *to shine*
hechizar *to cast a spell*

## Ahora yo puedo...

- entender la idea principal e información clave de textos orales y escritos sobre las artes visuales.
- intercambiar ideas sobre el concepto de arte y los diferentes tipos de arte.
- presentar una propuesta para una obra de arte de protesta.
- comparar cómo las tradiciones y los eventos tienen una influencia en el arte, y viceversa, en mi cultura y otras.
- tener en cuenta el contexto histórico y cultural de los países hispanos cuando hablo sobre el arte o visito museos.

# En escena

### PARAGUAY Y URUGUAY

PARAGUAY

URUGUAY

## LESSON OBJECTIVES
### You will learn how to…

- understand key information in spoken and written contexts related to the performing arts.

- participate in conversations to compare performances in your community with those of Spanish-speaking countries.

- give a presentation on a poster about a carnival in the Spanish-speaking world.

- compare practices and perspectives about cultural events in your own and other cultures.

- recognize that a country's economy may influence its performing arts.

## El teatro

Fernando es actor de teatro. Después de varias **audiciones**, por fin consiguió un **papel** como **protagonista**. **Interpreta** a un hombre que recibe noticias familiares inesperadas. La crítica está valorando muy positivamente la obra, especialmente por su **elenco**. Todos los actores y actrices actúan extraordinariamente.

**actuar** *to act, to perform*

**la audición** *audition*

**el decorado** *scenery*

**el/la dramaturgo/a** *playwright*

**el elenco** *cast*

**ensayar** *to rehearse*

**el escenario** *stage*

**el guion** *script*

**interpretar** *to play (a role)*

**el miedo escénico** *stage fright*

**el musical** *musical*

**el papel** *role*

**el/la protagonista** *leading role, protagonist*

**la puesta en escena** *staging*

**la taquilla** *box office*

## La danza

El flamenco es un baile lleno de sentimiento y pasión. Es muy espontáneo y no existen unos pasos o **coreografía** estrictos. Los movimientos de brazos y manos, así como los **giros**, son algunos de sus elementos característicos. Se suele bailar al **son** de la guitarra, el cajón y las **palmas**.

**el/la bailarín/bailarina** *dancer*

**dar palmas** *to clap*

**el compás** *beat*

**la coreografía** *choreography*

**el giro** *spin*

**las palmas** *clapping*

**el son** *sound, pace*

**el tablado** *dance stage*

## El circo

Hacía años que Carolina no iba al circo. Ayer fue a ver un espectáculo con sus amigos y quedó impresionada al ver los **saltos** y las **acrobacias** de los **trapecistas**. Lo que más le impactó fue verlos caminar por la **cuerda floja**. Durante esos minutos, todo el público estuvo en silencio total y sin apartar la mirada de la **pista**.

**la acrobacia** *acrobatics*

**las artes circenses** *circus arts*

**la cuerda floja** *tightrope*

**los malabares** *juggling*

**el/la mimo** *mime*

**la pista** *ring*

**saltar** *to jump*

**el/la trapecista** *trapeze artist*

## El carnaval

El carnaval es una fiesta que se celebra en muchos países. El de Uruguay es muy famoso y se considera el más largo del mundo. Una de sus expresiones más populares son los grupos conocidos como murgas. Sus integrantes **se disfrazan** con **coloridos** trajes, se ponen **pelucas** y **maquillaje** muy **llamativos** y presentan sus actuaciones en los tablados.

**el antifaz** *eye mask*

**la carroza** *float*

**colorido/a** *colorful*

**disfrazarse (de)** *to dress up (as)*

**llamativo/a** *flashy*

**el maquillaje** *makeup*

**la máscara** *mask*

**la peluca** *wig*

**la pluma** *feather*

**la purpurina** *glitter*

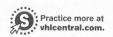

Practice more at **vhlcentral.com.**

---

**1 Definiciones** Completa con la palabra correcta.

1. Prueba que se les hace a los artistas para valorar sus cualidades: _____

2. Conjunto de pasos de un número de baile: _____

3. Autor(a) de obras teatrales: _____

4. Representar a un personaje en una obra: _____

5. Cualidad de algo atractivo/a o que llama la atención: _____

6. Pieza para cubrirse la cara usada como parte de un disfraz: _____

7. Conjunto de actores que actúan en una obra: _____

8. Texto que recoge los diálogos y el contenido de una obra: _____

9. Actor o actriz principal: _____

10. Rol o parte que representa un actor o actriz: _____

---

**2 En escena** En parejas, contesten las preguntas.

1. ¿Qué arte escénica crees que requiere más creatividad? ¿Y más preparación?

2. ¿Vas al teatro a menudo? ¿Cuál es la última obra que viste? Coméntala.

3. La bailarina Isadora Duncan dijo: "Si pudiera decir lo que siento, no valdría la pena bailarlo." ¿Qué significa?

4. ¿Alguna vez has presenciado o has participado en un desfile de carnaval? Cuenta tu experiencia. Si no, ¿te gustaría hacerlo?

5. ¿Qué arte escénica está más presente en tu país o cultura? Explica.

---

**3 Expresiones** En grupos de tres, traten de interpretar el significado de estas expresiones. Luego, busquen en Internet y comprueben si están en lo cierto. Finalmente, escriban un breve párrafo usando cada una de las expresiones.

- Tener tablas
- Estar en la cuerda floja
- Bailar al son que tocan

| Vocabulario del documental | | Vocabulario útil | |
|---|---|---|---|
| el abordaje | approach | el/la aficionado/a | enthusiast |
| la actuación | performance | asistir | to attend |
| el compañerismo | fellowship | fiel | loyal |
| cumplir | to fulfill | el/la miembro | member |
| fortuito/a | coincidental | realizarse | to take place |
| el/la maquillador(a) | makeup artist | triunfar | to succeed |
| la murga | form of popular musical theater | | |
| la vertiente | aspect | | |

| Expresiones | |
|---|---|
| a su vez | at the same time |
| a través de | by means of |
| formar parte (de algo) | to take part (in something) |
| tal y como | just as |

**1 Definiciones** Completa con la palabra que corresponde a cada definición.

1. _____: presentación de un artista ante el público

2. _____: persona que se dedica a maquillar, en especial para cine o televisión

3. _____: relación de colaboración y solidaridad entre compañeros

4. _____: estar presente en un lugar o en un acto, como espectador o invitado

5. _____: que cumple con sus compromisos hacia alguien o algo

6. _____: tener éxito

7. _____: persona que forma parte de un grupo o una comunidad

8. _____: que practica una actividad deportiva o artística por gusto

**2 Expresiones** Completa la conversación con expresiones de la lista. Haz los cambios necesarios.

**EVA** Hola, buenos días, ¿es usted la directora del *casting*?

**PRODUCTORA** No soy la directora, pero (1) _____ del equipo.

**EVA** Estoy aquí para la audición de *La Celestina*.

**PRODUCTORA** ¿Cómo has conseguido la información de la audición?

**EVA** La he conseguido (2) _____ un amigo que trabaja aquí de maquillador.

**PRODUCTORA** ¡Ya veo! Lo siento mucho, pero (3) _____ se explica en la página web, la audición ha sido cancelada por el momento.

**3 Preparación** En parejas, contesten las preguntas.

1. ¿Qué arte escénica prefieres como espectador(a)? ¿Por qué?

2. ¿Con qué frecuencia vas al teatro, a conciertos de música o a espectáculos de danza?

3. ¿Cuál es la razón principal por la que vas a estos espectáculos? Si no vas muy frecuentemente, ¿por qué no lo haces?

4. ¿Qué beneficios crees que tiene asistir a espectáculos artísticos en tu comunidad?

5. ¿Qué opinas de las obras de teatro musicales? Nombra alguna que hayas visto.

6. ¿Alguna vez has participado en una obra de teatro o en un concierto? ¿Cómo fue la experiencia? Si nunca lo has hecho, ¿crees que te gustaría? Explica por qué.

**4 Fotogramas** En grupos de tres, observen los fotogramas y contesten las preguntas.

- ¿Qué ocurre en cada fotograma?

- ¿Qué tipo de ropa llevan los personajes? ¿Cómo es el maquillaje?

- ¿Creen que los artistas son profesionales o aficionados? ¿Por qué?

- ¿Qué tipo de música piensan que cantan? ¿Cómo se imaginan el ritmo? ¿Qué mensaje puede contener la letra de las canciones?

**5 La murga** En parejas, busquen información sobre la murga y respondan a las preguntas.

1. ¿Qué es la murga?

2. ¿En qué países es popular?

3. ¿Con qué fiesta o celebración se asocia?

4. ¿Qué características especiales tiene la murga en Uruguay?

# La expansión de la murga estilo uruguayo en América Latina

### El género músico-teatral que triunfa más allá de Uruguay

# Escenas

## ARGUMENTO

La murga uruguaya se extiende por otros países de Latinoamérica, pero con ciertas diferencias.

**ENTREVISTADORA:** ¿Cómo podemos definir el momento de este fenómeno de la murga uruguaya?

**ANDRÉS ALBA:** Es un momento de consolidación de la murga estilo uruguayo en Latinoamérica.

**ANDRÉS ALBA:** Actualmente hay 156 murgas estilo uruguayo repartidas en tres países de Latinoamérica.

**ANDRÉS ALBA:** La forma de llegar a conocer el fenómeno tiene distintas vertientes que se repiten en todos los territorios.

**ANDRÉS ALBA:** En el caso argentino en particular, las murgas estilo uruguayo son murgas muy militantes.

**ANDRÉS ALBA:** El género murga, en su expansión latinoamericana, es un género mayoritariamente femenino.

**1** **Opciones** Elige la palabra que mejor completa cada oración.

1. La murga estilo uruguayo es llamada así por los murguistas ___.
   a. uruguayos            b. no uruguayos            c. famosos

2. Actualmente (*Currently*), hay 156 murgas estilo uruguayo en Argentina, ___ y Colombia.
   a. España               b. México                 c. Chile

3. La murga estilo uruguayo llegó a Colombia gracias a discos de bandas de ___ uruguayas.
   a. *rock*               b. *heavy metal*          c. música folklórica

4. A finales de 2018 hubo ___ de murgas estilo uruguayo en Mendoza, Argentina.
   a. un concurso          b. una exposición         c. un encuentro

5. Según Andrés Alba, otros territorios organizan las murgas con más ___ que en Uruguay.
   a. tiempo               b. compañerismo           c. gente

**2** **Preguntas** En parejas, contesten las preguntas.

1. ¿Por qué dice Andrés Alba que el término *murga* es muy polisémico?

2. ¿Qué temas tratan las murgas? ¿Por qué crees que el género de la murga ha tenido una carga peyorativa?

3. ¿Qué diferencia hay entre las murgas estilo uruguayo en Uruguay y en otros territorios respecto al género de sus miembros?

4. ¿Qué otra diferencia hay entre las murgas de Uruguay y las de otros lugares, además de la diferencia de género?

**3** **¿Qué piensas?** Reflexiona sobre las preguntas.

1. Si fueras a Uruguay o a uno de los territorios mencionados en el documental, ¿te gustaría ver las murgas? ¿Por qué? ¿Qué aspecto de las murgas te interesa más?

2. ¿Son las murgas estilo uruguayo comparables a algún espectáculo que hayas visto? Describe las similitudes y diferencias.

3. ¿Piensas que en general la calidad de las murgas varía dependiendo de si se hacen o no concursos en el territorio? ¿Por qué?

4. ¿Conoces algún ritmo que se haya hecho famoso en tu país pero tenga orígenes o influencias de otras culturas? ¿Cuál? ¿Cómo ha evolucionado?

5. ¿Crees que las representaciones artísticas deben mantenerse fieles a su forma original o piensas que las variantes son positivas? Incluye algún ejemplo del documental.

6. ¿Por qué crees que las murgas estilo uruguayo tienen tanto éxito? ¿Piensas que este género podría llegar a triunfar en tu comunidad? ¿Por qué?

**4** **Carnaval** Las murgas son típicas de los carnavales. En grupos, elijan uno de los carnavales de la lista y creen un póster que incluya respuestas a las preguntas. Incluyan fotografías. Después, compartan sus pósteres con el resto de la clase e identifiquen las similitudes y las diferencias en la manera de celebrar el carnaval en cada país.

> Carnaval de Barranquilla, Colombia
> Carnaval de Montevideo, Uruguay
> Carnaval de Oruro, Bolivia
> Carnaval de República Dominicana
> Carnaval de Santa Cruz de Tenerife, España
> Carnaval de Veracruz, México

- ¿Qué carnaval han elegido?
- ¿Dónde y cuándo se celebra? ¿Cuántos días dura?
- ¿Cuáles son sus orígenes?
- ¿Cómo son los disfraces y el maquillaje que llevan los participantes?
- ¿Qué tipo de música se canta, se toca o se baila?
- ¿Hay concursos? ¿De qué?
- ¿Qué otras características interesantes tiene?

**5** **Sátira** Las letras de las canciones de las murgas hablan con humor e ironía sobre lo que ocurrió durante el año, sobre todo en el mundo de la sociedad y la política.

**A.** En grupos de cuatro, contesten las preguntas.

- ¿Creen que es más fácil hablar de política dentro de un contexto humorístico? ¿Por qué?
- ¿Cómo se comparan las murgas con otras artes escénicas en su país en lo que se refiere a su contenido humorístico o satírico?
- ¿En qué otro tipo de espectáculos o medios de comunicación se tratan los asuntos sociales o políticos de forma humorística e irónica en su país? Elijan uno y describan sus características.

**B.** Ahora, escriban una canción o poema al estilo de las murgas. Critiquen con humor e ironía un acontecimiento, no necesariamente político, que pasó este año en su país. Luego, canten o reciten su composición ante la clase.

**6** **Arte e identidad** En parejas, discutan las siguientes preguntas.

1. Basándose en lo que aprendieron sobre las murgas y el carnaval uruguayos, ¿cómo describirían estas manifestaciones artísticas? Den una lista de adjetivos.
2. ¿Qué conclusiones sobre la cultura uruguaya y la personalidad de los uruguayos se podrían extraer a partir de las características de su murga y su carnaval?
3. ¿Qué manifestación artística creen que representa mejor el lugar donde viven ustedes? ¿Por qué?
4. ¿Cómo se relaciona esa manifestación artística con la identidad de su país o comunidad?

Practice more at vhlcentral.com.

# 8.1 The past perfect

**TALLER DE CONSULTA**

These grammar topics are covered in the **Manual de gramática, Lección 8**.
**8.4 Prepositions:** *a, hacia,* and *con*, p. 432.
**8.5 Prepositions:** *de, desde, en, entre, hasta,* and *sin*, p. 434.
To review irregular past participles, see **7.1, p. 263**.

- The past perfect tense (**el pluscuamperfecto**) is formed with the imperfect of **haber** and a past participle. As with other perfect tenses, the past participle does not change form.

| The past perfect | | |
|---|---|---|
| viajar | perder | incluir |
| había viajado | había perdido | había incluido |
| habías viajado | habías perdido | habías incluido |
| había viajado | había perdido | había incluido |
| habíamos viajado | habíamos perdido | habíamos incluido |
| habíais viajado | habíais perdido | habíais incluido |
| habían viajado | habían perdido | habían incluido |

- In Spanish, as in English, the past perfect expresses what someone *had done* or what *had occurred* before another action or condition in the past.

Decidí comprar un disfraz nuevo porque el viejo se me **había perdido**.
*I decided to buy a new costume because I had lost the old one.*

Cuando llegamos, el desfile de carnaval ya **había empezado**.
*When we arrived, the carnival parade had already started.*

- **Antes, aún, nunca, todavía,** and **ya** are often used with the past perfect to indicate that one past action occurred before another. Note that these adverbs, as well as pronouns and the word **no,** may not come between **haber** and the past participle.

*Antes de 2018,* **ya** *se* **habían organizado** *otros encuentros de murgas en Argentina.*

Cuando llegó el día del ensayo, **aún no había leído** mi parte del guion.
*When the rehearsal day arrived, I hadn't yet read my part of the script.*

**Nunca había actuado** ante tanta gente y me puse nervioso.
*I had never performed in front of so many people, and I became nervous.*

Quería ir al teatro con mi hermano, pero fui sola porque él **ya había visto** la obra.
*I wanted to go to the theater with my brother, but I went alone because he had already seen the play.*

El pianista **todavía no había terminado** de tocar, pero el público ya estaba aplaudiendo.
*The pianist hadn't yet finished playing, but the audience was already applauding.*

# Práctica y comunicación

**1** **Completar** Jorge Báez, un director de teatro, ha recibido un premio por su trabajo. Completa su discurso de agradecimiento con el pluscuamperfecto.

Muchas gracias por este premio. Recuerdo que antes de cumplir 12 años ya (1) _____ (decidir) dedicarme al teatro. A esa edad, mi madre ya me (2) _____ (llevar) a ver varias obras y recuerdo que la primera vez me (3) _____ (fascinar) las actuaciones de los actores. Luego, cuando cumplí 26 años, ya me (4) _____ (pasar) tres años estudiando dirección escénica, y (5) _____ (dirigir) mi primera obra en la universidad. Cuando terminé mis estudios de postgrado, ya (6) _____ (participar) en varias producciones.

**2** **Explicación** Reescribe las oraciones usando el pluscuamperfecto.

**Modelo** **Me duché a las 7:00. Antes de ducharme hablé con mi hermano.**
Ya había hablado con mi hermano antes de ducharme.

1. Salí de casa a las 8:00. Antes de salir de casa miré mi correo electrónico.
2. Llegué a la oficina a las 8:30. Antes de llegar a la oficina tomé un café.
3. Salí a comer a las 12:00. Llamé a mi mánager a las 11:55.
4. Me reuní con mi mánager. Antes, imprimí los documentos.

**3** **Informe** En parejas, imaginen que son policías y deben preparar un informe sobre este accidente. Inventen una historia sobre lo que había ocurrido en las vidas de los personajes dos horas antes, dos minutos antes y dos segundos antes del accidente. Usen el pluscuamperfecto.

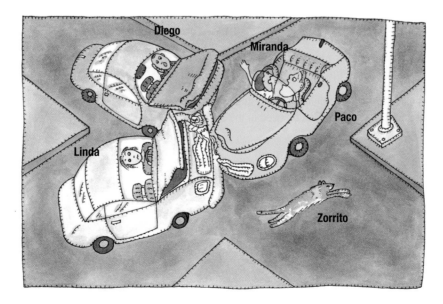

## 8.2 The past perfect subjunctive

- The past perfect subjunctive (**el pluscuamperfecto del subjuntivo**) is formed with the past subjunctive of **haber** and a past participle.

*Me sorprendió que la murga
**hubiera tenido** una imagen
peyorativa en el pasado.*

**TALLER DE CONSULTA**

The alternative past subjunctive forms of **haber** may also be used with the past participle to form the past perfect subjunctive. See **6.2, p. 224.**

**Ojalá hubieras/hubieses venido al circo.**
*I wish you had come to the circus.*

———

The past perfect subjunctive is also frequently used in **si** clauses. See **9.3, p. 341**.

**Si no se me hubiera/ hubiese roto el celular, habría tomado fotos del espectáculo.**
*If I hadn't broken my cell phone, I would have taken photos of the show.*

### The past perfect subjunctive

| cambiar | poder | sentir |
|---------|-------|--------|
| hubiera cambiado | hubiera podido | hubiera sentido |
| hubieras cambiado | hubieras podido | hubieras sentido |
| hubiera cambiado | hubiera podido | hubiera sentido |
| hubiéramos cambiado | hubiéramos podido | hubiéramos sentido |
| hubierais cambiado | hubierais podido | hubierais sentido |
| hubieran cambiado | hubieran podido | hubieran sentido |

- The past perfect subjunctive is used in subordinate clauses under the same conditions for other subjunctive forms, and in the same way the past perfect is used in English (*I had talked, you had spoken, etc.*). It refers to actions or conditions that *had taken place* before another past occurence.

Le molestó que los otros bailarines no **hubieran ensayado** la coreografía.
*It annoyed her that the other dancers hadn't rehearsed the choreography.*

Asistió a la audición, pero dudábamos que **hubiera estudiado** su papel.
*He attended the casting, but we doubted that he had studied his part.*

- When the action in the main clause is in the past, both the past subjunctive and the past perfect subjunctive can be used in the subordinate clause. Note, however, how the sequence of events differs.

| Past subjunctive | Past perfect subjunctive |
|------------------|--------------------------|
| Tú no pensabas que el boleto **costara** tanto, ¿verdad? *You didn't think the ticket would (was going to) cost so much, right?* | Tú no pensabas que el boleto **hubiera costado** tanto, ¿verdad? *You didn't think the ticket (had already) cost so much, right?* |
| La empresa buscó una actriz que **viviera** en la zona. *The company looked for an actress who lived (was living) in the area.* | La empresa buscó una actriz que **hubiera vivido** en la zona. *The company looked for an actress who had (might have) lived in the area.* |

# Práctica y comunicación

**1** **Seleccionar** Combina las expresiones de la segunda columna con las de la primera para formar oraciones completas con el pluscuamperfecto del subjuntivo.

___ 1. Esperaba que tú

___ 2. Dudaba que los estudiantes de la clase de baile

___ 3. Le molestó que el director no lo

___ 4. Ojalá ellos te

___ 5. Fue una lástima que ella no

a. hubieran ofrecido un papel.

b. hubieran practicado durante el fin de semana.

c. hubiera podido venir al estreno.

d. hubiera contratado para trabajar en la obra.

e. hubieras aprendido a bailar.

**2** **Conferencia** Completa cada oración para explicar lo que ocurrió durante una reunión del elenco de un circo. Usa el pluscuamperfecto del subjuntivo del verbo entre paréntesis.

1. El director del espectáculo temió que los artistas _____ (olvidar) que ese día tenían reunión.

2. La reunión no comenzó antes de que todo el elenco _____ (llegar).

3. El director explicó que era importante que todos _____ (practicar) sus números.

4. El trapecista se alegró de que el director lo _____ (elegir) para salir a la pista.

5. El director les recordó que no se podían ir hasta que _____ (ensayar) la función completa.

6. A todos les sorprendió que todas las entradas para el espectáculo se _____ (vender).

**3** **Tarjeta** Ayer preparaste un plato típico de Paraguay llamado sopa paraguaya y tu mejor amigo/a tuvo una reacción alérgica. Escribe una tarjeta pidiéndole disculpas. Usa el pluscuamperfecto del subjuntivo con las expresiones de la lista y tres más.

> Querido/a...
> Me siento muy mal por
> lo que pasó anoche.
> Esperaba que tú...

Dudaba que
Esperaba
Me sorprendió que
Ojalá

**NOTA CULTURAL**

La sopa paraguaya es uno de los platos más famosos de Paraguay, aunque también es típico del norte de Argentina. A pesar de su nombre, esta receta es más similar a un pastel salado que a una sopa. Se elabora con harina de maíz, huevos, queso fresco, cebolla y leche.

**4** **Historia** En parejas, imaginen que son periodistas que investigan la vida de un famoso y excéntrico actor uruguayo llamado Astor Gómez. Hace un mes que su familia y sus colegas no lo ven, y en su casa solo se ha encontrado una nota que dice: "La vida es un gran teatro." Inventen una historia que explique la frase encontrada. Usen el pluscuamperfecto del subjuntivo.

Practice more at **vhlcentral.com.**

## 8.3 Uses of the infinitive

—¿*Cómo podemos **definir** el momento de este fenómeno de la murga uruguaya?*

**¡ATENCIÓN!**

An infinitive is the unconjugated form of a verb and ends in **–ar**, **–er**, or **–ir**.

**TALLER DE CONSULTA**

To review the use of object pronouns with infinitives, see **3.2, p. 102**

- The infinitive (**el infinitivo**) is commonly used after other conjugated verbs, especially when there is no change of subject. **Deber, decidir, desear, necesitar, pensar, poder, preferir, querer,** and **saber** are all frequently followed by infinitives.

Este año **hemos decidido viajar** a Uruguay y **celebrar** el carnaval.
*This year we have decided to travel to Uruguay and celebrate carnival.*

¡Qué buena idea! No sabía que **queríais visitar** ese país.
*What a good idea! I didn't know you wanted to visit that country.*

- Verbs of perception, such as **escuchar, mirar, oír, sentir,** and **ver,** are followed by the infinitive even if there is a change of subject. The use of an object pronoun with the conjugated verb distinguishes the two subjects and eliminates the need for a subordinate clause.

**Te oigo hablar**, ¡pero no entiendo nada!
*I hear you speaking, but I don't understand anything!*

Si **la ven salir** de la clase, avísenme enseguida.
*If you see her leave the classroom, let me know immediately.*

- Many verbs of influence, such as **dejar, hacer, mandar, permitir,** and **prohibir,** may also be followed by the infinitive. Here again, the object pronoun makes a subordinate clause unnecessary.

La directora **nos hizo leer** el guion juntos.
*The director made us read the script together.*

Luego, **nos permitió estudiar** durante el resto del día.
*Then, she allowed us to study for the rest of the day.*

- The infinitive may be used with impersonal expressions, such as **es bueno, es fácil**, and **es importante**. It is required after **hay que** and **tener que**.

No **es fácil vencer** el miedo escénico.
*It is not easy to overcome stage fright.*

**Hay que ensayar** varias veces a la semana.
*We have to rehearse several times per week.*

***Es importante saber** que en otros países las murgas son mayoritariamente femeninas.*

- In Spanish, unlike in English, the gerund form of a verb (*talking, working,* etc.) may not be used as a noun or in giving instructions. The infinitive form, with or without the definite article **el**, is used instead.

**Ver** es **creer.**
*Seeing is believing.*

**Disfrazarse** es divertido.
*Dressing up is fun.*

El arte de **mirar**
*The art of looking*

- You will often see infinitives where English uses commands on signs and written instructions.

**Empujar**
*Push*

**No fumar**
*No smoking*

**Seguir** con cuidado
*Proceed with caution*

- After prepositions, the infinitive is used.

—*Todos comparten la característica **de hacer** murga tal como nosotros la conocemos.*

Necesito más tiempo **para ensayar** mi papel.
*I need more time to rehearse my part.*

No me iré **sin ver** tu actuación.
*I won't leave without seeing your performance.*

- Many Spanish verbs follow the pattern of [*conjugated* verb] + [*preposition*] + [*infinitive*]. The prepositions for this pattern are **de, a,** or **en.**

| | |
|---|---|
| **acabar de** *to have just (done something)* | **quedar en** *to agree (to)* |
| **aprender a** *to learn (to)* | **tardar en** *to take time (to)* |
| **enseñar a** *to teach (to)* | **tratar de** *to try (to)* |

Me **enseñó a hacer** malabares.
*She taught me how to juggle.*

La función **tardó en comenzar.**
*The show took a while to start.*

**Trato de tocar** la guitarra todas las tardes.
*I try to play the guitar every afternoon.*

**Quedamos en hacerlo** lo antes posible.
*We agreed to do it as soon as possible.*

- **Deber** + **de** + [*infinitive*] suggests probability.

El jurado **debe de** anunciar los *but* ganadores hoy.
*The jury will probably announce the winners today.*

El jurado **debe** anunciar los ganadores hoy.
*The jury has to announce the winners today.*

**TALLER DE CONSULTA**

See **Manual de gramática 8.4, p. 432** and **8.5, p. 434** to learn more about prepositions.

**COMPARACIONES**

En inglés, el infinitivo de un verbo puede expresar el propósito de una acción: *He works weekends **to earn** money.* En español, se usa la preposición **para** antes del infinitivo: **Trabaja los fines de semana para ganar dinero.**

1. En inglés, hay una frase preposicional que corresponde a **para** y se puede usar en la oración de arriba. En parejas, indiquen cuál es esta frase preposicional.
2. Aparte de los ejemplos en estas páginas, ¿pueden pensar en otro ejemplo de una preposición que se usa antes del infinitivo en español pero no en inglés?
3. Expliquen: ¿Por qué es importante entender el uso correcto de las preposiciones?

**1** **El tango** Rellena cada espacio con dos palabras: una de la primera columna y una de la segunda. Conjuga los verbos según sea necesario.

| | |
|---|---|
| deber | aprender |
| importante | convertirse |
| necesario | encontrar |
| necesitar | familiarizarse |
| para | practicar |
| querer | tener |

El tango es un baile tradicional de Argentina. (1) _____ a bailar tango, primero (2) _____ con la música y los pasos. Escuchen varias canciones y vean diferentes videos. Luego, es (3) _____ una buena profesora y es (4) _____ paciencia, ya que es un baile complejo. Si (5) _____ en profesionales, (6) _____ todos los días.

**2** **Oraciones** Forma oraciones usando los elementos dados. Añade preposiciones cuando sea necesario.

**Modelo** **el público / querer / ver / el número del trapecista**
El público quiere ver el número del trapecista.

1. nosotros / desear / encontrar / boletos baratos
2. Luis / pensar / ser / bailarín
3. mi madre / querer / comprar / un disfraz de payaso
4. Marisa / me / enseñar / tocar / el saxofón
5. el dramaturgo / tratar / explicar / el problema
6. yo / acabar / ensayar / la coreografía
7. ustedes / deber / comprar / un antifaz
8. tú / poder / contratar / la guionista

**3** **Recomendaciones** Nuria quiere ser actriz. En parejas, háganle recomendaciones usando las expresiones y los verbos de la lista.

| | |
|---|---|
| deber | aprender |
| hacer falta | ensayar |
| hay que | escuchar |
| ser bueno | estudiar |
| ser fácil | leer |
| ser importante | tratar |
| ser necesario | ver |
| tener que | viajar |

# Comunicación

**4 Entrevista** En parejas, improvisen una entrevista entre un(a) periodista de una revista cultural y un(a) director(a) de cine que acaba de ganar un premio a la mejor dirección del año. Usen estos verbos. Representen la entrevista ante la clase.

| | |
|---|---|
| acabar de | quedar en |
| aprender a | tardar en |
| enseñar a | tratar de |

**5 De viaje** Este verano, tú y un(a) compañero/a quieren viajar a Paraguay y visitar diferentes lugares. ¿Qué tienen que hacer para organizar su viaje? Escriban una lista usando por lo menos cinco infinitivos. Después, compártanla con la clase.

**6 Anuncio** Tú y tus compañeros/as son miembros de una compañía artística y van a estrenar un espectáculo que combina teatro, música y baile. Ahora, deben prepararse para presentar este espectáculo a la prensa. En grupos de cuatro, preparen una presentación que incluya las palabras y expresiones de la lista.

| | |
|---|---|
| acabar de | ser divertido |
| empezar a | ser importante |
| prepararse para | tardar en |
| querer | tratar de |

**7 Carnaval** Trabajen en grupos pequeños. Imaginen que hacen un viaje al carnaval de Montevideo, Uruguay. Usen el infinitivo para escribir oraciones sobre las cosas que hicieron y vieron en su viaje.

| En Montevideo... | Los habitantes de Montevideo... |
|---|---|
| aprendimos a _____ | deben de _____ |
| es fascinante _____ | tienen que _____ |
| es importante _____ | tratan de _____ |

## Punta del Este

La ciudad más glamorosa de Suramérica es Punta del Este, Uruguay. En verano, sus playas se llenan de celebridades y se celebran fiestas y torneos de golf y polo. No obstante, el arte también está presente. La escultura de Mario Irarrázabal en Playa Brava *Hombre emergiendo a la vida*, conocida popularmente como *La Mano*, se ha convertido en símbolo de la ciudad. Y lo mismo puede decirse de Casapueblo, la casa taller que, durante 40 años, el artista Páez Vilaró construyó con sus propias manos como una "escultura habitable".

## Colonia, la ciudad junto al río

En los siglos XVII y XVIII, la ciudad de Colonia del Sacramento, a orillas° del Río de la Plata, en Uruguay, fue escenario de la lucha° entre portugueses y españoles por expandirse en la región. Hoy los turistas pasean por las calles empedradas° del barrio histórico, declarado Patrimonio° Histórico de la Humanidad. Allí prueban quesos y dulces de tradición piamontesa y suiza, visitan la Plaza de Toros (donde las corridas° están prohibidas) y disfrutan de la tranquilidad del crepúsculo° sobre el río.

**orillas** *banks* **lucha** *struggle* **empedradas** *cobblestone* **Patrimonio** *Heritage*
**corridas** *bullfights* **crepúsculo** *dusk* **cedrón** *lemon verbena* **pomelo** *grapefruit*
**cuerno** *horn* **yerba** *herb* **bombilla** *straw*

## El guaraní

Paraguay tiene dos lenguas oficiales: el español y el guaraní. Tradicionalmente, el español ha sido el lenguaje formal que se utiliza en documentos oficiales o en los medios de comunicación, mientras que el guaraní ha ocupado el lugar de la lengua cotidiana y familiar. Sin embargo, hoy en día existen numerosas páginas web y artículos de reconocidos periódicos en lengua guaraní. Además, se está impartiendo como materia en varias escuelas. El 90% de la población paraguaya habla guaraní, siendo el 27% monolingüe en esta lengua.

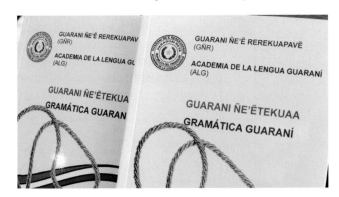

## El tereré

Dicen en Paraguay que el tereré es tan sagrado como la siesta. En un país de altas temperaturas, esta infusión fría de origen guaraní es la bebida nacional. Se prepara con agua con hielo y hierbas refrescantes como menta o cedrón°. Otra versión reemplaza el agua con jugo de naranja o pomelo°. Se sirve en un recipiente llamado guampa, hecho de cuerno° de vaca, metal o vidrio, que se llena de yerba° mate. Muchas veces se comparte en ronda, siempre usando la misma bombilla°.

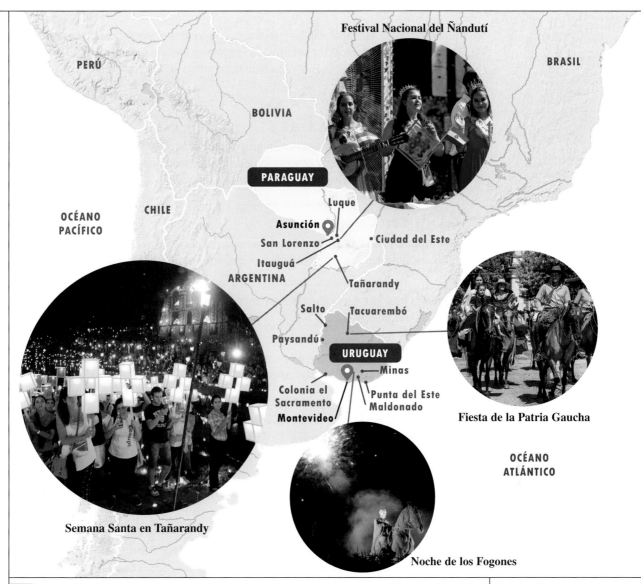

Festival Nacional del Ñandutí

Semana Santa en Tañarandy

Fiesta de la Patria Gaucha

Noche de los Fogones

**1 Perspectivas** En parejas, contesten las preguntas.

1. ¿Existe en tu ciudad una escultura o construcción que sea un símbolo como *La Mano* en Punta del Este? Compara las dos obras.

2. ¿Elegirías visitar Punta del Este o Colonia? ¿Con qué ciudades turísticas de tu país las compararías por sus estilos?

3. ¿Quedan restos de construcciones históricas, al igual que en Colonia, en el lugar donde vives? ¿De qué época son y en qué estado se encuentran?

4. ¿Por qué crees que tradicionalmente el guaraní se utilizaba solo en contextos coloquiales y familiares?

5. ¿Hablas la misma lengua que tus antepasados? Si no, ¿te gustaría aprenderla y que tus descendientes la hablaran también? ¿Por qué?

6. ¿Qué cosas dirías que son sagradas en tu país, a la manera del tereré en Paraguay? ¿Cuál consideras que es la bebida nacional de tu país?

Practice more at vhlcentral.com.

En el audio "Día Internacional del Flamenco", se comenta el significado que tuvo para este género musical ser proclamado Patrimonio Cultural Inmaterial de la Humanidad por la UNESCO. Este reconocimiento refleja la importancia del flamenco a nivel mundial.

## Antes de escuchar

**1 Activar el conocimiento previo** En grupos pequeños, hablen sobre lo que saben acerca del flamenco. ¿Cómo describirían este tipo de música? ¿De qué país y cultura proviene? ¿Qué canciones y artistas de flamenco conocen?

## Mientras escuchas

**2 Estrategia: Palabras clave** Mientras escuchas el audio, presta atención a las palabras que más se repiten. Anota las palabras que son más importantes en la conversación.

**3 Escucha una vez** Escucha el audio y concéntrate en el vocabulario nuevo. Anota palabras que no conozcas.

**4 Escucha de nuevo** Ahora, vuelve a escuchar el audio y completa tu lista inicial. Trata de descifrar el significado de las palabras nuevas.

## Después de escuchar

**5 Comprensión e interpretación** En parejas, contesten las preguntas.

1. ¿Qué afirmó el célebre guitarrista Paco de Lucía?
2. ¿Cuándo fue declarado el flamenco Patrimonio Cultural Inmaterial de la Humanidad?
3. ¿Cuál es la importancia del flamenco a nivel internacional?
4. ¿Por qué mucha gente supone que María Ángeles Carrasco, la directora del Instituto Andaluz del Flamenco, es familiar de algún/alguna artista de flamenco?
5. ¿Qué opina María Ángeles Carrasco sobre lo que ha cambiado en el mundo del flamenco desde que este fue declarado Patrimonio Cultural Inmaterial?
6. ¿Por qué creen que la UNESCO le dio ese reconocimiento al flamenco?

**6 Discusión** En grupos de cuatro, investiguen sobre otros géneros musicales que han sido reconocidos por la UNESCO y compárenlos al flamenco.

- ¿De qué país son representativos?
- ¿En qué año fueron declarados Patrimonio Cultural?
- ¿Qué impacto tuvo el reconocimiento de la UNESCO en la difusión de estos géneros?
- ¿Qué artistas son representativos de cada género en la actualidad?
- ¿Creen que estos géneros han evolucionado? ¿Cómo?

 Practice more at vhlcentral.com.

## SOBRE EL AUTOR

**E**liseo Báez nació en Asunción, Paraguay, en 2002. Ha escrito numerosos artículos para la sección "Periodismo Joven", del diario *ABC Color*. Entre ellos está el artículo "Falta de promoción e informalidad, factores que atascan al teatro local", que vas a leer a continuación. Desde 2008, Eliseo es parte de la organización Jóvenes Escritores de Paraguay. También ha colaborado en muchos otros proyectos culturales, como clubes de lectura, teatro o música.

| Vocabulario de la lectura | | Vocabulario útil | |
|---|---|---|---|
| atascar | to hold back | la carencia | lack |
| la brújula | compass | la cifra | number, figure |
| la censura | censorship | el fomento | development, promotion |
| la crítica | critics | el/la principiante | beginner |
| la materia pendiente | unresolved matter | el subsidio | subsidy |
| la política | policy | subvencionar | to finance |
| la rama | branch | | |

**1 Vocabulario** Indica cuál de las opciones no está relacionada con la palabra principal.

1. **cifra**    a. número      b. reflexión      c. dígito
2. **principiante**    a. factor      b. estudiante      c. inexperiencia
3. **brújula**    a. orientación      b. dirección      c. promoción
4. **subvencionar**    a. financiar      b. conseguir      c. invertir
5. **atascar**    a. promocionar      b. dificultar      c. obstáculo

**2 El teatro** En parejas, háganse las preguntas.

1. ¿Es fácil triunfar en el mundo del teatro en tu país? Si quisieras dedicarte al arte dramático, ¿qué pasos seguirías?
2. ¿Quiénes suelen ganar (*earn*) más en tu país: los actores de teatro o los de cine y televisión? ¿Te parece justo? ¿Por qué?
3. ¿Crees que el gobierno de tu país invierte suficiente dinero en el arte dramático? Explica.
4. ¿Piensas que los gobiernos tienen la obligación de subvencionar las artes escénicas? ¿Y el arte en general? Razona tu respuesta.

**3 Importancia** En parejas, creen una lista con diez razones por las que las artes escénicas son importantes para la sociedad. Después, comparen su lista con la de otra pareja.

# Falta de promoción e informalidad, factores que atascan al
# TEATRO LOCAL

## Eliseo Báez

LA MAGIA DEL TEATRO SE VIVE DESDE hace muchos siglos y, aunque el mundo pasó por crisis y regímenes autoritarios, siguió de pie°. Las políticas públicas que apoyan las artes escénicas nacionales siguen siendo una materia pendiente en nuestro país.

El público está expectante, se atenúan° las luces, los corazones se preparan y se abre el telón para dar inicio a las escenas que transmiten magia, ahondando° en todas las facetas de la creatividad. A través de monólogos, dramas, zarzuelas y comedias, las vivencias paraguayas y las ideas de dramaturgos nacionales se expresan no solo en salas de teatro convencionales sino también en las calles, plazas, colegios, etc., dando vida a todo lo que se prepara durante mucho tiempo tras bambalinas°.

Desde los inicios de las artes escénicas en Grecia hasta las guerras y regímenes autoritarios, el teatro se mantuvo firme y ha evolucionado, según registra la historia. Para Ever Enciso, secretario general del Centro Paraguayo de Teatro (Cepate), la diversidad observable con respecto al arte dramático en nuestro país se da como un florecimiento° de sus distintas ramas, con mucha participación juvenil.

Moncho Azuaga, actor y dramaturgo, quien interpretó obras como *San Fernando* y escribió guiones como *Elisa Lynch y Pancha Garmendia, el amor en los tiempos de López*, mira con esperanza el desarrollo de las artes escénicas en nuestra nación. Sin embargo, el artista manifiesta que "en la actualidad, uno de los factores ausentes es el de la crítica especializada y, por tanto, los actores, así como los directores, no tienen una brújula que les guíe para poder mejorar".

> **Los actores, así como los directores, no tienen una brújula que les guíe para poder mejorar.**

Azuaga refiere que, en la época de la dictadura stronista, se vivía una censura constante y, junto con sus colegas, no les daban espacio en los teatros municipales y los privados no querían arriesgarse a proveer el lugar; entonces, debían rebuscarse° en dónde presentar las obras. Sin embargo, "la censura sigue, esta vez no es política, pero sí económica, ya que hace falta tomar medidas que promocionen más a las artes teatrales", agrega el dramaturgo.

Según Enciso, la ley promulgada° en 2010, que ampara° al seguro social de los trabajadores del teatro y otras ramas artísticas, está muerta y, por ende°, no gozan del° cumplimiento° de ciertos derechos como el seguro social. "Por cada obra que interpreto, aporto al IRP° como corresponde, pero ¿cuál es la retribución del Estado hacia mí, si ni siquiera tengo acceso a la jubilación?", cuestiona Ever.

Así pues, aunque las tablas no se han roto ni en las peores épocas del Paraguay, la falta de promoción y de formalización de las artes escénicas son factores claves que se deben mejorar necesariamente para que el teatro tenga el lugar que le corresponde. ■

> " **La censura sigue, esta vez no es política, pero sí económica.** "

siguió de pie *persisted*
se atenúan *are dimmed*
ahondando *delving*
tras bambalinas *behind the scenes*
florecimiento *blossoming*
rebuscarse *search with difficulty for*
promulgada *enacted*

ampara *protects*
por ende *therefore*
gozan del *enjoy*
cumplimiento *fulfillment*
aporto al IRP *I contribute to the Personal Income Tax*

**1** **¿Cierto o falso?** Indica si las oraciones son ciertas o falsas. Corrige las falsas.

1. A pesar de las crisis y los regímenes autoritarios mundiales, el teatro se ha mantenido.
2. El gobierno paraguayo apoya inmensamente las artes escénicas.
3. Las ideas de los dramaturgos paraguayos se representan en el teatro, pero también en las calles y en los colegios.
4. Según Ever Enciso, el teatro no ha evolucionado en Paraguay.
5. Según Moncho Azuaga, hay una falta de crítica especializada.
6. Azuaga dice que hoy en día hay una censura política en Paraguay.
7. Para Enciso, los trabajadores del teatro no gozan del derecho del seguro social.

**2** **Géneros** El artículo menciona algunos de los géneros teatrales populares en el teatro paraguayo. En parejas, indiquen qué género pertenece a cada definición. Después, corroboren sus respuestas y contesten las preguntas.

| Género | Descripción |
|---|---|
| | Obra en cuya acción predominan los aspectos humorísticos. |
| | Obra que consiste en situaciones tensas y conflictos. |
| | Obra donde habla un solo personaje. |
| | Obra musical española en que se habla y también se canta. |

• ¿De cuál de estos géneros preferirían ver una obra? ¿Por qué?
• ¿Cuáles creen que son los géneros más populares en su país?

**3** **Arte y política** En grupos de tres, comenten las preguntas.

1. El autor comenta que el teatro se ha mantenido a pesar de las crisis mundiales. ¿Conocen algún evento histórico de su país que haya condicionado la evolución del teatro u otro tipo de arte?
2. El actor y dramaturgo Moncho Azuaga habla de la censura que ocurrió en Paraguay durante la dictadura stronista. ¿Qué casos de censura artística conocen que hayan ocurrido en su país o en otro? ¿Creen que existe algún tipo de censura hoy día en el lugar donde viven? Expliquen su respuesta.

**4** **Investigar** En grupos de tres, investiguen sobre lo que puede hacer en Paraguay una persona a la que le interese estudiar teatro y trabajar como actor o actriz. Pueden visitar páginas web, escribir correos electrónicos o llamar por teléfono para recibir la información que necesitan.

**5** **Artículo periodístico** Escribe un párrafo breve en el que explicas qué puede hacer el gobierno de tu país para apoyar a los estudiantes y a los jóvenes que se dedican a las artes escénicas.

| Vocabulario de la lectura | | Vocabulario útil | |
|---|---|---|---|
| la asistencia | attendance | atrevido/a | bold, daring |
| el fin | purpose | bienal | biennial |
| el fortalecimiento | strengthening | en cartel | now showing |
| impulsar | to boost | fomentar | to promote |
| operativo/a | operational | innovador(a) | innovative |
| los títeres | puppet show | la mejora | improvement |

**1 Sinónimos** Une cada término con la palabra o expresión que tiene el mismo significado.

1. atrevido ____       a. en funcionamiento
2. bienal ____         b. original
3. fin ____            c. arriesgado
4. fortalecimiento ____ d. cada dos años
5. innovador ____      e. propósito
6. operativo ____      f. consolidación

**2 Tu experiencia** En parejas, contesten las preguntas.

1. ¿Qué arte escénica te gusta más: el teatro, el musical, la danza o el circo? ¿Por qué?
2. ¿Prefieres ver obras clásicas o espectáculos más innovadores? Explica tu respuesta.
3. ¿Conoces festivales de danza o teatro que se celebren en tu ciudad? ¿Alguna vez has asistido? Cuenta tu experiencia.
4. ¿Crees que en tu ciudad hay una buena oferta de espectáculos escénicos? ¿Qué ciudades de tu país tienen una oferta mejor?

**3 Críticos** Entrevista al menos a diez compañeros para averiguar cuál es el mejor espectáculo escénico que han visto y crea una tabla siguiendo el modelo. Luego, en grupos de tres, pongan en común sus descubrimientos y contesten las preguntas.

| Título | Género | Ciudad donde lo viste | Aspectos que más te gustaron |
|---|---|---|---|
| El rey león | Musical | Nueva York | El vestuario y las canciones |
|  |  |  |  |
|  |  |  |  |

- ¿Hay algún espectáculo que se repite? ¿Y alguna ciudad?
- ¿Cuál es el género preferido?
- ¿Qué aspectos de un espectáculo se valoran más?

Practice more at vhlcentral.com.

# Las artes escénicas toman Uruguay

Las artes escénicas de Uruguay han experimentado un gran desarrollo en los últimos años. Los festivales proliferan en todo el país. Su capital, Montevideo, sigue siendo el centro de la actividad escénica, pero existen compañías estables en todos los departamentos. Los teatros históricos siguen en pie°, pero surgen también salas alternativas no convencionales. Las compañías más antiguas y sólidas conviven con grupos independientes más jóvenes. Las programaciones recogen desde clásicos universales hasta obras experimentales de las nuevas generaciones de dramaturgos y actores.

*remain in place*

El buen estado de las artes escénicas uruguayas se debe a varios factores. Por una parte, Uruguay cuenta con una gran tradición escénica. Sus producciones son conocidas por su alta calidad y su originalidad. Por otra parte, Uruguay ha desarrollado políticas culturales públicas que han tenido un impacto muy positivo. A través de organismos como el Instituto Nacional de Artes Escénicas (creado en 2012), el estado ha trabajado en el fortalecimiento y la promoción de las artes escénicas. Así, se puso en marcha un programa para mejorar las infraestructuras. Uruguay también invirtió en formación° de artistas y en investigación con el fin de ponerse al día° en cuanto a prácticas escénicas nuevas. Finalmente, se lanzaron iniciativas para hacer las artes escénicas más asequibles y lograr un público más frecuente y estable.

*training / catch up*

En este panorama, el teatro es el arte escénica que ocupa el lugar más destacado. Por su parte, la danza y el circo moderno continúan desarrollándose, aunque todavía no han alcanzado° la misma popularidad. En Uruguay, existen numerosos festivales escénicos, cada uno con un objetivo y unas características determinadas. Los festivales a continuación son una muestra° de la variedad y la capacidad de adaptación de las artes escénicas uruguayas. También son un ejemplo de cómo la tradición convive con la innovación.

*reached*

*proof*

### Festival Internacional de Artes Escénicas

El Festival Internacional de Artes Escénicas (FIDAE) está organizado por el Instituto Nacional de Artes Escénicas y es probablemente el festival más popular. Se celebra cada dos años desde 2009 y su sede° es Montevideo, aunque su programación llega a diferentes ciudades uruguayas. Uno de sus puntos fuertes es la variedad. En cada edición, el FIDAE ofrece espectáculos tanto nacionales como internacionales (principalmente iberoamericanos), y tanto de teatro como de danza, circo y títeres. El festival tiene el propósito de contribuir a la expansión internacional de la escena uruguaya al poner en contacto a los profesionales uruguayos con los de otros países. Al contar con una gran promoción y visibilidad, el festival pretende captar la atención de todos los posibles espectadores y no solo de aquellas personas que habitualmente asisten al teatro. Por ello, el FIDAE prioriza espectáculos de alta calidad y diversos tanto en contenido como en formato. Su estrategia es poner buenos espectáculos al alcance de° un público amplio° con el fin de despertar su interés por las artes escénicas. ◼

### Montevideo Sitiada

Este festival nació en 2003 como una propuesta que unía dos disciplinas: la danza y la arquitectura. Montevideo Sitiada es un festival especializado con un objetivo claro: visibilizar la

> **Tiene el propósito de dar un nuevo uso cultural a los espacios públicos.**

danza e integrarla en espacios de la vida diaria. Así, el festival aprovecha° los espacios urbanos de la capital uruguaya y presenta sus espectáculos en salas no convencionales, como calles, plazas o parques. En Uruguay, la danza no tiene un desarrollo tan avanzado como el del teatro ni un público tan consolidado. Por eso, este festival es una buena oportunidad para dar a conocer este arte a un gran número de espectadores y despertar su curiosidad. Además, también tiene el propósito de dar un nuevo uso cultural a los espacios públicos para que los ciudadanos redescubran y aprecien lugares de su propia ciudad. Montevideo Sitiada presenta espectáculos tanto de compañías de Uruguay como de otros países e incluye desde propuestas más formales hasta otras más arriesgadas o experimentales. ◼

### Festival Internacional de Circo

Uruguay cuenta con una gran tradición circense, pero en la actualidad el circo tiene menos popularidad y promoción que el teatro. Por eso, el Festival Internacional de Circo (FIC) se creó con la intención de impulsar las artes circenses y mostrar la profesionalidad del sector. Este festival es el más reciente de los tres y se celebra cada dos años. Nació en 2014 con una difusión y un público modestos, pero su popularidad y sus cifras de asistencia se multiplicaron en las siguientes ediciones. En su primer año, contaba con funciones limitadas a la capital y alguna ciudad costera°, pero se apostó por expandir las funciones por el interior del país. En el FIC se pueden ver espectáculos en las modalidades de sala, carpa y calle. Además, su programación combina funciones de circo más tradicional con otras más modernas. ◼ ◼

*headquarters*

*accessible to / large*

*takes advantage of*

*coastal*

Watch related video at **vhlcentral.com**.

**1 Comprensión** Contesta las preguntas.

1. ¿Qué organismo ha contribuido a impulsar las artes escénicas en Uruguay?
2. ¿Para qué invirtió Uruguay en investigación?
3. ¿Cuál es el arte escénica más desarrollada en Uruguay?
4. ¿En qué festival de los tres que se mencionan se pueden ver espectáculos de títeres?
5. ¿En qué otra disciplina se centra Montevideo Sitiada, además de en la danza?
6. ¿Cuál de los tres festivales que se mencionan es el más joven?

**2 Interpretación y reflexión** En parejas, contesten las preguntas.

1. ¿Qué elementos demuestran que las artes escénicas de Uruguay viven un buen momento?
2. ¿Qué factores han ayudado a conseguir este estado positivo?
3. ¿Por qué creen que la danza y el circo son menos populares que el teatro?
4. ¿Qué festival de los tres que se mencionan piensan que ayuda más a visibilizar las artes escénicas? ¿Por qué?

**3 Investigación** En grupos de tres, busquen información sobre la última edición de los tres festivales mencionados en el artículo. Pueden visitar sus sitios web oficiales, consultar medios en línea de Uruguay o ponerse en contacto con los organizadores. Completen la tabla.

|  | FIDAE | Montevideo Sitiada | FIC |
|---|---|---|---|
| Año |  |  |  |
| Ciudades |  |  |  |
| Espectáculos |  |  |  |
| Novedades |  |  |  |

**4 Organizadores**

**A.** En grupos de cuatro, contesten las preguntas.

1. ¿Piensan que un festival tiene más impacto si se celebra en espacios urbanos públicos o si se celebra en salas convencionales? ¿Por qué?
2. ¿Hay en su ciudad eventos artísticos o festivales que tienen lugar en espacios urbanos públicos? Compárenlos con el festival Montevideo Sitiada.
3. ¿Qué les parece más interesante: un festival que agrupa varias artes escénicas o un festival especializado en una de ellas? Argumenten su respuesta.

**B.** Ahora, creen una propuesta de festival que sea innovadora y que promocione las artes escénicas en su ciudad. Incluyan un nombre, un objetivo, el arte o las artes a las que está dedicado y los espacios donde se celebrará. Luego, presenten su propuesta ante la clase.

## SOBRE EL AUTOR

Imagen del video
*Flores para Pedro Orgambide,*
de la Fundación Biblioteca
Virtual Miguel de Cervantes

**P**edro Orgambide (1929-2003) nació y murió en Buenos Aires, Argentina. Escribió más de 40 obras entre novela, poesía, teatro, cuento y ensayo. Con tan solo 13 años, publicó sus primeros poemas y a los 19, escribió su primer libro. Entre 1974 y 1983 vivió exiliado en México por oposición a la dictadura en su país. Durante estos años, siguió añadiendo títulos a su extensa obra. De vuelta a Argentina, también trabajó como guionista de televisión y creativo de publicidad. Entre sus obras literarias está *Mujer con violoncello* (1993), que incluye el cuento que vas a leer.

| Vocabulario de la lectura | | Vocabulario útil | |
|---|---|---|---|
| el camarín | dressing room | el/la admirador(a) | fan |
| el chisme | gossip | el afán | ambition |
| clavar | to stab | conmovedor(a) | moving |
| entre bambalinas | backstage | el desenlace | outcome |
| hacer una reverencia | to bow | la envidia | envy |
| hacerse (de) rogar | to play hard to get | el nudo | crux, heart |
| el/la ladrón/ladrona | thief | el suspenso | suspense |
| el/la marqués/ marquesa | marquis/marquise | tener celos | to be jealous |

**NOTA CULTURAL**

El teatro argentino tiene sus orígenes en ritos indígenas, manifestaciones africanas y en las obras de teatro coloniales de influencia española. Argentina tiene una larga historia teatral que pasa por diferentes períodos, como el del teatro independiente de principios de siglo XX y el llamado Teatro Abierto, que luchaba contra la dictadura militar de los años 1970. Actualmente, el teatro argentino ha cobrado (*earned*) una gran fama con el movimiento teatral alternativo, el cual triunfa a nivel internacional.

**1** **Vocabulario** Completa la entrevista.

**LOCUTOR** Alba, te voy a hacer algunas preguntas que nos han mandado tus (1) _____. La primera pregunta viene de Irene, de Montevideo: ¿Por qué no tienes cuenta en redes sociales?

**ALBA** No me interesa. No entiendo el (2) _____ que tienen algunas personas de hacerse famosas. No tengo nada de (3) _____ a las celebridades que aparecen en redes sociales promocionando productos. Lo único que consiguen es acabar en esas revistas de (4) _____ cuyos periodistas son unos (5) _____ de la privacidad.

**LOCUTOR** Es decir, que tú valoras más tu intimidad y prefieres estar entre (6) _____, ¿no?

**2** **La fama** En grupos de tres, contesten las preguntas.

• ¿Cuál creen que es la motivación principal de hacerse famoso/a?

• ¿De qué formas se puede adquirir la fama actualmente (*nowadays*) en su país?

• ¿Les gustaría ser famosos/as? ¿Por qué? ¿Qué aspecto de la fama les atrae más? ¿Cuál menos?

# El saludo

## Pedro Orgambide

H a sido una gran función la de esta noche. Los espectadores aplauden
de pie° y esperan el saludo de La Diva. Pero ella no sale aún. Algún
crítico mal intencionado piensa que La Diva se hace rogar, que
administra, con astucia°, el fervor del público. Puede que sea así, pero yo no
soy nadie para revelar esos secretos. Mi patrona°, que otros llaman La Diva,
sabe muy bien que no lo haré. En todos estos años que estuve a su servicio,
nadie obtuvo de mí una infidencia°, un comentario que pudiera afectar a la
señora. Al contrario, muchas veces hice un discreto mutis°, por decir así, para
ocultar o disimular° una situación embarazosa. "Esta mosquita muerta° lo ve
todo, lo sabe todo", suele decir mi patrona. Y es así, realmente: he visto cosas
por las que pagarían buen dinero esas revistas de chismes en las que a veces
sale la foto de la señora, acompañada por el caballero o el jovencito de turno.

*standing*

*cleverness*

*boss*

*disloyalty*

*silence*

*hide / wolf in sheep's clothing*

5

10

*trifles* Solo yo sé que esas minucias° poco tienen que ver con ella. A ella, lo que en verdad le importa es el aplauso del público. No, no sale todavía. Ella no es
*novice* como esas jovencitas, como esas actrices novatas° que apenas cae el telón,
*bolt / stage / beg for* corren desbocadas° hasta el proscenio°, para mendigar° el aplauso. De ningún modo. Ella suele esperar entre bambalinas, dejar que el aplauso crezca en forma
*throw* considerable, antes de caminar hacia la gente que le arroja° flores y la llama diosa. Solo entonces mueve levemente la cabeza, como negando el mérito a la
*outrageous* estruendosa° realidad. Con modestia, debe admitir que el éxito es suyo. Puede permitirse entonces una sonrisa, un ademán° gracioso, algún saltito que insinúa
*gesture* un deseo de regresar al camarín°. Pero el público es tirano, el público exige otro
*dressing room* saludo. Y bien, no hay que negárselo. Es entonces cuando La Diva arroja un beso al aire. El público se agita, grita, patalea°. Entonces ella lleva su mano al pecho,
*stomps* hacia el corazón y llora. "Un momento así vale la pena", le oí decir muchas veces a mi patrona. Por ese momento, ella pasa horas haciendo gimnasia, pedaleando en la bicicleta fija, cubriéndose la cara con horribles mascarillas y cosméticos. Pero eso el público no lo sabe, es un secreto entre ella y yo. Nunca diré que vi su
*face / wrinkles* rostro° envejecido, sus arrugas°, el tic que afea su boca. No, no lo haré. Tampoco
*drools / coughs* diré que se babea° por las noches, que tose° en la oscuridad y maldice su suerte.
*grist to the mill* No quiero llevar agua al molino° de sus enemigos, Dios no lo permita. Pero hay
*push* que reconocer que no siempre saluda con dignidad. Yo la he visto empujar° al
*trips* primer actor de la compañía, para que trastabille° delante de los espectadores. También he visto como "tapaba" a la dama joven, poniéndose delante de la muchacha, como distraída. No, no me engaño. Así no saludan los grandes del teatro. Ellos saludan muy sobrios, con la ostentosa dignidad de parecer humildes. Pero yo no soy quién para juzgarla. En estos años la vi luchar por el
*jokes / unknown* aplauso, firmar contratos abusivos, soportar los chistes° de ignotos° productores, solo para obtener ese premio que necesita como el aire. Porque después de meses de ensayo, de debatirse frente al espejo, de abandonar a su último amante, de aprender un texto que en realidad detesta, ella va a salir a saludar al público. Y la van a aplaudir. Y eso es lo único que importa. Ella quedará suspendida en el tiempo, oyendo el aplauso, las voces que repiten su nombre. Lástima que hoy no será así. Lástima su mal trato, la fea costumbre de insultarme. Aunque yo se lo había perdonado todo, en verdad. Porque yo la admiraba, igual que esa gente

> Ella quedará suspendida en el tiempo, oyendo el aplauso.

que ahora implora su presencia en el escenario, esas mujeres y esos hombres de pie, ansiosos, impacientes por ver a La Diva. Lástima. Porque ella no debió levantarme la mano, ni decirme bruta, ignorante, ladrona. No, eso estuvo mal. Si me puse el vestido de marquesa, el que ella usa en la obra, fue solo para imitarla, sin mala intención. Es lo que hice durante todas las noches, cuando ella se
*silk robe* cambiaba y se ponía la bata de seda°, para saludar y recibir los aplausos. No sabía
*scissors* que se iba a enojar tanto. Pero, ¿por qué me amenazó con esa tijera° que ahora está clavada en su corazón? Con el vestido de marquesa y el antifaz ya soy igual a ella. Oigo el rumor de los aplausos. Es algo verdaderamente hermoso. Es hora de salir, de saludar al público. Ellos están allí, llamándome, gritándome divina, diosa. Hago una reverencia, arrojo un beso al aire y los saludo, fatigada y feliz. ■

15
20
25
30
35
40
45
50
55

**1 Comprensión** Completa las oraciones con la opción correcta.

1. La Diva es el nombre artístico de la ___.
   a. actriz
   b. asistente
   c. crítica

2. La Diva es la ___ de la narradora de la historia.
   a. madre
   b. patrona
   c. asistente

3. Según la narradora, ella guarda ___ de su patrona.
   a. las revistas
   b. el dinero
   c. los secretos

4. De lo que más disfruta La Diva es de ___.
   a. la actuación
   b. los aplausos
   c. la gimnasia

5. Según la asistente, La Diva la trata ___.
   a. mal
   b. bien
   c. con indiferencia

6. ___ clava la tijera a ___.
   a. La Diva; la asistente
   b. La asistente; La Diva
   c. La Diva; los espectadores

**2 Interpretar** En parejas, contesten las preguntas.

1. ¿Qué efecto tiene la perspectiva de la narradora en el relato?

2. ¿Qué tipo de relación tenían La Diva y su asistente?

3. ¿Creen que la asistente le fue fiel a La Diva durante todos los años que trabajó para ella? ¿Cómo lo saben?

4. ¿Piensan que la descripción que hace la narradora de La Diva es rigurosa? ¿Por qué?

5. ¿Qué sentimientos tiene la asistente hacia su patrona? ¿Y viceversa?

**3 Las partes del cuento** En parejas, identifiquen las partes de "El saludo" e incluyan una descripción de lo que ocurre en cada una.

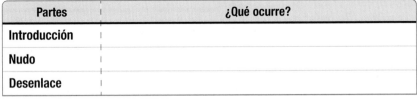

| Partes | ¿Qué ocurre? |
|---|---|
| Introducción | |
| Nudo | |
| Desenlace | |

**4 Los personajes** En grupos de tres, creen un diagrama de Venn en el que comparen a La Diva con la asistente.

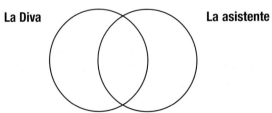

La Diva          La asistente

**5** **El suspenso** En grupos de tres, compartan sus conocimientos sobre el género del suspenso en el cine, el teatro y la literatura. Después, discutan sobre las preguntas. Si es necesario, consulten sobre este género en Internet.

1. ¿Qué es el suspenso? ¿Cuáles son sus características principales?

2. ¿Qué obras literarias o cinematográficas de su país conocen de este género?

3. ¿Calificarían "El saludo" como cuento de suspenso? Busquen referencias en el cuento para apoyar su respuesta.

4. En el cuento, La Diva solía decir: "Esta mosquita muerta lo ve todo, lo sabe todo." ¿Qué importancia tiene esta oración en la historia? ¿Creen que se podría relacionar con alguna de las características del género del suspenso? ¿Cómo?

5. ¿Qué técnicas usa Orgambide para crear tensión en los lectores?

6. ¿Anticiparon el final de la historia o se quedaron sorprendidos/as?

**6** **Las apariencias** En grupos de tres, contesten las preguntas.

1. ¿Piensan que la historia es verosímil? ¿Creen que hay personas en el mundo del espectáculo que se podrían identificar con los personajes del cuento?

2. ¿En qué sector creen que es más común encontrar el afán por la fama actualmente: en el mundo de las artes escénicas o en las redes sociales?

3. La Diva cubre sus defectos con mascarillas y cosméticos. ¿De qué forma "enmascaran" sus defectos los famosos de hoy en día? ¿Y los no famosos?

4. En el cuento, la narradora explica cómo "el público se agita, grita, patalea". ¿Existe hoy en día esa devoción por los famosos? Den ejemplos.

5. ¿Consideran que las redes sociales fomentan el mundo de las apariencias o creen que ese mundo siempre ha existido? Den ejemplos.

6. ¿Por qué creen que hay personas que darían todo por ser famosas?

7. Andy Warhol dijo: "En el futuro, todo el mundo será famoso durante quince minutos." ¿Creen que tenía razón? ¿Por qué?

8. Además de escribir obras de teatro, Orgambide también fue bailarín y maestro de danza. ¿Cómo creen que su experiencia en el campo influyó en la elaboración del cuento?

**7** **Escribir** Siguiendo las características del género del suspenso que discutieron en la actividad 5, en parejas, escriban un cuento o una obra de teatro. Después, lean su cuento o representen su obra ante la clase.

Practice more at
vhlcentral.com.

En esta lección has aprendido sobre el arte escénico en sus diferentes formas. Vas a escribir un análisis o crítica de un concierto, una obra de teatro u otro espectáculo escénico al que hayas asistido.

## Planificar y preparar la escritura

**1** **Estrategia: Prepara el tema de tu análisis** Piensa en un concierto o en una obra de teatro que hayas visto. ¿Cuál es tu opinión sobre él o ella? ¿Te gustó? ¿Qué podría haber mejorado? ¿Cuál fue la mejor parte? Utiliza una tabla como la de abajo para escribir los puntos positivos, los negativos, y otras notas y preguntas sobre el espectáculo.

| Positivo | Negativo | Notas y preguntas |
|---|---|---|
| La guitarrista era muy buena. | La calidad del sonido en la sala no era muy buena. | ¿Cuánto tiempo lleva la banda tocando junta? |

**2** **Estrategia: Desarrolla el cuerpo del análisis**

- Piensa en cómo usar los datos de tu tabla para escribir tu análisis. Busca respuesta a las preguntas de tu tabla para completar el análisis.
- Desarrolla el cuerpo del análisis describiendo los puntos positivos y negativos del concierto o de la obra de teatro.

## Escribir

**3** **Tu análisis** Ahora escribe tu análisis. Utiliza la información que has reunido y sigue estos pasos.

- **Introducción:** Presenta a la banda del concierto o la obra de teatro y describe brevemente su biografía o historia. Usa palabras descriptivas.
- **Desarrollo:** Explica detalladamente los puntos positivos y negativos del concierto o de la obra de teatro. Ofrece ejemplos que apoyen tus afirmaciones.
- **Conclusión:** Resume tus observaciones y termina el análisis.

## Revisar y leer

**4** **Revisión** Pídele a un(a) compañero/a que lea tu análisis y que te haga preguntas sobre el concierto o la obra de teatro. Revisa tu texto incorporando información nueva y prestando atención a estos elementos.

- ¿El análisis está escrito de manera lógica y ordenada?
- ¿Explicaste bien tu opinión sobre el concierto o la obra de teatro con palabras descriptivas?
- ¿Enlazaste de manera fluida tus observaciones?
- ¿Son correctas la gramática y la ortografía?

# En escena

## Así lo decimos

**la acrobacia** *acrobatics*
**el antifaz** *eye mask*
**las artes circenses** *circus arts*
**la audición** *audition*
**el/la bailarín/bailarina** *dancer*
**la carroza** *float*
**el compás** *beat*
**la coreografía** *choreography*
**la cuerda floja** *tightrope*
**el decorado** *scenery*
**el/la dramaturgo/a** *playwright*
**el elenco** *cast*
**el escenario** *stage*
**el giro** *spin*
**el guion** *script*
**los malabares** *juggling*
**el maquillaje** *makeup*
**la máscara** *mask*
**el miedo escénico** *stage fright*
**el/la mimo** *mime*
**el musical** *musical*
**las palmas** *clapping*
**el papel** *role*
**la peluca** *wig*
**la pista** *ring*
**la pluma** *feather*
**el/la protagonista** *leading role, protagonist*
**la puesta en escena** *staging*
**la purpurina** *glitter*
**el son** *sound, pace*
**el tablado** *dance stage*
**la taquilla** *box office*
**el/la trapecista** *trapeze artist*

**actuar** *to act, to perform*
**dar palmas** *to clap*
**disfrazarse (de)** *to dress up (as)*
**ensayar** *to rehearse*
**interpretar** *to play (a role)*
**saltar** *to jump*

**colorido/a** *colorful*
**llamativo/a** *flashy*

## Documental

**el abordaje** *approach*
**la actuación** *performance*
**el/la aficionado/a** *enthusiast*
**el compañerismo** *fellowship*
**el/la maquillador(a)** *makeup artist*
**el/la miembro** *member*
**la murga** *form of popular musical theater*
**la vertiente** *aspect*

**asistir** *to attend*
**cumplir** *to fulfill*
**realizarse** *to take place*
**triunfar** *to succeed*

**fiel** *loyal*
**fortuito/a** *coincidental*

## Artículo

**la brújula** *compass*
**la carencia** *lack*
**la censura** *censorship*
**la cifra** *number, figure*
**la crítica** *critics*
**el fomento** *development, promotion*
**la materia pendiente** *unresolved matter*
**la política** *policy*
**el/la principiante** *beginner*
**la rama** *branch*
**el subsidio** *subsidy*

**atascar** *to hold back*
**subvencionar** *to finance*

**la asistencia** *attendance*
**el fin** *purpose*
**el fortalecimiento** *strengthening*
**la mejora** *improvement*
**los títeres** *puppet show*

**fomentar** *to promote*
**impulsar** *to boost*

**atrevido/a** *bold, daring*
**bienal** *biennial*
**en cartel** *now showing*

**innovador(a)** *innovative*
**operativo/a** *operational*

## Literatura

**el/la admirador(a)** *fan*
**el afán** *ambition*
**el camarín** *dressing room*
**el chisme** *gossip*
**el desenlace** *outcome*
**la envidia** *envy*
**el/la ladrón/ladrona** *thief*
**el/la marqués/marquesa** *marquis/ marquise*
**el nudo** *crux, heart*
**el suspenso** *suspense*

**clavar** *to stab*
**hacer una reverencia** *to bow*
**hacerse (de) rogar** *to play hard to get*
**tener celos** *to be jealous*

**conmovedor(a)** *moving*
**entre bambalinas** *backstage*

## Ahora yo puedo...

- entender información clave en contextos orales y escritos sobre las artes escénicas.
- participar en conversaciones para comparar espectáculos de mi comunidad con los de países hispanohablantes.
- presentar un póster sobre un carnaval en el mundo hispano.
- comparar prácticas y perspectivas sobre eventos culturales y tradiciones en mi cultura y otras.
- reconocer que la economía de un país influye en sus artes escénicas.

FORMAS DE EXPRESIÓN

# Creencias y fe

### BOLIVIA, PERÚ Y ECUADOR

ECUADOR

PERÚ

BOLIVIA

## LESSON OBJECTIVES
### You will learn how to...

- understand most of what it is said or written in texts about religion.
- interact with a travel agent in Spanish to request information about an event.
- write a comparison between a religious ceremony in your community and one in a different culture.
- compare practices and perspectives about religious beliefs in your own and other cultures.
- recognize and respect the diversity of cultures, religions, and lifestyles.

## Las religiones

La religión es un factor cultural muy importante en Latinoamérica. La mayoría de la población es **cristiana**, principalmente **católica**, aunque en los últimos años el porcentaje de **protestantes** ha aumentado. Alrededor de un 10% de los latinoamericanos se declaran **agnósticos** o **ateos**.

**agnóstico/a** *agnostic*
**ateo/a** *atheist*
**budista** *Buddhist*
**católico/a** *Catholic*
**cristiano/a** *Christian*
**hindú** *Hindu*
**judío/a** *Jewish*
**musulmán/musulmana** *Muslim*
**protestante** *Protestant*

## Las prácticas religiosas

En Perú, la religión de los incas era **politeísta** y **adoraba** a los dioses de la naturaleza. La llegada de los españoles supuso la expansión del catolicismo. Hoy en día, sus **creencias** y formas de **culto** mantienen elementos tanto católicos como indígenas, dando lugar a muchos ejemplos de **sincretismo** religioso.

**adorar** *to worship*
**bendecir** *to bless*
**la creencia** *belief*
**el culto** *worship*
**meditar** *to meditate*
**la misa** *mass*

**monoteísta** *monotheistic*
**la peregrinación** *pilgrimage*
**politeísta** *polytheistic*
**predicar** *to preach*
**el sincretismo** *syncretism*

## Los lugares sagrados

La **Catedral** de Santa María de la Encarnación en Santo Domingo (República Dominicana) es la **iglesia** más antigua de América. Le siguen otras construcciones como la **Capilla** de San José de Tlaltenango y la **Ermita** del Rosario de La Antigua. Las dos se encuentran en México y fueron construidas en el siglo XVI.

**la capilla** *chapel*
**la catedral** *cathedral*
**la ermita** *shrine*
**la iglesia** *church*
**la mezquita** *mosque*
**el monasterio** *monastery*
**el santuario** *sanctuary*
**la sinagoga** *synagogue*
**el templo** *temple*

## Los cargos religiosos

En la religión católica, los **curas** son las figuras que actúan como guías espirituales. En la religión protestante, este cargo lo asumen los **pastores**. Por su parte, los **rabinos** son los líderes espirituales de las comunidades judías, y los **imanes** lo son de las comunidades musulmanas. Los **lamas** son los sacerdotes budistas.

**el cura** *Catholic priest*

**el imán** *imam*

**el lama** *lama*

**el monje** *monk*

**el obispo** *bishop*

**el papa** *pope*

**el/la pastor(a)** *pastor*

**el/la rabino/a** *rabbi*

**el/la sacerdote/sacerdotisa** *priest*

Practice more at
**vhlcentral.com.**

**1 Parejas** Completa las definiciones con la palabra correcta.

| | |
|---|---|
| adorar | meditar |
| ateo/a | mezquita |
| capilla | peregrinación |
| catedral | sacerdote |

1. Persona que niega la existencia de cualquier dios: _____
2. Líder espiritual de una religión: _____
3. Templo cristiano de gran importancia: _____
4. Pensar y reflexionar sobre algún tema trascendente: _____
5. Mostrar reverencia a lo que se considera sagrado: _____
6. Edificio religioso pequeño o que forma parte de una iglesia: _____
7. Templo musulmán: _____
8. Recorrido que se hace a un lugar sagrado: _____

**2 Reflexión** En parejas, contesten las preguntas.

1. ¿Cuál es la religión mayoritaria en tu país? ¿Crees que esto puede cambiar?
2. ¿Conoces la diferencia entre ateísmo y agnosticismo? ¿Qué doctrina te parece más racional? ¿Por qué?
3. ¿Te gusta visitar edificios religiosos? ¿Cuáles has visitado? ¿Cómo te sentiste?
4. ¿Crees que es lo mismo ser creyente que practicar una religión? Explica.

**3 En común** En grupos de tres, hagan una lista de los elementos que tienen en común todas las religiones. Después lean la cita y contesten las preguntas.

> "El conocimiento profundo de las religiones permite derribar las barreras que las separan."
> —**Mahatma Gandhi**

- ¿Están de acuerdo con la cita? Expliquen.
- ¿Cuáles creen que son las barreras mencionadas?
- ¿Creen que la cita se puede aplicar a otro tipo de creencias, además de las religiosas? Den ejemplos.

| Vocabulario del documental | | Vocabulario útil | |
|---|---|---|---|
| agradecer | to show gratitude | la alabanza | praise |
| andino/a | Andean | comestible | edible |
| la esperanza | hope | la cosecha | harvest |
| el ganado | cattle | provenir de | to come from |
| ofrendar | to offer up | sembrar | to sow |
| el/la poblador(a) | inhabitant | sobrenatural | supernatural |
| la siembra | sowing | terrenal | earthly |
| la vigilia | vigil | venerar | to worship |

| Expresiones | |
|---|---|
| hacer borrón y cuenta nueva | to start with a clean slate |
| hacerse esperar | to take time |

**1** **Sustituir** Reemplaza el texto subrayado con las palabras correspondientes.

1. Hay que <u>dar las gracias por</u> cualquier regalo, aunque sea pequeño.
2. En algunas regiones <u>de los Andes</u>, las tradiciones religiosas ancestrales conviven con el cristianismo.
3. La palabra "religión" <u>tiene su origen en el</u> latín.
4. En algunas ceremonias religiosas se <u>ofrecen</u> incienso y flores a los seres sobrenaturales.
5. Algunas festividades religiosas requieren <u>quedarse despierto durante la noche.</u>
6. Muchos <u>habitantes</u> de los Andes pertenecen al grupo indígena aimara.
7. En Bolivia, los creyentes católicos <u>dan culto</u> a la Virgen de Urkupiña.
8. Muchas celebraciones y rituales andinos tienen lugar para dar gracias por la <u>recogida de frutos.</u>

**2** **Expresión** Escribe una conversación en la que uses la expresión "hacer borrón y cuenta nueva".

**3** **¿Qué es una religión?**

**A.** Define el término "religión" con tus propias palabras. Luego, compara tu definición con la de un(a) compañero/a. ¿Son similares o difieren?

**B.** Comparen sus definiciones con la del sociólogo Émile Durkheim. ¿Están de acuerdo con él? Expliquen por qué.

"Una religión es un sistema de creencias y prácticas referidas a cosas sagradas [...] que unen en una misma comunidad moral denominada iglesia a todos los que se adhieren a ellas."

**4 Citas** En grupos de tres, discutan las citas y contesten las preguntas.

"La religión está en el corazón, no en las rodillas."
—**Douglas William Jerrold, dramaturgo inglés**

"Las religiones, como las luciérnagas (*fireflies*), necesitan de oscuridad para brillar." —**Arthur Schopenhauer, filósofo alemán**

"Quien a Dios tiene, nada le falta. Solo Dios basta."
—**Santa Teresa de Jesús, religiosa y escritora española**

"Yo no sé si Dios existe, pero si existe, sé que no le va a molestar mi duda."
—**Mario Benedetti, escritor uruguayo**

1. ¿Con cuál de las citas te identificas más? ¿Por qué?
2. ¿Qué importancia tiene la religión en tu vida?
3. ¿Te consideras una persona espiritual?
4. ¿Asistes a celebraciones religiosas? ¿Con qué frecuencia?
5. ¿Cómo celebras el año nuevo? ¿Asistes a alguna celebración religiosa ese día?

**5 Preparación** En parejas, contesten las preguntas.

1. ¿Qué es el solsticio?
2. ¿Sabes cuándo se da el solsticio de invierno en el hemisferio norte? ¿Y en el hemisferio sur?
3. ¿Conoces alguna celebración que conmemore el solsticio?
4. ¿Sabes de alguna religión que venere elementos de la naturaleza?
5. ¿Sabes qué pueblos indígenas viven en los Andes?

**6 Fotogramas** En grupos de tres, observen los fotogramas y discutan qué pasa en cada uno de ellos.

Practice more at vhlcentral.com.

# Pueblos indígenas de Bolivia reciben el año 5527

La fecha marca un nuevo comienzo e inaugura la época de siembra

# Escenas

## ARGUMENTO

Durante el solsticio de invierno, los pueblos indígenas de Bolivia reciben la llegada del nuevo año esperando la llegada del dios Sol, Inti.

**PRESENTADORA:** En Bolivia, los pueblos indígenas reciben el año 5527 del calendario andino-amazónico con ceremonias y fiestas.

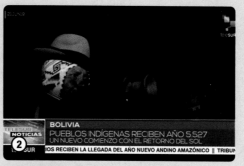

**REPORTERO:** Durante la noche y la madrugada se hace vigilia en los lugares considerados sagrados o en las elevaciones y cerros°.

**CAMPESINA:** Entonces aquí todo lo malo se terminó y empiezan nuestros nuevos sueños, nuevas esperanzas.

**TURISTA:** Se siente esa energía cuando se recibe el sol.

**REPORTERO:** La ceremonia de la ofrenda se denomina "wajta".

**REPORTERO:** La tradición dice que en el mundo indígena se teme que° el sol se haya ido y la tierra quede en tinieblas.

**cerros** *hills*
**se teme que**
*it is feared that*

**1** **¿Cierto o falso?** Indica si las oraciones son ciertas o falsas. Corrige las falsas.

1. El calendario andino-amazónico no coincide con el calendario que se usa en la mayoría del mundo.
2. La ceremonia se realiza en un solo lugar en Bolivia.
3. Los creyentes extienden los brazos hacia el sol para agradecerle por el año que terminó.
4. Los campesinos creyentes esperan que el dios Sol dé buenas cosechas durante el año.
5. Durante la ceremonia, se dan distintas ofrendas al dios Sol y a la Madre Tierra.
6. Las ofrendas comestibles se ponen en un altar y después de la ceremonia los creyentes las comen.
7. La celebración del año nuevo empieza en la mañana del 21 de junio.
8. La Organización de las Naciones Unidas declaró el 21 de junio como Día Internacional del Solsticio.

**2** **Reflexionar** En parejas, contesten las preguntas.

1. ¿Qué valoran los pueblos indígenas, según se muestra en el video?
2. La ceremonia se realiza en lugares sagrados para los pueblos indígenas. ¿Por qué piensan que estos lugares son considerados sagrados?
3. ¿Por qué creen que se dan ofrendas en la ceremonia? ¿Qué piensan de la idea de ofrendar alimentos a los dioses?
4. ¿Creen que en la actualidad los pobladores indígenas del área temen que el sol realmente no vaya a salir?
5. ¿Qué piensan de la idea de empezar un nuevo año haciendo borrón y cuenta nueva?

**3** **Ceremonia religiosa**

**A.** En parejas, descríbanle a su compañero/a una ceremonia religiosa a la que hayan asistido.

- ¿Qué se estaba celebrando?
- ¿Dónde se celebró?
- ¿Cuánta gente asistió aproximadamente?
- ¿Se hizo alguna ofrenda?
- ¿Cuál fue la parte más importante de la ceremonia?

**B.** Comparen las ceremonias religiosas que conocen con la celebración andina del año nuevo. Completen la tabla. Después, extraigan conclusiones: ¿Cómo se diferencia la religión andina de las religiones occidentales que conocen?

| Similitudes | Diferencias |
| --- | --- |
|  |  |
|  |  |

**4** **Intercambio cultural** Imagina que un(a) poblador(a) indígena de Bolivia asiste a una ceremonia religiosa en tu ciudad. ¿Qué aspectos de la ceremonia crees que le sorprenderían? ¿Por qué? En parejas, discutan la situación.

**5** **Lenguas indígenas** En grupos de tres, lean el párrafo y contesten las preguntas.

En el video se mencionan algunos términos en aimara y quechua, lenguas indígenas de esa región. En Bolivia, además del español, estas dos lenguas indígenas son lenguas oficiales y son habladas aproximadamente por un 20% y 30% de su población, respectivamente. Observen la lista con los términos del video.

Willkakuti (del aimara): retorno del sol

Tata (del aimara): padre, señor

Inti (del quechua a través del puquina): dios Sol

Machaq Mara (del aimara): año nuevo

Wajta (del aimara): ofrenda para los dioses

Pachamama (del quechua y del aimara): Madre Tierra

1. ¿Conocen palabras del inglés que provengan de lenguas indígenas de Norteamérica? ¿Creen que hay muchas o pocas?

2. Consulten un mapa de los Estados Unidos y Canadá. ¿Qué nombres de estados, ciudades, pueblos y accidentes (*features*) geográficos como ríos, lagos o montañas provienen de lenguas indígenas de Norteamérica? ¿Hay muchos o pocos?

3. ¿Qué porcentaje de habitantes de su país creen que habla lenguas indígenas? Investiguen y comprueben si su respuesta es correcta.

4. Comparen la situación lingüística de su país y de Bolivia con respecto a las lenguas indígenas.

**6** **Calendario indígena** Investiga sobre el calendario andino-amazónico. Escribe un párrafo en el que contestes estas preguntas.

- ¿Por qué el calendario andino-amazónico tiene esa numeración? Calcula el año actual (*current*) de tu cultura en el calendario andino-amazónico.

- ¿Cuál es la controversia sobre el calendario andino-amazónico? ¿Qué opinas tú?

- ¿Cuál es el calendario que se usa mayoritariamente en el mundo? ¿Qué diferencias y semejanzas tiene con el calendario andino-amazónico?

**7** **En tu comunidad** Busca en tu comunidad una ceremonia o celebración religiosa pública en español y, si es posible, asiste a ella. ¿Cómo se compara con la ceremonia del año nuevo andino o con otras ceremonias religiosas que tú conoces? Comparte tu experiencia con la clase.

Practice more at
vhlcentral.com.

# 9.1 The future perfect

**TALLER DE CONSULTA**

The following grammar topic is covered in the **Manual de gramática. 9.4 Transitional expressions, p. 436.**

To review irregular past participles, see **7.1, p. 263.**

- The future perfect tense (**el futuro perfecto**) is formed with the future of **haber** and a past participle.

| The future perfect | | |
|---|---|---|
| **ganar** | **perder** | **salir** |
| habré ganado | habré perdido | habré salido |
| habrás ganado | habrás perdido | habrás salido |
| habrá ganado | habrá perdido | habrá salido |
| habremos ganado | habremos perdido | habremos salido |
| habréis ganado | habremos perdido | habréis salido |
| habrán ganado | habrán perdido | habrán salido |

- The future perfect is used to express what *will have happened* at a certain point. The phrase **para** + [*time expression*] is often used with the future perfect.

  **Para** el año que viene, ya **habrán construido** el templo.
  *By next year, the temple will have already been built.*

  La ceremonia **habrá terminado para** las once de la mañana.
  *The ceremony will have ended by 11 a.m.*

- **Antes de (que), cuando, dentro de,** and **hasta (que)** are also used with time expressions or other verb forms to indicate *when* the action in the future perfect *will have happened.*

  **Cuando** lleguemos a la iglesia, la misa ya **habrá empezado**.
  *When we get to the church, the mass will have already started.*

  Lo **habré terminado dentro de** dos horas.
  *I will have finished it within two hours.*

**TALLER DE CONSULTA**

To review the subjunctive after conjunctions of time or concession, see **6.1, p. 220.**

To express probability regarding present or future occurrences, use the future tense. See **5.1, pp. 178–179.**

- The future perfect may also express supposition or probability regarding a past action.

  ¿**Habrán participado** en la celebración?
  *I wonder if they've participated in the celebration.*

  Los bolivianos se **habrán alegrado** al escuchar la noticia.
  *I'm sure Bolivians will have been happy after hearing the news.*

*¿**Habrán pasado** toda la noche despiertos?*

**1 Completar** Completa el diálogo. Usa el futuro perfecto de los verbos entre paréntesis.

**DAVID** Leí un artículo que dice que en el año 2050, el número de cristianos se (1) _____ (igualar) al de musulmanes.

**FRAN** Yo también lo leí, decía que el número de cristianos (2) _____ (disminuir) y el número de musulmanes se (3) _____ (mantener) estable.

**DAVID** También hay estudios que predicen que dentro de pocos siglos las religiones tal y como las conocemos (4) _____ (desaparecer).

**FRAN** ¿Tú piensas que en el futuro toda la población (5) _____ (parar) de creer en algún dios?

**DAVID** No, en realidad creo que la gente seguirá siendo espiritual, pero las creencias y las formas de culto (6) _____ (evolucionar).

**FRAN** ¿A qué te refieres?

**DAVID** Pues por ejemplo, creo que la población (7) _____ (dejar) de ir a las iglesias, las mezquitas, las sinagogas... Pero pienso que la fe en lo divino no se (8) _____ (perder).

**2 Planes** Tú y tus amigos habían planeado encontrarse a las seis de la tarde, pero nadie ha venido y tú no sabes por qué. Escribe suposiciones con la información proporcionada y añade dos posibles razones más. Sigue el modelo.

**Modelo** **Mis amigos pensaron que soy aburrido/a.**
Mis amigos habrán pensado que soy aburrido/a.

1. Entendí mal los planes.
2. Me dejaron un mensaje telefónico.
3. Lo olvidaron.
4. No escuché el timbre (*doorbell*).
5. Uno de mis amigos tuvo un accidente.
6. Llegaron antes de las seis.
7. Me equivoqué de día.
8. Me engañaron.
9. Fue una broma.
10. Lo soñé.
11. ¿?
12. ¿?

**3 El futuro**

**A. Haz estas preguntas a un(a) compañero/a. Anota sus respuestas.**

- Cuando terminen las próximas vacaciones de verano, ¿qué habrás hecho?
- Antes de terminar tus estudios universitarios, ¿qué aventuras habrás tenido?
- Dentro de diez años, ¿dónde habrás estado y a quién habrás conocido?
- Cuando tengas cuarenta años, ¿qué decisiones importantes habrás tomado?
- Para el año 2035, ¿qué altibajos (*ups and downs*) habrás experimentado?
- Cuando seas abuelo/a, ¿qué lecciones habrás aprendido de la vida?

**B. Ahora, comparte las respuestas de tu compañero/a con la clase.**

Practice more at
vhlcentral.com.

## 9.2 The conditional perfect

*Ese día, **habrías sentido** la energía del sol.*

- The conditional perfect tense (**el condicional perfecto**) is formed with the conditional of **haber** and a past participle.

**TALLER DE CONSULTA**

To review irregular past participles, see **7.1, p. 263.**

The conditional perfect is frequently used after **si** clauses that contain the past perfect subjunctive. See **9.3, p. 341.**

| The conditional perfect | | |
|---|---|---|
| **tomar** | **correr** | **subir** |
| habría tomado | habría corrido | habría subido |
| habrías tomado | habrías corrido | habrías subido |
| habría tomado | habría corrido | habría subido |
| habríamos tomado | habríamos corrido | habríamos subido |
| habríais tomado | habríais corrido | habríais subido |
| habrían tomado | habrían corrido | habrían subido |

- The conditional perfect tense is used to express what *would have occurred* but did not.

Juan y Lidia **habrían ido** a la procesión, pero no llegaron a tiempo.
*Juan and Lidia would have gone to the procession, but they didn't make it in time.*

**Habrías aprendido** sobre una religión diferente.
*You would have learned about a different religion.*

Alda **habría invitado** a Lourdes a participar en el ritual.
*Alda would have invited Lourdes to participate in the ritual.*

**Habría visitado** el templo más antiguo del país.
*I would have visited the oldest temple in the country.*

***Habríamos ido** a uno de los lugares sagrados.*

- The conditional perfect may also express probability or conjecture about the past.

Era imposible que conociera esa ceremonia. ¿No **habría leído** algún artículo sobre ella?
*It was impossible that he knew about that ceremony. Don't you think he had read an article about it?*

**1 Completar** Completa las oraciones con el condicional perfecto.

1. No entiendo por qué no participaste en el debate. En tu lugar, yo _____ (explicar) mis creencias.
2. Si hubiera vivido en Bolivia, _____ (aprender) sobre tradiciones andinas.
3. Me _____ (encantar) visitar Machu Picchu, pero no pude viajar a Perú.
4. Yo no _____ (terminar) esa peregrinación; el camino era demasiado largo.
5. Mis amigos _____ (entrar) a la mezquita, pero había demasiada gente.

**2 Un final distinto** En parejas, conecten a los personajes con sus historias. Luego, utilicen el condicional perfecto para inventar un final distinto. Sigan el modelo.

**Modelo** **El gladiador Máximo / muere en el coliseo.**
En nuestra historia, el gladiador no habría muerto en el coliseo.
Él habría triunfado y…

| | |
|---|---|
| Rocky | se pasa al Lado Oscuro. |
| Robin Hood | sigue al conejo por el túnel. |
| Harry Potter | derrota a Iván Drago. |
| Anakin Skywalker | se enamora de Marian. |
| Alicia | escapa de los ataques de Voldemort. |

**3 ¿Qué habrían hecho?** En parejas, miren los dibujos y túrnense para decir lo que habrían hecho en cada situación. Usen al menos seis palabras de la lista. Utilicen el condicional perfecto.

| | | |
|---|---|---|
| cerrajero (*locksmith*) | golpearse | llave |
| culpar *(to blame)* | gritar | médico |
| enojarse | helado | mentir |
| ensuciar (*to get dirty*) | llamar | traje (*suit*) |

1

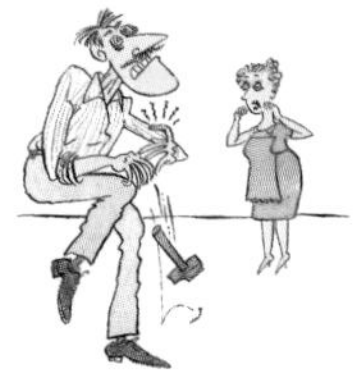

2

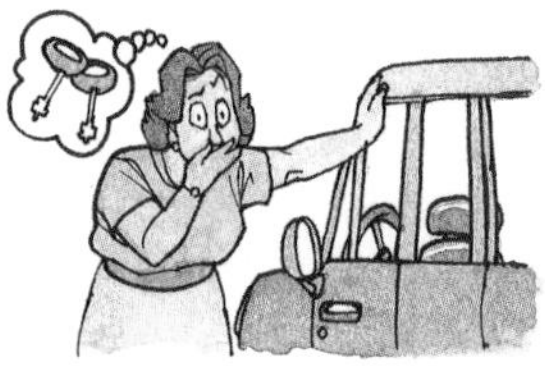

3

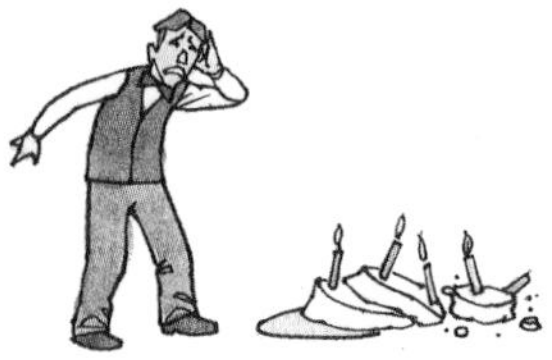

4

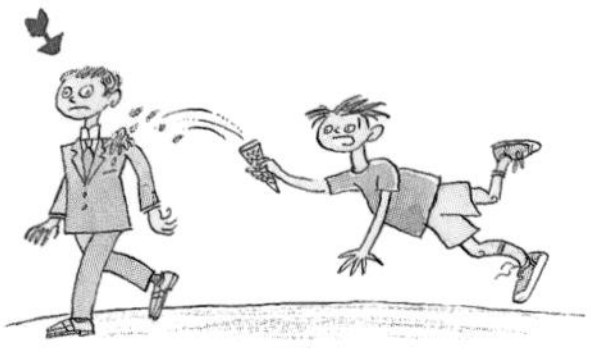

## 9.3 *Si* clauses

**TALLER DE CONSULTA**

For other transitional expressions that express cause and effect, see **Manual de gramática 9.4, p. 436.**

- **Si** (*if*) clauses express a condition or event upon which another condition or event depends. Sentences with **si** clauses are often hypothetical statements. They contain a subordinate clause (**si** clause) and a main clause (result clause).

*Si* están en Bolivia en junio, celebren el año nuevo andino.

- The **si** clause may be the first or second clause in a sentence. Note that a comma is used only when the **si** clause comes first.

**Si** tienes días libres, ven con nosotros a Lima.
*If you have days off, come with us to Lima.*

Iré con ustedes **si** no tengo que trabajar.
*I'll go with you if I don't have to work.*

**¡ATENCIÓN!**

**Si** (*if*) does not carry a written accent. However, **sí** (*yes*) does carry a written accent.

**Si puedes, ven.**
*Come if you can.*

**Sí, puedo.**
*Yes, I can.*

## Hypothetical statements about possible events

- In hypothetical statements about conditions or events that are possible or likely to occur, the **si** clause uses the present indicative. The main clause may use the present indicative, the future indicative, **ir a** + [*infinitive*], or a command.

| Si clause: Present indicative | | Main clause |
|---|---|---|
| **Si llegas** a tiempo, *If you arrive on time,* | PRESENT TENSE | **puedes** visitar la catedral. *you can visit the cathedral.* |
| **Si** Gisela **viene** a Cusco, *If Gisela comes to Cusco,* | FUTURE TENSE | le **encantará**, seguro. *she'll definitely love it.* |
| **Si** no **respetas** mis creencias, *If you don't respect my beliefs,* | *IR A* + [INFINITIVE] | me **voy a enfadar**. *I'm going to get angry.* |
| **Si viajan** a Ecuador, *If you travel to Ecuador,* | COMMAND | **pasen** unos días en Quito. *spend a few days in Quito.* |

*Si regreso* a Bolivia el año que viene, *participaré* de nuevo en la celebración.

# Hypothetical statements about improbable situations

- In hypothetical statements about current conditions or events that are improbable or contrary-to-fact, the **si** clause uses the past subjunctive. The main clause uses the conditional.

| *Si* clause: Past subjunctive | Main clause: Conditional |
|---|---|
| **Si leyéramos** su libro, *If we read his book,* | **entenderíamos** mejor sus creencias. *we'd understand his beliefs better.* |
| **Si viviera** en Perú, *If I lived in Peru,* | **visitaría** a mi familia más a menudo. *I would visit my family more often.* |

# Hypothetical statements about the past

- In hypothetical statements about contrary-to-fact situations in the past, the **si** clause describes what *would have happened* if another event or condition *had occurred*. The **si** clause uses the past perfect subjunctive. The main clause uses the conditional perfect.

| *Si* clause: Past perfect subjunctive | Main clause: Conditional perfect |
|---|---|
| **Si** no me **hubiera lastimado** el pie, *If I hadn't injured my foot,* | **habría hecho** la peregrinación. *I would have made the pilgrimage.* |
| **Si** me **hubieras llamado** antes, *If you had called me sooner,* | nos **habríamos reunido**. *we would have met.* |

# Habitual conditions and actions in the past

- In statements that express habitual past actions that are not contrary-to-fact, both the **si** clause and the main clause use the imperfect.

| *Si* clause: Imperfect | Main clause: Imperfect |
|---|---|
| **Si** Milena **tenía** tiempo libre, *If Milena had free time,* | **iba** a la iglesia durante la semana. *she'd go to church during the week.* |
| Por años, **si viajaba** a Quito, *For years, if I traveled to Quito,* | siempre **me reunía** con mis amigos. *I would always meet my friends.* |

*Los turistas se levantaban muy temprano si querían participar en la celebración.*

**1** **Situaciones** Completa las oraciones.

**A. Situaciones probables o posibles**

1. Si mi amiga Teresa no _____ (venir) pronto, llegaremos tarde.

2. Si tú no _____ (trabajar) hoy, vamos a ese restaurante peruano.

**B. Situaciones hipotéticas sobre eventos improbables**

3. Si mis padres no vivieran en Bolivia, yo no _____ (viajar) tan a menudo.

4. Si nosotros fuéramos judíos, _____ (celebrar) Janucá en lugar de Navidad.

**C. Situaciones hipotéticas sobre el pasado**

5. Si mi familia hubiera sido atea, probablemente yo también lo _____ (ser).

6. Si tú _____ (venir) a las Islas Galápagos, habrías disfrutado mucho.

**2** **Si trabajara menos** Carolina y Leticia trabajan cuarenta horas por semana y se imaginan qué harían si trabajaran menos horas. Completa el diálogo con el condicional o el imperfecto del subjuntivo.

**CAROLINA** Estoy todo el día en la oficina, pero si (1) _____ (trabajar) menos, tendría más tiempo para divertirme. Si solo viniera a la oficina algunas horas por semana, (2) _____ (practicar) senderismo más a menudo.

**LETICIA** ¿Senderismo? ¡Qué aburrido! Si yo tuviera más tiempo libre, (3) _____ (hacer) todas las noches lo mismo: (4) _____ (ir) al teatro, luego (5) _____ (salir) a cenar y, para terminar la noche, (6) _____ (hacer) una fiesta para celebrar que ya no tengo que ir a trabajar por la mañana. Si nosotras (7) _____ (tener) la suerte de no tener que trabajar nunca más, (8) _____ (pasarse) todo el día sin hacer absolutamente nada.

**CAROLINA** ¿Te imaginas? Si la vida (9) _____ (ser) así, seríamos mucho más felices, ¿no crees?

**3** **Si yo hubiera sido** En parejas, imaginen cómo habrían sido sus vidas si hubieran sido uno de estos personajes. Añadan dos personajes más a la lista.

**Modelo** uno de los Beatles
Si yo hubiera sido uno de los Beatles, habría tenido millones de aficionados a mi música y habría viajado por todo el mundo.

- Madre Teresa de Calcuta
- Benjamin Franklin
- Elvis Presley
- Ray Charles
- la Princesa Diana de Inglaterra
- Jorge Luis Borges
- ¿?
- ¿?

Practice more at vhlcentral.com.

**4** **¿Qué harías?** En parejas, miren los dibujos y túrnense para preguntarse qué harían si les ocurriera lo que muestra cada dibujo. Sigan el modelo y sean creativos/as.

**Modelo** —¿Qué harías si encontraras diez mil dólares en la calle?
—Si yo encontrara diez mil dólares en la calle, seguramente llamaría a la policía y preguntaría si alguien los había reclamado.

**NOTA CULTURAL**

La **marinera** es un baile tradicional de **Perú**. Se baila en pareja y se caracteriza por representar un escenario de romance o coqueteo (*flirting*). Se realiza con una postura elegante y pasos firmes y enérgicos al compás de la música. El atuendo de los hombres consiste en un traje que puede ser negro o blanco, con adornos y encajes (*lace*). Para las mujeres, el vestido es largo con encajes y pliegues (*pleats*).

1. Tu suegro viene de visita sin avisar.     2. Te invitan a bailar marinera.

3. Se descompone tu carro en el desierto.     4. Te quedas atrapado/a en un ascensor.

**5** **¿Qué pasaría?** En parejas, pregúntense qué hacían, hacen, harían o habrían hecho en las siguientes situaciones.

**Modelo** **Si fueras un(a) atleta famoso/a...**
Si fuera un(a) atleta famoso/a, donaría parte de mi sueldo para construir más escuelas.

1. Si hoy hubieras tenido el día libre...
2. Si, de niño/a, tus padres te regañaban...
3. Si suspendieran las clases durante una semana...
4. Si ves a tu novio/a con otro/a en el cine...
5. Si descubrieras que tienes el poder de ser invisible...

**6** **¡Qué desilusión!** Imagina que vas a visitar Ecuador durante dos semanas. En el último momento, la aerolínea cancela tu vuelo y no puedes hacer tu viaje. En parejas, hablen de lo que habrían hecho de forma diferente si hubieran sabido que su vuelo iba a cancelarse y de lo que habrían hecho en Ecuador si hubieran podido visitar el país.

**Modelo** Si hubiera sabido que el vuelo iba a cancelarse, no habría comprado el boleto y habría elegido visitar otro país. Habría...
Si hubiera podido viajar a Ecuador, habría pasado unos días en Quito. Luego, habría...

## El salar de Uyuni

El desierto de sal más grande y alto de la Tierra es el Salar de Uyuni. Además de millones de toneladas de sal, contiene la mayor reserva mundial de litio. Cada vez más turistas llegan a esta zona del altiplano boliviano para recorrer las 4.000 millas cuadradas de extensión blanca, ver los géiseres y aguas termales o alojarse en el primer hotel de sal del mundo. Durante la estación lluviosa, en verano, el agua se acumula sobre la sal, lo que da la sensación única de estar en medio de un inmenso espejo.

## Machu Picchu

Tras permanecer cuatro siglos oculta° en el bosque nuboso de los Andes, la ciudadela° inca de Machu Picchu, en Perú, fue encontrada en 1911 en perfecto estado. Construida en el siglo XV entre dos montañas, es una obra maestra de la arquitectura, la ingeniería y la planificación urbana. Machu Picchu es considerada una de las siete nuevas maravillas del mundo.

## El ceviche

El plato más emblemático de la gastronomía peruana es el ceviche, o cebiche. Siglos atrás, la cultura mochica y la inca ya preparaban pescado crudo con jugo de curuba° o con bebida fermentada. Los españoles aportaron el limón y la cebolla, que junto con el ají° y la sal son imprescindibles° para macerar° el pescado. En 2016, se lanzó la campaña "Salvemos al ceviche", que promueve la sostenibilidad de los recursos pesqueros° y el consumo responsable.

## Las islas Galápagos

En 1835, Charles Darwin encontró una reserva de biodiversidad asombrosa° en las islas Galápagos, en Ecuador, que inspiró su teoría de la evolución. En este archipiélago de islas volcánicas hay animales únicos en el mundo, como las tortugas gigantes, los pinzones°, los leones marinos, las iguanas y los lagartos° de lava. Gracias al aislamiento° de miles de años, estos animales no temen° a los seres humanos. Recientemente, el mayor interés turístico en las islas hizo necesarias nuevas reglas, como la creación de un Santuario Marino para proteger su conservación.

**oculta** *hidden* **ciudadela** *citadel* **curuba** *banana passionfruit* **aji** *pepper*
**imprescindibles** *indispensable* **macerar** *marinate* **pesqueros** *fishing*
**asombrosa** *astonishing* **pinzones** *finches* **lagartos** *lizards*
**aislamiento** *isolation* **temen** *fear*

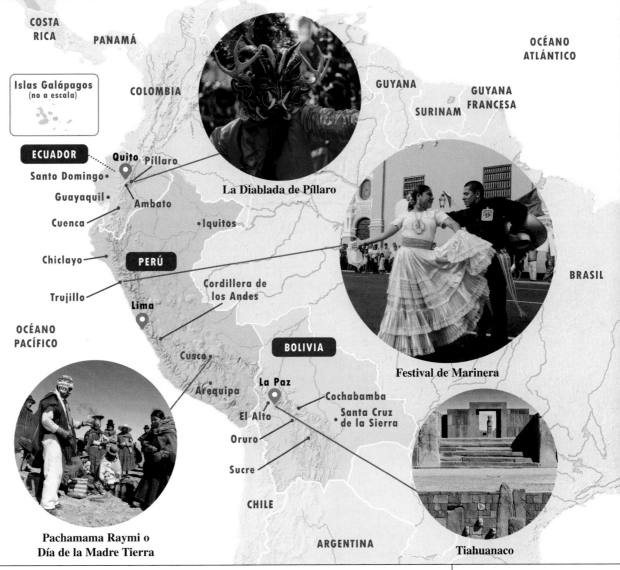

La Diablada de Píllaro

Festival de Marinera

Tiahuanaco

Pachamama Raymi o
Día de la Madre Tierra

**1** **Perspectivas** En parejas, contesten las preguntas.

1. ¿Preferirías visitar el salar en la estación de lluvia o en invierno? ¿Por qué?

2. ¿Sabes de alguna ciudad moderna que integre su arquitectura con el paisaje como Machu Picchu?

3. ¿Cómo piensas que visitar Machu Picchu puede ayudar a conocer la cultura inca?

4. ¿Existe un plato en tu cultura que tenga como ingrediente el pescado crudo o macerado, al igual que el ceviche? ¿De dónde es típico? ¿Qué conexiones puedes hacer entre Perú y esos lugares?

5. ¿Te parece que la iniciativa "Salvemos al ceviche" es útil? ¿Conoces algún proyecto similar en tu país o en otra parte del mundo?

6. ¿Qué impacto positivo y negativo te parece que puede tener el turismo en las Galápagos? ¿Qué medidas propondrías para que el turismo sea sostenible?

7. ¿Con qué lugar de tu país podrías comparar las islas Galápagos? ¿Por qué?

Practice more at
vhlcentral.com.

En el audio "Diversidades espirituales y religiosas en Quito", la investigadora María Amelia Viteri comenta sus descubrimientos sobre las comunidades de musulmanes conversos en América Latina, y específicamente en Quito, Ecuador.

## Antes de escuchar

**1** **Activar el conocimiento previo** En grupos pequeños, hablen sobre las religiones del mundo que conocen y lo que significa convertirse a una religión. ¿Conocen a alguna persona que se haya convertido a una religión? ¿Qué creen que hace que una persona quiera cambiar de religión? ¿Por qué piensan que algunas religiones están ganando popularidad frente a otras?

## Mientras escuchas

**2** **Estrategia: Palabras clave** Mientras escuchas el audio, anota las palabras clave que menciona María Amelia Viteri.

 **3** **Escucha una vez** Escucha el audio y concéntrate en el vocabulario nuevo. Anota palabras que no conozcas.

**4** **Escucha de nuevo** Ahora, vuelve a escuchar el audio y completa tu lista inicial. Trata de descifrar el significado de las palabras nuevas.

## Después de escuchar

**5** **Comprensión e interpretación** En parejas, contesten las preguntas.

1. ¿Qué comunidades religiosas analizó Viteri como parte de su trabajo de etnografía?
2. ¿Qué fenómeno está ocurriendo mundialmente con el islam?
3. ¿Qué relación establece Viteri entre la globalización y la conversión al islam?
4. ¿Qué características del islam hacen que gane popularidad?
5. ¿Por qué creen que las mujeres conversas valoran el formar parte de una comunidad?

**6** **Discusión** En grupos de cuatro, comenten qué les ha sorprendido de lo que explica la entrevistada en el audio. Hablen sobre sus experiencias personales respecto a la religión y el sentido de comunidad. Guíense por los siguientes puntos.

- Antes de escuchar el audio, ¿sabían cuál era la religión mayoritaria en Ecuador?
- ¿Les han sorprendido los datos sobre el aumento de musulmanes conversos en Ecuador? ¿Por qué?
- ¿Qué relación creen que existe entre la religión y el sentimiento de pertenencia a una comunidad?
- ¿Piensan que el islam tiene características que hacen que el sentido de comunidad sea mayor que en otras religiones? Expliquen.

## SOBRE LA AUTORA

**P**ierina Pighi Bel nació en Lima, Perú, en 1989. Estudió Comunicación en la Universidad de Piura y ha desarrollado su profesión de periodista en diversos diarios y revistas. Comenzó su trayectoria profesional en el diario limeño *El Comercio*. Más tarde, empezó a trabajar como reportera multimedia en BBC News Mundo, el servicio en español de la prestigiosa compañía inglesa BBC.

| Vocabulario de la lectura | | Vocabulario útil | |
|---|---|---|---|
| cargado/a | *loaded* | a raíz de | *as a result of* |
| la deidad | *deity* | la casualidad | *chance* |
| descuidar | *to neglect* | el destino | *fate* |
| la escasez | *shortage* | pisar | *to step on* |
| la figurita | *figurine* | la (buena/mala) | *(good/bad) streak* |
| el mal augurio | *bad omen* | racha | |
| mimar | *to indulge, to spoil* | la suerte | *luck* |
| vengarse | *to take revenge* | | |

**1** **Vocabulario** Escribe las palabras correspondientes.

Sinónimo de...

1. dios: _____
2. fortuna: _____
3. muñequito: _____

Antónimo de...

1. abundancia: _____
2. descuidar: _____
3. perdonar: _____

**2** **La suerte** En parejas, háganse las preguntas.

1. ¿Te consideras una persona supersticiosa? ¿Por qué?
2. ¿Qué tipo de objetos se usan normalmente como amuletos? ¿Tienes alguno?
3. ¿Crees que hay personas que tienen más suerte que otras? Explica.
4. ¿Sigues algún ritual para evitar la mala suerte? ¿En qué consiste?

**3** **Ekekos** Van a leer un artículo sobre los ekekos. En parejas, observen la foto de la página siguiente y adivinen cuál de las definiciones pertenece a la palabra "ekeko".

a. Muñeco que tiene la finalidad de ayudar a los niños a dormirse. Está hecho de madera o alambre (*wire*) y lleva ropa de algodón.
b. Muñeco que representa al dios aimara de la abundancia. Está hecho de arcilla (*clay*) y va cargado de objetos en miniatura.
c. Muñeco que representa el año que termina. Está hecho de cartón (*paperboard*), aserrín (*sawdust*) y ropa vieja.

Practice more at vhlcentral.com.

# EKEKO:
## de dónde viene el hombrecito cargado de bienes

### Pierina Pighi Bel

NO SOY SUPERSTICIOSA NI RELIGIOSA, pero cuando tuve aquel incidente con mis ekekos, hace casi un año, pensé "esto es mal augurio", casi como acto reflejo. Yo había comprado estos hombrecitos sonrientes de arcilla°, de unos cinco centímetros de altura, para poner en mi habitación algo que me recordara a mi país, Perú. Muchas familias peruanas tienen un ekeko en casa y su imagen suele aparecer en boletos de lotería.

Las figuritas que adquirí venían, como todos los ekekos, con los brazos abiertos y cargados de réplicas de billetes y alimentos en miniatura que les tapaban casi todo el cuerpo. El peso de los productos los jalaba° hacia adelante, pero se suponía que esa carga° no debía ser un problema. Al contrario. Los ekekos son amuletos para atraer prosperidad y abundancia, según una creencia del Altiplano (meseta° alrededor del lago Titicaca que comparten Perú y Bolivia). Así que cuanto más cargado el ekeko, mayor es la promesa de riqueza para su dueño.

> ❝ El ekeko podría vengarse por descuidarlo o por hacer lo que hice yo con los míos. ❞

Pero según la costumbre, el propietario° tiene que "engreír°" al muñeco, con una serie de rituales. De lo contrario, la tradición advierte que el ekeko podría vengarse por descuidarlo o por hacer lo que hice yo con los míos.

### Dios del agua y la lluvia

La razón del resentimiento que se le atribuye puede ser que el origen del culto al ekeko se remonta° a una época en la que los humanos debían ofrecer sacrificios a los dioses para mantenerlos contentos.

Los antiguos aimaras, asociados con Tiahuanaco (civilización altiplánica que vivió su apogeo entre los 500 y 900 d.C.), adoraban a Tunupa, dios del agua, del fuego y organizador del mundo, cuenta Milton Eyzaguirre, jefe de Extensión del Museo Nacional de Etnografía y Folklore (Musef) de Bolivia, a BBC Mundo. Esta deidad era la encargada de que lloviera en el periodo de siembra, para asegurar una buena cosecha.

En 1612, el sacerdote jesuita Ludovico Bertonio escribió el primer diccionario de aimara y una de las entradas se refería a este dios. El texto es una de las pistas° principales del origen del ekeko. La descripción del jesuita empieza con las palabras "Tunupa, también conocido como Ekeko", detalla Fernando Cajías, historiador y profesor de la Universidad Mayor de San Andrés, de Bolivia, y de la Universidad Católica Boliviana, a BBC Mundo. Entonces, el ekeko nació como un dios del agua y la lluvia, opina Eyzaguirre, y luego mudó° a una deidad de la abundancia. El experto ve "una relación casi directa entre el dios del agua y el de la abundancia, porque el agua es fundamental para la producción agrícola°", que era una de las actividades principales de las culturas andinas. Pero hoy el ekeko no luce° como ninguna divinidad de los Andes, sino como cualquier poblador de esta región sudamericana.

## Cercos

En 1781, la ciudad de La Paz, en la actual Bolivia, sufrió dos cercos°, a manos de combatientes aimaras que querían independizarse del dominio español. "Hubo una hambruna° terrible", cuenta Eyzaguirre, pues no llegaban alimentos a causa de los asedios°. Sin embargo, Sebastián Segurola, intendente de La Paz en aquella época, se salvó de aquella escasez. Una de sus sirvientas°, Paulita Tintaya, lo proveyó de comida a él y a su familia mientras La Paz estuvo sitiada —relata Eyzaguirre—, y explicaba que el verdadero benefactor era el ekeko. En agradecimiento, cuando acabó el cerco, Segurola "permitió" el culto al ekeko, que hasta entonces había sido una costumbre indígena profana. Además, autorizó que cada 24 de enero (el mismo día de la Virgen de la Paz, según los católicos) los paceños° celebraran la Feria de las Alasitas, en la que hasta hoy la gente compra en miniatura las cosas

que quieren conseguir en el año (alimentos, casa, estudios, y más recientemente, vehículos y aparatos electrónicos) y se las cuelgan al ekeko. Entonces, fue hacia el final del Virreinato y en un entorno° cada vez más urbano, que apareció la imagen del ekeko que conocemos hoy, explica Carina Circosta, doctoranda en Artes en la Universidad de Buenos Aires, a BBC Mundo.

## Vengativo

En Buenos Aires se celebran las Alasitas desde hace unos 13 años, dice Circosta, que investiga esta festividad. Además de Perú y Bolivia, muchas familias de Colombia han comprado un ekeko para su casa. Aunque tal vez no debieron hacerlo. La creencia indica, según Circosta, que es mejor recibirlo como un regalo, en vez de pagar por uno. Pero si ya lo adquiriste, tal vez te convenga cumplir con° los rituales que exige su culto.

"Hay que hacerlo fumar (ponerle un cigarro encendido en la boca) cada viernes", señala Cajías, y además renovarle los bienes con frecuencia. En Bolivia, hay gente que prefiere evitar las molestias° y honrar al ekeko solo en las Alasitas, en vez de llevarlo a casa. "Es una obligación permanente", dice Cajías. "Puede quitar todo lo que da. Así que hay que mimarlo para que no se ponga celoso y mantenga la abundancia." Yo hice todo lo contrario. A los pocos días de llegados a mi casa, en un descuido°, los dos ekekos se me cayeron al suelo y los zapatos negros de ambos estallaron° en decenas de pedacitos°. Traté de rescatar° todos los restos posibles de su calzado y los guardé en una bolsita en un cajón, con la intención de pegarlos o moldearlos otra vez con arcilla. Pero casi un año después, todavía no lo hago. Tengo abandonados a dos ekekos. De acuerdo a la tradición, me espera una venganza doble. ■

| | |
|---|---|
| **arcilla** clay | **hambruna** famine |
| **los jalaba** pulled them | **asedios** sieges |
| **carga** load | **sirvientas** maids |
| **meseta** plateau | **paceños** residents of La Paz |
| **propietario** owner | **entorno** environment |
| **engreír** pamper | **cumplir con** to carry out |
| **se remonta** goes back | **molestias** inconveniences |
| **pistas** clues | **descuido** oversight |
| **mudó** changed | **estallaron** burst |
| **agrícola** agricultural | **pedacitos** small pieces |
| **luce** look | **rescatar** rescue |
| **cercos** sieges | |

**1** **Comprensión** Completa las oraciones. Después, contrasta tus respuestas con las de un(a) compañero/a.

1. La escritora del artículo compró los ekekos porque…
2. Los ekekos van cargados de…
3. Hay que cuidar bien al ekeko. De lo contrario, …
4. El origen del ekeko es el dios…
5. El ekeko es popular en estos países: Perú, …
6. El texto del jesuita Ludovico Bertonio nos da la pista del…
7. El agua y el concepto de la abundancia se relacionan porque…
8. La creencia indica que, en vez de comprar un ekeko, es mejor…

**2** **Ampliación** En parejas, contesten las preguntas.

1. ¿Qué incidente le ocurrió a la escritora del artículo cuando pensó "esto es mal augurio"? ¿Creen que su suerte cambió a raíz de lo ocurrido?
2. ¿Cómo hay que "engreír" a los ekekos? ¿Estarían ustedes dispuestos a cuidar de un ekeko si les regalaran uno?
3. Si viajaran a Perú, ¿se comprarían un ekeko? ¿Por qué?
4. ¿Pueden pensar en algún amuleto que sea equivalente al ekeko en su país? Descríbanlo.

**3** **Supersticiones hispanas** En parejas, traten de adivinar si cada acción está asociada con la buena o la mala suerte. Después, contesten las preguntas.

1. abrir un paraguas dentro de casa
2. ponerse la ropa al revés
3. pisar un excremento de perro
4. no apagar (*to blow out*) todas las velas del pastel
5. tocar madera o tocarse la cabeza
6. dejar el bolso en el suelo
7. cruzarse con un gato negro
8. pasar la sal a otra persona
9. romper un espejo
10. levantarse con el pie izquierdo

- ¿Hay alguna superstición en su cultura que sea igual o similar a las de la lista? Creen una lista de todas las supersticiones de su cultura que se les ocurran.
- ¿Creen que los seres humanos son supersticiosos por naturaleza? ¿Piensan que es necesario para las personas creer en la suerte? ¿Por qué?

**4** **Investigar** En grupos de tres, investiguen sobre otro amuleto o ritual de buena suerte que se practique en la cultura hispana. Preparen una presentación en la que incluyan el país, el origen y el significado del amuleto. Incluyan fotografías.

| Vocabulario de la lectura | | Vocabulario útil | |
|---|---|---|---|
| acampar | to camp | alabar | to praise |
| el amanecer | sunrise | el atardecer | sunset |
| emprender (un viaje) | to set out on (a trip) | la caminata | hike |
| invocar | to summon | la cima | peak |
| el nevado | snow-covered mountain | la cordillera | mountain range |
| | | divino/a | divine |
| el sendero | path | la ruta | route |
| la vestimenta | clothing | | |

**1 No pertenece** Indica qué palabra no está relacionada.

1. a. amanecer       b. emprender       c. atardecer
2. a. nevado         b. cordillera       c. vestimenta
3. a. divino         b. sendero          c. ruta
4. a. alabar         b. acampar          c. invocar

**2 Naturaleza** En parejas, contesten las preguntas.

1. ¿Alguna vez has hecho una caminata de varias horas? ¿Y de varios días? Cuenta tu experiencia.
2. ¿Te gusta acampar? Explica las razones.
3. ¿Qué sensaciones te produce visitar parajes (*sites*) naturales?
4. ¿Crees que es más fácil sentirse espiritual cuando se está en contacto con la naturaleza? ¿Por qué?

**3 Fiestas religiosas** En grupos de tres, investiguen cuáles son las principales fiestas religiosas en Perú y completen la tabla. Luego, contesten las preguntas.

| Fiesta | Fecha | Lugar | Qué y cómo se celebra |
|---|---|---|---|
| Virgen de la Candelaria | Principios de febrero | Puno | … |
| | | | |
| | | | |
| | | | |
| | | | |
| | | | |
| | | | |

- ¿En cuál de las celebraciones les gustaría más participar? ¿Por qué?
- ¿Qué elementos religiosos pueden identificar en cada fiesta?
- ¿De qué religión o religiones son característicos esos elementos?

# Visitando al Señor de Qoyllurit'i

Cada año, en torno a° mayo o junio, miles de personas emprenden un viaje hacia el valle del Sinakara, en los alrededores° de Cusco, Perú. Van a visitar el santuario del Señor de Qoyllurit'i. En quechua, *qoyllur* significa "estrella" y *rit'i* significa "nieve", por lo que el nombre de esta festividad se traduce como "Estrella de Nieve". La celebración dura varios días y tiene lugar en fechas variables, al depender de las fechas de la Pascua.

Esta tradición es un gran ejemplo de sincretismo, ya que combina elementos del catolicismo y de las religiones nativas andinas. Sus orígenes son prehispánicos, pues los pueblos indígenas de los Andes ya realizaban rituales en las montañas para adorar a sus dioses y dar gracias por las cosechas. Tras la llegada de los españoles, se introdujo un componente católico en estas tradiciones, ya que, según la leyenda, en aquella zona ocurrió un milagro relacionado con la aparición de la imagen de Jesucristo. Hoy en día, la festividad conserva la mezcla de elementos. Por una parte, se honra a Jesucristo, representado en la imagen del Señor de Qoyllurit'i. Por otra, también se honra a los Apus, los espíritus de las montañas según las creencias andinas, y a la Pachamama, la diosa Madre Tierra.

Todos estos elementos hacen de la peregrinación al santuario del Señor de Qoyllurit'i una celebración de gran valor cultural. Se trata de una de las festividades religiosas más importantes del país y una de las peregrinaciones más destacadas de Latinoamérica. En 2011, la UNESCO la declaró Patrimonio Cultural Inmaterial de la Humanidad. ▶️

## El camino hacia el santuario

La peregrinación comienza en el pueblo de Mahuayani. Desde allí, los peregrinos inician un recorrido de ocho kilómetros (cinco millas) hasta el santuario, que se encuentra en el valle del Sinakara, a casi 5.000 metros (16.400 pies) de altura sobre el nivel del mar. En la peregrinación, participan miles de personas de diferentes partes de Perú e incluso de otros países. Los peregrinos pueden ser personas que participan por su cuenta° o en excursiones turísticas organizadas, pero la mayoría son indígenas que se agrupan en ocho "naciones", correspondientes a sus pueblos de origen. A su vez°, las naciones se organizan en diferentes comparsas. Cada una de ellas está caracterizada por vestimentas y danzas tradicionales distintivas.

A lo largo del sendero que sube hasta el santuario, hay diferentes estaciones o puntos de parada en los que los peregrinos se detienen° a rezar.

*around*
*surroundings*

*on their own*

*In turn*

*stop*

*mounds*

En cada estación hay una cruz, representativa del catolicismo, y una apacheta, representativa de la religión andina prehispánica. Las apachetas son elementos sagrados de los pueblos indígenas de los Andes. Consisten en pequeños montículos° de piedras que se colocan a los lados de un camino en señal de ofrenda para invocar a los dioses y pedir su protección.

Al finalizar el recorrido, los peregrinos llegan al valle del Sinakara. Allí, al pie del nevado Colquepunco, se encuentra el santuario. Los miles de peregrinos acampan en el valle y comienzan las celebraciones. La música y los bailes continúan de forma ininterrumpida durante los días y noches en que

*takes place*

transcurre° la festividad. También tienen lugar otras actividades, como mercados de artesanías, procesiones o

> ## Los peregrinos acampan en el valle y comienzan las celebraciones.

rituales de culto a la naturaleza. Para garantizar el orden durante toda la festividad, unos personajes conocidos como "pablitos" o "pabluchas" tienen la función de vigilar a los peregrinos y asegurarse de que las normas son respetadas.

## La procesión de las veinticuatro horas

Desde el santuario en el valle, muchos peregrinos regresan a sus hogares. Sin embargo, las comparsas de dos naciones, tradicionalmente las de Paucartambo y Quispicanchi, comienzan otro recorrido a través de las montañas. Tras caminar durante toda la noche, esperan el amanecer y celebran una ceremonia de saludo al sol. Finalmente, continúan su viaje hasta llegar a la capilla del pueblo de Tayancani, donde termina la celebración. Esta procesión, que dura veinticuatro horas y recorre unos treinta kilómetros, es la despedida° de la festividad del Señor de Qoyllurit'i. ■

*farewell*

35

40

45

50

55

Watch related video at vhlcentral.com.

**1 Cierto o falso** Indica si estas afirmaciones son ciertas o falsas. Corrige las falsas.

1. El origen de la celebración Qoyllurit'i es anterior a la llegada de los españoles a Perú.
2. La Pachamama es un espíritu de las montañas, según las creencias andinas.
3. Solo se puede participar en la peregrinación al santuario del Señor de Qoyllurit'i si se pertenece a uno de los ocho pueblos o naciones indígenas.
4. Las apachetas son elementos sagrados de las religiones indígenas andinas.
5. El recorrido desde el inicio hasta el santuario del Señor de Qoyllurit'i es de treinta kilómetros.
6. La procesión de las veinticuatro horas es el último evento de la festividad del Señor de Qoyllurit'i.

**2 Reflexión** En parejas, contesten estas preguntas.

1. ¿Qué aspectos de la peregrinación al santuario del Señor de Qoyllurit'i la convierten en una fiesta de gran valor cultural?
2. ¿Cuáles de sus elementos son propios del catolicismo y cuáles son propios de las religiones indígenas?
3. ¿Piensan que la tradición andina se debería haber mantenido sin cambios o consideran que la combinación con elementos católicos fue positiva? Expliquen.
4. ¿Qué fiestas de su país o de su cultura tienen fechas variables? ¿De qué dependen las fechas de estas celebraciones?

**3 Peregrinos** Imaginen que van a participar en la peregrinación al Señor de Qoyllurit'i. En grupos de cuatro, investiguen en Internet y contacten con una agencia de viajes de Perú para conseguir la información necesaria. Presenten su plan ante la clase.

- Fechas en que se celebrará la festividad del Señor de Qoyllurit'i este año
- Cómo llegarán desde su país hasta el punto donde comienza la peregrinación
- Qué necesitarán llevar
- En qué actividades o ritos participarán
- Cuál será el costo aproximado del viaje

**4 Sincretismo** En grupos de tres, investiguen sobre una tradición de su país que sea un ejemplo de sincretismo y combine elementos de diferentes culturas.

- ¿Cuál es el origen de la tradición? ¿Cómo ha evolucionado?
- ¿Qué culturas combina? ¿Qué elementos de cada una están presentes?
- ¿Piensan que en su ejemplo de sincretismo hay una cultura o creencia dominante y una dominada? Expliquen.
- ¿Qué aspectos de la tradición son similares a los de la peregrinación del Señor de Qoyllurit'i? ¿Y diferentes?

Practice more at vhlcentral.com.

## SOBRE EL AUTOR

**Manuel Mejía Vallejo** (1923-1998) fue un escritor y periodista del departamento colombiano de Antioquia. A los 22 años, escribió su primera novela, *La tierra éramos nosotros*. Fue también profesor de literatura en la Universidad Nacional de Colombia. Sus obras incluyen novelas, relatos cortos y poesía. Destacan *El día señalado* (1964), *La casa de las dos palmas* (1988) y *Sombras contra el muro* (1993), donde aparece el microrrelato "Hermano lobo".

| Vocabulario de la lectura | | Vocabulario útil | |
|---|---|---|---|
| **el aislamiento** | *isolation* | **amansar** | *to tame* |
| **la bondad** | *goodness* | **empeorar** | *to make worse* |
| **el colmillo** | *fang* | **en mi (tu/su/etc.)** | *against me (you/him/* |
| **la cueva** | *cave* | **contra** | *her/etc.)* |
| **el/la ermitaño/a** | *hermit* | **enfrentarse a** | *to face* |
| **la garra** | *claw* | **feroz** | *fierce* |
| **el/la lobo/a** | *(she-)wolf* | **juzgar (a alguien)** | *to judge (someone)* |
| **el/la mártir** | *martyr* | **el/la lobato/a** | *wolf cub* |
| **merecer** | *to deserve* | **la maldad** | *evil* |
| | | **piadoso/a** | *merciful* |

**NOTA CULTURAL**

Mejía Vallejo es considerado el representante de la vertiente andina (*Andean slope*) de la narrativa colombiana contemporánea. Sus obras reflejan muchos aspectos de la tradición oral antioqueña. El departamento de Antioquia, y Colombia en general, tiene una rica tradición oral que cuenta con numerosos mitos y leyendas sobre plantas prodigiosas, deidades, hechizos y brujas, muchos de los cuales existen desde la época prehispánica y han ido pasando de generación en generación para narrar la vida de los habitantes de la zona. Además de cuentos, la tradición oral antioqueña incluye un gran número de adivinanzas (*riddles*).

**1 Vocabulario** Indica qué palabra corresponde a cada definición.

____ 1. Dicho de un animal: fiero, agresivo     a. amansar

____ 2. Diente puntiagudo y fuerte     b. bondad

____ 3. Cualidad de bueno/a     c. colmillo

____ 4. Persona que vive en soledad     d. cueva

____ 5. Cavidad subterránea abierta     e. ermitaño/a

____ 6. Domesticar a un animal     f. feroz

**2 Experiencias** Selecciona **sí** o **no** según tu experiencia. Después, comparte tus vivencias con un(a) compañero/a.

Alguna vez…

|  | Sí | No |
|---|---|---|
| 1. he juzgado incorrectamente a una persona antes de conocerla. | ☐ | ☐ |
| 2. he hecho algo con la intención de ayudar, pero he empeorado la situación. | ☐ | ☐ |
| 3. he dicho o hecho algo que se ha vuelto en mi contra. | ☐ | ☐ |
| 4. he intentado ayudar a una persona que no se lo merecía. | ☐ | ☐ |

Practice more at vhlcentral.com.

# Hermano lobo

## Manuel Mejía Vallejo

*"Una buena acción es aquella que en sí tiene bondad y que exige fuerza para realizarla."* —Montesquieu

Un día el lobo se dio cuenta de que los hombres lo creían malo.
—Es horrible lo que piensan y escriben —exclamó.

—No todos —dijo un ermitaño desde la entrada de su cueva, y repitió las palabras que inspiró San Francisco. El lobo estuvo triste un momento, quiso comprender.

5 —¿Dónde está ese santo?

—En el cielo.

—¿En el cielo hay lobos?

## —¿En el cielo hay lobos?

El ermitaño no pudo contestar.

—¿Y tú que haces? —preguntó el lobo intrigado por la figura escuálida°, *skinny*
10 los ojos ardidos°, los andrajos° del ermitaño en su duro aislamiento. El ermitaño *burning / rags*
explicó todo lo que el lobo deseaba.

—Y cuando mueras, ¿irás al cielo? —preguntó el lobo conmovido°, alegre de *moved*
ir entendiendo el bien y el mal.

—Hago lo que puedo por merecer el cielo —dijo apaciblemente° el ermitaño. *gently*

15 —Si fueras mártir, ¿irías al cielo?

—En el cielo están todos los mártires.

El lobo se le quedó mirando, húmedos los ojos, casi humanos. Recordó entonces
sus mandíbulas, sus garras, sus colmillos poderosos, y de unos saltos° *leaps*
devoró al ermitaño. Al terminar se tendió° en la entrada de la cueva, miró al cielo *stretched out*
20 limpiamente y se sintió bueno por primera vez. ■

**1** **¿Cierto o falso?** Indica si las oraciones son ciertas o falsas. Corrige las falsas.

1. Según el lobo, los hombres lo perciben como malo.
2. El ermitaño le dice al lobo que todos los hombres lo ven malo.
3. El ermitaño le dice al lobo que en el cielo hay animales de su especie.
4. El lobo tiene interés en saber sobre la vida del ermitaño.
5. El ermitaño siente indiferencia hacia dónde irá cuando muera.
6. Después de devorar al ermitaño, el lobo se siente bueno por primera vez.

**2** **Interpretar** En parejas, contesten las preguntas.

1. ¿Por qué el ermitaño no pudo contestar si en el cielo hay lobos?
2. ¿Qué creen que explicó el ermitaño sobre su vida al lobo?
3. ¿Cómo entendió el lobo el bien y el mal a través de las explicaciones del ermitaño?
4. ¿Por qué quiso saber el lobo si el ermitaño iría al cielo en caso de ser mártir?
5. ¿Cuál era la intención del lobo al devorar al ermitaño?
6. ¿Por qué se sintió bueno cuando lo devoró?

**3** **San Francisco y el lobo** En parejas, lean el párrafo y contesten las preguntas.

El ermitaño del cuento hace referencia a San Francisco de Asís (1181-1226), santo italiano, patrono de los lobatos y uno de los máximos representantes de la religión cristiana. San Francisco de Asís vivió como ermitaño, predicando su pobreza como valor. "Hermano lobo" está inspirado en "Cómo San Francisco amansó, por virtud divina, un lobo ferocísimo", de la obra anónima del s. XIV *Las florecillas de San Francisco*. Según esta narración, el santo se enfrentó a un lobo que devoraba hombres y animales en la ciudad de Gubbio, Italia. Le dijo: "¡Ven aquí, hermano lobo! Yo te mando, de parte de Cristo, que no hagas daño ni a mí ni a nadie." San Francisco y el lobo hicieron un pacto. La gente del pueblo daría de comer al lobo con la condición de que este no les haría nada. El lobo vivió entre los habitantes de Gubbio hasta que murió de viejo.

- ¿Qué relación encuentran entre la historia de *Las florecillas de San Francisco* y la historia de Mejía Vallejo?
- ¿Cómo se comparan los lobos en las dos historias?
- ¿Qué diferencias y similitudes hay entre San Francisco y el ermitaño de Mejía Vallejo?
- ¿Qué papel tiene la religión en el relato de San Francisco y el lobo de Gubbio? ¿Y en el relato de Mejía Vallejo?
- Rubén Darío también escribió un poema sobre esta historia. ¿Por qué creen que ambos escritores se inspiraron en ella?

**4 Subgéneros narrativos** En parejas, lean algunas de las características de los subgéneros del microrrelato y la fábula. Después, contesten las preguntas.

| | El microrrelato | La fábula |
|---|---|---|
| **Género** | Prosa, de naturaleza narrativa y ficcional | Prosa o verso |
| **Extensión** | Muy breve | Breve o muy breve |
| **Lenguaje** | Preciso y conciso. Se usa la elipsis (omisión de hechos) para contar una historia. | Se presenta solo una historia, normalmente en lenguaje sencillo. |
| **Personajes** | Pocos personajes; descritos física y psicológicamente con los detalles necesarios | Suelen ser animales u objetos inanimados que actúan como si fueran seres humanos. |
| **Otras características** | Hay intertextualidad (relación que un texto mantiene con otro texto). | Termina con una moraleja. Se hace crítica de defectos humanos. |

1. ¿Qué elementos del microrrelato se encuentran en "Hermano lobo"? ¿Y de la fábula?
2. ¿Qué ejemplos de elipsis se encuentran en el cuento?
3. ¿Qué características de ambos subgéneros presentan los personajes?
4. ¿Hay intertextualidad? ¿Tiene la historia una moraleja? Expliquen.
5. ¿Qué escritores/as de microrrelato en lengua inglesa conocen? ¿Y de fábulas?
6. ¿Piensan que Internet ha supuesto un auge (*boom*) en el subgénero del microrrelato? ¿Por qué?

**5 El bien y el mal** En grupos de tres, contesten las preguntas.

1. ¿Qué representa la figura del lobo en la cultura occidental? ¿Saben qué representa en otras culturas?
2. ¿Qué obras literarias o cinematográficas conocen donde aparezca el lobo como personaje? ¿Cómo está representado?
3. ¿Cómo suele acabar el lobo en las fábulas y cuentos infantiles: ganando o perdiendo? ¿Quién gana y quién pierde en "Hermano lobo"? ¿Y en la historia sobre San Francisco de Asís?
4. El filósofo inglés Thomas Hobbes popularizó en el s. XVIII la frase de Plauto "El hombre es un lobo para el hombre". Cinco siglos después, el filósofo suizo Jean-Jacques Rousseau dijo que "El hombre es bueno por naturaleza". ¿Cuál es el significado de cada frase? ¿Con cuál están más de acuerdo? ¿Por qué?

**6 Escribir** Siguiendo las características del microrrelato o la fábula, escribe una historia breve basándote en el antiguo refrán a continuación.

No es oro todo lo que reluce. (*Not all that glitters is gold.*)

Practice more at
vhlcentral.com.

En esta lección has hablado sobre la religión. Ahora vas a escribir un ensayo argumentativo sobre una de las religiones del mundo.

## Planificar y preparar la escritura

**1** **Estrategia: Determina el tema de tu ensayo** Investiga qué religiones existen en el mundo y elige una de ellas. ¿Cuáles son las doctrinas principales? ¿Qué costumbres se siguen? ¿Dónde se practica? Completa la rueda de conceptos para organizar tus ideas antes de escribir.

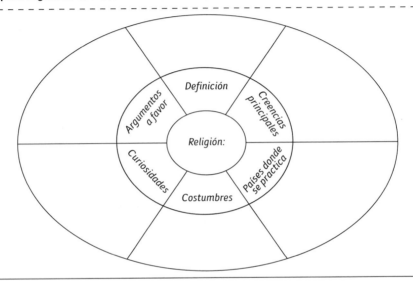

**2** **Estrategia: Desarrolla el cuerpo del ensayo**

- Piensa en cómo usar los datos de tu diagrama para escribir tu ensayo argumentativo.
- Desarrolla el cuerpo del ensayo con la información del diagrama.

## Escribir

**3** **Tu ensayo argumentativo** Ahora escribe tu ensayo. Utiliza la información que has reunido y sigue estos pasos.

- **Introducción:** Comienza tu ensayo con una breve introducción sobre la religión elegida y tu postura.
- **Desarrollo:** Explica de manera ordenada tus argumentos a favor de esta religión. Utiliza ejemplos para apoyar tus argumentos.
- **Conclusión:** Resume tus ideas y termina el ensayo.

## Revisar y leer

**4** **Lectura** Léele tu ensayo a un(a) compañero/a. Comenten los argumentos expuestos y responde las preguntas que tenga tu compañero/a.

# Creencias y fe

## Así lo decimos

**la capilla** *chapel*
**la catedral** *cathedral*
**la creencia** *belief*
**el culto** *worship*
**el cura** *Catholic priest*
**la ermita** *shrine*
**la iglesia** *church*
**el imán** *imam*
**el lama** *lama*
**la mezquita** *mosque*
**la misa** *mass*
**el monasterio** *monastery*
**el monje** *monk*
**el obispo** *bishop*
**el papa** *pope*
**el/la pastor(a)** *pastor*
**la peregrinación** *pilgrimage*
**el/la rabino/a** *rabbi*
**el/la sacerdote/sacerdotisa** *priest*
**el santuario** *sanctuary*
**la sinagoga** *synagogue*
**el sincretismo** *syncretism*
**el templo** *temple*

**adorar** *to worship*
**bendecir** *to bless*
**meditar** *to meditate*
**predicar** *to preach*

**agnóstico/a** *agnostic*
**ateo/a** *atheist*
**budista** *Buddhist*
**católico/a** *Catholic*
**cristiano/a** *Christian*
**hindú** *Hindu*
**judío/a** *Jewish*
**monoteísta** *monotheistic*
**musulmán/musulmana** *Muslim*
**politeísta** *polytheistic*
**protestante** *Protestant*

## Documental

**la alabanza** *praise*
**la cosecha** *harvest*

**la esperanza** *hope*
**el ganado** *cattle*
**el/la poblador(a)** *inhabitant*
**la siembra** *sowing*
**la vigilia** *vigil*

**agradecer** *to show gratitude*
**ofrendar** *to offer up*
**provenir de** *to come from*
**sembrar** *to sow*
**venerar** *to worship*

**andino/a** *Andean*
**comestible** *edible*
**sobrenatural** *supernatural*
**terrenal** *earthly*

## Artículo

**la casualidad** *chance*
**la deidad** *deity*
**el destino** *fate*
**la escasez** *shortage*
**la figurita** *figurine*
**el mal augurio** *bad omen*
**la (buena/mala) racha** *(good/bad) streak*
**la suerte** *luck*

**descuidar** *to neglect*
**mimar** *to indulge, to spoil*
**pisar** *to step on*
**vengarse** *to take revenge*

**a raíz de** *as a result of*
**cargado/a** *loaded*

———— ■ ————

**el amanecer** *sunrise*
**el atardecer** *sunset*
**la caminata** *hike*
**la cima** *peak*
**la cordillera** *mountain range*
**el nevado** *snow-covered mountain*
**la ruta** *route*
**el sendero** *path*
**la vestimenta** *clothing*

**acampar** *to camp*
**alabar** *to praise*

**emprender (un viaje)** *to set out on (a trip)*
**invocar** *to summon*

**divino/a** *divine*

## Literatura

**el aislamiento** *isolation*
**la bondad** *goodness*
**el colmillo** *fang*
**la cueva** *cave*
**el/la ermitaño/a** *hermit*
**la garra** *claw*
**el/la lobato/a** *wolf cub*
**el/la lobo/a** *(she-)wolf*
**la maldad** *evil*
**el/la mártir** *martyr*

**amansar** *to tame*
**empeorar** *to make worse*
**enfrentarse a** *to face*
**juzgar (a alguien)** *to judge (someone)*
**merecer** *to deserve*

**en mi (tu/su/etc.) contra** *against me (you/him/her/etc.)*
**feroz** *fierce*
**piadoso/a** *merciful*

## Ahora yo puedo...

- entender la mayor parte de textos orales y escritos sobre la religión.
- interactuar con un(a) agente de viajes hispanohablante para pedir información sobre un evento.
- escribir una comparación entre una ceremonia religiosa en mi comunidad y una de una cultura distinta.
- comparar las prácticas y perspectivas sobre las creencias y tradiciones religiosas en mi cultura y otras.
- reconocer y respetar la diversidad de culturas, religiones y estilos de vida.

# El mundo
## de las letras

## LESSON OBJECTIVES
### You will learn how to…

- understand most of what is said or written in texts related to language and literature.

- participate in a debate about immigration and the status of Spanish in your community.

- write about the role Spanish and Spanish-language literature will have in your future.

- compare Latin-American products and practices in your own and other cultures.

- talk with a student from the target culture about their origins and experiences in your country.

**ESTADOS UNIDOS**

ESTADOS UNIDOS

## La lengua

A Estefanía le encantan los **idiomas**. Su **lengua materna** es el español, pero aprendió inglés desde que era pequeña y es prácticamente **bilingüe**. En la universidad, decidió estudiar una tercera lengua y ahora también habla francés **con fluidez**. Cada semana, participa en un intercambio de idiomas para practicar su expresión y **comprensión oral**.

**bilingüe** *bilingual*
**la comprensión lectora** *reading skills*
**la comprensión oral** *listening skills*
**con fluidez** *fluently*
**el dialecto** *dialect*
**didáctico/a** *educational*
**el/la hablante** *speaker*
**el idioma** *language*
**la lengua materna** *mother tongue*

## La literatura

Manuel está leyendo un libro que **trata sobre** una familia mexicana que se muda a los Estados Unidos. El **argumento** es sencillo y los personajes son muy realistas. Le está gustando mucho cómo la autora **narra** la historia. Cuando termine, quiere leer otros libros que esta escritora **haya publicado**.

**el argumento** *plot*
**el borrador** *draft*
**los derechos de autor** *copyright*
**la editorial** *publishing house*
**la imprenta** *printing house*
**el/la lector(a)** *reader*
**narrar** *to narrate*
**publicar** *to publish*
**tratar de/sobre** *to deal with*

## Los géneros literarios

Las **memorias** son un género literario muy interesante en el que un autor o autora recuerda sus vivencias. Comparten características con las **autobiografías**, pero suelen ser menos rígidas y son un **relato** de una época concreta. Las autobiografías, por su parte, son una **crónica** de todos los hechos importantes en la vida del autor o autora.

**la (auto)biografía** *(auto)biography*
**la crónica** *chronicle*
**la fábula** *fable*
**la literatura juvenil** *young adult literature*
**las memorias** *memoirs*
**la prosa** *prose*
**el relato** *(short) story*

## Las profesiones

Para los **novelistas**, es fundamental trabajar estrechamente (*closely*) con otros profesionales. Por ejemplo, es importante contar con buenos **correctores** que revisen y editen sus textos o con **agentes literarios** de confianza que hagan de intermediarios con las editoriales.

**el/la agente literario/a** *literary agent*

**el/la bibliotecario/a** *librarian*

**el/la corrector(a)** *proofreader*

**el/la intérprete** *interpreter*

**el/la lingüista** *linguist*

**el/la novelista** *novelist*

**el/la traductor(a)** *translator*

**1  Vocabulario** Completa el párrafo.

| correctora | idiomas | novelista |
|---|---|---|
| didáctica | lengua materna | publicar |
| editorial | memorias | |

De pequeña, a Sofía le encantaba leer y quería ser (1) _____ y (2) _____ varios libros. También soñaba con escribir sus (3) _____ algún día. Años después, empezó a estudiar (4) _____ y pensó que le gustaría tener una profesión más (5) _____ y enseñar su (6) _____ a otras personas. Al final, encontró un empleo perfecto para ella: ahora trabaja en una (7) _____ de idiomas como escritora y (8) _____ de libros de texto para estudiantes de español.

**2  Reflexión** En parejas, contesten las preguntas.

1. ¿Cuántos idiomas sabes? ¿Con qué fluidez los hablas?

2. ¿Crees que saber idiomas te puede ayudar en el futuro? Explica por qué.

3. ¿Cuál es el último libro que leíste? ¿De qué género es? ¿Sobre qué trata?

4. ¿Te gusta leer libros de autores extranjeros traducidos a tu idioma o prefieres leer a autores que escriban en tu lengua materna? ¿Por qué?

**3  Idiomas** Haz una lista de los aspectos positivos de ser bilingüe. Después, en grupos de tres, comparen sus listas y comenten sus opiniones. Por último, escriban un párrafo en el que resuman sus ideas.

### Aspectos positivos de ser bilingüe

• Te ayuda a conocer otras culturas

• ...

| Vocabulario del documental | | Vocabulario útil | |
|---|---|---|---|
| **el crecimiento** | *growth* | **la amenaza** | *threat* |
| **duro/a** | *hard* | **las autoridades** | *authorities* |
| **el fantasma** | *ghost* | **el maletero** | *car trunk* |
| **la fuerza laboral** | *workforce* | **negar (e:ie)** | *to deny* |
| **la huella** | *footprint* | **presenciar** | *to witness* |
| **la industria agrícola** | *agricultural industry* | | |

| Expresiones | |
|---|---|
| **a lo mejor** | *maybe* |
| **¿A qué se debe esto?** | *What is this due to?* |
| **en carne propia** | *firsthand* |
| **en su mayoría** | *mostly* |
| **hacer algo con ganas** | *to do something eagerly* |

**1** **Sustituir** Reemplaza el texto subrayado con las palabras correspondientes.

1. <u>La agricultura</u> requiere el uso de prácticas más sostenibles para el futuro.
2. Algunos ciudadanos <u>estuvieron presentes y vieron</u> el histórico acontecimiento.
3. Los inmigrantes han dejado <u>una impresión profunda</u> en nuestra sociedad.
4. <u>No les permitieron</u> la entrada al país por no tener la documentación necesaria.
5. La falta de <u>trabajadores</u> en ciertas industrias puede afectar la economía.
6. Este año ha habido un <u>aumento</u> del número de inmigrantes que han llegado al país.
7. La situación laboral de una gran parte de la población es muy <u>difícil</u>.
8. <u>Los gobernantes</u> tienen la obligación de trabajar por la seguridad de los ciudadanos.

**2** **Expresiones** Completa cada situación con una expresión de la lista.

1. Tu tío consiguió un trabajo en el extranjero y se va con su familia. Tú le dices: "¡Qué suerte! Vivir en el extranjero por un tiempo es una experiencia que quiero vivir un día _____."
2. Mi abuelo, que inmigró solo a este país cuando era muy joven, siempre me decía: "Todo trabajo que hagas lo tienes que _____."
3. Viajas al extranjero y, cuando bajas del avión, ves cientos de personas haciendo cola (*standing in line*) para pasar por el control de inmigración. Le dices a tu amiga: "_____"
4. Tu amigo te pregunta qué planes tienes para seguir estudiando español cuando termines la universidad. Tú le contestas: "_____ voy a pasar el verano en Argentina para practicar con hablantes nativos."
5. Tu profesor está explicando los procesos migratorios en los Estados Unidos y dice: "Los inmigrantes que residen en Los Ángeles proceden _____ de México."

**3 Español en los Estados Unidos** En parejas, lean las oraciones y digan qué palabras creen que provienen del español. Luego, contesten las preguntas.

*This recipe requires cilantro, oregano... and vanilla?*

*Tornadoes are not very common in the Grand Canyon area.*

*The fire provoked a stampede that injured many people.*

*During this time of the day, there are many mosquitoes in the patio.*

*My brother became a history aficionado when he visited Philadelphia for the first time.*

*Come to the cafeteria pronto! They are giving away pizza!*

1. ¿Conocen otras palabras del inglés que provengan del español?

2. Piensen en el mapa de los Estados Unidos. ¿Qué nombres de estados, ciudades o pueblos creen que provienen del español? ¿A qué se debe esto?

3. ¿Qué saben de la historia de la presencia hispana en los Estados Unidos? ¿Cuándo llegaron los primeros hispanos a este territorio?

**4 Preparación** En parejas, contesten las preguntas.

1. ¿Cómo es la presencia hispana en la ciudad donde viven? ¿Y en el estado donde viven?

2. ¿Había estudiantes de origen hispano en su escuela elemental o secundaria? ¿Y donde estudian ahora?

3. ¿Saben de dónde provienen en su mayoría los hispanos que viven en su estado?

4. ¿Creen que los hispanos en su estado están integrados en las comunidades en donde viven?

5. ¿Cuál creen que es el porcentaje de la población de los Estados Unidos que tiene origen hispano?

6. ¿En qué estados piensan que hay más población hispana? ¿Por qué?

**5 Fotogramas** En grupos de tres, observen los fotogramas y discutan qué pasa en cada uno de ellos.

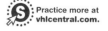
Practice more at vhlcentral.com.

# *La huella latina en Estados Unidos*

## Desde los nexos históricos con México hasta su impacto económico actual

#Latinación

# Escenas

## ARGUMENTO

Estados Unidos ha sido desde sus inicios una nación de inmigrantes, de la cual los hispanos forman una parte muy importante debido a sus nexos históricos y a sus contribuciones económicas y culturales.

MARÍA ELENA SALINAS
Los Ángeles, California

**PRESENTADORA:** Aunque no lo crea, hubo una época en la que entre el norte y el sur no existían fronteras.

**PRESENTADORA:** Vivimos principalmente en California, Texas, Florida, Nueva York y Nueva Jersey.

**PRESENTADORA:** Los procesos migratorios de Estados Unidos han tenido un impacto positivo en la historia.

**PROFESOR DE HISTORIA:** Hay una larga historia de la discriminación en contra de los inmigrantes.

**PRESENTADORA:** Como consumidores, nuestro poder adquisitivo° se calcula en 1.5 trillones de dólares.

poder adquisitivo
*purchasing power*

**CHEF:** ¿A quién puedes contratar? A aquellos que vienen a buscar un mundo mejor.

**1** **¿Cierto o falso?** Indica si las oraciones son ciertas o falsas. Corrige las falsas.

1. El español llegó a California con los inmigrantes mexicanos en el siglo XX.
2. El territorio que ocupan hoy algunos estados de los Estados Unidos era parte de México en el pasado.
3. La población hispana en los Estados Unidos es el 5% de la población total del país.
4. La presencia de hispanos en el Medio Oeste de los Estados Unidos no es significativa.
5. Los cubanos han vivido en los Estados Unidos desde el año 1900 aproximadamente.
6. La mitad de los hispanos en los Estados Unidos son ciudadanos estadounidenses.
7. Los hispanos representan el 5% de la economía de los Estados Unidos.
8. La industria agrícola en los Estados Unidos ha dependido tradicionalmente de la fuerza laboral hispana.
9. Hay aproximadamente tres millones de inmigrantes indocumentados trabajando en la industria agrícola de los Estados Unidos.

**2** **Interpretación** En parejas, contesten las preguntas.

1. ¿Por qué la presentadora dice que hay personas que no reconocen que la grandeza de los Estados Unidos fue fundada sobre los hombros de los inmigrantes?
2. ¿Por qué no pudieron comer en un restaurante de Oregón los miembros de la banda Los Tigres del Norte?
3. ¿Por qué paró la policía el carro de uno de los miembros de Los Tigres del Norte?
4. ¿Por qué el chef José Andrés dice que los inmigrantes indocumentados que trabajan en el campo son fantasmas?

**3** **Debate** En grupos de cuatro, escojan una de las opiniones y debatan acerca de ella. Dos de ustedes presentan argumentos a favor; las otras dos personas, en contra. Por último, expliquen por qué creen que la inmigración es un tema tan controvertido.

- La inmigración es buena para los países.
- El uso de perfiles raciales es un recurso necesario para las autoridades.
- Los inmigrantes indocumentados hacen los trabajos que los ciudadanos no quieren hacer.
- El uso del español en los Estados Unidos representa una amenaza para el uso del inglés.

**4 Tus orígenes** En parejas, háganse las preguntas.

1. ¿Sabes de dónde proviene tu familia? ¿Sabes cuándo llegaron a Norteamérica? ¿Qué sabes de su proceso de adaptación a su nuevo lugar de residencia?

2. ¿La mayoría de tus familiares viven en la misma ciudad o están dispersos por todo el país? ¿A qué crees que se debe?

3. ¿Tienes familia que vive en otros países? ¿Has vivido tú en el extranjero? ¿Cómo fue el proceso de adaptación?

**5 Discriminación** En el video, los miembros de Los Tigres del Norte cuentan sus experiencias como víctimas de discriminación debido a su origen. En parejas, háganse las siguientes preguntas.

1. ¿Alguna vez has presenciado un acto de discriminación? ¿Qué pasó?

2. ¿Qué harías si te negaran el servicio en un restaurante sin motivo aparente?

3. ¿Cómo te sentirías si la policía te parara a menudo por la calle sin razón?

4. ¿Crees que ahora existe más o menos discriminación que en el pasado?

5. ¿Qué podemos hacer como individuos para combatir la discriminación?

**6 El campo** En el video, se habla de los inmigrantes indocumentados que trabajan en el campo. En grupos de tres, preparen una presentación en la que discutan esta situación.

• ¿Por qué creen que muchos de los inmigrantes indocumentados trabajan particularmente en el campo?

• ¿Cuáles podrían ser las consecuencias si los inmigrantes indocumentados dejaran de trabajar en el campo?

• ¿Qué soluciones propondrían para mejorar o arreglar esta situación?

**7 El *spanglish*** Debido a su contacto con el inglés, el español de los Estados Unidos ha originado una modalidad de habla llamada *spanglish*, en la que se mezclan elementos del español y el inglés. Investiga sobre el *spanglish* y contesta las preguntas.

• ¿Has leído anuncios o escuchado música en donde se utilice *spanglish*? ¿Entendiste lo que se decía?

• ¿Qué grupos de hispanos, por lo general, utilizan *spanglish*?

• ¿Cuáles son algunos ejemplos del *spanglish*?

• ¿Cuál es la controversia con respecto al *spanglish*? ¿Qué piensas tú?

**8 Entrevista** Busca a un(a) estudiante hispano/a en tu universidad para hacerle una entrevista. Usa los puntos como guía. Luego, escribe un párrafo comparando la experiencia de este/a estudiante con las experiencias de los hispanos del video.

• Llegada de él/ella o su familia a los Estados Unidos y proceso de adaptación

• Experiencias de discriminación debido a su origen

• Idiomas que habla e idioma en el que se siente más cómodo/a

Practice more at vhlcentral.com.

**TALLER DE CONSULTA**

The following grammar topic is covered in the **Manual de gramática, Lección 10: 10.4 *Pero* vs. *sino*, p. 438.**

Passive statements may also be expressed with the passive **se**. See **7.3, p. 268.**

To review irregular past participles, see **7.1, p. 263.**

## **10.1** The passive voice

MARÍA ELENA SALINAS
Los Angeles, California

—*Cuando esta casa **fue construida**, en 1818, California era parte de México.*

- In the active voice (**la voz activa**), a person or thing (agent) performs an action on an object (recipient). The agent is emphasized as the subject of the sentence. Statements in the active voice usually follow the pattern [*agent*] + [*verb*] + [*recipient*].

| AGENT = SUBJECT | VERB | RECIPIENT |
|---|---|---|
| **La escritora** | **publicó** | **una nueva novela.** |
| *The writer* | *published* | *a new novel.* |
| **El jurado** | **ha seleccionado** | **a diez finalistas.** |
| *The jury* | *has selected* | *ten finalists.* |

- In the passive voice (**la voz pasiva**), the recipient of the action becomes the subject of the sentence. Passive statements emphasize the thing that was done or the person that was acted upon. They follow the pattern [*recipient*] + **ser** + [*past participle*] + **por** + [*agent*].

| RECIPIENT = SUBJECT | *SER* + PAST PARTICIPLE | *POR* + AGENT |
|---|---|---|
| **Una nueva novela** | **fue publicada** | **por la escritora.** |
| *A new novel* | *was published* | *by the writer.* |
| **Diez finalistas** | **han sido seleccionados** | **por el jurado.** |
| *Ten finalists* | *have been selected* | *by the jury.* |

- Note that singular forms of **ser** (**es, ha sido, fue,** etc.) are used with singular recipients, and plural forms (**son, han sido, fueron,** etc.) are used with plural recipients.

El encuentro **es organizado** por los miembros del club de lectura.
*The meeting is organized by members of the book club.*

Sus dos relatos **fueron rechazados** por la editorial.
*His two short stories were rejected by the publishing house.*

- In addition, the past participle must agree in number and gender with the recipient(s).

Esta **lengua** es **hablada** por millones de personas en los Estados Unidos.
*This language is spoken by millions of people in the United States.*

Los **datos** han sido **analizados** por un grupo de investigadores.
*The data has been analyzed by a group of researchers.*

- Note that **por** + [*agent*] may be omitted if the agent is unknown or not specified.

Su novela fue premiada.
*His novel was awarded.*

Su libro nunca fue publicado.
*His book was never published.*

# Práctica y comunicación

**1 Cambio de país** Completa las oraciones en voz pasiva con la forma adecuada del participio pasado.

1. Una fiesta fue _____ (organizar) por sus familiares para despedir a la familia Villar.
2. En el aeropuerto, sus pasaportes y visas fueron _____ (revisar) por los agentes de aduana.
3. Su equipaje fue _____ (examinar) antes de subir al avión.
4. Ya en los Estados Unidos, los jóvenes de la familia fueron _____ (admitir) en las escuelas de la comunidad.
5. Los hijos de los Villar ya no son _____ (considerar) extranjeros.
6. Cuando volvieron a visitar Argentina, los Villar fueron _____ (recibir) en el aeropuerto por todos sus familiares.

**2 El artículo** Lee las notas que tomó una periodista sobre un caso de robo y escribe el artículo utilizando la voz pasiva.

> **Notas sobre el caso**
>
> • Hace 25 años:
> asaltaron el Museo de Bellas Artes
> robaron seis cuadros muy famosos, destruyeron varios marcos antiguos en un pasillo, dañaron una estatua, golpearon a los dos guardias de seguridad, lastimaron con una navaja (*knife*) al cuidador
> • El mes pasado:
> un detective descubrió los seis cuadros en París dos meses antes, un empresario de Taiwán los vendió a una galería francesa
> • Ayer:
> la policía allanó (*raided*) las propiedades del empresario en Taipéi, encontró las otras obras de arte robadas, no atrapó al sospechoso
> • Ahora:
> la compañía de seguros afirma: "considerarán el robo resuelto cuando atrapen a los culpables"

**3 Titulares** En parejas, elijan uno de los siguientes titulares y escriban un breve artículo para el periódico de su universidad. Utilizando la voz pasiva y las palabras de la lista, expliquen dónde y cómo fue el evento, quiénes participaron y qué consecuencias tuvo.

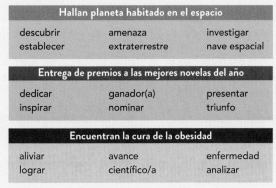

**Hallan planeta habitado en el espacio**

| | | |
|---|---|---|
| descubrir | amenaza | investigar |
| establecer | extraterrestre | nave espacial |

**Entrega de premios a las mejores novelas del año**

| | | |
|---|---|---|
| dedicar | ganador(a) | presentar |
| inspirar | nominar | triunfo |

**Encuentran la cura de la obesidad**

| | | |
|---|---|---|
| aliviar | avance | enfermedad |
| lograr | científico/a | analizar |

## 10.2 Negative and affirmative expressions

**TALLER DE CONSULTA**

**Pero** and **sino** are also used to express contradictions. See **Manual de gramática, 10.4, p. 438.**

*—El número de mexicanos* **también** *creció.*

- Negative words (**palabras negativas**) deny something's existence or contradict statements.

| Affirmative words | Negative words |
|---|---|
| **algo** *something; anything* | **nada** *nothing; not anything* |
| **alguien** *someone; somebody; anyone* | **nadie** *no one; nobody; not anyone* |
| **alguno/a(s), algún** *some; any* | **ninguno/a, ningún** *no; none; not any* |
| **o. . . o** *either. . . or* | **ni. . . ni** *neither. . . nor* |
| **siempre** *always* | **nunca, jamás** *never; not ever* |
| **también** *also; too* | **tampoco** *neither; not either* |

| | |
|---|---|
| ¿Dejaste **algo** en la mesa? | **No**, **no** dejé **nada**. |
| *Did you leave something on the table?* | *No, I didn't leave anything.* |

| | |
|---|---|
| **Siempre** he tratado de ir a clases de idiomas. | ¡Mentira! Tú **nunca** has estudiado **ninguna** segunda lengua. |
| *I have always tried to go to language classes.* | *That's a lie! You have never studied any second language.* |

- In Spanish, double negatives are perfectly acceptable. Most negative statements use the pattern **no** + [*verb*] + [*negative word*]. When the negative word precedes the verb, **no** is omitted.

| | |
|---|---|
| **No** leo ensayos **nunca**. | **Nunca** leo ensayos. |
| *I never read essays.* | *I never read essays.* |

| | |
|---|---|
| Su opinión **no** le importa a **nadie**. | A **nadie** le importa su opinión. |
| *His opinion doesn't matter to anyone.* | *Nobody cares about his opinion.* |

- Once one negative word appears in an English sentence, no other negative word may be used. In Spanish, however, once a negative word is used, all other elements must be expressed in the negative, if possible.

| | |
|---|---|
| **No** le digas **nada** a **nadie**. | **No** hablo **ni** francés **ni** italiano. |
| *Don't say anything to anyone.* | *I don't speak French or Italian.* |

**¡ATENCIÓN!**

**Cualquiera** can be used to mean *any, anyone, whoever, whatever* or *whichever.* When used before a singular noun (masculine or feminine), the **–a** is dropped.

**Cualquiera haría lo mismo.**
*Anyone would do the same.*

**Llegarán en cualquier momento.**
*They will arrive at any moment.*

- The personal **a** is used before negative and affirmative words that refer to people when they are the direct object of the verb.

| | |
|---|---|
| **Nadie** me comprende. ¿Por qué será? *No one understands me. Why is that?* | Porque tú no comprendes **a nadie**. *Because you don't understand anybody.* |

| | |
|---|---|
| **Algunos** instructores de idiomas también trabajan como intérpretes. *Some language instructors also work as interpreters.* | Pues yo no conozco **a ninguno** que tenga dos trabajos. *Well, I don't know any who has two jobs.* |

- Before a masculine, singular noun, **alguno** and **ninguno** are shortened to **algún** and **ningún**.

¿Estás estudiando **algún** idioma este semestre?
*Are you studying any language this semester?*

No, no estoy estudiando **ningún** idioma, pero el próximo año estudiaré chino.
*No, I'm not studying any language, but next year I'll study Chinese.*

- **Tampoco** means *neither* or *not either*. It is the opposite of **también**.

¿No quieren comprar el libro? Yo **tampoco**; prefiero ir a la biblioteca.
*You don't want to buy the book? I don't either; I prefer to go to the library.*

Mi hermano es bilingüe, y yo **también**.
*My brother is bilingual, and so am I.*

- The conjunction **o. . . o** (*either. . . or*) is used when there is a choice to be made between two options. **Ni. . . ni** (*neither. . . nor*) is used to negate both options.

Debo hablar **o** con el escritor **o** con su agente literario.
*I have to speak with either the writer or his literary agent.*

No me interesa leer **ni** memorias **ni** autobiografías.
*I am interested in reading neither memoirs nor autobiographies.*

- The conjunction **ni siquiera** (*not even*) is used to add emphasis.

**Ni siquiera** se despidieron antes de salir.
*They didn't even say goodbye before they left.*

No he leído ninguna novela de García Márquez, **ni siquiera** *Cien años de soledad.*
*I haven't read any novel by García Márquez, not even One Hundred Years of Solitude.*

*Ni siquiera les quisieron servir desayuno.*

**1 Completar** Completa la conversación usando expresiones negativas y afirmativas.

| alguna | ni. . . ni | nunca | también |
|---|---|---|---|
| nadie | ninguna | o. . . o | ni siquiera |

**ANA** Pablo, ¿(1) _____ vez has ido a la librería Cervantes?

**PABLO** No, (2) _____ he oído hablar de ella.

**ANA** ¿De veras? (3) _____ de la que está aquí en Miami (4) _____ de la que está en San Francisco?

**PABLO** No, de (5) _____ de las dos. ¿Por qué me lo preguntas?

**ANA** Porque creo que te interesaría, ya que tiene muchísimos libros en español. (6) _____ tiene libros en otros idiomas.

**PABLO** Pues eres la primera persona que me habla de ella, (7) _____ me la ha recomendado nunca.

**ANA** ¿No? ¿(8) _____ Carol? A ella también le encanta. ¿Qué te parece si vamos juntos?

**PABLO** ¡Claro! Me encantaría. ¿Cuándo te viene bien?

**ANA** Yo estoy libre (9) _____ el lunes (10) _____ el jueves que viene.

**2 Viajar** Imagina que eres un(a) viajero/a un poco especial y estás hablando de lo que no te gusta hacer en los viajes. Transforma las oraciones afirmativas en negativas usando las expresiones negativas correspondientes. Sigue el modelo.

**Modelo** Siempre como la comida del país.
Nunca como la comida del país.

1. Cuando voy de viaje, siempre compro algunos regalos típicos.
2. A mí también me gusta visitar todos los lugares turísticos.
3. Yo siempre hablo el idioma del país con todo el mundo.
4. Normalmente, o alquilo un carro o alquilo una motocicleta.
5. Siempre intento visitar a algún conocido de mi familia.
6. Cada vez que visito un lugar nuevo, siempre hago algunos amigos.

**3 La fiesta** En parejas, imaginen que están en una fiesta, pero solo escuchan parte de lo que la gente conversa. Escriban respuestas a estas oraciones, usando las expresiones indicadas.

1. —Podrías visitar a la abuela mañana, ¿no? (ni... ni)
2. —Sé que le mentiste al profesor sobre el examen. (jamás)
3. —¿Qué ocurrió con el dinero que faltaba? (nadie... nada)
4. —Ella decidió visitar el lugar del accidente. (nunca)
5. —No creo que ese texto esté bien traducido. (tampoco)
6. —¿Me recomiendas alguna escuela donde estudiar español? (ninguno/a)

# Comunicación

**4** **Opiniones** En grupos de cuatro, hablen sobre estas opiniones. Cada miembro del equipo da su opinión y el resto responde si está de acuerdo o no. Usen expresiones negativas y afirmativas.

- Cada persona debe quedarse a vivir en su propio país.
- Los inmigrantes benefician la economía del país.
- La sociedad es responsable de integrar a los nuevos inmigrantes.
- Los inmigrantes deben aprender el idioma del país y no deben hablar su propio idioma nunca.
- Es responsabilidad de los gobiernos proporcionar los recursos justos y necesarios para que sus ciudadanos no se vean obligados a emigrar.
- Todo el mundo debería ser libre de vivir y trabajar donde quisiera.
- Nada es más difícil que vivir en un país extranjero por obligación.
- El inmigrante siempre piensa en regresar algún día a su patria.
- Nunca se puede decir: "Jamás viviría en otro país", porque nunca se sabe.

**5** **Escena**

**A.** En parejas, escriban una conversación entre un(a) hijo/a adolescente y sus padres, usando expresiones negativas y afirmativas.

**Modelo**    **HIJA**    ¿Por qué siempre desconfían de mí?
No me gusta que nunca crean lo que les digo.
No soy ninguna mentirosa y mis amigos tampoco lo son.
No tienen ninguna razón para preocuparse.
    **MAMÁ**  Sí, hija, muy bien, pero recuerda que...
    **HIJA**  Por última vez, ¿puedo ir...?
    **PAPÁ**  ...

**B.** Ahora, representen la conversación que escribieron ante la clase.

**10.3** Summary of the indicative and the subjunctive

**TALLER DE CONSULTA**

To review indicative verb forms, see:

| Present | Present |
|---------|---------|
| 1.1, pp. | perfect |
| 12–13 | 7.1, pp. |
| | 262–263 |

| Preterite | Past |
|-----------|------|
| 2.1, pp. | perfect |
| 56–57 | 8.1, p. 300 |

| Imperfect | Future |
|-----------|--------|
| 2.2, pp. | perfect |
| 60–61 | 9.1, p. 336 |

| Future | Conditional |
|--------|-------------|
| 5.1, pp. | perfect |
| 178–179 | 9.2, p. 338 |

Conditional
5.2, pp.
182–183

## The indicative

—Los hispanos **representan** el 15% de la economía de los Estados Unidos.

- This chart shows when each of the indicative verb tenses is typically used.

| | | |
|---|---|---|
| PRESENT | *timeless events:* <br> *habitual events that still occur:* <br> *events happening right now:* <br> *future events expected to happen:* | La gente **quiere** vivir en paz. <br> Mi madre **estudia** español. <br> Ellos **están** enojados. <br> Te **llamo** este fin de semana. |
| PRETERITE | *actions or states beginning/ ending at a definite point in the past:* | Ayer **firmamos** el contrato con la editorial. |
| IMPERFECT | *past events without focus on beginning, end, or completeness:* | Yo **leía** mientras ella **estudiaba**. |
| | *habitual past actions:* | Ana siempre **iba** a la misma librería. |
| | *mental, physical, and emotional states:* | Mi abuelo **era** alto y fuerte. |
| FUTURE | *future events:* <br> *probability about the present:* | **Iré** a Chicago en dos semanas. <br> ¿**Estará** en su oficina ahora? |
| CONDITIONAL | *what would happen:* <br> *future events in past-tense narration:* <br> *conjecture about the past:* | Él **lucharía** por sus ideales. <br> Me dijo que lo **haría** él mismo. <br> ¿Qué hora **sería** cuando regresaron? |
| PRESENT PERFECT | *what has occurred:* | **Han cruzado** la frontera. |
| PAST PERFECT | *what had occurred:* | Lo **habían hablado** hacía tiempo. |
| FUTURE PERFECT | *what will have occurred:* | Para la próxima semana, ya **se habrá publicado** su nueva novela. |
| CONDITIONAL PERFECT | *what would have occurred:* | Juan **habría sido** un gran escritor. |

# The subjunctive

—*Necesitas manos y gente que* **quiera** *hacerlo con ganas.*

**TALLER DE CONSULTA**

To review subjunctive verb forms, see:
**Present subjunctive 3.1, pp. 96–98**
**Past subjunctive 6.2, pp. 224–225**
**Present perfect subjunctive 7.2, p. 266**
**Past perfect subjunctive 8.2, p. 302**
To review commands, see **3.3, pp. 106–107.**

- The subjunctive is used mainly in multiple clause sentences. This chart explains when each of the subjunctive verb tenses is appropriate.

| | | |
|---|---|---|
| PRESENT | *main clause is in the present:* | Quiero que **hagas** un esfuerzo. |
| | *main clause is in the future:* | Seguiré estudiando hasta que **consiga** un puesto como intérprete. |
| PAST | *main clause is in the past:* | Esperaba que **vinieras**. |
| | *hypothetical statements about the present:* | Si **tuviéramos** tiempo, leeríamos más. |
| PRESENT PERFECT | *main clause is in the present while subordinate clause is in the past:* | ¡Es increíble que tu libro **haya ganado** el premio! |
| PAST PERFECT | *main clause is in the past and subordinate clause refers to earlier event:* | Me molestó que el periodista **hubiera criticado** mi novela. |
| | *hypothetical statements about the past:* | Si me **hubieras llamado,** habría salido contigo anoche. |

### Present subjunctive

Es necesario que **hagamos** un esfuerzo para superarnos.
*It's necessary that we make an effort to better ourselves.*

### Past subjunctive

Yo no creí que **publicaran** su biografía.
*I didn't believe that they would publish his biography.*

### Past perfect subjunctive

Tú nunca **hubieras alcanzado** tus sueños sin su apoyo.
*You never would have fulfilled your dreams without his support.*

### Present perfect subjunctive

Me parece increíble que **hayas aprendido** tan rápido tu nuevo idioma.
*I am impressed that you have learned your new language so fast.*

# The subjunctive vs. the indicative

- This chart contrasts the uses of the subjunctive with those of the indicative (or infinitive).

**TALLER DE CONSULTA**

To review the uses of the subjunctive, see:
**Subjunctive in noun clauses 3.1, pp. 96–98**
**Subjunctive in adjective clauses 4.1, pp. 138–139**
**Subjunctive in adverbial clauses 6.1, pp. 220–221**
*Si* **clauses 9.3, pp. 340–341**

**¡ATENCIÓN!**

**Ojalá (que)** is always followed by the subjunctive.

**Ojalá (que) se mejore pronto.**

Impersonal expressions of will, emotion, or uncertainty are followed by the subjunctive unless there is no change of subject.

**Es terrible que tú fumes.**
**Es terrible fumar.**

| Subjunctive | Indicative (or infinitive) |
|---|---|
| *after expressions of will and influence when there are two different subjects:* Quieren que **vuelvas** temprano. | *after expressions of will and influence when there is only one subject (infinitive):* Quieren **volver** temprano. |
| *after expressions of emotion when there are two different subjects:* La profesora tenía miedo de que sus estudiantes no **aprobaran** el examen. | *after expressions of emotion when there is only one subject (infinitive):* Los estudiantes tenían miedo de no **aprobar** el examen. |
| *after expressions of doubt, disbelief, or denial when there are two different subjects:* Es imposible que Beto **haya salido** por esa puerta. | *after expressions of doubt, disbelief, or denial when there is only one subject (infinitive):* Es imposible **salir** por esa puerta; siempre está cerrada. |
| *when the person or thing in the main clause is uncertain or indefinite:* Buscan un empleado que **haya estudiado** español durante años. | *when the person or thing in the main clause is certain or definite (indicative):* Contrataron a un empleado que **estudió** español durante años. |
| *after **a menos que, antes (de) que, con tal (de) que, en caso (de) que, para que,** and **sin que** when there are two different subjects:* El abogado hizo todo lo posible para que su cliente **conservara** los derechos de autor. | *after **a menos de, antes de, con tal de, en caso de, para,** and **sin** when there is no change in subject (infinitive):* El abogado hizo todo lo posible para **proteger** mis derechos de autor. |
| *after the conjunctions **cuando, después (de) que, en cuanto, hasta que,** and **tan pronto como** when they refer to future actions:* Firmaré el contrato con la editorial cuando me **ofrezcan** buenas condiciones. | *after the conjunctions **cuando, después (de) que, en cuanto, hasta que,** and **tan pronto como** when they do not refer to future actions (indicative):* Firmé el contrato con la editorial cuando me **ofrecieron** buenas condiciones. |
| *after **si** in hypothetical or contrary-to-fact statements about the present:* Si **encontrara** un buen traductor, publicaría mi novela en inglés. | *after **si** in hypothetical statements about possible or probable future events (indicative):* Si **encuentro** un buen traductor, publicaré mi novela en inglés. |
| *after **si** in hypothetical or contrary-to-fact statements about the past:* Si **hubiera tenido** tiempo, habría ido a la biblioteca. | *after **si** in statements that express habitual past actions (indicative):* Si **tenía** tiempo, siempre iba a la biblioteca. |

# Práctica

**1 Biografía** Elige la forma correcta de cada verbo para completar el párrafo sobre la vida de la escritora Sandra Cisneros.

Sandra Cisneros (1) _____ (nacía/nació) en 1954 en Chicago. De adolescente, le (2) _____ (gustaba/gustó) mucho leer y (3) _____ (escribía/escribió) a menudo. (4) _____ (Decidía/Decidió) estudiar una licenciatura en Chicago y después se (5) _____ (mudó/mudaba) a Iowa. Allí, en 1978, (6) _____ su maestría en escritura creativa. Sandra (7) _____ (ha publicado/publica) numerosas novelas. Entre ellas, la más famosa (8) _____ (es/será) *La casa en Mango Street*. Desde hace unos años, (9) _____ (vive/vivía) en México y por ahora (10) _____ (continuará/continuaba) allí porque quiere entrar en contacto con sus raíces y su cultura materna.

**2 Completar** Completa las oraciones usando el verbo en subjuntivo o en indicativo.

1. Quiero que se _____ (terminar) los problemas con los inmigrantes.

2. Me gustaría que mis hijos _____ (tener) más tiempo para leer los diarios que escribió mi abuelo al emigrar.

3. El profesor me recomendó que yo _____ (preservar) mi herencia cultural.

4. Me molestaba que ella _____ (hablar) de esa manera sobre los inmigrantes.

5. Mi abuela hizo todo lo posible para que todos nosotros _____ (visitar) su país de origen.

6. Cada día _____ (llegar) al país muchos nuevos inmigrantes llenos de sueños.

7. La situación _____ (cambiar) en los últimos años porque los españoles ya no emigran tanto como en el pasado.

8. Te aconsejo que _____ (estudiar) la historia de la inmigración de tu país; es un tema muy interesante.

**3 Pensamientos** En parejas, escriban oraciones sobre lo que pensaban hace diez años y lo que piensan en la actualidad. Usen las diferentes formas del subjuntivo, del indicativo y del infinitivo, y las palabras y expresiones de la lista. Sean creativos/as.

**Modelo** Es una lástima que mis padres no hayan estudiado idiomas nunca.

| | | | |
|---|---|---|---|
| bilingüismo | dudar | literatura | querer |
| buscar | es/era imposible | novela | salir |
| comprar | | ojalá | tener miedo |
| desear | es/era una lástima | poesía | viajar |
| | humanidad | | |

**4** **Estudios** Juliana ha llegado a España con la intención de estudiar allí.

**A.** Escribe oraciones siguiendo el modelo para hablar de sus planes. Usa el subjuntivo cuando sea necesario.

**Modelo**    **tan pronto como / tener dinero**
Va a estudiar en la universidad tan pronto como tenga dinero.

1. con tal (de) que / estudiar español
2. en cuanto / tomar los exámenes de ingreso
3. cuando / encontrar un apartamento cerca de la universidad
4. hasta / terminar sus estudios
5. para / encontrar un buen trabajo en el futuro

**B.** Ahora, en parejas, utilicen las oraciones que han formado para escribir un diálogo entre Juliana y su madre. Juliana le explica cuáles son sus planes.

Sí, mamá, voy a estudiar en la universidad tan pronto como tenga dinero.

**5** **El abuelo** En parejas, imaginen que su abuelo, de origen mexicano, emigró a los Estados Unidos. Escriban una hoja de su diario contando cómo fue su llegada al país. Usen el indicativo o el subjuntivo y algunas de las palabras de la lista.

| | | | |
|---|---|---|---|
| amigo/a | casa | extranjero | puerto (*harbor*) |
| anuncio | dinero | idioma | tormenta |
| barco | esperanza | familiares | trabajo |
| cartas | esposa | hijo/a | viento |

*23 de diciembre de 1940*

*Hoy fue un día muy particular.*
*Después de un pesado viaje*
*de muchos días...*

# Comunicación

**6** **¿Quién es?** En parejas, escojan una persona famosa. Escriban una lista de los acontecimientos de su vida (pasados, presentes y los que puedan ocurrir en el futuro). Cuando hayan terminado, lean en voz alta la lista de los acontecimientos. El resto de la clase tendrá que adivinar de quién se trata.

**7** **Los cincuenta** Mañana Manuel va a cumplir 50 años. Por ello, Manuel ha estado pensando en todo lo que le hubiera gustado hacer pero que nunca hizo. En parejas, miren el dibujo y hablen sobre lo que habría hecho Manuel si hubiera podido. Luego, inventen tres cosas que hizo, pero de las que se arrepiente (*regrets*).

**8** **Tu vida** Primero, completa el cuadro con algunos acontecimientos de tu vida y con los planes que tienes para el futuro. Luego, cuéntale a un(a) compañero/a los eventos de tu vida y tus planes.

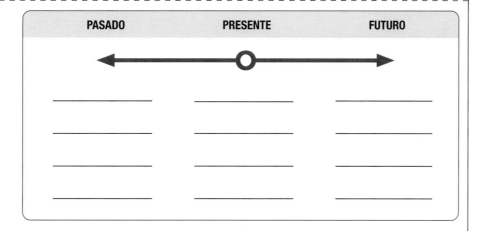

| PASADO | PRESENTE | FUTURO |
|--------|----------|--------|
|        |          |        |
|        |          |        |
|        |          |        |
|        |          |        |

**9** **Cuando se acabe** *Perspectivas* Se acerca el final de este libro de español. En grupos de cuatro, hablen sobre sus deseos, esperanzas y planes relacionados con el español que han aprendido. Usen el **presente**, el **futuro**, el **condicional** y el **subjuntivo**, según sea necesario.

**Modelo** Me gustaría encontrar un trabajo en el que pudiera hablar español. /
Quiero pasar seis meses en un país donde se hable español.

### La Placita Olvera

En Placita Olvera se mantiene el estilo original del Pueblo de Los Ángeles, el cual fue territorio mexicano desde 1821 a 1847. Para preservar el patrimonio cultural, en 1930 se creó allí un mercado "como los de antes", entre árboles y edificios antiguos, tiendas de artesanías y restaurantes tradicionales con aroma a tacos, burritos, churros y tortillas. Hoy sirve como punto de reunión para la comunidad latina en eventos musicales y en fiestas como el 5 de mayo, la bendición de mascotas el Sábado Santo, el Día de Muertos y las posadas° de Navidad.

### Fiesta en la Calle Ocho

Desde el año 2000, un viernes al mes, la Pequeña Habana, en Miami, celebra la cultura cubana con un festival artístico llamado Viernes Culturales. A partir del atardecer, en la Calle Ocho se organizan espectáculos de música y baile, degustaciones de platos y visitas guiadas. Hay dominó y café cubano, las tiendas y galerías de arte abren sus puertas hasta tarde y los restaurantes se llenan de residentes locales y turistas.

### Harlem en español

A principios del siglo XX allí vivían muchos inmigrantes italianos. Cincuenta años después, la llegada de los puertorriqueños rebautizó° esta zona del noreste de Manhattan como el Harlem hispano, o simplemente El Barrio. Además del idioma, los nuevos habitantes llevaron su cocina, su música, su arte y los colores brillantes de la isla. La representación de la nueva identidad de la comunidad aparece en los murales pintados en sus calles, como *Spirit of East Harlem* de Hank Prussing, o *Espíritu* de Manny Vega.

### Las pupusas salvadoreñas

La palabra "pupusa" viene del náhuatl. Una pupusa es una tortilla de harina de maíz o arroz rellena de queso y otros ingredientes como frijoles, chicharrón°, ayote° y loroco°. En El Salvador su receta pasa de generación a generación. La inmigración la llevó a los Estados Unidos a principios de los años 1980. Tradicionalmente se come con curtido° y salsa. Hoy compite en popularidad con la pizza y los tacos en las pupuserías de Los Ángeles, Houston y Washington, D.C., donde la salvadoreña es la comunidad más grande de hispanos.

**posadas** *Christmas celebrations* **rebautizó** *rebaptized* **chicharrón** *seasoned shredded pork*
**ayote** *squash* **loroco** *squash vine* **curtido** *cabbage slaw*

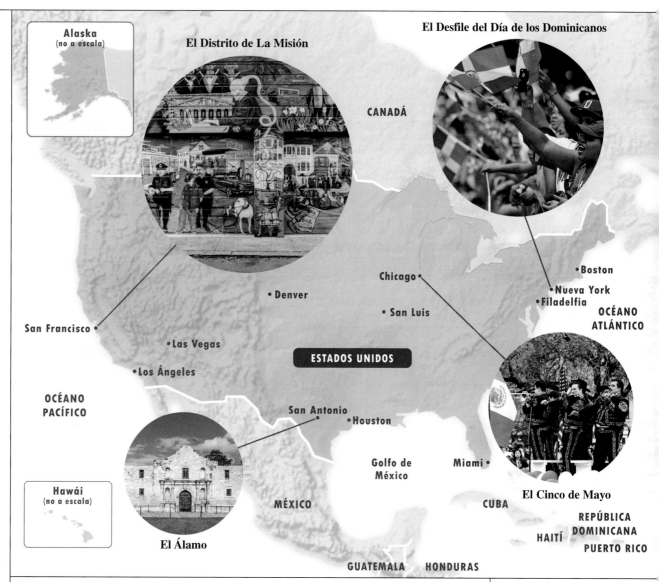

El Distrito de La Misión

El Desfile del Día de los Dominicanos

Alaska
(no a escala)

CANADÁ

Chicago•

• Denver

•Boston
•Nueva York
•Filadelfia

• San Luis

OCÉANO
ATLÁNTICO

San Francisco •

•Las Vegas

ESTADOS UNIDOS

•Los Ángeles

OCÉANO
PACÍFICO

San Antonio
•Houston

Hawái
(no a escala)

Golfo de
México

Miami •

El Cinco de Mayo

MÉXICO

CUBA

REPÚBLICA
DOMINICANA

HAITÍ

PUERTO RICO

El Álamo

GUATEMALA    HONDURAS

**1** **Perspectivas** En parejas, contesten las preguntas.

1. ¿Qué aspecto tiene un mercado típico de tu ciudad? ¿Se parece al de Placita Olvera?

2. ¿Qué opinas de los lugares como Placita Olvera que recrean el pasado? ¿Te gusta visitarlos o te parecen artificiales?

3. ¿Qué opinas de los Viernes Culturales de la Calle 8? ¿Crees que es importante que ese festival se siga organizando? ¿Cómo crees que ayuda a visibilizar la cultura e identidad cubana?

4. Si organizaras un festival con elementos de tu cultura, ¿qué incluirías? ¿Qué semejanzas y diferencias tendría con los Viernes Culturales?

5. ¿Existen en tu ciudad zonas o barrios donde predomine la población hispana? ¿Cómo son? ¿Se parecen al Harlem hispano?

6. ¿Conoces algún plato típico de otros países similar a las pupusas? ¿En qué se parecen y se diferencian? ¿Qué conclusiones puedes extraer?

Practice more at vhlcentral.com.

En el audio "Sello de Lectoescritura Bilingüe de DPS", Jorge Robles, de las escuelas públicas de Denver, Colorado, explica en qué consiste este reconocimiento para los estudiantes.

## Antes de escuchar

**1** **Activar el conocimiento previo** En grupos pequeños, hablen sobre la importancia de ser bilingüe. ¿Cuáles son las ventajas de ser bilingüe? ¿Cómo les ayuda a los estudiantes? ¿Cómo ayuda a la hora de buscar un empleo?

## Mientras escuchas

**2** **Estrategia: Ideas clave** Mientras escuchas el audio, fíjate en las ideas clave que resume Jorge Robles sobre el bilingüismo. Haz una lista de las ideas importantes.

**3** **Escucha una vez** Escucha el audio y concéntrate en el vocabulario nuevo. Anota palabras que no conozcas.

**4** **Escucha de nuevo** Ahora, vuelve a escuchar el audio y completa tu lista inicial. Trata de descifrar el significado de las palabras nuevas.

## Después de escuchar

**5** **Comprensión e interpretación** En parejas, contesten las preguntas.

1. ¿Qué reconoce el Sello de Lectoescritura Bilingüe del departamento de Escuelas Públicas de Denver?
2. ¿Por qué deben motivar los padres a sus hijos para que estudien idiomas en la escuela?
3. ¿De qué maneras abre posibilidades la obtención de este sello?
4. ¿Qué significa "ser competente en un idioma", según el audio?
5. ¿Por qué creen que es importante que se reconozca la variedad de culturas y lenguas en una comunidad?

**6** **Discusión** En parejas, comenten sus opiniones sobre el Sello de Lectoescritura Bilingüe y el bilingüismo. Guíense por las preguntas.

- ¿Conocían el Sello de Lectoescritura Bilingüe antes de escuchar el audio? ¿Están de acuerdo con las afirmaciones de Jorge Robles sobre las ventajas de conseguir este sello? Expliquen.
- ¿Conocen otros certificados que reconozcan el conocimiento o dominio de un idioma? ¿Cómo se comparan con el Sello de Lectoescritura Bilingüe?
- ¿Creen que los reconocimientos de este tipo ayudan a promover el bilingüismo? ¿Por qué?
- ¿Cómo les ayuda en su vida, dentro o fuera de la escuela, saber español? Compartan una experiencia en la que hablar este idioma haya sido beneficioso para ustedes.

 Practice more at **vhlcentral.com.**

## SOBRE LA AUTORA

**R**osina **Lozano** es profesora de historia en la Universidad de Princeton. Especialista en la historia del español en los Estados Unidos, Lozano ha escrito varios artículos sobre el tema, entre ellos el que aparece en esta sección, publicado originalmente en *Los Angeles Times*. En 2018, publicó su primer libro, *An American Language: The History of Spanish in the United States*, el cual ha presentado en numerosas charlas académicas y en el programa de Univision *Al Punto*.

| Vocabulario de la lectura | | Vocabulario útil | |
|---|---|---|---|
| la ciudadanía | citizenship | argumentar (algo) | to argue (something) |
| cruzar | to cross | la etnia | ethnicity |
| detener (e:ie) | to detain, to arrest | los medios (de comunicación) | media |
| difundir | to disseminate | | |
| obligar | to force | el prejuicio | prejudice |
| otorgar | to grant | quejarse (de) | to complain (about) |
| el tratado | treaty | el/la testigo | witness |

**1** **Vocabulario** Completa las oraciones haciendo los cambios necesarios. Después, escribe dos oraciones más en las que uses otras palabras del vocabulario.

1. Gabriela reside en los Estados Unidos y va a solicitar la _____.
2. Cada día aparecen casos de racismo y xenofobia en los _____.
3. Esther y Mario fueron _____ de un caso de discriminación.
4. Viajar y conocer otras culturas ayuda a eliminar _____.
5. La discriminación por nacionalidad, raza o _____ es ilegal.

**2** **¿Qué sabes?** Completa el cuestionario según tus conocimientos o suposiciones. Luego, en parejas, compartan y verifiquen sus respuestas.

1. ¿Qué posición ocupa el español en la lista de los idiomas más hablados en los Estados Unidos?
   a. primera          b. segunda          c. tercera

2. ¿Cuántas personas hablan español en sus casas en los Estados Unidos?
   a. menos de 30 millones    b. entre 30 y 50 millones    c. más de 50 millones

3. ¿Cuántos estudiantes de español hay en los Estados Unidos?
   a. menos de 5 millones     b. entre 5 y 10 millones     c. más de 10 millones

4. ¿Cuál es el idioma oficial de los Estados Unidos?
   a. el inglés          b. el inglés y el español     c. ninguno de estos

5. ¿Qué lengua europea llegó antes al territorio actual de los Estados Unidos?
   a. el inglés          b. el francés          c. el español

 Practice more at vhlcentral.com.

# El español nunca fue una lengua extranjera en ESTADOS UNIDOS

## Rosina Lozano

GRABACIONES DE VIDEO EN CONTEXTOS muy diferentes detectaron dos incidentes de hispanohablantes que fueron hostigados° o detenidos al ser percibidos como inmigrantes indocumentados
5 en mayo.

En el centro de Manhattan, un abogado, Aaron Schlossberg, reprendió al° dueño de un restaurante después de haber escuchado a trabajadores hablar en español. El hombre despotricó° diciendo que debían
10 hablar inglés en "su país", y amenazó con llamar al Servicio de Inmigración y Control de Aduanas°.

Muy lejos de allí, en Montana, dos ciudadanas estadounidenses, Ana Suda y Mimi Hernández, grabaron imágenes mientras enfrentaron a un
15 agente de la Patrulla Fronteriza de EE.UU. que les había pedido sus identificaciones. Cuando le preguntaron por qué lo hacía, este respondió claramente que quiso ver sus documentos de identidad cuando "noté que hablaban en español,
20 algo que no se escucha aquí". El agente las detuvo durante 40 minutos en un estacionamiento°.

El llamado a "hablar inglés" en Estados Unidos tiene una larga data°, que a menudo ahoga° nuestra historia —aún más larga— de uso del lenguaje
25 diverso. El suroeste era originalmente parte de

México. Cuando el Tratado de Guadalupe Hidalgo puso fin a la guerra entre Estados Unidos y México, en 1848, también otorgó la ciudadanía a los restantes colonos mexicanos. El tratado no les exigió que aprendieran inglés. Más aún: durante las décadas 30 que siguieron, el gobierno federal permitió a los gobiernos locales de esa zona utilizar el español en sus cuestiones oficiales.

La primera Constitución estatal de California exigía que "todas las leyes, decretos, reglamentos 35 y disposiciones° que, por su naturaleza, requieran publicación, sean difundidos en inglés y español". Algunos condados° de California usaban el español en sus sesiones legislativas y tribunales.

40 El uso del español en Nuevo México era especialmente amplio. Apenas cinco años después de tomar el territorio, Estados Unidos reconoció que debía pagar por traductores en las cámaras° legislativas. Los funcionarios° federales adoptaron 45 el español como una forma necesaria para gobernar con justicia a este nuevo grupo de ciudadanos.

En algunas partes de ese estado, los resultados de las elecciones, los juramentos de lealtad°, las sesiones legislativas, las cartas a los funcionarios 50 electos, los discursos de ambos partidos políticos, las transcripciones judiciales y muchos otros documentos oficiales se escribían en español. Estos son simplemente los usos registrados de ese idioma, que no incluyen su utilización oral generalizada.

55 Los senadores que visitaron Nuevo México en 1902 llegaron a la conclusión de que no podían realizar° sus actividades oficiales sin un intérprete. Se encontraron con maestros de escuela, jueces y un supervisor de censo que eran hispanohablantes únicamente.

60 Cuando los senadores preguntaron a un ex juez de paz, José María García, por qué seguía usando el español, este respondió: "Me gusta mi propio idioma más que cualquier otro, al igual que me gusta Estados Unidos más que cualquier otro país en el 65 mundo." Para García, no había contradicción alguna en ser tanto estadounidense como hispanohablante.

El español siguió siendo un idioma oficial de la política y el gobierno en gran parte del suroeste durante todo el siglo XIX, pero eso cambió en 70 las primeras décadas de la centuria posterior. El aumento° de la inmigración desde México, un impulso a la segregación escolar y otras iniciativas de "americanización" ayudaron a cambiar el rumbo°. Como lo demostró el historiador Paul J. Ramsey, 75 26 estados, entre ellos California, habían prohibido la enseñanza de idiomas distintos del inglés en las escuelas primarias públicas para 1921. California lo vetó en las escuelas privadas ese año.

El sentimiento antimexicano alcanzó° su punto 80 máximo a principios de la década de 1930, coincidiendo con crueles campañas de repatriación que obligaron a cientos de miles de ciudadanos mexicanos y mexicoamericanos a cruzar la frontera hacia el sur. El condado de Los Ángeles fue especialmente efectivo en estas tácticas. Sin 85 embargo, el español siguió siendo el idioma preferido en muchas partes del suroeste durante este período, y más de mil organizaciones cívicas lo promovieron en aras° del panamericanismo.

Los hispanohablantes también se establecieron 90 mucho más allá del suroeste, por supuesto. Ya en 1891, el poeta y periodista cubano José Martí, que entonces vivía en la ciudad de Nueva York, escribía *Nuestra América* en un esfuerzo° por unir a los hispanohablantes de todo el hemisferio. Decenas de 95 miles de cubanos más llegaron a principios del siglo XX, mucho antes de la Revolución Cubana.

El Congreso dio origen a muchos estadounidenses de habla hispana cuando otorgó la ciudadanía a los puertorriqueños, en 1917, a través de la Ley Jones, 100 que tampoco tenía una disposición del uso del inglés. En la década de 1950, casi 200.000 puertorriqueños se habían mudado a la ciudad de Nueva York. El español es parte de la vida cotidiana en esa ciudad hace más de un siglo. 105

Cuarenta y un millones de hispanohablantes nativos residen hoy en Estados Unidos y esta cifra no incluye a los millones que aprendieron el idioma por elección. De hecho, este país se ubica segundo en cantidad de hablantes de español en el mundo, superado solo por 110 México, según el Instituto Cervantes.

Estados Unidos no solo no posee un idioma oficial, sino que el español no es marginal aquí; desempeña un papel° mucho más profundo en este país del que sugieren los videos que llegaron a las noticias. Su 115 uso no es nuevo ni es una anomalía. El español es un idioma americano. ■

| | |
|---|---|
| **hostigados** *harassed* | **funcionarios** *officials* |
| **reprendió al** *reprimanded* | **juramentos de lealtad** *oaths of* |
| **despotricó** *ranted* | *loyalty* |
| **Aduanas** *Customs* | **realizar** *perform* |
| **estacionamiento** *parking lot* | **aumento** *increase* |
| **larga data** *long standing* | **rumbo** *course* |
| **ahoga** *stifles* | **alcanzó** *reached* |
| **disposiciones** *provisions* | **en aras** *for the sake* |
| **condados** *counties* | **esfuerzo** *effort* |
| **cámaras** *chambers* | **desempeña un papel** *it plays a role* |

**1 Comprensión** Contesta las preguntas.

1. ¿Por qué se quejó el abogado de Manhattan Aaron Schlossberg?
2. ¿De qué país formaba parte el suroeste de los Estados Unidos?
3. ¿Cuál era la situación lingüística en el suroeste de los Estados Unidos después de la guerra?
4. ¿Qué cambios ocurrieron a partir del siglo XX?
5. ¿Qué vetó California en el año 1921?
6. ¿En qué país del mundo se habla más español?

**2 Ampliación** En parejas, háganse las preguntas.

1. ¿Hay algún dato del artículo que te haya sorprendido? ¿Cuál? Explica por qué.
2. Antes de leer el artículo, ¿conocías el estatus que tenía la lengua española en los Estados Unidos en los siglos pasados? ¿Cómo ha evolucionado este estatus?
3. ¿Qué dijo el ex juez de paz José María García cuando le preguntaron por qué seguía usando el español? ¿Estás de acuerdo con él? ¿Sabes de algún político actual que estaría de acuerdo con él? ¿Y en desacuerdo?
4. ¿Alguna vez has sido testigo de un caso de microagresión o de discriminación porque alguien hablaba español en los Estados Unidos? ¿Qué ocurrió?

**3 Una lengua americana** Elige una de las opciones y completa la actividad. Después, comparte tus hallazgos con la clase.

**Option A:** Haz un recorrido por tu comunidad y anota todo lo que veas escrito en español: carteles, señales, panfletos, publicidad, documentos oficiales, etc.

**Option B:** Individualmente o con un(a) compañero/a, hagan llamadas o visiten la página web de algún organismo oficial o institución pública y averigüen si ofrecen información o documentos oficiales en español.

**4 Todo son ventajas** En grupos de tres, hagan una lista de todas las ventajas que tiene hablar español en los Estados Unidos.

**5 Tu futuro** Escribe un párrafo en el que reflexiones sobre el papel que va a tener el español en tu futuro. Usa estas preguntas como guía.

- ¿Vas a seguir tomando clases de español el próximo curso? ¿Vas a seguir estudiándolo después de graduarte? ¿Dónde?
- ¿Piensas leer libros en español? ¿Y leer o ver las noticias? ¿Vas a escuchar música o pódcasts en este idioma?
- ¿De qué otras formas puedes seguir en contacto con el español y la cultura hispana?
- ¿Te interesaría estudiar o trabajar en un país de habla hispana? ¿Dónde?
- ¿Qué otras metas relacionadas con el español o la cultura hispana tienes?

| Vocabulario de la lectura | | Vocabulario útil | |
|---|---|---|---|
| abordar | to address | anglohablante | English-speaking |
| abrir camino | to pave the way | el desarraigo | alienation |
| el auge | boom | la generación | generation |
| el día a día | everyday life | la pertenencia | belonging |
| el país natal | home country | el superventas | best seller |
| | | la temática | theme |
| | | el trasfondo | background |

## 1 Vocabulario Completa el párrafo.

| auge | generación | superventas |
|---|---|---|
| desarraigo | pertenencia | temática |

A finales de la década de 1980, tuvo lugar un (1) _____ de la literatura hispanoamericana escrita en los Estados Unidos. Sandra Cisneros es una de las escritoras latinas más famosas de esta (2) _____. Su primera novela tuvo mucho éxito y entró en la lista de (3) _____ del año. Varios de sus libros tienen una (4) _____ similar, pues tratan diferentes aspectos de la inmigración y la identidad cultural. En ellos, se exploran conceptos como el (5) _____ y la (6) _____.

## 2 Autores En parejas, contesten las preguntas.

1. En *Perspectivas*, has aprendido sobre diferentes escritores hispanoamericanos. ¿Qué nombres recuerdas? ¿Qué otros autores hispanoamericanos conoces?

2. Aparte de los cuentos, poemas y extractos de novelas de este libro, ¿has leído otras de sus obras? ¿Cuáles? ¿En qué idioma?

3. ¿Cuáles de los temas que tratan te interesan más? ¿Por qué?

4. ¿Sobre qué temas crees que los escritores hispanoamericanos pueden dar una perspectiva interesante? Explica.

## 3 El arte de escribir En grupos de tres, den su opinión sobre estas citas de la escritora Isabel Allende. Luego, contesten las preguntas.

"Escribir es un proceso, un viaje en la memoria y el alma."

"Me di cuenta de que escribir sobre la felicidad es inútil, sin sufrimiento no hay historia."

1. ¿Creen que es positivo que los escritores se basen en experiencias propias para escribir sus novelas? ¿Por qué?

2. ¿Piensan que las situaciones complejas o traumáticas son interesantes como temas literarios? Expliquen.

# El nuevo *boom* de la literatura hispanoamericana

La literatura hispanoamericana prolifera en los Estados Unidos. Con una población de casi 60 millones de personas en 2018[1], los hispanos representan una parte esencial de la demografía del país, y ello se ve reflejado en sus productos culturales. Así, se puede decir que desde finales del siglo XX está teniendo lugar un nuevo *boom* de la literatura hispanoamericana. Si las obras del *boom* latinoamericano de los 60 y 70 reflejaban el malestar° con la situación política de la Latinoamérica de la época, la ola° actual habla de otra realidad social actual. Explora los conceptos de migración e identidad de los hispanoamericanos en los Estados Unidos.

°unease
°wave

Lo cierto es que la literatura hispanoamericana hecha en los Estados Unidos no es uniforme. No existe una única literatura hispanoamericana, sino autores hispanos con distintas voces. Algunos escriben en inglés. Otros escriben en español. Otros alternan las dos lenguas, como sucede en su vida. Sus obras se clasifican bajo diferentes géneros literarios. Los temas y argumentos de sus novelas son muy variados. Sin embargo, muchos de ellos plasman° su herencia cultural en sus libros. La migración y la interculturalidad son elementos presentes en esta literatura porque son elementos presentes en las vidas de muchos de los hispanoamericanos que viven en los Estados Unidos. Sus realidades no son minoritarias, sino que tienen una presencia masiva en la sociedad estadounidense y, del mismo modo, se han hecho su espacio en el mundo editorial.

°capture

## Literatura hispanoamericana que se escribe en dos idiomas

Gran parte de los autores de raíces hispanoamericanas que viven en los Estados Unidos escriben sus obras en inglés. Una de estos grandes referentes es Sandra Cisneros, autora de *La casa en Mango Street* (*The House on Mango Street*, 1984). Sus padres eran mexicanos, pero Cisneros nació y creció en Chicago y durante años vivió en San Antonio.

20

25

30

35

[1] Datos del Pew Research Center

En 2013, se mudó a México, buscando entrar en contacto con sus raíces. En su obra cumbre, inspirada en su propia vida, refleja la infancia y adolescencia de la protagonista creciendo en un barrio hispano en Chicago. Cisneros fue una de las autoras que desencadenó el auge de la literatura hispanoamericana escrita en los Estados Unidos y abrió camino a otros escritores de su época como Francisco Goldman, Óscar Hijuelos o Julia Álvarez. El nuevo boom había comenzado y continúa hoy en día a través de numerosos autores más jóvenes.

Cristina Henríquez es una de ellos y, al igual que Cisneros, también escribe sus libros en inglés. Henríquez nació en Delaware, ya que su padre, de origen panameño, se había mudado a los Estados Unidos durante su juventud. En su novela *El libro de los americanos desconocidos* (*The Book of Unknown Americans*, 2014) describe en primera persona la vida de varios inmigrantes en los Estados Unidos.

Daniel Alarcón, por su parte, nació en Perú, se mudó a los Estados Unidos siendo niño y considera el bilingüismo como su día a día. Alarcón produce en español el pódcast Radio Ambulante, en el que cuenta historias de Latinoamérica. Sin embargo, su ficción la escribe casi exclusivamente en inglés. Uno de sus libros más recientes, *El rey está siempre por encima del pueblo* (*The King is Always Above the People*, 2017) recopila historias sobre inmigración y familias latinoamericanas. 🎥

La escritora Valeria Luiselli nació en México, vivió en diferentes países y en la actualidad reside en Nueva York. Luiselli define su vida como totalmente bilingüe. Escribió sus primeras obras en español, pero optó por el inglés en su novela más reciente, *Desierto sonoro* (*Lost Children Archive,* 2019). En ella, aborda el tema de la crisis migratoria y la situación de los niños que llegan a la frontera sur de los Estados Unidos. 🎥

También hay escritores hispanos que residen en los Estados Unidos y siguen escribiendo solo en español. En algunos casos, se mudaron de adultos y continuaron sus carreras profesionales en su lengua materna. En otros, a pesar

## A pesar de ser bilingües, eligen escribir en español.

de ser bilingües, eligen escribir en español por la conexión que este idioma les brinda° con su cultura, con su país natal o con las historias que quieren contar.

La exitosa escritora chilena Isabel Allende es una de las figuras más representativas en este sentido. Vive en los Estados Unidos desde hace más de 30 años, pero continúa escribiendo sus novelas en español porque la creación literaria es un proceso que para ella solo sucede en su lengua materna. En una de sus últimas novelas, *Más allá del invierno* (2017), Allende ahonda en el tema de la inmigración. Otros escritores, como el boliviano Edmundo Paz Soldán y el peruano Hemil García también son un ejemplo de ello. Algunas de sus obras destacadas son *Norte* (Paz Soldán, 2011) y *Sesenta días para abandonar el país* (García, 2018), en las que también se reflejan las experiencias de personajes que han dejado sus países para mudarse a los Estados Unidos. 🎥

Las obras de estos y de muchos otros autores hispanoamericanos en los Estados Unidos demuestran que la literatura hispanoamericana se escribe en dos idiomas. También reflejan la complejidad de la identidad hispana y la diversidad de experiencias y perspectivas. ∎

*provides*

Watch related video at vhlcentral.com.

**1 Comprensión** Completa las oraciones.

1. La _____, la interculturalidad y la identidad son temas comunes en las novelas del nuevo *boom* hispanoamericano.

2. Sandra Cisneros nació en este país: _____.

3. De todas las novelas que se mencionan en el artículo, _____ es la que se publicó antes y abrió camino para otros escritores hispanoamericanos.

4. Francisco Goldman, Óscar Hijuelos y _____ pertenecen a la misma generación que Sandra Cisneros.

5. Cristina Henríquez escribe sus novelas en este idioma: _____.

6. La autora de *Desierto sonoro* (*Lost Children Archive*) es _____.

7. _____ es una de las escritoras más representativas que continúan escribiendo en español en los Estados Unidos.

8. En la novela _____, Edmundo Paz Soldán narra las experiencias de personajes que dejan sus países para mudarse a los Estados Unidos.

**2 Interpretación y reflexión** En parejas, contesten las preguntas.

1. ¿Por qué el artículo compara la literatura hispanoamericana actual hecha en los Estados Unidos con el *boom* de las décadas de 1960 y 1970? ¿En qué son similares los dos fenómenos? ¿Y diferentes?

2. ¿Por qué piensan que muchos escritores hispanoamericanos en los Estados Unidos tratan temas comunes, a pesar de tener orígenes y experiencias diferentes?

3. Sandra Cisneros se mudó a México después de vivir en ciudades como Chicago y San Antonio. ¿Cómo creen que esta decisión afectó a su vida y a su trabajo?

4. Valeria Luiselli escribió sus primeras novelas en español, pero después optó por el inglés. ¿A qué creen que se debió el cambio?

**3 Club de lectura**

A. En grupos de cuatro, escojan una de las novelas mencionadas en el artículo u otra novela que pertenezca al nuevo *boom* de la literatura hispanoamericana en los Estados Unidos. Completen la información y presenten su novela ante la clase.

- Autor(a)
- Breve biografía del autor(a)
- Año de publicación
- Idioma original
- Argumento

B. Una vez que todos los grupos hayan presentado sus novelas, voten la que más les interesa y organicen un club de lectura sobre la novela seleccionada: determinen fechas para reunirse y decidan quién organizará y conducirá cada reunión.

## SOBRE LA AUTORA

**C**ristina Peri Rossi nació en Montevideo, Uruguay, en 1941. Su madre, maestra de profesión, la animó a sumergirse en el mundo de la literatura. A pesar de ser una de las escritoras más importantes en lengua española, fue censurada durante la dictadura de su país, por lo que en 1972 se exilió en España. Entre sus trabajos, destaca *El museo de los deseos inútiles* (1983), donde aparece por primera vez el relato "Punto final", y *La nave de los locos* (1984).

| Vocabulario de la lectura | | Vocabulario útil | |
|---|---|---|---|
| asfixiar | to suffocate | de color de rosa | all peaches and cream |
| defraudar | to let down | confiarse | to be overconfident |
| la dicha | good fortune | el desamor | indifference |
| encadenado/a | chained | la discusión | argument |
| el estuche | case | disgustado/a | upset |
| extraviar | to lose | duradero/a | lasting |
| el fastidio | annoyance | el pesar | sorrow |
| el tedio | boredom | vincular | to link |
| traicionar | to betray | | |

**NOTA CULTURAL**

Además de ser la única mujer vinculada al *boom* latinoamericano, Cristina Peri Rossi forma parte del posterior grupo de escritoras latinoamericanas que cobraron (*earned*) fama a finales del siglo XX. Sobre los años 1980 y 1990, la narrativa de autoras como Peri Rossi, Isabel Allende, Ángeles Mastretta, Laura Esquivel y Elena Poniatowska, entre otras, tuvo gran éxito a nivel mundial, dando lugar al denominado *boom* femenino hispanoamericano. El feminismo, la ironía y la defensa de los derechos humanos son temas predominantes de este fenómeno. *La casa de los espíritus* (1982), de Allende, y *Como agua para chocolate* (1989), de Esquivel, son obras clave de este período.

**1 Vocabulario** Completa los diálogos con sinónimos de las palabras indicadas entre paréntesis. Después, crea dos diálogos más para que los complete un(a) compañero/a.

1. —¿Dónde está tu _____ (caja para guardar objetos)?
   —No lo sé. Creo que se ha _____ (perdido).

2. —El _____ (aburrimiento) es uno de los peores sentimientos en una relación.
   —No estoy de acuerdo. Creo que el _____ (falta de afecto) es lo peor.

3. —No me _____ (decepciones), por favor.
   —Tengo la _____ (suerte) de tenerte como amiga. Yo nunca te fallaría.

**2 Puntos** En parejas, definan cada uno de los signos de puntuación. Después, verifiquen sus definiciones e incluyan un ejemplo en el que usen cada signo. Por último, contesten: El cuento que van a leer se titula "Punto final" y trata sobre una pareja. ¿Qué argumento creen que va a tener el cuento?

| Signo | Definición | Ejemplo |
|---|---|---|
| Punto y seguido | | |
| Punto y aparte | | |
| Punto final | | |
| Punto y coma | | |
| Dos puntos | | |
| Puntos suspensivos | | |

# Punto final

## Cristina Peri Rossi

Cuando nos conocimos, ella me dijo: "Te doy el punto final. Es un punto muy valioso, no lo pierdas. Consérvalo, para usarlo en el momento oportuno. Es lo mejor que puedo darte y lo hago porque me mereces confianza°. Espero que no me defraudes." Durante mucho tiempo, tuve el punto final en el bolsillo°. Mezclado con las monedas, las briznas° de tabaco y los fósforos°, se ensuciaba un poco; además, éramos tan felices que pensé que nunca habría de usarlo. Entonces compré un estuche seguro y allí lo guardé. Los días transcurrían venturosos°, al abrigo° de la desilusión y del tedio. Por la mañana nos despertábamos alegres, dichosos° de estar juntos; cada jornada se abría

5

*you deserve to be trusted*

*pocket / bits*
*matches*

*blissful / sheltered*

*fortunate*

como un vasto mundo desconocido, lleno de sorpresas a descubrir. Las cosas familiares dejaron de serlo, recobraron la perdida frescura, y otras, como los parques y los lagos, se volvieron acogedoras°, maternales. Recorríamos las calles observando cosas que los demás no veían y los aromas, los colores, las luces, el tiempo y el espacio eran más intensos. Nuestra percepción se había agudizado°, como bajo los efectos de una poderosa droga. Pero no estábamos ebrios°, sino sutiles y serenos, dotados de° una rara capacidad para armonizar con el mundo. Teníamos con nuestros sentidos una singular melodía que respetaba el orden del exterior, sin sujetarse a él.

Con la felicidad, olvidé el estuche, o lo perdí, inadvertidamente. No puedo saberlo. Ahora que la dicha terminó, no encuentro el punto final por ningún lado. Esto crea conflictos y rencores suplementarios. "¿Dónde lo guardaste? —me pregunta ella, indignada—. ¿Qué esperas para usarlo? No demores más, de lo contrario, todo lo anterior perderá belleza y sentido." Busco en los armarios, en los abrigos, en los cajones, en el forro° de los sillones, debajo de la mesa y de la cama. Pero el punto no está; tampoco el estuche. Mi búsqueda se ha vuelto tensa, obsesiva. Es posible que lo haya extraviado en alguno de nuestros momentos felices. No está en la sala, ni en el dormitorio, ni en la chimenea. ¿El gato se lo habrá comido?

Su ausencia aumenta nuestra desdicha° de manera dolorosa.

> ## En tanto el punto no aparezca, estamos encadenados el uno al otro.

En tanto el punto no aparezca, estamos encadenados el uno al otro, y esos eslabones° están hechos de rencor, apatía, vergüenza y odio. Debemos conformarnos con seguir así, desechando la posibilidad de una nueva vida. Nuestras noches son penosas°, compartiendo la misma habitación, donde el resquemor° tiene la estatura de una pared y asfixia, como un vapor malsano°. Tiñe° los muebles, los armarios, los libros dispersos por el suelo. Discutimos por cualquier cosa, aunque los dos sabemos que, en el fondo, se trata de la desaparición del punto, del cual ella me responsabiliza. Creo que a veces sospecha que en realidad lo tengo, escondido, para vengarme de ella. "No debí confiar en ti—se reprocha—. Debí imaginar que me traicionarías."

Era un estuche de plata, largo, de los que antiguamente se usaban para guardar rapé°. Lo compré en un mercado de artículos viejos. Me pareció el lugar más adecuado para guardarlo. El punto estaba allí, redondo, minúsculo, bien acomodado. Pero pasaron tantos años. Es posible que se extraviara durante una mudanza°, o quizás alguien lo robó, pensando que era valioso.

Luego de buscarlo en vano casi todo el día, me voy de casa, para no encontrar su mirada de reproche, su voz de odio. Toda nuestra felicidad anterior ha desaparecido, y sería inútil pensar que volverá. Pero tampoco podemos separarnos. Ese punto huidizo° nos liga°, nos ata°, nos llena de rencor y de fastidio, va devorando uno a uno los días anteriores, los que fueron hermosos.

Solo espero que en algún momento aparezca, por azar, extraviado en un bolsillo, confundido con los otros objetos. Entonces será un gordo, enlutado°, sucio y polvoriento punto final, a destiempo°, como el que colocan los escritores noveles°. ■

---

*welcoming*

*sharpened*
*intoxicated*
*endowed with*

*upholstery*

*misfortune*

*chain links*

*awful*
*resentment / unhealthy*
*It stains*

*snuff*

*move*

*evasive / joins / ties*

*mournful*
*at the wrong time /*
*inexperienced*

10

15

20

25

30

35

40

45

50

55

**1 Ordenar** Indica el orden en que aparecen los eventos. Marca con una X los dos eventos que no aparecen en la historia.

___ a. El hombre compra un estuche para el punto final.

___ b. La relación entre la pareja comienza a deteriorarse.

___ c. Los protagonistas están muy enamorados. Perciben el mundo de color de rosa.

___ d. El hombre busca el punto final durante mucho tiempo, pero nunca lo llega a encontrar.

___ e. La pareja se casa y se muda a una casa de campo.

___ f. La mujer le da un punto final al hombre cuando se conocen.

___ g. La mujer encuentra el estuche con el punto final cuando hacen una mudanza.

___ h. El hombre pierde el estuche con el punto final.

**2 Interpretar** En parejas, contesten las preguntas.

1. ¿Por qué la mujer le da al hombre el punto final cuando se conocen?

2. ¿Por qué el hombre pensaba que nunca lo iban a usar?

3. El hombre llevaba el punto final consigo en el bolsillo, pero después decide meterlo en el estuche. ¿Qué piensan que simboliza el cambio de ubicación del punto?

4. ¿Cómo creen que el hombre pierde el punto? ¿Creen que de verdad no puede encontrarlo?

5. ¿Por qué piensan que la mujer se enoja tanto al enterarse de que lo ha perdido?

6. ¿Por qué necesitan encontrar el punto? ¿Qué simboliza el punto?

**3 Partes del cuento** En parejas, dividan el cuento en diferentes secciones temáticas y pongan un título a cada sección. Después, comparen sus secciones y títulos con los de otra pareja. ¿Coinciden?

**4 Sentimientos** En grupos de tres, anoten en una columna el lenguaje que usa la autora para reflejar la percepción de la vida que tienen los personajes durante la etapa de enamoramiento y el lenguaje que describe la etapa del desamor. Después, contesten las preguntas.

| Etapa de enamoramiento | Etapa de desamor |
|---|---|
| • *Nos despertábamos alegres, dichosos…* | • *Eslabones de rencor, apatía, vergüenza y odio* |

• ¿Piensan que el amor puede afectar a la forma como las personas perciben la vida? ¿Cómo cambia la percepción de la vida de los personajes según su estado amoroso? Den ejemplos que aparezcan en otras obras literarias o cinematográficas.

## 5 Citas
En grupos de tres, lean las citas del cuento y completen la actividad.

> "Es lo mejor que puedo darte y lo hago porque me mereces confianza. Espero que no me defraudes."

> "Mi búsqueda se ha vuelto tensa, obsesiva. Es posible que lo haya extraviado en alguno de nuestros momentos felices."

> "Discutimos por cualquier cosa, aunque los dos sabemos que, en el fondo, se trata de la desaparición del punto, del cual ella me responsabiliza."

> "Entonces será un gordo, enlutado, sucio y polvoriento punto final, a destiempo, como el que colocan los escritores noveles."

- Comenten el significado de cada cita y su relevancia en el contexto de la historia.
- Uno de los temas de la obra de Cristina Peri Rossi es el feminismo. ¿Creen que el cuento tiene elementos que se podrían relacionar con la visión feminista de la autora? Expliquen su respuesta con ejemplos.
- ¿Por qué cuesta tanto encontrar el punto final? ¿Por qué resulta tan difícil terminar una relación, aunque sea tóxica?
- ¿Alguna vez han querido poner punto final a una etapa de sus vidas? ¿Les resultó fácil o difícil llevarlo a cabo?
- ¿Han sentido en alguna ocasión que estaban esperando algo que nunca iba a llegar? Compartan la experiencia.

## 6 Punto final
Esta es la última sección de Literatura de *Perspectivas*. En parejas, conversen sobre las preguntas.

1. De las diez obras literarias que aparecen en este libro, ¿cuál les gustó más? ¿Por qué?
2. ¿Cuál fue la que menos les gustó? Expliquen su respuesta.
3. ¿Cuál fue la más fácil de leer? ¿Y la más complicada?
4. ¿Piensan seguir leyendo en español? ¿Qué género les interesa más? ¿Tienen algún/alguna escritor(a) hispanohablante favorito/a?
5. Investiguen cuáles son los libros más vendidos del momento en lengua española. ¿Cuál les gustaría leer? ¿Por qué?

## 7 Escribir
Elige un signo de puntuación (punto, coma, símbolo de interrogación, etc.) y escribe una obra literaria inspirada en él. Puedes usar cualquiera de los géneros que aparecen en la sección de Literatura de *Perspectivas*: oda, cuento, microrrelato, fábula, etc.

Practice more at vhlcentral.com.

En esta lección has hablado sobre el lenguaje y la literatura. Ahora vas a escribir una reseña literaria.

## Planificar y preparar la escritura

**1** **Estrategia: Determina cómo organizar tus ideas** Elige un libro que hayas leído. Piensa en lo que te gustó del libro y en lo que no te gustó. ¿Qué te pareció en general? ¿Cómo escribirías una reseña sobre ese libro? Organiza tus ideas con ayuda del diagrama.

*Detalle 1: Descripción elaborada de los personajes*

*Detalle 5:* _____

*Cien años de soledad, de Gabriel García Márquez*

*Detalle 2: Importancia de la casa en la novela*

*Detalle 4:* _____

*Detalle 3: Hechos históricos que marcan el contexto de la historia*

**2** **Estrategia: Desarrolla el cuerpo de la reseña**

- Piensa en cómo usar los datos de tu diagrama para escribir tu reseña.
- Desarrolla el cuerpo de la reseña ampliando la información del diagrama de manera detallada.

## Escribir

**3** **Tu reseña literaria** Ahora escribe tu reseña. Utiliza la información que has reunido y sigue estos pasos.

- **Introducción:** Comienza tu reseña de manera ordenada, incluyendo datos sobre el libro: autor, año, género literario, argumento, tipos de personajes, etc.
- **Desarrollo:** Amplía tu reseña con detalles. Complementa tus ideas iniciales con citas memorables, reflexiones sobre los personajes, datos sobre el contexto, tu opinión personal, etc.
- **Conclusión:** Resume tus observaciones y termina la reseña.

## Revisar y leer

**4** **Revisión** Pídele a un(a) compañero/a que lea tu reseña y que te haga sugerencias sobre cómo mejorarla. Revisa tu texto prestando atención a estos elementos: estructura, uso de palabras descriptivas, enfoque crítico y gramática y ortografía.

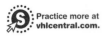

# El mundo de las letras

## Así lo decimos

**el/la agente literario/a** *literary agent*
**el argumento** *plot*
**la (auto)biografía** *(auto)biography*
**el/la bibliotecario/a** *librarian*
**el borrador** *draft*
**la comprensión lectora** *reading skills*
**la comprensión oral** *listening skills*
**el/la corrector(a)** *proofreader*
**la crónica** *chronicle*
**los derechos de autor** *copyright*
**el dialecto** *dialect*
**la editorial** *publishing house*
**la fábula** *fable*
**el/la hablante** *speaker*
**el idioma** *language*
**la imprenta** *printing house*
**el/la intérprete** *interpreter*
**el/la lector(a)** *reader*
**la lengua materna** *mother tongue*
**el/la lingüista** *linguist*
**la literatura juvenil** *young adult literature*
**las memorias** *memoirs*
**el/la novelista** *novelist*
**la prosa** *prose*
**el relato** *(short) story*
**el/la traductor(a)** *translator*

**narrar** *to narrate*
**publicar** *to publish*
**tratar de/sobre** *to deal with*

**bilingüe** *bilingual*
**con fluidez** *fluently*
**didáctico/a** *educational*

## Documental

**la amenaza** *threat*
**las autoridades** *authorities*
**el crecimiento** *growth*
**el fantasma** *ghost*
**la fuerza laboral** *workforce*
**la huella** *footprint*
**la industria agrícola** *agricultural industry*
**el maletero** *car trunk*

**negar (e:ie)** *to deny*
**presenciar** *to witness*

**duro/a** *hard*

## Artículo

**la ciudadanía** *citizenship*
**la etnia** *ethnicity*
**los medios (de comunicación)** *media*
**el prejuicio** *prejudice*
**el/la testigo** *witness*
**el tratado** *treaty*

**argumentar (algo)** *to argue (something)*
**cruzar** *to cross*
**detener (e:ie)** *to detain, to arrest*
**difundir** *to disseminate*
**obligar** *to force*
**otorgar** *to grant*
**quejarse (de)** *to complain (about)*

——— ■ ———

**el auge** *boom*
**el desarraigo** *alienation*
**el día a día** *everyday life*
**la generación** *generation*
**el país natal** *home country*
**la pertenencia** *belonging*
**el superventas** *best seller*
**la temática** *theme*
**el trasfondo** *background*

**abordar** *to address*
**abrir camino** *to pave the way*

**anglohablante** *English-speaking*

## Literatura

**el desamor** *indifference*
**la dicha** *good fortune*
**la discusión** *argument*
**el estuche** *case*
**el fastidio** *annoyance*
**el pesar** *sorrow*
**el tedio** *boredom*

**asfixiar** *to suffocate*

**confiarse** *to be overconfident*
**defraudar** *to let down*
**extraviar** *to lose*
**traicionar** *to betray*
**vincular** *to link*

**de color de rosa** *all peaches and cream*
**disgustado/a** *upset*
**duradero/a** *lasting*
**encadenado/a** *chained*

## Ahora yo puedo...

- entender la mayor parte de textos orales y escritos sobre lengua y literatura.
- participar en un debate sobre la inmigración y el estatus del español en mi comunidad.
- escribir sobre el papel que tendrá el español y la literatura hispánica en mi futuro.
- comparar prácticas y productos latinoamericanos en mi cultura y otras.
- conversar con una persona hispana sobre sus orígenes, su adaptación y sus experiencias en mi país.

# MANUAL de GRAMÁTICA

Supplementary Grammar Coverage

for **PERSPECTIVAS**

The **Manual de gramática** is an invaluable tool for both instructors and students of Intermediate Spanish. It contains additional grammar concepts not covered within the core lessons of **PERSPECTIVAS**, as well as practice activities. For each lesson in **PERSPECTIVAS**, up to two additional grammar topics are offered with corresponding practice.

These concepts are correlated to the grammar points in **Estructuras** by means of the **Taller de consulta** sidebars, which provide the exact page numbers where additional concepts are taught or reviewed in the **Manual**.

This special supplement allows for great flexibility in planning and tailoring your course to suit the needs of whole classes and/or individual students. It also serves as a useful and convenient reference tool for students who wish to review previously learned material.

# Contenido

## 1.4 Nouns and articles

### Nouns

- In Spanish, nouns (**sustantivos**) ending in **–o, –or, –l, –s,** and **–ma** are usually masculine, and nouns ending in **–a, –ora, –ión, –d,** and **–z** are usually feminine.

| Masculine nouns | Feminine nouns |
|---|---|
| el amigo, el cuaderno | la amiga, la palabra |
| el escritor, el color | la escritora, la computadora |
| el control, el papel | la relación, la ilusión |
| el autobús, el paraguas | la amistad, la fidelidad |
| el problema, el tema | la luz, la paz |

- Most nouns form the plural by adding **–s** to nouns ending in a vowel, and **–es** to nouns ending in a consonant. Nouns that end in **–z** change to **–c** before adding **–es**.

el hombre → los hombres       la mujer → las mujeres

la fiesta → las fiestas       el disfraz → los disfraces

- If a singular noun ends in a stressed **–ú** or **–í**, usually the plural form ends in **–es**. If the last syllable of a singular noun ending in **–s** is unstressed, the plural form does not change.

el tabú → los tabúes       el cumpleaños → los cumpleaños

el israelí → los israelíes       la crisis → las crisis

### Articles

- Spanish definite and indefinite articles (**artículos definidos e indefinidos**) agree in gender and number with the nouns they modify.

| | Definite articles | | Indefinite articles | |
|---|---|---|---|---|
| | singular | plural | singular | plural |
| MASCULINE | el compañero | los compañeros | un compañeros | unos compañeros |
| FEMININE | la compañera | las compañeras | una compañera | unas compañeras |

- In Spanish, when an abstract noun is the subject of a sentence, a definite article is always used.

**El** amor es eterno.       Para ser feliz, se necesita amor.
*Love is eternal.*    BUT    *In order to be happy, you need love.*

- An indefinite article is not used before nouns that indicate profession or place of origin unless the noun is followed by an adjective.

Juan García es profesor.       Juan García es **un** profesor excelente.
*Juan García is a professor.*       *Juan García is an excellent professor.*

Ana María es neoyorquina.       Ana María es **una** neoyorquina joven.
*Ana María is a New Yorker.*       *Ana María is a young New Yorker.*

---

**¡ATENCIÓN!**

Some nouns may be either masculine or feminine, depending on whether they refer to a male or a female.

**el/la artista** *artist*
**el/la estudiante** *student*

Occasionally, the masculine and feminine forms have different meanings.

**el capital** *capital (money)*
**la capital** *capital (city)*

---

**¡ATENCIÓN!**

Accent marks are sometimes dropped or added to maintain the stress in the singular and plural forms.

**canción** → **canciones**
**autobús** → **autobuses**

**margen** → **márgenes**
**imagen** → **imágenes**

---

**¡ATENCIÓN!**

The prepositions **de** and **a** contract with the article **el**.

**de + el = del**
**a + el = al**

---

**¡ATENCIÓN!**

Singular feminine nouns that begin with a stressed **a** take **el**; adjectives remain in the feminine.

**el alma gemela** →
**las almas gemelas**
**el área vigilada** →
**las áreas vigiladas**

# Práctica

**1 Cambiar** Escribe en plural las palabras que están en singular y viceversa.

1. la creencia _____
2. unos globos _____
3. el adorno _____
4. una crisis _____
5. unas ceremonias _____
6. un origen _____
7. las procesiones _____
8. el tabú _____

**2 Un chiste** Completa el chiste con los artículos apropiados. Recuerda que en algunos casos no debes usar ningún artículo.

(1) _____ pareja (*couple*) se va a casar. Él tiene 90 años. Ella tiene 85.
Entran en (2) _____ farmacia y (3) _____ hombre pregunta:
—¿Tiene (4) _____ remedios para (5) _____ corazón?
—Sí —contesta (6) _____ farmacéutico.
—¿Tiene (7) _____ remedios para (8) _____ presión?
—Sí, también —contesta nuevamente (9) _____ farmacéutico.
—¿Y (10) _____ remedios para (11) _____ reumatismo?
—Sí. Ésta es (12) _____ farmacia muy completa. Tenemos de todo.
Entonces (13) _____ hombre mira a (14) _____ mujer y le dice:
—Querida, ¿qué te parece si hacemos (15) _____ lista de regalos de boda (*wedding*) aquí?

**3 El cumpleaños** Completa el párrafo con la forma correcta de los artículos definidos e indefinidos.

Ayer celebramos (1) _____ cumpleaños de Leonardo. Fuimos a
(2) _____ restaurante muy romántico que está junto a (3) _____
bonito lago. Desde nuestra mesa, podíamos ver (4) _____ lago y
(5) _____ barcos que navegaban por allí. Comimos
(6) _____ platos muy originales. (7) _____ pescado que yo pedí
estaba delicioso. Nos divertimos mucho, pero al salir tuvimos (8) _____
problema. Una de (9) _____ ruedas (*tires*) del coche estaba pinchada
(*flat*). (10) _____ próxima semana Leonardo comprará un coche nuevo.

**4 Escribir** Escribe oraciones completas con las palabras indicadas; utiliza los artículos definidos e indefinidos que correspondan y haz los cambios necesarios.

**Modelo** Elisa / ser / buena profesora
Elisa es una buena profesora.

1. mi madre / decir / amor / ser / eterno
2. ayer / nosotros / participar / desfile
3. lunes pasado / comprar / flores / tía Juanita
4. capital / Nicaragua /ser / Managua
5. personas optimistas / soñar / mundo mejor
6. Rodrigo / siempre / ganar / concurso / disfraces

## 1.5 Adjectives

- Spanish adjectives (**adjetivos**) agree in gender and number with the nouns they modify. Most adjectives ending in **–e** or a consonant have the same masculine and feminine forms.

<table>
<tr><td colspan="7" align="center">Adjectives</td></tr>
<tr><td></td><td>singular</td><td>plural</td><td>singular</td><td>plural</td><td>singular</td><td>plural</td></tr>
<tr><td>MASCULINE</td><td>rojo</td><td>rojos</td><td>inteligente</td><td>inteligentes</td><td>difícil</td><td>difíciles</td></tr>
<tr><td>FEMININE</td><td>roja</td><td>rojas</td><td>inteligente</td><td>inteligentes</td><td>difícil</td><td>difíciles</td></tr>
</table>

- Descriptive adjectives generally follow the noun they modify. If a single adjective modifies more than one noun, the plural form is used. If at least one of the nouns is masculine, then the adjective is masculine.

| | |
|---|---|
| un ritual **apasionante** | las fiestas **divertidas** |
| *an enthralling ritual* | *the fun parties* |
| un hijo y una hija **maravillosos** | la literatura y la cultura **hondureñas** |
| *a wonderful son and daughter* | *Honduran literature and culture* |

- A few adjectives have shortened forms when they precede a masculine singular noun.

| | | |
|---|---|---|
| bueno → **buen** | alguno → **algún** | primero → **primer** |
| malo → **mal** | ninguno → **ningún** | tercero → **tercer** |

- Some adjectives change their meaning depending on their position. When the adjective follows the noun, the meaning is more literal. When it precedes the noun, the meaning is more figurative.

| | after the noun | before the noun |
|---|---|---|
| **antiguo/a** | el edificio **antiguo** <br> *the ancient building* | mi **antigua** casa <br> *my old/former house* |
| **cierto/a** | una respuesta **cierta** <br> *a correct answer* | una **cierta** actitud <br> *a certain attitude* |
| **grande** | una ciudad **grande** <br> *a big city* | un **gran** país <br> *a great country* |
| **mismo/a** | el artículo **mismo** <br> *the article itself* | el **mismo** problema <br> *the same problem* |
| **nuevo/a** | un coche **nuevo** <br> *a (brand) new car* | un **nuevo** profesor <br> *a new/different professor* |
| **pobre** | los estudiantes **pobres** <br> *the students who are poor* | los **pobres** estudiantes <br> *the unfortunate students* |
| **viejo/a** | un libro **viejo** <br> *an old book* | una vieja **amiga** <br> *a long-time friend* |

# Práctica

**1 Descripciones** Completa cada oración con la forma correcta de los adjetivos.

1. Mi abuela me contó una leyenda muy _____ (antiguo) e _____ (interesante).
2. Los hombres llevaban atuendos _____ (blanco) y _____ (rojo).
3. Es un _____ (bueno) espectáculo, pero es bastante _____ (largo).
4. El desfile fue muy _____ (divertido) pero la procesión fue más _____ (tranquilo).
5. El arreglo floral y la guirnalda son muy _____ (vistoso) y _____ (original).
6. Sandra, mi vecina, es una _____ (grande) amiga y ayer me preparó una fiesta sorpresa _____ (increíble).

**2 La vida de Marina** Completa cada oración con los cuatro adjetivos.

1. Marina busca una compañera de cuarto
_____
(tranquilo, ordenado, honesto, puntual)
2. Se lleva bien con las personas
_____
(sincero, serio, alegre, trabajador)
3. Marina tiene unos padres
_____
(maduro, simpático, inteligente, conservador)
4. Quiere ver programas de televisión más
_____
(emocionante, divertido, dramático, didáctico)
5. Marina tiene un amigo _____
(irlandés, talentoso, nervioso, creativo)

**Marina**

**3 Celebraciones** Inserta la forma correcta de los adjetivos de la lista. Puedes utilizar el mismo adjetivo más de una vez.

| buen | gran | mal | ningún | tercer |
|------|------|-----|--------|--------|
| bueno/a | grande | malo/a | ninguno/a | tercero/a |

La Feria Isidra es una (1) _____ fiesta que se celebra el (2) _____ sábado de mayo en la ciudad de La Ceiba, en Honduras. Es considerada el evento más (3) _____ de Centroamérica, pues atrae a miles de turistas. Durante esta fiesta, Amelia siempre está de (4) _____. Ella no conoce a (5) _____ persona a la que no le guste la Feria Isidra. La celebración termina con un (6) _____ carnaval, el Carnaval Internacional de la Amistad. El año pasado llovió durante la fiesta, pero Amelia espera que este año no haga (7) _____ tiempo. Todos esperan que el carnaval vaya bien y no haya (8) _____ imprevisto (*unexpected event*).

## 2.4 Progressive forms

- The present progressive (**el presente progresivo**) narrates an action in progress. It is formed with the present tense of **estar** and the present participle (**el gerundio**) of the main verb.

**Estoy sacando** una foto.    ¿Qué **estás comiendo**?    **Están visitando** la ciudad.
*I am taking a photo.*    *What are you eating?*    *They are visiting the city.*

- The present participle of regular **–ar**, **–er**, and **–ir** verbs is formed as follows:

| INFINITIVE | STEM | ENDING | PRESENT PARTICIPLE |
|---|---|---|---|
| **bailar** | **bail–** | –ando | **bail**ando |
| **comer** | **com–** | –iendo | **com**iendo |
| **aplaudir** | **aplaud–** | –iendo | **aplaud**iendo |

- **–Ir** verbs that change **o** to **u**, or **e** to **i** in the **Ud./él/ella** and **Uds./ellos/ellas** forms of the preterite have the same change in the present participle.

**p**edir → **p**idiendo    **m**entir → **m**intiendo    **d**ormir → **d**urmiendo

- When the stem of an **–er** or **–ir** verb ends in a vowel, the **–i–** of the present participle ending changes to **–y–**. The present participle of **ir** is **yendo**.

**l**eer → **l**eyendo    **constru**ir → **constru**yendo    **o**ír → **o**yendo

- Other tenses have progressive forms as well, though they are used less frequently than the present progressive. These tenses emphasize that an action was/will be in progress at a particular moment in time.

**Estábamos terminando** nuestros platos cuando el mesero trajo el postre.
*We were finishing our dishes when the waiter brought the dessert.*

No vengas a las ocho, todavía **estaremos cenando**.
*Don't come at eight; we will still be having dinner.*

Luis estaba lleno, pero sus amigos **siguieron comiendo**.
*Luis was full, but his friends kept eating.*

- Progressive tenses often use other verbs, especially ones that convey motion or continuity like **andar, continuar, ir, llevar, seguir,** and **venir,** in place of **estar.**

**anda diciendo** *he goes around saying*

**continuarás trabajando** *you'll continue working*

**van acostumbrándose** *they're getting more and more used to*

**llevo un mes trabajando** *I have been working for a month*

**siguieron hablando** *they kept talking*

**venimos insistiendo** *we've been insisting*

# Práctica

**1 Una conversación telefónica** Daniel es nuevo en la ciudad y no sabe cómo llegar al estadio de fútbol. Decide llamar a su exnovia Alicia para que le explique cómo encontrarlo. Completa el diálogo con la forma correcta del gerundio.

- - - - - - - - - - - - - - - - - - - - - - - - - - - - - - - - - - - - - - - - - - - - - - - -

**ALICIA** Hola, ¿quién habla?

**DANIEL** Hola, Alicia, soy Daniel; estoy buscando el estadio de fútbol y necesito que me ayudes... Llevo (1) _____ (caminar) más de media hora por el centro y sigo perdido.

**ALICIA** ¿Dónde estás?

**DANIEL** No estoy muy seguro, no encuentro el nombre de la calle. Pero estoy (2) _____ (ver) un centro comercial a mi izquierda y más allá parece que están (3) _____ (construir) otro estadio de fútbol. (4) _____ (hablar) de fútbol, ¿dónde tengo mis boletos? ¡Los he perdido!

**ALICIA** Madre mía, ¡sigues (5) _____ (ser) un desastre...! Algún día te va a pasar algo serio.

**DANIEL** Siempre andas (6) _____ (pensar) lo peor.

**ALICIA** Y tú siempre estás (7) _____ (olvidarse) de todo.

**DANIEL** Ya estamos (8) _____ (discutir) otra vez.

**2 Continuamos escribiendo** Vuelve a escribir las oraciones usando los verbos **andar, ir, llevar, continuar, seguir** o **venir**.

- - - - - - - - - - - - - - - - - - - - - - - - - - - - - - - - - - - - - - - - - - - - - - - -

1. Mariela participa en el concurso de cocina y siempre gana el primer premio.
2. José estudia medicina desde hace diez años, y en los últimos meses sus padres le insisten en que se dedique a otra cosa.
3. Se acerca la hora de preparar esta receta, aunque falte uno de los ingredientes.
4. Mi prima siempre deja demasiada propina y hace años que le digo que deje de hacerlo. De todas formas, ella cree que es una buena idea.
5. Hace seis años que ese hombre viene al restaurante cada sábado, siempre para pedir el mismo plato.
6. Conversamos todo el tiempo mientras ellos se marchaban.

**3 En diferentes tiempos** Completa cada oración con la forma correcta del verbo entre paréntesis.

- - - - - - - - - - - - - - - - - - - - - - - - - - - - - - - - - - - - - - - - - - - - - - - -

1. Anoche, Carlos y Raúl _____ (estar) cenando en un restaurante mexicano.
2. Mientras tú cocinabas, nosotros _____ (andar) poniendo la mesa.
3. Mañana a esta hora, _____ (estar) comiendo en la nueva marisquería.
4. Con un poco de tiempo, yo _____ (ir) aprendiendo a cocinar.
5. Ayer, Catalina _____ (estar) comprando todos los ingredientes necesarios.
6. Eduardo _____ (venir) siendo el mejor cocinero desde hacía años.

## 2.5 Telling time

- The verb **ser** is used to tell time in Spanish. The construction **es + la** is used with **una**, and **son + las** is used with all other hours.

> **¿Qué hora es?**
> *What time is it?*
>
> **Es la una.**
> *It is one o'clock.*
>
> **Son las tres.**
> *It is three o'clock.*

- The phrase **y +** [*minutes*] is used to tell time from the hour to the half-hour. The phrase **menos +** [*minutes*] is used to tell time from the half-hour to the hour, and is expressed by subtracting minutes from the *next* hour.

Son las once **y veinte**.     Es la una **menos cuarto**.     Son las doce **menos diez**.

- To ask at what time an event takes place, the phrase **¿A qué hora (...)?** is used. To state at what time something takes place, use the construction **a la(s) +** [*time*].

**¿A qué hora** es la fiesta?
*(At) what time is the party?*

La fiesta es **a las ocho**.
*The party is at eight.*

- The following expressions are used frequently for telling time.

Son las siete **en punto**.
*It's seven o'clock on the dot/sharp.*

Son las nueve **de la mañana**.
*It's 9 a.m./in the morning.*

Son las doce del mediodía./Es **(el) mediodía**.
*It´s 12 p.m./It's noon.*

Son las cuatro y cuarto **de la tarde**.
*It's 4:15 p.m./in the afternoon.*

Son las doce de la noche./Es **(la) medianoche**.
*It´s 12 a.m./It's midnight.*

Son las once y media **de la noche**.
*It's 11:30 p.m./at night.*

- The imperfect is generally used to tell time in the past. However, the preterite may be used to describe an action that occurred at a particular time.

¿Qué hora **era** cuando llegaste?
*What time was it when you arrived?*

**Eran** las cuatro de la mañana.
*It was four o'clock in the morning.*

¿A qué hora **llegaron**?
*At what time did you arrive?*

**Llegamos** a las nueve.
*We arrived at nine o'clock.*

---

**¡ATENCIÓN!**

The phrases **y media** (*half past*) and **y/menos cuarto** (*quarter past/of*) are usually used instead of **treinta** and **quince**.

**Son las doce y media.**
*It's 12:30/half past twelve.*

**Son las nueve menos cuarto.**
*It's 8:45/quarter to nine.*

---

**¡ATENCIÓN!**

Note that **es** is used to state the time at which a single event takes place.

**Son las dos.**
*It is two o'clock.*

**Mi clase es a las dos.**
*My class is at two o'clock.*

# Práctica

**1 La hora** Usando oraciones completas, escribe la hora que aparece en cada reloj.

1. _____   2. _____   3. _____

4. _____   5. _____   6. _____

**2 En el cineclub** Gabriela quiere ver una película, pero necesita saber los horarios. Contesta las preguntas con oraciones completas usando las pistas (*clues*).

1. ¿A qué hora empieza *Relatos salvajes*? (12:05 p.m.)

   _____

2. ¿A qué hora empieza *El secreto de sus ojos*? (1:15 p.m.)

   _____

3. ¿A qué hora empieza *La forma del agua*? (3:30 p.m.)

   _____

4. ¿A qué hora empieza *Roma*? (4:45 p.m.)

   _____

5. ¿A qué hora empieza *Dolor y gloria*? (8:20 p.m.)

   _____

**3 Interrogatorio** Quedaste involucrado en la investigación de un crimen y la policía te pide que expliques lo que hiciste durante todo el día de ayer. Explica qué tenías planeado hacer y a qué hora lo hiciste realmente.

**Modelo**  Cita con el médico – 11:30 A.M. (15 minutos de atraso)
Tenía cita con el médico a las once y media de la mañana, pero no pude llegar hasta las doce menos cuarto por culpa del tráfico.

1. Dejar el auto en el mecánico – 7 a.m. (30 minutos de atraso)
2. Desayunar con mi madre – 8:30 a.m. (1 hora de atraso)
3. Entregar los planos en la oficina – 11 a.m. (15 minutos de atraso)
4. Almorzar con mis compañeros – 2 p.m. (1 hora y media de atraso)
5. Ir al cine con unos amigos – 5:30 p.m. (2 horas de atraso)
6. Ir al supermercado – 8:30 p.m. (¡Ya había cerrado!)

 **Presentation**

# 3.4 Possessive adjectives and pronouns

- Possessive adjectives (**adjetivos posesivos**) are used to express ownership or possession. Unlike English, Spanish has two types of possessive adjectives: the short, or unstressed, forms and the long, or stressed, forms. Both forms agree in gender, when applicable, and number with the object owned, and not with the owner.

| Possessive adjectives | | | |
|---|---|---|---|
| **short forms (unstressed)** | | **long forms (stressed)** | |
| **mi(s)** | *my* | **mío/a(s)** | *my/(of) mine* |
| **tu(s)** | *your* | **tuyo/a(s)** | *your/(of) yours* |
| **su(s)** | *your; his; her; its* | **suyo/a(s)** | *your/(of yours); his/(of) his; her/(of) hers; its/(of) its* |
| **nuestro(s)/a(s)** | *our* | **nuestro/a(s)** | *our/(of) ours* |
| **vuestro(s)/a(s)** | *your* | **vuestro/a(s)** | *your/(of) yours* |
| **su(s)** | *your; their* | **suyo/a(s)** | *your/(of) yours; their/(of) theirs* |

- Short possessive adjectives precede the nouns they modify.

    En **mi** opinión, la obra fue pésima.　　**Nuestro** juego preferido es el dominó.
    *In my opinion, the play was awful.*　　*Our favorite game is dominoes.*

- Stressed possessive adjectives follow the nouns they modify. They are used for emphasis or to express the phrases *of mine, of yours*, etc. The nouns are usually preceded by a definite or indefinite article.

    mi amigo → **un** amigo **mío**　　　　tus amigas → **las** amigas **tuyas**
    *my friend → a friend of mine*　　　*your friends → friends of yours*

- Because **su(s)** and **suyo(s)/a(s)** have multiple meanings (*your, his, her, its, their*), the construction [*article*] + [*noun*] + **de** + [*subject pronoun*] can be used to clarify meaning.

| | | |
|---|---|---|
| su casa | la casa de él/ella | *his/her house* |
| la casa suya | la casa de usted/ustedes | *your house* |
| | la casa de ellos/ellas | *their house* |

- Possessive pronouns (**pronombres posesivos**) have the same forms as stressed possessive adjectives and are preceded by a definite article. Possessive pronouns agree in gender and number with the nouns they replace.

    No encuentro mi **libro**.　　　　　Si la **fotógrafa** suya no llega,
    ¿Me prestas **el tuyo**?　　　　　**la nuestra** está disponible.
    *I can't find my book.*　　　　　*If your photographer doesn't arrive,*
    *Can I borrow yours?*　　　　　　*ours is available.*

**¡ATENCIÓN!**

After the verb **ser**, stressed possessives are usually used without articles.

**¿Es tuya la calculadora?**
*Is the calculator yours?*

**No, no es mía.**
*No, it is not mine.*

**¡ATENCIÓN!**

The neuter form lo + [*singular stressed possessive*] is used to refer to abstract ideas or concepts such as what is mine and *what belongs to you*.

**Quiero lo mío.**
*I want what is mine.*

**1** **¿De quién hablan?** Completa los espacios con adjetivos posesivos.

1. La actriz Fernanda Luro habla sobre su esposo: "_____ esposo siempre me acompaña a los estrenos, aunque _____ agenda esté llena de compromisos."

2. Los integrantes del dúo Maite y Antonio comentan sobre su hijo: "_____ hijo empezó a cantar a los dos años."

3. El actor Saúl Mar habla de su ex esposa, la modelo Serafina: "_____ ex ya no es tan guapa como antes, aunque_____ seguidores piensen lo contrario."

4. La famosa cantante Celia Rodríguez habla de la relación con sus padres: "_____ padres me apoyan muchísimo cuando estoy de gira."

**2** **¿Es tuyo...?** Escribe preguntas con **ser** y contéstalas usando el pronombre posesivo que corresponda a la(s) persona(s) indicada(s).

**Modelo**   tú / libro / yo
—¿Es tuyo este libro?
—Sí, es mío.

1. ustedes / revistas / nosotros

_____

_____

2. nosotros / periódicos / yo

_____

_____

3. ella / computadora / ella

_____

_____

4. tú / videojuego / ellos

_____

_____

**3** **Aficiones** Completa el diálogo con los posesivos adecuados. Cuando sea necesario, añade también el artículo definido correspondiente.

**AGUSTÍN** (1) _____ esposa es locutora de radio y tiene un programa para niños.

**MANUEL** (2) _____ es redactora en el periódico *El Financiero*.

**JUAN** Yo vivo con (3) _____ padres y (4) _____ hermano.

**MANUEL** (5) _____ películas favoritas son las de acción. ¿Y (6) _____ ?

**JUAN** A mí no me gusta el cine.

**AGUSTÍN** A mí tampoco, pero a (7) _____ esposa le gustan las películas clásicas. Afortunadamente, las ve con (8) _____ hermana.

**JUAN** (9) _____ pasatiempo favorito es la música.

**MANUEL** ¡Ahh! ¿Es (10) _____ la guitarra que vi en la oficina?

**JUAN** Sí, es (11) _____ Después del trabajo, nos reunimos en la casa de un amigo (12) _____ y tocamos un poco. A (13) _____ amigos y a mí nos gusta el rock. (14) _____ músicos preferidos son...

**AGUSTÍN** ¡No te molestes en nombrarlos! No sé nada de música.

**MANUEL** Parece que (15) _____ gustos son muy distintos.

## **3.5** Demonstrative adjectives and pronouns

- Demonstrative adjectives (**adjetivos demostrativos**) specify to which noun a speaker is referring. They precede the nouns they modify and agree in gender and number.

| **este** disco | **esa** baraja | **aquellos** videojuegos. |
|---|---|---|
| *this record* | *that deck of cards* | *those video games (over there)* |

### Demonstrative adjectives

| singular | | plural | | |
|---|---|---|---|---|
| MASCULINE | FEMININE | MASCULINE | FEMININE | |
| **este** | **esta** | **estos** | **estas** | *this; these* |
| **ese** | **esa** | **esos** | **esas** | *that; those* |
| **aquel** | **aquella** | **aquellos** | **aquellas** | *that; those (over there)* |

- Spanish has three sets of demonstrative adjectives. Forms of **este** are used to point out nouns that are close to the speaker and the listener. Forms of **ese** modify nouns that are not close to the speaker, though they may be close to the listener. Forms of **aquel** refer to nouns that are far away from both the speaker and the listener.

| ¿Te gustan **estos** zapatos? | ¿O prefieres **esos** zapatos? | **Aquel** coche es mío. |
|---|---|---|

- Demonstrative pronouns (pronombres demostrativos) are identical to demonstrative adjectives. They agree in gender and number with the nouns they replace.

| ¿Quieres ver esta **exposición**? | No, quiero ver **esa**. |
|---|---|
| *Do you want to see this exhibit?* | *No, I want to see that one.* |

| ¿Leíste estos **libros**? | No leí **estos**, pero sí leí **aquellos**. |
|---|---|
| *Did you read these books?* | *I didn't read these, but I did read those.* |

- There are three neuter demonstrative pronouns: **esto, eso,** and **aquello**. These forms refer to unidentified or unspecified things, situations, or ideas. They do not vary in gender or number.

| ¿Qué es **esto**? | **Eso** es interesante. | **Aquello** es bonito. |
|---|---|---|
| *What is this?* | *That's interesting.* | *That's pretty.* |

# Práctica

**1** **La cantante** Responde negativamente las preguntas sobre la cantante. Usa las pistas entre paréntesis y las formas correctas de los adjetivos demostrativos.

**Modelo** ¿Llevó esta camisa? (vestido)
No, llevó este vestido.

1. ¿Se va a sentar en esa silla? (sofá)

_____

2. ¿Quiere probar estos sándwiches? (langosta)

_____

3. ¿Decidió hablar con ese reportero? (locutora)

_____

4. ¿Llevará aquel suéter? (chaqueta negra)

_____

**2** **En el centro comercial** Completa las oraciones con los adjetivos y pronombres demostrativos que correspondan en cada caso.

1. Quiero comprar_____ teléfono celular que está a tu derecha.
2. No queremos _____ computadora que nos muestras, sino _____ de más atrás.
3. Hay rebajas en _____ libros y revistas que yo estoy mirando, pero no en _____ que tienes ahí.
4. Compra alguno de _____ juegos de mesa que tienes a tu izquierda.
5. Yo voy a escoger _____ película de aquí, que es más barata.
6. Antes de irnos, vamos a comer algo en _____ restaurante de la otra esquina.
7. ¡Me he quedado sin dinero! _____ no puede seguir así.
8. No vayas a _____ tienda de enfrente, que es muy cara; mejor pregunta en _____ de aquí al lado.

**3** **No y no** Escribe un breve diálogo con las siguientes palabras, utilizando los adjetivos y pronombres que se indican.

**Modelo** Ustedes / querer comprar / libros (este/aquel)
—¿Ustedes quieren comprar estos libros o aquellos libros?
—No queremos comprar ni estos ni aquellos.

1. tú / querer ir / concierto (este/ese)
2. ella / preferir / asiento (este/aquel)
3. Daniel y Agustina / buscar / película (ese/este)
4. niños / conocer / canción (este/aquel)
5. Carlos / admirar / compositor (este/ese)
6. nosotros / poder / ir / fiesta (este/ese)

## 4.4 To become: *hacerse, ponerse, volverse,* and *llegar a ser*

- Spanish has several verbs and phrases that mean *to become*. Many of these constructions make use of reflexive verbs.

- The construction **ponerse** + [*adjective*] expresses a change in mental, motional or physical state that is generally not long-lasting.

  **Me puse nostálgico** después de mirar esas fotos.
  *I got homesick after looking at those photos.*

  La señora Urbina se **pone muy feliz** cuando su familia la visita.
  *Mrs. Urbina gets so happy when her family comes to visit.*

- **Volverse** + [*adjective*] expresses a radical mental or psychological change. It often conveys a gradual or irreversible change in character. In English this is often expressed as *to have become* + [*adjective*].

  **¿Te has vuelto loca?**
  *Have you gone mad?*

  Durante los últimos años, mi primo **se ha vuelto insoportable.**
  *In recent years, my cousin has become unbearable.*

- **Hacerse** can be followed by a noun or an adjective. It often implies a change that results from the subject's own efforts, such as changes in profession or social and political status.

  El yerno de doña Lidia se **ha hecho profesor** de tango.
  *Doña Lidia's son-in-law has become a tango instructor.*

  Mi bisabuelo se **hizo rico** después de mudarse a otro país.
  *My great-grandfather became wealthy after moving to a different country.*

- **Llegar a ser** may also be followed by a noun or an adjective. It indicates a change over time and does not imply the subject's voluntary effort.

  Marcos y Lidia **llegaron a ser** amigos íntimos.
  *Marcos and Lidia became close friends.*

- There are often reflexive verb equivalents for **ponerse** + [*adjective*]. Note that when used with object pronouns instead of reflexive pronouns, such verbs convey that another person or thing is imposing a mental, emotional, or physical state on someone else.

  | | |
  |---|---|
  | ponerse alegre → alegrarse | ponerse deprimido/a → deprimirse |
  | ponerse furioso/a → enfurecerse | ponerse triste → entristecerse |

  Pasar tiempo con mi familia **me pone alegre / me alegra.**
  *Spending time with my family makes me happy.*

  Cuando pienso en el atentado, **me pongo triste / me entristezco.**
  *When I think about the attack, I get sad.*

# Práctica

**1 Seleccionar** Selecciona la opción correcta para cada frase.

1. Siempre (se pone – se vuelve) nervioso cuando está frente a sus suegros.
2. Antes mi hijo era tímido, pero con el tiempo (se puso – se volvió) muy abierto.
3. Nunca (se pone – se vuelve) triste cuando está con su familia.
4. Después de quedarse viudo, (se puso – se volvió) un hombre solitario.

**2 Completar** Completa las oraciones utilizando la forma correcta de **volverse, llegar a ser, hacerse** y **ponerse**.

1. Con los años, mi sobrino _____.
2. Tras la muerte de mi abuelo, sus pinturas _____.
3. Ángela antes era cocinera, pero ahora _____.
4. Cuando nos mudamos a Chile, mi hermana _____.
5. A causa de la tragedia, Eduardo _____.
6. Después de casarnos, nosotros _____.
7. Ana y Eva no se conocían antes del viaje. Desde entonces _____.
8. Cuando se casó su hija, Alberto _____.

**3 Historias de familia** Completa las oraciones con las expresiones de la lista. Utiliza el pretérito.

| deprimirse | hacerse | llegar a ser | ponerse | volverse |

1. Mi prima y su vecina _____ muy amigas.

2. Mi cuñado _____ un hombre muy famoso.

3. Mi primo _____ loco después del incidente.

4. Mis sobrinas_____ muy tristes al despedirse.

## 5.4 *Qué* vs. *cuál*

- The interrogative words **¿qué?** and **¿cuál(es)?** can both mean *what/which*, but they are not interchangeable.

- **Qué** is used to ask for general information, explanations, or definitions.

| | |
|---|---|
| **¿Qué** es la vocación? | **¿Qué** dijo? |
| *What is vocation?* | *What did she say?* |

- **Cuál(es)** is used to ask for specific information or to choose from a limited set of possibilities. When referring to more than one item, the plural form **cuáles** is used.

| | |
|---|---|
| **¿Cuál** es tu oficina? | **¿Cuáles** son tus metas académicas? |
| *Which one's your office?* | *What are your academic goals?* |

| | |
|---|---|
| **¿Cuál** de las dos prefieres, la física o la química? | **¿Cuáles** escogieron, los rojos o los azules? |
| *Which of these (two) do you prefer, physics or chemistry?* | *Which ones did they choose, the red or the blue?* |

- Often, either **qué** or **cuál(es)** may be used in the same sentence, but the meaning is different.

| | |
|---|---|
| **¿Qué** quieres comer de postre? | Tengo una manzana y una naranja. **¿Cuál** quieres comer de postre? |
| *What do you want to eat for dessert?* | *I have an apple and an orange. Which one do you want to eat for dessert?* |

- **Cuál(es)** is not used before nouns. **Qué** is used instead, regardless of the type of information requested.

| | |
|---|---|
| **¿Qué** ideas tienen ustedes? | **¿Beca? ¿Qué** beca? |
| *What ideas do you have?* | *Scholarship? What scholarship?* |

| | |
|---|---|
| **¿Qué** oferta te interesa más? | **¿Qué** empleados asistieron a la reunión? |
| *Which offer interests you more?* | *Which employees attended the meeting?* |

- **Qué** and **cuál(es)** are sometimes used in declarative sentences that imply a question or unknown information.

| | |
|---|---|
| No sé **qué** hacer. | No sé **cuáles** escoger. |
| *I don't know what to do.* | *I don't know which ones to choose.* |

| | |
|---|---|
| Elena quiere saber **qué** pasó ayer por la mañana. | Él me preguntó **cuál** de los dos puestos prefería. |
| *Elena wants to know what happened yesterday morning.* | *He asked me which of the two positions I preferred.* |

- **Qué** is also used frequently in exclamations. In this case it means *What...!* or *How...!*

| | |
|---|---|
| **¡Qué** estudiante más irresponsable! | **¡Qué** trabajadora eres! |
| *What an irresponsible student!.* | *How hard-working you are!* |

# Práctica

**1 Elige** Lee las preguntas y elige la opción correcta para cada una.

| | ¿Qué | ¿Cuál | ¿Cuáles | |
|---|---|---|---|---|
| 1. | ☐ | ☐ | ☐ | ... de los dos es tu compañero de trabajo? |
| 2. | ☐ | ☐ | ☐ | ... tipo de empresa te gusta más? |
| 3. | ☐ | ☐ | ☐ | ... es una carta de presentación? |
| 4. | ☐ | ☐ | ☐ | ... son las salidas laborales que te interesan más? |
| 5. | ☐ | ☐ | ☐ | ... es tu asignatura favorita? |
| 6. | ☐ | ☐ | ☐ | ... empleos vas a solicitar? |
| 7. | ☐ | ☐ | ☐ | ... cerraron, las bibliotecas o las salas de estudio? |

**2 Completar** Completa las preguntas con **¿qué?** o **¿cuál(es)?**, según el contexto.

1. ¿ _____ de los dos candidatos es tu favorito?
2. ¿ _____ piensas de la brecha profesional de género?
3. ¿ _____ son las mejores universidades del país?
4. ¿ _____ haces para concentrarte al estudiar?
5. ¿ _____ carrera quieres estudiar?
6. ¿ _____ son tus libros, estos o aquellos?
7. ¿ _____ es tu opinión sobre el desempleo?
8. ¿ _____ profesiones tienen sueldos más altos?
9. ¿ _____ son las facturas de este mes?

**3 Preguntas** Usa **¿qué?** o **¿cuál(es)?** para escribir la pregunta correspondiente a cada respuesta.

1. _____
   La asignatura que más me gusta es matemáticas.
2. _____
   Después del trabajo quiero ir al cine.
3. _____
   Mis metas profesionales son emprender y tener mi propia empresa.
4. _____
   Opino que el costo de los estudios universitarios en mi país es demasiado alto.
5. _____
   Estos son los currículums que más me llamaron la atención.
6. _____
   La oficina de Rosa es la que está a la derecha.

## 5.5 The neuter *lo*

- The definite articles **el, la, los,** and **las** modify masculine or feminine nouns. The neuter article **lo** is used to refer to concepts that have no gender.

—*Lo* primero que tenemos que
buscar es que los estudiantes
aprendan lengua de señas.

- In Spanish, the construction **lo** + [*masculine singular adjective*] is used to express general characteristics and abstract ideas. The English equivalent of this construction is *the* + [*adjective*] + *thing*.

  **Lo difícil** es encontrar candidatos que reúnan todos los requisitos.
  *The difficult thing is to find candidates who meet all the requirements.*

  La reunión fue muy larga; **lo bueno** es que llegamos a un acuerdo.
  *The meeting was very long; the good thing is that we reached an agreement.*

- To express the idea of *the most* or *the least*, **más** and **menos** can be added after **lo**. **Lo mejor** and **lo peor** mean *the best/worst (thing)*.

  Para solucionar la crisis económica, **lo más importante** es promover el empleo.
  *To solve the economic crisis, the most important thing is to promote employment.*

  ¡Aún no te he contado **lo mejor** de mi nuevo trabajo!
  *I still haven't told you about the best part of my new job!*

- The construction **lo** + [*adjective or adverb*] + **que** is used to express the English *how* + [*adjective*]. In these cases, the adjective agrees in number and gender with the noun it modifies.

| **lo** + [*adjective*] + **que** | **lo** + [*adverb*] + **que** |
|---|---|
| ¿No te das cuenta de **lo ineficiente** que es este método? *Don't you realize how inefficient this method is?* | Recuerda **lo bien que** te fue en su clase. *Remember how well you did in his class.* |

- **Lo que** is equivalent to the English *what, that, which*. It is used to refer to an abstract idea, or to a previously mentioned situation or concept.

  ¿Qué fue **lo que** más te gustó de tu viaje a Colombia?
  *What was the thing that you enjoyed most about your trip to Colombia?*

  **Lo que** más me gustó fue el paisaje.
  *The thing I liked best was the scenery.*

# Práctica

**1  Completar** Completa las oraciones con **lo** o **lo que**.

1. Las grandes empresas no quieren aceptar _____ los sindicatos piden.
2. _____ más preocupante son las altas cifras de jóvenes desempleados.
3. ¿Me cuentas _____ se decidió en la reunión del pasado viernes?
4. _____ malo es que no podemos contratar a nadie más este año.
5. _____ piden sus hijos es que no trabaje tantas horas al día.
6. _____ positivo del proyecto es que va a generar muchos beneficios.
7. _____ me gusta de esta empresa es el buen ambiente laboral.

**2  Opiniones** Combina las frases para formar oraciones que contengan la estructura **lo** + [*adjetivo/adverbio*] + **que.**

**Modelo**  parecer mentira / qué poco te preocupas por tus empleados
Parece mentira lo poco que te preocupas por tus empleados.

1. asombrarme / qué alto es tu sueldo
   _____

2. sorprenderme / qué bien escrita está tu carta de presentación
   _____

3. no poder creer / qué larga fue esa entrevista de trabajo
   _____

4. ser increíble / qué profesionales son todos mis compañeros de trabajo
   _____

5. ser una sorpresa / qué rápido avanza el proceso de selección
   _____

**3  La mascota** Julián se va de vacaciones y le ha pedido a su amigo Sergio que cuide de su mascota (*pet*). Usa las expresiones de la lista para completar las recomendaciones que le da Julián a Sergio.

| lo interesante que | lo mejor | lo que más |
|---|---|---|
| lo más | lo peor | lo rápido que |

1. _____ le gusta es tomar el sol.
2. _____ difícil es darle su ducha diaria.
3. Es increíble _____ es vivir con él.
4. _____ es cuando te trae el periódico por la mañana.
5. Ya verás _____ se hacen amigos.
6. _____ es que lo voy a extrañar mucho.

## 6.4 Adverbs

- Adverbs (**adverbios**) describe *how*, *when*, and *where* actions take place. They usually follow the verbs they modify and precede adjectives or other adverbs.

Habla **bien**.

Te lo digo **fácilmente**.

Ana es **muy** interesante.

Eso es **absolutamente** cierto.

Escribe **tan** bien.

Lo hizo **completamente** mal.

- Many Spanish adverbs are formed by adding the suffix **–mente** to the feminine singular form of an adjective. The **–mente** ending is equivalent to the English *–ly*.

| ADJECTIVE | FEMININE FORM | SUFFIX | ADVERB |
|---|---|---|---|
| **básico** | **básica** | **–mente** | **básicamente** *basically* |
| **cuidadoso** | **cuidadosa** | **–mente** | **cuidadosamente** *carefully* |
| **enorme** | **enorme** | **–mente** | **enormemente** *enormously* |
| **hábil** | **hábil** | **–mente** | **hábilmente** *cleverly; skillfully* |

- If two or more adverbs modify the same verb, only the final adverb uses the suffix **–mente**.

Se marchó **lenta** y **silenciosamente**.
*He left slowly and silently.*

Lo explicó **clara** y **cuidadosamente**.
*She explained it clearly and carefully.*

- The construction **con** + [*noun*] is often used instead of long adverbs that end in **–mente**.

**cuidadosamente = con cuidado**

**frecuentemente = con frecuencia**

- Here are some common adverbs and adverbial phrases:

| | | |
|---|---|---|
| **a menudo** *frequently; often* | **así** *ike this; so* | **mañana** *tomorrow* |
| **a tiempo** *on time* | **ayer** *yesterday* | **más** *more* |
| **a veces** *sometimes* | **casi** *almost* | **menos** *less* |
| **adentro** *inside* | **de costumbre** *usually* | **muy** *very* |
| **afuera** *outside* | **de repente** *suddenly* | **por fin** *finally* |
| **apenas** *hardly; scarcely* | **de vez en cuando** *now* | **pronto** *soon* |
| **aquí** *here* | *and then* | **tan** *so* |

**Por fin** convocaron una manifestación.
*Finally they called for a demonstration.*

**Casi** ganó las elecciones.
*She almost won the election.*

- The adverbs **poco** and **bien** frequently modify adjectives. In these cases, **poco** is often the equivalent of the English prefix *un–*, while **bien** means *well, very, rather* or *quite*.

La situación está **poco** clara.
*The situation is unclear.*

El plan estuvo **bien** pensado.
*The plan was well thought out.*

**1** **Adverbios** Escribe el adverbio que se deriva de cada adjetivo.

1. básico _____
2. feliz _____
3. fácil _____
4. inteligente _____
5. alegre _____

6. común _____
7. injusto _____
8. asombroso _____
9. insistente _____
10. silencioso _____

**2** **Instrucciones para ser feliz** Completa cada oración de forma lógica con un adverbio derivado de un adjetivo de la lista. Utiliza cada adverbio solo una vez.

| cuidadoso | frecuente | malo | triste |
|---|---|---|---|
| enorme | inmediato | tranquilo | último |

1. Tienes que amar a tu pareja _____.
2. Haz ejercicio _____.
3. Debes gastar el dinero _____.
4. Si eres injusto/a con alguien, debes pedir perdón _____.
5. Desayuna todas las mañanas _____.

**3** **Recomendaciones** Los padres de Mario y Paola salieron de viaje. Lee las recomendaciones que les dejaron a los chicos pegadas en el refrigerador. Completa los espacios con un adverbio o expresión adverbial de la lista.

| a menudo | adentro | así | mañana |
|---|---|---|---|
| a tiempo | afuera | de vez en cuando | tan |

# Lunes

1. Pasar la aspiradora _____. (¡Todos los días!)

2. Si llueve, poner los muebles del jardín _____.

3. Llegar a la escuela _____.

4. _____, llevar a Botitas al veterinario para su cita.

5. Dejar que el gato juegue _____ si no llueve.

6. Solo ir _____ al centro comercial.

# 6.5 Diminutives and augmentatives

- Diminutives and augmentatives (**diminutivos y aumentativos**) are frequently used in conversational Spanish. They emphasize size or express shades of meaning like affection or ridicule. Diminutives and augmentatives are formed by adding a suffix to the root of nouns or adjectives (which agree in gender and number), and occasionally adverbs.

- The most common diminutive suffixes are forms of **–ito/a** and **–illo/a**.

  **Huguillo,** ¿me traes un **cafecito** con unos **panecillos?**
  *Little Hugo, would you bring me a little cup of coffee with a few rolls?*

  **Ahorita, abuelita,** se los preparo **rapidito.**
  *Right away, Granny, I'll have them ready in a jiffy.*

- Most words form the diminutive by adding **–ito/a** or **–illo/a**. For words ending in vowels (except **–e**), the last vowel is dropped before the suffix.

  | | |
  |---|---|
  | bajo → **baj**ito *very short; very quietly* | ventana → **ventan**illa *little window* |
  | Miguel → **Miguel**ito *Mikey* | campana → **campan**illa *handbell* |

- Most words that end in **–e, –n,** or **–r** use the forms **–cito/a** or **–cillo/a.** However, one-syllable words often use **–ecito/a** or **–ecillo/a.**

  | | |
  |---|---|
  | Carmen → **Carmen**cita *little Carmen* | pan → **pan**ecillo *roll* |
  | amor → **amor**cito *sweetheart* | pez → **pec**ecito *little fish* |

- The most common augmentative suffixes are forms of **–ón/–ona, –ote/–ota,** and **–azo/–aza.**

  **Hijo,** ¿por qué tienes ese **chichonazo** en la cabeza?
  *Son, how'd you get that huge bump on your head?*

  **Me** encantó esa sala de cine; la pantalla era **grandota** y vimos un **peliculón.**
  *I loved that movie theater; the screen was huge, and we saw a great movie.*

- Most words form the augmentative by simply adding the suffix to the word. For words ending in vowels, the final vowel is usually dropped.

  | | |
  |---|---|
  | hombre → **hombr**ón *big man; tough guy* | casa → **cas**ona *big house; mansion* |
  | perro → **perr**azo *big, scary dog* | palabra → **palabr**ota *swear word* |

- In regions where diminutives and augmentatives are used heavily in conversational Spanish, double endings are frequently used for additional emphasis.

  chico/a → chiquito/a → chiquitito/a    grande → grandote/a → grandotote/a

- Some words change meaning completely when a suffix is added.

  | | | | |
  |---|---|---|---|
  | manzana → **manzan**illa | | pera → **per**illa | |
  | *apple* | *camomile* | *pear* | *goatee* |

# Práctica

**1 La carta** Completa el párrafo con la forma indicada de cada palabra. Haz los cambios que creas necesarios.

Querido (1) _____ (nieto, –ito):

Cuando yo era (2) _____ (pequeño, –ito) como tú, jugaba siempre en la calle. Mi (3) _____ (abuela, –ita) me decía que no fuera con los (4) _____ (amigos, –ote) de mi hermano porque ellos eran mayores que yo y eran (5) _____ (hombres, –ón). Yo, entonces, era muy (6) _____ (cabeza, –ón) y nunca hacía lo que ella decía. Una tarde, estaba jugando al fútbol, y uno de ellos me dio un (7) _____ (rodilla, –azo) que me rompió la (8) _____ (nariz, –ota). Nunca más jugué con ellos y, desde entonces, solo salí con mis (9) _____ (amigos, –ito). Espero que me vengas a visitar (10) _____ (pronto, –ito).

Tu abuelo César

**2 Completar** Completa las oraciones con el aumentativo o el diminutivo que corresponda a la definición entre paréntesis.

1. ¿Por qué no les gusta a los profesores que los estudiantes digan _____ (palabras feas y desagradables)?
2. El _____ (perro pequeño) de mi novia es muy lindo y amistoso.
3. Ese abogado tiene una buena _____ (nariz grande) para adivinar los problemas de sus clientes.
4. Mis abuelos viven en una _____ (casa grande) muy vieja.
5. La cantante Samantha siempre lleva una _____ (flor pequeña) en el cabello.
6. El presidente del partido tiene una excelente _____ (cabeza grande) para memorizar sus discursos.
6. A mi _____ (hermana menor) le fascina ir a la playa y hacer excursiones en el campo.

**3 ¿Qué palabra es?** Reemplaza cada expresión con el aumentativo o diminutivo que exprese la misma idea.

1. muy grande _____
2. lago pequeño _____
3. cuarto grande y amplio _____
4. sillas para niños _____
5. libro grande y grueso _____
6. gato bebé _____
7. hombre alto y fuerte _____
8. muy cerca _____
9. abuelo querido _____
10. soldados de juguete _____

# 7.4 Past participles used as adjectives

- Past participles are used with **haber** to form compound tenses, such as the present perfect and the past perfect, and with **ser** to express the passive voice. They are also frequently used as adjectives.

- When a past participle is used as an adjective, it agrees in number and gender with the noun it modifies.

**un proyecto complicado**
*a complicated project*

**una exposición bien organizada**
*a well-organized exhibition*

---

**los artistas destacados**
*the outstanding artists*

**las artistas seleccionadas**
*the selected artists*

- Past participles are often used with the verb **estar** to express a state or condition that results from the action of another verb. They frequently express physical or emotional states.

Felicia, **¿estás despierta?**
*Felicia, are you awake?*

No, **estoy dormida.**
*No, I'm asleep.*

---

Marco, **estoy enfadado.** ¿Por qué no compraste los boletos?
*Marco, I'm furious. Why didn't you buy the tickets?*

Perdón, don Humberto. Es que el museo ya **estaba cerrado**.
*I'm sorry, Don Humberto. It's that the museum was already closed.*

*Las obras **estaban** bien **conservadas**.*

- Past participles may be used as adjectives with other verbs, as well.

Empezó a llover y **llegué empapada** a la inauguración.
*It started to rain and I arrived at the inauguration soaking wet.*

Ese libro **es** tan **aburrido**.
*That book is so boring.*

Después de pasar horas en el museo, nos **sentimos cansados**.
*After spending hours at the museum, we felt tired.*

¿Los cuadros? Ya los **tengo expuestos**.
*The paintings? I already have them displayed.*

- Note that past participles are often used as adjectives to d escribe physical or emotional states.

| | | | |
|---|---|---|---|
| aburrido/a | confundido/a | enojado/a | muerto/a |
| (des)cansado/a | enamorado/a | estresado/a | sorprendido/a |

# Práctica

**1 Trabajar en el museo** Julieta trabaja en Recursos Humanos y está preparando sus preguntas para los candidatos que va a entrevistar para un puesto en el museo. Completa cada pregunta de Julieta con el participio del verbo entre paréntesis.

1. ¿Por qué crees que estás _____ (preparar) para este puesto?
2. ¿Estás _____ (informar) sobre la colección del museo?
3. ¿Te sientes _____ (sorprender) de todos los eventos que organizamos?
4. ¿Por qué estás _____ (interesar) en este puesto en particular?
5. ¿Trajiste tu currículum _____ (escribir) en computadora?
6. ¿Cómo manejarás el estrés cuando ya estés _____ (contratar)?

**2 ¿Cómo están ellos?** Mira las imágenes y relaciónalas con verbos de la lista. Después completa cada frase usando **estar** + [*participio*].

| aburrir | enamorar | esconder | preparar |
|---------|----------|----------|----------|
| cansar  | enojar   | lastimar | sorprender |

1. Ellos _____.    2. Juanito _____.    3. Eva _____.

4. Ellos _____.    5. Marta _____.

**3 Dicho de otra forma** Transforma las oraciones usando **estar** y el participio pasado del verbo correspondiente.

**Modelo**    **Envió las cartas.**
             Las cartas están enviadas.

1. Pintaron los cuadros.
2. Montaron todos los caballetes.
3. No preparó el plan todavía.
4. Ya inauguraron la exposición.
5. Rompieron su compromiso.
6. El museo abre por la tarde.
7. Los dos se aburrieron.
8. Guardó sus pinceles en el armario.

## 7.5 Time expressions with *hacer*

- In Spanish, the verb **hacer** is used to describe how long something has been happening or how long ago an event occurred.

| Time expressions with **hacer** |
|---|

| | |
|---|---|
| PRESENT | **Hace** + [*period of time*] + **que** + [*verb in present tense*]<br>Hace tres semanas que voy a clases de dibujo.<br>*I've been going to drawing classes for three weeks.* |
| PRETERITE | **Hace** + [*period of time*] + **que** + [*verb in the preterite*]<br>Hace seis meses que fueron a España.<br>*They went to Spain six months ago.* |
| IMPERFECT | **Hace** + [*period of time*] + **que** + [*verb in the imperfect*]<br>Hace treinta años que trabajaba como escultor.<br>*He had been working as a sculptor for thirty years.* |

- To express the duration of an event that continues into the present, Spanish uses the construction **hace** + [*period of time*] + **que** + [*present tense verb*]. Note that **hace** does not change form.

¿Cuánto tiempo **hace que vives** en Barcelona?
*How long have you lived in Barcelona?*

**Hace** siete años **que vivo** en Barcelona.
*I've lived in Barcelona for seven years.*

- To make a sentence negative, add **no** before the conjugated verb. Negative time expressions with **hacer** often translate as *since* in English.

¿Hace mucho tiempo que **no** visitas un museo?
*Has it been a long time since you visited a museum?*

¡Hace años que **no** visito un museo!
*It's been years since I visited a museum!/ I haven't visited a museum in years!*

- To tell how long ago an event occurred, use **hace** + [*period of time*] + **que** + [ *preterite tense verb*].

¿Cuánto tiempo **hace que viajaste** a Madrid?
*How long ago did you travel to Madrid?*

**Hace cuatro meses que viajé** a Madrid.
*I traveled to Madrid four months ago.*

- **Hacer** is occasionally used in the imperfect to describe how long an event had been happening before another event occurred. Note that both **hacer** and the conjugated verb use the imperfect.

**Hacía dos años que no estudiaba español** cuando decidió tomar otra clase.
*She hadn't studied Spanish for two years when she decided to take another class.*

### ¡ATENCIÓN!

The construction [*present tense verb*] + **desde hace** + [*period of time*] may also be used. **Desde** can be omitted.

**Estudia español (desde) hace un año.**
*He's been studying Spanish for a year.*

**No va al taller (desde) hace un mes.**
*It's been a month since he went to the studio.*

### ¡ATENCIÓN!

Expressions of time with **hacer** can also be used without **que**.

**¿Hace cuánto (tiempo) terminaste de pintar el cuadro?**

**Terminé de pintar el cuadro hace cuatro días.**

# Práctica

**1 Oraciones** Escribe oraciones utilizando expresiones de tiempo con **hacer**. Usa el tiempo presente en las oraciones 1 a 3 y el pretérito en las oraciones 4 a 6.

**Modelo**   Ana / hablar por teléfono / veinte minutos
Hace veinte minutos que Ana habla por teléfono.

1. Roberto y Miguel / estudiar / tres horas

   _____

2. nosotros / estar enfermos / una semana

   _____

3. tú / trabajar en esta empresa / seis meses

   _____

4. Sergio / visitar España / un mes

   _____

5. yo / pintar este retrato / un año

   _____

6. Esteban y Lisa / casarse / dos años

   _____

**2 Minidiálogos** Completa los minidiálogos con las palabras adecuadas.

1. **GRACIELA** ¿_____ tiempo hace que vives en esta ciudad?
   **SUSANA** Mmm... _____ dos años que _____ aquí.

2. **GUSTAVO** Hacía veinte años que Miguel_____ con nosotros cuando decidió estudiar diseño, ¿verdad?
   **ARMANDO** No, _____ quince años que trabajaba con nosotros cuando se hizo diseñador.

3. **MARÍA** _____ a visitar la Sagrada Familia hace dos meses, ¿no?
   **PEDRO** Sí, _____ dos meses que fui a visitar la Sagrada Familia. ¡Me encantó!

4. **PACO** ¿Cuánto tiempo _____ que _____ español?
   **ANA** Estudio español _____ hace tres años.

**3 Preguntas** Responde a las preguntas con oraciones completas. Utiliza las palabras entre paréntesis.

1. ¿Cuánto tiempo hace que fuiste de vacaciones a la playa? (cinco años)

   _____

2. ¿Hace cuánto tiempo que estudias bellas artes? (dos semanas)

   _____

3. ¿Cuánto tiempo hace que vieron a Nicolás? (un mes)

   _____

4. ¿Cuánto tiempo hace que llegaron Irene y Natalia? (una hora)

   _____

5. ¿Hace cuánto tiempo que ustedes van a clases de pintura? (cuatro días)

   _____

## 8.4 Prepositions: *a, hacia,* and *con*

- The preposition **a** can mean *to, at, for, upon, within, of, on, from,* or *by,* depending on the context. Sometimes it has no direct translation in English.

| | |
|---|---|
| Fueron **al** cine. | Terminó **a** las doce. |
| *They went to the movies.* | *It ended at midnight.* |

| | |
|---|---|
| Lucy estaba **a** mi derecha. | **Al** llegar **a** casa, me sentí feliz. |
| *Lucy was on my right.* | *Upon returning home, I felt happy.* |

- The preposition **a** introduces indirect objects.

| | |
|---|---|
| Le mandó un mensaje de texto **a** su novio. | Le prometió **a** María que saldrían el viernes. |
| *She sent a text message to her boyfriend.* | *He promised María they'd go out on Friday.* |

- When a direct object noun is a person (or a pet), it is preceded by the personal **a,** which has no equivalent in English. If the person in question is not specific, the personal **a** is omitted, except before the words **alguien, nadie, alguno/a,** and **ninguno/a.**

| | |
|---|---|
| ¿Viste **a** tus amigos? | No, no he visto **a** nadie. |
| *Did you see your friends?* | *No, I haven't seen anyone.* |

| | |
|---|---|
| Necesitamos un buen coreógrafo. | Conozco **a** una coreógrafa excelente. |
| *We need a good choreographer.* | *I know an excellent choreographer.* |

- With movement, either literal or figurative, **hacia** means *toward* or *to.*

| | |
|---|---|
| Él se dirige **hacia** Uruguay para asistir al carnaval. | La actitud de René **hacia** él fue negativa. |
| *He is going to Uruguay to attend the carnival.* | *René's attitude toward him was negative.* |

- With time, **hacia** means *approximately, around, about,* or *toward.*

El desfile comenzará **hacia** las tres de la tarde.
*The parade will start around three o'clock in the afternoon.*

Sus obras se hicieron populares **hacia** la segunda mitad del siglo XX.
*His plays became popular toward the second half of the twentieth century.*

- The preposition **con** means *with.*

| | |
|---|---|
| Trabajó **con** los mejores actores. | Quiero una máscara **con** plumas. |
| *She worked with the best actors.* | *I want a mask with feathers.* |

- **Con** can also mean *but, even though,* or *in spite of* when used to convey surprise at an apparent conflict between two known facts.

| | |
|---|---|
| No han podido conseguir boletos. | ¡**Con** todo el tiempo que esperaron! |
| *They've been unable to get tickets.* | *In spite of all the time they waited!* |

---

**¡ATENCIÓN!**

Some verbs require **a** when used with an infinitive, such as **aprender a, ayudar a, comenzar a, enseñar a, ir a,** and **volver a.**

**Aprendí a bailar flamenco.**
*I learned to dance flamenco.*
**Me ayudó a conseguir entradas.**
*He helped me get tickets.*

**A** + [*infinitive*] can be used as a command.

**¡A comer!** *Let's eat!*
**¡A dormir!** *To bed!*

---

**¡ATENCIÓN!**

There is no accent mark on the **i** in the preposition **hacia.** The stress falls on the first **a.** The word **hacía** is a form of the verb **hacer.**

---

**¡ATENCIÓN!**

Spanish adverbs are often expressed with **con** + [*noun*].

**con cuidado** *carefully (with care)*

Note the following contractions:

**con + mí = conmigo**
**con + ti = contigo**
**con + Ud./él/ella = consigo**
**con + Uds./ellos/ellas = consigo**

It is never correct to say "con mí" or "con ti", but it is possible to use **con él mismo/con ella misma** instead of **consigo.**

# Práctica

**1 Unir** Completa cada oración con la opción correcta.

1. La clase de actuación comenzará ___
2. La actriz se negó ___
3. Trata de estar al día ___
4. Cuando terminó el ensayo, caminó ___
5. Manchó la ropa ___
6. El reportero hizo reír ___
7. La actitud de Alberto ___

a. hacia la salida.
b. con las noticias.
c. con el café.
d. a la bailarina.
e. fue muy positiva.
f. a interpretar ese papel.
g. hacia las nueve y media.

**2 Completar** Coloca *(Place)* la preposición **a** solo cuando sea necesario.

1. Vio _____ la cámara digital que quiere comprar.
2. La trapecista salió _____ la pista.
3. Le presentó _____ la directora el nuevo guion.
4. El periódico publicó _____ un artículo sobre el estreno de la obra.
5. Vimos _____ un espectáculo de circo anoche.
6. La compañía de teatro dio un informe _____ los periodistas.
7. _____ la protagonista no le gusta levantarse temprano.
8. ¿Conoces _____ un buen restaurante cerca de aquí?

**3 Oraciones** Escribe oraciones completas con los elementos dados. En cada una debes usar **a, con** o **hacia** por lo menos una vez. Haz los cambios que creas necesarios.

1. actores / dirigirse / escenario

_____

2. dramaturgo / hablar / jefe / compañía

_____

3. hace dos días / actor / salir / comer / directora de la película

_____

4. nosotros / enseñarle / teoría / grupo

_____

5. yo / compartir / información / mis compañeros

_____

6. ayer / María / darle / clase de baile / Manuel

_____

7. nosotros / ya / ir / teatro

_____

8. tú / escuchar / CD / canciones que te gustan

_____

## 8.5 Prepositions: *de, desde, en, entre, hasta, and sin*

- **De** often corresponds to *of* or the possessive endings *'s/s'* in English.

| Uses of de | | | | | |
|---|---|---|---|---|---|
| **Possession** | **Description** | **Material** | **Position** | **Origin** | **Contents** |
| el traje de la bailarina | el espectáculo de circo | el recipiente de vidrio | la pantalla de enfrente | El protagonista es de Perú. | el vaso de agua |
| *the dancer's dress* | *the circus show* | *the glass container* | *the facing screen* | *The protagonist is from Peru.* | *the glass of water* |

- **Desde** expresses direction (*from*) and time (*since*).

Te escribo **desde** Uruguay.
*I'm writing from Uruguay.*

No lo he visto **desde** el martes.
*I haven't seen him since Tuesday.*

- **En** corresponds to several English prepositions, such as *in, on, into, onto, by,* and *at*.

El guion está **en** la mesa.
*The script is on the table.*

El profesor entró **en** la clase.
*The professor went into the classroom.*

Los resultados están **en** el cuaderno.
*The results are in the notebook.*

Nos vemos **en** la taquilla.
*Let's meet at the box office.*

- **Entre** generally corresponds to the English prepositions *between* and *among*.

**entre 1976 y 1982**
*between 1976 and 1982*

**entre ellos**
*among themselves*

- **Entre** is not followed by **ti** and **mí**, the usual pronouns that serve as objects of prepositions. Instead, the subject pronouns **tú** and **yo** are used.

**Entre tú y yo. . .**
*Between you and me . . .*

- **Hasta** corresponds to *as far as* in spatial relationships, *until* in time relationships, and *up to* for quantities. It can also be used as an adverb to mean *even* or *including*.

Avanzaron **hasta** el escenario.
*They advanced as far as the stage.*

**Hasta** las ocho, no comenzó el desfile.
*The parade didn't start until eight.*

Haremos **hasta** veinte funciones.
*We'll do up to twenty shows.*

**Hasta** el director quedó sorprendido.
*Even the director was surprised.*

- **Sin** corresponds to *without* in English. It is often followed by a noun, but it can also be followed by the infinitive form of a verb.

No veo nada **sin** los lentes.
*I can't see a thing without glasses.*

Lo hice **sin** pensar.
*I did it without thinking.*

---

**¡ATENCIÓN!**

**De** is often used in prepositional phrases of location: **al lado de, a la derecha de, cerca de, debajo de, detrás de, encima de.**

**¡ATENCIÓN!**

Common phrases with **de:**
**de nuevo** *again*
**de paso** *on the way*
**de pie** *standing up*
**de repente** *suddenly*
**de todos modos** *in any case*
**de vacaciones** *on vacation*
**de vuelta** *back*

**Cuando entró la jueza, todos se pusieron de pie.**
*When the judge entered, everyone stood up.*

Common phrases with **en:**
**en broma** *as a joke*
**en cambio** *on the other hand*
**en contra** *against*
**en fila** *in a row*
**en serio** *seriously*
**en tren** *by train*
**en vano** *in vain*

**No lo digo en broma; te estoy hablando en serio.**
*I don't mean this as a joke; I'm talking to you in all seriousness.*

# Práctica

**1 Completar** Completa cada oración con la opción correcta.

1. ___ el actor principal no podemos estrenar la obra.
   a. En          b. Hasta          c. Sin

2. Unas entradas como estas pueden costar ___ doscientos dólares.
   a. hasta          b. sin          c. en

3. ¿Estás segura de que la obra es ___ esta sala?
   a. de          b. en          c. sin

4. Nos vemos a las once en la clase ___ danza.
   a. entre          b. de          c. desde

5. ___ mi asiento no podía ver todo el escenario.
   a. Desde          b. Entre          c. Hasta

6. Esta noticia debe quedar solo ___ tú y yo.
   a. entre          b. en          c. desde

**2 Un artículo** Completa el texto con las preposiciones **de, desde** o **en**.

Cuando llegué a la clase (1) _____ baile, todas mis compañeras estaban ya (2) _____ el escenario. Llevaban sus trajes (3) _____ colores y estaban preparadas para comenzar. (4) _____ ese momento me sentí avergonzada por llegar tarde. Además, estaba un poco nerviosa ya que no bailaba (5) _____ hacía tres años. Mi profesora fue muy simpática y (6) _____ el primer momento tuvo mucha paciencia conmigo. La clase comenzó con explicaciones sobre varios tipos (7) _____ pasos y movimientos. Poco a poco, fui sintiéndome más segura y me divertí mucho. Al final de la clase, estuve hablando con unas compañeras y decidimos cenar juntas (8) _____ un restaurante. ¡No me sentía tan contenta (9) _____ hacía mucho tiempo! La semana que viene hay clase otra vez y esta vez intentaré ser puntual. ¡Debería conseguirlo, ya que la escuela está muy cerca (10) _____ mi casa!

**3 La hipótesis** Completa las oraciones con las preposiciones **entre, hasta** o **sin**.

1. Él ha dirigido varias obras de teatro muy interesantes. _____ ellas, la que vimos juntos la semana pasada.

2. Llegó al ensayo casi _____ dormir, por lo que estaba muy cansado y no recordaba bien su parte del guion.

3. _____ ahora no he visto ningún espectáculo de circo en el que no haya un número de malabares.

4. _____ todas las obras de teatro que hay en cartel, ¿cuál prefieres ver?

5. Esta actriz es una de mis preferidas. _____ embargo, su actuación en esta película no me ha gustado mucho.

6. Desde el escenario, vi a mi familia y mis amigos sentados _____ el público.

## 9.4 Transitional expressions

- Transitional words and phrases express the connections between ideas and details.

— *Se teme que el sol se haya ido y la Tierra quede en tinieblas, **por eso** se hace vigilia.*

- Many transitional words and phrases function to narrate time and sequence.

| | |
|---|---|
| **al final** *at the end, in the end* | **hoy** *today* |
| **al mismo tiempo** *at the same time* | **luego** *then, next* |
| **al principio** *in the beginning* | **mañana** *tomorrow* |
| **anteayer** *the day before yesterday* | **mientras** *while* |
| **antes (de)** *before* | **pasado** *mañana the day after tomorrow* |
| **ayer** *yesterday* | **por fin** *finally* |
| **después (de)** *after, afterward* | **primero** *first* |
| **entonces** *then, at that time* | **segundo** *second* |
| **finalmente** *finally* | **siempre** *always* |

- Several other transitional expressions compare or contrast ideas and details.

| | |
|---|---|
| **además** *furthermore* | **ni... ni...** *neither. . . nor. . .* |
| **al contrario** *on the contrary* | **o... o...** *either. . . or. . .* |
| **al mismo** *tiempo at the same time* | **por otra parte/otro lado** *on the other hand* |
| **aunque** *although* | |
| **con excepción de** *with the exception of* | **por un lado... por el otro...** *on one hand. . . on the other. . .* |
| **de la misma manera** *similarly* | **por una parte... por la otra...** *on one hand. . . on the other. . .* |
| **del mismo modo** *similarly* | **sin embargo** *however, yet* |
| **igualmente** *likewise* | **también** *also* |
| **mientras que** *meanwhile, whereas* | |

- Transitional expressions are also used to express cause and effect relationships.

| | |
|---|---|
| **así que** *so; therefore* | **por consiguiente** *therefore* |
| **como** *since* | **por eso** *therefore* |
| **como resultado (de)** *as a result (of)* | **por esta razón** *for this reason* |
| **dado que** *since* | **por lo tanto** *therefore* |
| **debido a** *due to* | **porque** *because* |

# Práctica

**1 Ordena los hechos** Reconstruye el orden de los hechos asignando un número para cada uno. Ten en cuenta las expresiones de transición.

_____ a. Primero busqué información sobre la ceremonia del Inti Raymi en Cusco, Perú.

_____ b. Dos días después de llegar a Cusco, por fin asistimos a la ceremonia del Inti Raymi. ¡Fue genial!

_____ c. Antes de comprar los boletos de avión a Cusco, mis amigos y yo nos informamos sobre los precios en diferentes aerolíneas.

_____ d. Un mes después, fuimos al aeropuerto para tomar nuestro vuelo.

_____ e. Luego, elegimos un vuelo y compramos los boletos.

_____ f. Finalmente, llegamos a Cusco.

_____ g. Después, convencí a mis amigos para viajar conmigo a Perú y asistir a la ceremonia.

**2 Escoge** Completa las oraciones con una de las opciones entre paréntesis.

1. Me gustan las actividades al aire libre, _____ (sin embargo / por eso) la peregrinación a ese santuario en la montaña me interesa mucho.

2. Eres una persona muy espiritual pero, _____ (por esta razón / por otra parte), dices que no crees en ninguna religión.

3. Le expliqué mis creencias y _____ (sin embargo / debido a eso) no las respetó.

4. Me lastimé el pie _____ (como resultado / con excepción) de la caminata.

5. Después de dos meses de búsqueda, _____ (como / por fin) conseguí encontrar las figuritas.

6. Es muy supersticioso y _____ (mientras que / por lo tanto) cree que esto es una señal de mal augurio.

**3 Completar** Marcos acaba de regresar de un viaje por Bolivia. Completa su relato con las expresiones de la lista. Puedes usar algunas expresiones más de una vez.

| | | |
|---|---|---|
| además | del mismo modo | por eso |
| al contrario | mientras que | por un lado |
| debido a eso | por el otro | sin embargo |

Hoy estoy muy contento, (1) _____ ven en mi cara una sonrisa. ¡Hice un viaje maravilloso por Bolivia! (2) _____, no fue estresante, sino que, (3) _____, descansé mucho. Mi paseo fue muy variado, (4) _____, pasé varios días en La Paz y (5) _____, hice una excursión al lago Titicaca. La Paz es una ciudad llena de historia y cultura, (6) _____ también es una ciudad con increíbles paisajes naturales a su alrededor. (7) _____, mi viaje terminó antes de lo que esperaba, (8) _____, pienso volver el próximo año.

## 10.4 *Pero* vs. *sino*

— *Dependemos de ellos, **pero** no queremos reconocer que están.*

— *Los hispanos no son solo una minoría, **sino** la fuerza que está cambiando esta nación.*

- In Spanish, both **pero** and **sino** are used to introduce contradictions or qualifications, but the two words are not interchangeable.

- **Pero** means *but* (in the sense of however). It may be used after either affirmative or negative clauses.

  Leí la novela que me recomendaste, **pero** no me gustó.
  *I read the novel you recommended, but I didn't like it.*

  Hace tres años que estudio español, **pero** todavía no lo hablo con fluidez.
  *I've been studying Spanish for three years, but I don't speak it fluently yet.*

- **Sino** also means *but* (in the sense of *but rather* or *on the contrary*). It is used only after negative clauses. **Sino** introduces a contradicting idea that clarifies or qualifies the previous information.

  No definiría ese libro como una autobiografía, **sino** como unas memorias.
  *I wouldn't call that book as an autobiography but rather a memoir.*

  No busco trabajo como traductora, **sino** como intérprete.
  *I'm not looking for a job as a translator, but rather as an interpreter.*

- When **sino** is used before a conjugated verb, the conjunction **que** is added.

  No quiero que mis hijos hablen solo inglés, **sino que** sean bilingües.
  *I don't want my children to speak only English, but to be bilingual instead.*

  No vive en los Estados Unidos, **sino que** se mudó a México.
  *She does not live in the United States, but rather she moved to México.*

- *Not only… but also* is expressed with the phrase **no solo… sino (que) también/además**.

  **No solo** habla español, **sino que también** está estudiando otros dos idiomas.
  *Not only does she speak Spanish, but she is also studying two other languages.*

- The phrase **pero tampoco** means *but neither* or *but not either*.

  No me gustan las novelas históricas, **pero tampoco** he leído muchas.
  *I don't like historical novels, but I haven't read many either.*

---

**¡ATENCIÓN!**

**Pero también** (*but also*) is used after affirmative clauses.

**Pedro es inteligente, pero también es cabezón.**
*Pedro is smart, but he is also stubborn.*

# Práctica

**1** **Opciones** Completa cada oración con la opción correcta.

1. Sofía no quiere aprender otro idioma y Marta _____
2. Mi compañero de cuarto no es de Chicago, _____ de Miami.
3. Mis padres querían que yo estudiara francés, _____ yo preferí estudiar español.
4. No terminé de leer la novela, _____ le dediqué mucho tiempo.

   a. pero
   b. pero tampoco
   c. sino
   d. tampoco

**2** **Completar** Completa cada oración con **no solo, pero, sino (que)** o **tampoco**.

1. Las cartas no llegaron el miércoles, _____ el jueves.
2. Mis amigos no quieren ir a la biblioteca esta tarde y yo _____.
3. No me gustan los ensayos, _____ tengo que leer este porque lo pidió el profesor.
4. Carlos no me llamaba por teléfono, _____ me enviaba correos electrónicos con frecuencia.
5. Yo _____ esperaba aprobar el examen, _____ también sacar una A.
6. Mis amigos no habían leído ninguna novela de Sandra Cisneros, _____ yo les recomendé *La casa en Mango Street*.
7. Quiero aclarar que mi libro no es autobiográfico, _____ ficción.

**3** **El mundo de hoy** Dos amigos están hablando sobre su visión del mundo contemporáneo. Uno es muy optimista y el otro es pesimista. Completa la conversación.

| no solo | sino |
|---------|------|
| pero | sino que |
| pero tampoco | |

**TOMÁS** El mundo de hoy es muy complejo, (1) _____ hay que reconocer que hemos avanzado mucho.

**FELIPE** Yo no estoy de acuerdo. Me da la sensación de que últimamente (2) _____ hemos avanzado poco, (3) _____ vamos para atrás.

**TOMÁS** ¡Cómo puedes decir eso, Felipe!

**FELIPE** El mundo no es (4) _____ consumismo en los países ricos y miseria en los países pobres.

**TOMÁS** Ese es un problema grave, (5) _____ creo que esa miseria ya existía antes. Acepto que tienes parte de razón, (6) _____ vas a negar que hay inventos que han mejorado nuestra calidad de vida.

**FELIPE** Bueno, reconozco que yo no podría vivir sin el teléfono, el automóvil o la electricidad.

**TOMÁS** Pues a eso me refería yo.

# VERB CONJUGATION TABLES

Below you will find the infinitive of the verbs introduced as active vocabulary in **PERSPECTIVAS**, as well as other common verbs. Each verb is followed by a model verb conjugated on the same pattern. The number in parentheses indicates where in the verb tables, pages **442–449**, you can find the conjugated forms of the model verb. Many of these verbs can be used reflexively. To check the verb conjugation, use the tables on pages **442–449**. For placement of the reflexive pronouns, see page **450**.

**abandonar** like hablar (1)
**abarrotar** like hablar (1)
**abordar** like hablar (1)
**abrazar** (z:c) like cruzar (37)
**abrir** like vivir (3) *except* past participle is abierto
**aburrir** like vivir (3)
**acabar** like hablar (1)
**acampar** like hablar (1)
**acercar** (c:qu) like tocar (43)
**acordar** (o:ue) like contar (24)
**acosar** like hablar (1)
**acostar** (o:ue) like contar (24)
**acostumbrar** like hablar (1)
**actuar** like graduar (40)
**acudir** like vivir (3)
**adaptar** like hablar (1)
**adivinar** like hablar (1)
**adjuntar** like hablar (1)
**administrar** like hablar (1)
**adorar** like hablar (1)
**afeitar** like hablar (1)
**agotar** like hablar (1)
**agradecer** (c:zc) like conocer (35)
**aguantar** like hablar (1)
**ahogar** (g:gu) like llegar (41)
**ahorrar** like hablar (1)
**alabar** like hablar (1)
**albergar** (g:gu) like llegar (41)
**alcanzar** (z:c) like cruzar (37)
**alejar** like hablar (1)
**alimentar** like hablar (1)
**aliviar** like hablar (1)
**alumbrar** like hablar (1)
**ajustar** like hablar (1)
**amanecer** (c:zc) like conocer (35)
**amansar** like hablar (1)
**amar** like hablar (1)
**amasar** like hablar (1)
**amenazar** (z:c) like cruzar (37)
**andar** like hablar (1) *except* preterite stem is anduv-
**añadir** like vivir (3)
**aparcar** (c:qu) like tocar (43)
**aplaudir** like vivir (3)
**apostar** (o:ue) like contar (24)

**apoyar** like hablar (1)
**aprender** like comer (2)
**aprobar** (o:ue) like contar (24)
**aprovechar** like hablar (1)
**apuntar** like hablar (1)
**argumentar** like hablar (1)
**arreglar** like hablar (1)
**arrepentir** (e:ie) like sentir (33)
**arriesgar** (g:gu) like llegar (41)
**arruinar** like hablar (1)
**ascender** (e:ie) like entender (27)
**asfixiar** like hablar (1)
**asimilar** like hablar (1)
**asistir** like vivir (3)
**asombrar** like hablar (1)
**atascar** (c:qu) like tocar (43)
**atender** (e:ie) like entender (27)
**aterrizar** (z:c) like cruzar (37)
**atraer** like traer (21)
**atrever** like comer (2)
**aumentar** like hablar (1)
**ausentar** like hablar (1)
**averiguar** like hablar (1)
**ayudar** like hablar (1)
**bailar** like hablar (1)
**bajar** like hablar (1)
**bañar** like hablar (1)
**beber** like comer (2)
**bendecir** (e:i) like decir (8)
**besar** like hablar (1)
**borrar** like hablar (1)
**brillar** like hablar (1)
**burlar** like hablar (1)
**buscar** (c:qu) like tocar (43)
**caber** (4)
**caer** (5)
**callar** like hablar (1)
**cambiar** like hablar (1)
**caminar** like hablar (1)
**cargar** (g:gu) like llegar (41)
**casar** like hablar (1)
**castigar** (g:gu) like llegar (41)
**cazar** (z:c) like cruzar (37)
**celebrar** like hablar (1)
**cerrar** (e:ie) like pensar (30)

**charlar** like hablar (1)
**clavar** like hablar (1)
**cobrar** like hablar (1)
**cocer** (o:ue) like vencer (44) plus o:ue vocalic change
**coleccionar** like hablar (1)
**colocar** (c:qu) like tocar (43)
**combatir** like vivir (3)
**comer** (2)
**comisariar** like enviar (39)
**compaginar** like hablar (1)
**compartir** like vivir (3)
**comportar** like hablar (1)
**comprar** like hablar (1)
**comprobar** (o:ue) like contar (24)
**concienciar** like hablar (1)
**conciliar** like hablar (1)
**conducir** (c:zc) (6)
**confiar** like enviar (39)
**congelar** like hablar (1)
**conmemorar** like hablar (1)
**conocer** (c:zc) (35)
**conquistar** like hablar (1)
**conseguir** (e:i) (gu:g) like seguir (32)
**construir** (y) like destruir (38)
**contagiar** like hablar (1)
**contar** (o:ue) (24)
**contratar** like hablar (1)
**contribuir** (y) like destruir (38)
**construir** (y) like destruir (38)
**convencer** (c:z) like vencer (44)
**conversar** like hablar (1)
**convertir** (e:ie) like sentir (33)
**convivir** like vivir (3)
**convocar** (c:qu) like tocar (43)
**cooperar** like hablar (1)
**correr** like comer (2)
**cortar** like hablar (1)
**crear** like hablar (1)
**crecer** (c:zc) like conocer (35)
**creer** (y) (36)
**cruzar** (z:c) (37)
**cubrir** like vivir (3) *except* past participle is cubierto
**cuidar** like hablar (1)

**cultivar** like hablar (1)
**cumplir** like vivir (3)
**curar** like hablar (1)
**dañar** like hablar (1)
**dar** (7)
**deber** like comer (2)
**decir** (e:i) (8)
**dedicar** (c:qu) like tocar (43)
**defender** (e:ie) like entender (27)
**defraudar** like hablar (1)
**degustar** like hablar (1)
**dejar** like hablar (1)
**depositar** like hablar (1)
**derrotar** like hablar (1)
**desaparecer** (c:zc) like conocer (35)
**descargar** (g:gu) like llegar (41)
**desconfiar** like enviar (39)
**descubrir** like vivir (3) *except* past participle is descubierto
**descuidar** like hablar (1)
**desembolsar** like hablar (1)
**despedir** (e:i) like pedir (29)
**despertar** (e:ie) like pensar (30)
**destacar** (c:qu) like tocar (43)
**destrozar** (z:c) like cruzar (37)
**destruir** (y) (38)
**detener** (e:ie) like tener (20)
**difundir** like vivir (3)
**disculpar** like hablar (1)
**discutir** like vivir (3)
**diseñar** like hablar (1)
**disfrazar** (z:c) like cruzar (37)
**disfrutar** like hablar (1)
**disimular** like hablar (1)
**disminuir** (y) like destruir (38)
**disponer** like poner (15)
**distinguir** (gu:g) like extinguir (46)
**divertir** (e:ie) like sentir (33)
**divorciar** like hablar (1)
**doblar** like hablar (1)
**dormir** (o:ue) (25)
**duchar** like hablar (1)
**echar** like hablar (1)
**ejercer** (c:z) like vencer (44)

**elegir** (e:i) like pedir (29) *except* (g:j) before a and o
**embalar** like hablar (1)
**emigrar** like hablar (1)
**empatar** like hablar (1)
**empeorar** like hablar (1)
**empezar** (e:ie) (z:c) (26)
**emprender** like comer (2)
**enamorar** like hablar (1)
**encarcelar** like hablar (1)
**encargar** (c:qu) like llegar (41)
**enfocar** (c:qu) like tocar (43)
**enfrentar** like hablar (1)
**enojar** like hablar (1)
**ensalzar** (z:c) like cruzar (37)
**ensayar** like hablar (1)
**enseñar** like hablar (1)
**entender** (e:ie) (27)
**enterar** like hablar (1)
**enternecer** (c:zc) like conocer (35)
**enterrar** (e:ie) like pensar (30)
**entretener** (e:ie) like tener (20)
**entrevistar** like hablar (1)
**enviar** (39)
**esconder** like comer (2)
**escribir** like vivir (3) *except* past participle is escrito
**estar** (9)
**estrenar** like hablar (1)
**examinar** like hablar (1)
**exponer** like poner (15)
**exportar** like hablar (1)
**expulsar** like hablar (1)
**extinguir** (gu:g) (46)
**extraer** like traer (21)
**extraviar** like enviar (39)
**extrañar** like hablar (1)
**fabricar** (c:qu) like tocar (43)
**fallecer** (c:zc) like conocer (35)
**festejar** like hablar (1)
**filmar** like hablar (1)
**fingir** (g:j) like proteger (42) for consonant change only
**firmar** like hablar (1)
**fomentar** like hablar (1)
**fortalecer** (c:zc) like conocer (35)
**freír** (e:i) like reír (31)
**ganar** like hablar (1)
**garantizar** (z:c) like cruzar (37)
**gobernar** (e:ie) like pensar (30)
**grabar** like hablar (1)
**graduar** (40)
**guardar** like hablar (1)
**haber** (10)
**hablar** (1)
**hacer** (11)
**hechizar** (z:c) like cruzar (37)

**heredar** like hablar (1)
**hervir** (e:ie) like sentir (33)
**honrar** like hablar (1)
**hornear** like hablar (1)
**huir** (y) like destruir (38)
**hundir** like vivir (3)
**importar** like hablar (1)
**impulsar** like hablar (1)
**incentivar** like hablar (1)
**incluir** (y) like destruir (38)
**incomodar** like hablar (1)
**inculcar** (c:qu) like tocar (43)
**independizar** (z:c) like cruzar (37)
**indicar** (c:qu) like tocar (43)
**influir** (y) like destruir (38)
**instalar** like hablar (1)
**integrar** like hablar (1)
**interponer** like poner (15)
**interpretar** like hablar (1)
**invertir** (e:ie) like sentir (33)
**investigar** (g:gu) like llegar (41)
**invocar** (c:qu) like tocar (43)
**involucrar** like hablar (1)
**ir** (12)
**jubilar** like hablar (1)
**jugar** (u:ue) (g:gu) (28)
**jurar** like hablar (1)
**juzgar** (g:gu) like llegar (41)
**lanzar** (z:c) like cruzar (37)
**lavar** like hablar (1)
**leer** (y) like creer (36)
**levantar** like hablar (1)
**llegar** (g:gu) (41)
**llevar** like hablar (1)
**lograr** like hablar (1)
**luchar** like hablar (1)
**madrugar** (g:gu) like llegar (41)
**marcar** (c:qu) like tocar (43)
**matar** like hablar (1)
**matricular** like hablar (1)
**meditar** like hablar (1)
**mejorar** like hablar (1)
**merecer** (c:zc) like conocer (35)
**meter** like comer (2)
**mezclar** like hablar (1)
**militar** like hablar (1)
**mimar** like hablar (1)
**morir** (o:ue) like dormir (25) *except* past participle is muerto
**mudar** like hablar (1)
**narrar** like hablar (1)
**negar** (e:ie) like entender (27) for vocalic change only
**nombrar** like hablar (1)
**obedecer** (c:zc) like conocer (35)
**obligar** (g:gu) like llegar (41)

**odiar** like hablar (1)
**ofrendar** like hablar (1)
**oír** (y) (13)
**oprimir** like vivir (3)
**otorgar** (g:gu) like llegar (41)
**parecer** (c:zc) like conocer (35)
**partir** like vivir (3)
**pasar** like hablar (1)
**pasear** like hablar (1)
**pedir** (e:i) (29)
**pegar** (g:gu) like llegar (41)
**peinar** like hablar (1)
**pelear** like hablar (1)
**pensar** (e:ie) (30)
**perder** (e:ie) like entender (27)
**perdonar** like hablar (1)
**pertenecer** (c:zc) like conocer (35)
**pisar** like hablar (1)
**planificar** (c:qu) like tocar (43)
**plantar** like hablar (1)
**poder** (o:ue) (14)
**poner** (15)
**postular** like hablar (1)
**predecir** (e:i) like decir (8)
**predicar** (c:qu) like tocar (43)
**prescindir** like vivir (3)
**presenciar** like hablar (1)
**preservar** like hablar (1)
**prevenir** (e:ie) like venir (22)
**producir** (c:zc) like conducir (6)
**promover** (o:ue) like volver (34) *except* past participle is regular
**proteger** (g:j) (42)
**provenir** (e:ie) like venir (22)
**provocar** (c:qu) like tocar (43)
**publicar** (c:qu) like tocar (43)
**quedar** like hablar (1)
**quejar** like hablar (1)
**quemar** like hablar (1)
**querer** (e:ie) (16)
**quitar** like hablar (1)
**realizar** (z:c) like cruzar (37)
**rebajar** like hablar (1)
**rechazar** (z:c) like cruzar (37)
**recorrer** like comer (2)
**recuperar** like hablar (1)
**reemplazar** (z:c) like cruzar (37)
**reír** (e:i) (31)
**reivindicar** (c:qu) like tocar (43)
**remover** (o:ue) like volver (34)
**rendir** (e:ei) like pedir (29)
**repercutir** like vivir (3)
**residir** like vivir (3)
**resolver** (o:ue) like volver (34)
**retar** like hablar (1)

**reunir** like vivir (3)
**revocar** (c:qu) like tocar (43)
**rezar** (z:c) like cruzar (37)
**rodar** (o:ue) like contar (24)
**romper** like comer (2) *except* past participle is roto
**saber** (17)
**salir** (18)
**salvar** like hablar (1)
**sazonar** like hablar (1)
**secar** (c:qu) like tocar (43)
**seguir** (e:i) (gu:g) (32)
**sellar** like hablar (1)
**sembrar** (e:ie) like pensar (30)
**sentir** (e:ie) (33)
**ser** (19)
**significar** (c:qu) like tocar (43)
**silbar** like hablar (1)
**simbolizar** (z:c) like cruzar (37)
**sobresalir** like salir (18)
**sobrevivir** like vivir (3)
**solicitar** like hablar (1)
**solucionar** like hablar (1)
**soñar** (o:ue) like contar (24)
**soportar** like hablar (1)
**sorprender** like comer (2)
**subir** like vivir (3)
**subvencionar** like hablar (1)
**surgir** (g:j) like proteger (42) for consonant change only
**suspender** like comer (2)
**tallar** like hablar (1)
**tener** (e:ie) (20)
**tocar** (c:qu) (43)
**traducir** (c:zc) like conducir (6)
**traer** (21)
**traicionar** like hablar (1)
**trasladar** like hablar (1)
**tratar** like hablar (1)
**triunfar** like hablar (1)
**valorar** like hablar (1)
**velar** like hablar (1)
**vencer** (c:z) (44)
**vender** like comer (2)
**venerar** like hablar (1)
**vengar** (g:gu) like llegar (41)
**venir** (e:ie) (22)
**ver** (23)
**vestir** (e:i) like pedir (29)
**vincular** like hablar (1)
**vivir** (3)
**volar** (o:ue) like contar (24)
**volver** (o:ue) (34)

# VERB CONJUGATION TABLES
## Regular verbs: simple tenses

| Infinitive | INDICATIVE | | | | | SUBJUNCTIVE | | IMPERATIVE |
|---|---|---|---|---|---|---|---|---|
| | Present | Imperfect | Preterite | Future | Conditional | Present | Past | |
| **1 hablar** | hablo | hablaba | hablé | hablaré | hablaría | hable | hablara | |
| | hablas | hablabas | hablaste | hablarás | hablarías | hables | hablaras | habla tú (no hables) |
| **Participles:** | habla | hablaba | habló | hablará | hablaría | hable | hablara | hable Ud. |
| hablando | hablamos | hablábamos | hablamos | hablaremos | hablaríamos | hablemos | habláramos | hablemos |
| hablado | habláis | hablabais | hablasteis | hablaréis | hablaríais | habléis | hablarais | hablad (no habléis) |
| | hablan | hablaban | hablaron | hablarán | hablarían | hablen | hablaran | hablen Uds. |
| **2 comer** | como | comía | comí | comeré | comería | coma | comiera | |
| | comes | comías | comiste | comerás | comerías | comas | comieras | come tú (no comas) |
| **Participles:** | come | comía | comió | comerá | comería | coma | comiera | coma Ud. |
| comiendo | comemos | comíamos | comimos | comeremos | comeríamos | comamos | comiéramos | comamos |
| comido | coméis | comíais | comisteis | comeréis | comeríais | comáis | comierais | comed (no comáis) |
| | comen | comían | comieron | comerán | comerían | coman | comieran | coman Uds. |
| **3 vivir** | vivo | vivía | viví | viviré | viviría | viva | viviera | |
| | vives | vivías | viviste | vivirás | vivirías | vivas | vivieran | vive tú (no vivas) |
| **Participles:** | vive | vivía | vivió | vivirá | viviría | viva | viviera | viva Ud. |
| viviendo | vivimos | vivíamos | vivimos | viviremos | viviríamos | vivamos | viviéramos | vivamos |
| vivido | vivís | vivíais | vivisteis | viviréis | viviríais | viváis | vivierais | vivid (no viváis) |
| | viven | vivían | vivieron | vivirán | vivirían | vivan | vivieran | vivan Uds. |

## All verbs: compound tenses

| PERFECT TENSES | | | | | |
|---|---|---|---|---|---|
| INDICATIVE | | | | SUBJUNCTIVE | |
| Present Perfect | Past Perfect | Future Perfect | Conditional Perfect | Present Perfect | Past Perfect |
| he | había | habré | habría | haya | hubiera |
| has | habías | habrás | habrías | hayas | hubieras |
| ha hablado | había hablado | habrá hablado | habría hablado | haya hablado | hubiera hablado |
| hemos comido | habíamos comido | habremos comido | habríamos comido | hayamos comido | hubiéramos comido |
| habéis vivido | habíais vivido | habréis vivido | habríais vivido | hayáis vivido | hubierais vivido |
| han | habían | habrán | habrían | hayan | hubieran |

## PROGRESSIVE TENSES

| INDICATIVE | | | | SUBJUNCTIVE | |
|---|---|---|---|---|---|
| **Present Progressive** | **Past Progressive** | **Future Progressive** | **Conditional Progressive** | **Present Progressive** | **Past Progressive** |
| estoy<br>estás<br>está<br>estamos<br>estáis<br>están } hablando comiendo viviendo | estaba<br>estabas<br>estaba<br>estábamos<br>estabais<br>estaban } hablando comiendo viviendo | estaré<br>estarás<br>estará<br>estaremos<br>estaréis<br>estarán } hablando comiendo viviendo | estaría<br>estarías<br>estaría<br>estaríamos<br>estaríais<br>estarían } hablando comiendo viviendo | esté<br>estés<br>esté<br>estemos<br>estéis<br>estén } hablando comiendo viviendo | estuviera<br>estuvieras<br>estuviera<br>estuviéramos<br>estuvierais<br>estuvieran } hablando comiendo viviendo |

# Irregular verbs

| Infinitive | INDICATIVE | | | | | SUBJUNCTIVE | | IMPERATIVE |
|---|---|---|---|---|---|---|---|---|
| | **Present** | **Imperfect** | **Preterite** | **Future** | **Conditional** | **Present** | **Past** | |
| **4** caber<br><br>**Participles:**<br>cabiendo<br>cabido | **quepo**<br>cabes<br>cabe<br>cabemos<br>cabéis<br>caben | cabía<br>cabías<br>cabía<br>cabíamos<br>cabíais<br>cabían | **cupe**<br>**cupiste**<br>**cupo**<br>**cupimos**<br>**cupisteis**<br>**cupieron** | **cabré**<br>**cabrás**<br>**cabrá**<br>**cabremos**<br>**cabréis**<br>**cabrán** | **cabría**<br>**cabrías**<br>**cabría**<br>**cabríamos**<br>**cabríais**<br>**cabrían** | **quepa**<br>**quepas**<br>**quepa**<br>**quepamos**<br>**quepáis**<br>**quepan** | **cupiera**<br>**cupieras**<br>**cupiera**<br>**cupiéramos**<br>**cupierais**<br>**cupieran** | <br>cabe tú (no **quepas**)<br>**quepa** Ud.<br>**quepamos**<br>cabed (no **quepáis**)<br>**quepan** Uds. |
| **5** caer<br><br>**Participles:**<br>**cayendo**<br>**caído** | **caigo**<br>caes<br>cae<br>caemos<br>caéis<br>caen | caía<br>caías<br>caía<br>caíamos<br>caíais<br>caían | caí<br>**caíste**<br>**cayó**<br>**caímos**<br>**caísteis**<br>**cayeron** | caeré<br>caerás<br>caerá<br>caeremos<br>caeréis<br>caerán | caería<br>caerías<br>caería<br>caeríamos<br>caeríais<br>caerían | **caiga**<br>**caigas**<br>**caiga**<br>**caigamos**<br>**caigáis**<br>**caigan** | **cayera**<br>**cayeras**<br>**cayera**<br>**cayéramos**<br>**cayerais**<br>**cayeran** | <br>cae tú (no **caigas**)<br>**caiga** Ud.<br>**caigamos**<br>caed (no **caigáis**)<br>**caigan** Uds. |
| **6** conducir<br>(c:zc)<br><br>**Participles:**<br>conduciendo<br>conducido | **conduzco**<br>conduces<br>conduce<br>conducimos<br>conducís<br>conducen | conducía<br>conducías<br>conducía<br>conducíamos<br>conducíais<br>conducían | **conduje**<br>**condujiste**<br>**condujo**<br>**condujimos**<br>**condujisteis**<br>**condujeron** | conduciré<br>conducirás<br>conducirá<br>conduciremos<br>conduciréis<br>conducirán | conduciría<br>conducirías<br>conduciría<br>conduciríamos<br>conduciríais<br>conducirían | **conduzca**<br>**conduzcas**<br>**conduzca**<br>**conduz-camos**<br>**conduzcáis**<br>**conduzcan** | **condujera**<br>**condujeras**<br>**condujera**<br>**condujéra-mos**<br>**condujerais**<br>**condujeran** | <br>conduce tú (no **conduzcas**)<br>**conduzca** Ud.<br>**conduzcamos**<br>conducid (no **conduzcáis**)<br>**conduzcan** Uds. |

| | | INDICATIVE | | | | SUBJUNCTIVE | | IMPERATIVE |
|---|---|---|---|---|---|---|---|---|
| Infinitive | Present | Imperfect | Preterite | Future | Conditional | Present | Past | |
| **7** dar | **doy** | daba | **di** | daré | daría | **dé** | **diera** | |
| | das | dabas | **diste** | darás | darías | des | **dieras** | da tú (no des) |
| Participles: | da | daba | **dio** | dará | daría | **dé** | **diera** | **dé** Ud. |
| dando | damos | dábamos | **dimos** | daremos | daríamos | demos | **diéramos** | demos |
| dado | **dais** | dabais | **disteis** | daréis | daríais | **deis** | **dierais** | dad (no **deis**) |
| | dan | daban | **dieron** | darán | darían | den | **dieran** | den Uds. |
| **8** decir (e:i) | **digo** | decía | **dije** | **diré** | **diría** | **diga** | **dijera** | |
| | **dices** | decías | **dijiste** | **dirás** | **dirías** | **digas** | **dijeras** | **di** tú (no **digas**) |
| Participles: | **dice** | decía | **dijo** | **dirá** | **diría** | **diga** | **dijera** | **diga** Ud. |
| **diciendo** | decimos | decíamos | **dijimos** | **diremos** | **diríamos** | **digamos** | **dijéramos** | **digamos** |
| **dicho** | decís | decíais | **dijisteis** | **diréis** | **diríais** | **digáis** | **dijerais** | decid (no **digáis**) |
| | **dicen** | decían | **dijeron** | **dirán** | **dirían** | **digan** | **dijeran** | **digan** Uds. |
| **9** estar | **estoy** | estaba | **estuve** | estaré | estaría | **esté** | **estuviera** | |
| | **estás** | estabas | **estuviste** | estarás | estarías | **estés** | **estuvieras** | **está** tú (no **estés**) |
| Participles: | **está** | estaba | **estuvo** | estará | estaría | **esté** | **estuviera** | **esté** Ud. |
| estando | estamos | estábamos | **estuvimos** | estaremos | estaríamos | estemos | **estuviéra-** | estemos |
| estado | estáis | estabais | **estuvisteis** | estaréis | estaríais | estéis | **mos** | estad (no estéis) |
| | **están** | estaban | **estuvieron** | estarán | estarían | **estén** | **estuvierais** | **estén** Uds. |
| | | | | | | | **estuvieran** | |
| **10** haber | he | había | **hube** | habré | habría | haya | hubiera | |
| | has | habías | **hubiste** | habrás | habrías | hayas | hubieras | |
| Participles: | ha | había | **hubo** | habrá | habría | haya | hubiera | |
| habiendo | **hemos** | habíamos | **hubimos** | habremos | habríamos | hayamos | hubiéramos | |
| habido | habéis | habíais | **hubisteis** | habréis | habríais | hayáis | hubierais | |
| | **han** | habían | **hubieron** | habrán | habrían | hayan | hubieran | |
| **11** hacer | **hago** | hacía | **hice** | **haré** | **haría** | haga | hiciera | |
| | haces | hacías | **hiciste** | **harás** | **harías** | hagas | hicieras | **haz** tú (no **hagas**) |
| Participles: | hace | hacía | **hizo** | **hará** | **haría** | haga | hiciera | **haga** Ud. |
| haciendo | hacemos | hacíamos | **hicimos** | **haremos** | **haríamos** | hagamos | hiciéramos | hagamos |
| **hecho** | hacéis | hacíais | **hicisteis** | **haréis** | **haríais** | hagáis | hicierais | haced (no **hagáis**) |
| | hacen | hacían | **hicieron** | **harán** | **harían** | hagan | hicieran | **hagan** Uds. |
| **12** ir | **voy** | **iba** | **fui** | iré | iría | **vaya** | **fuera** | |
| | **vas** | **ibas** | **fuiste** | irás | irías | **vayas** | **fueras** | **ve** tú (no **vayas**) |
| Participles: | **va** | **iba** | **fue** | irá | iría | **vaya** | **fuera** | **vaya** Ud. |
| **yendo** | **vamos** | **íbamos** | **fuimos** | iremos | iríamos | **vayamos** | **fuéramos** | **vamos** (no **vayamos**) |
| **ido** | **vais** | **ibais** | **fuisteis** | iréis | iríais | **vayáis** | **fuerais** | id (no **vayáis**) |
| | **van** | **iban** | **fueron** | irán | irían | **vayan** | **fueran** | **vayan** Uds. |
| **13** oír (y) | **oigo** | oía | **oí** | oiré | oiría | **oiga** | oyera | |
| | **oyes** | oías | **oíste** | oirás | oirías | **oigas** | oyeras | **oye** tú (no **oigas**) |
| Participles: | **oye** | oía | **oyó** | oirá | oiría | **oiga** | oyera | **oiga** Ud. |
| **oyendo** | **oímos** | oíamos | **oímos** | oiremos | oiríamos | **oigamos** | oyéramos | **oigamos** |
| **oído** | oís | oíais | **oísteis** | oiréis | oiríais | **oigáis** | oyerais | oíd (no **oigáis**) |
| | **oyen** | oían | **oyeron** | oirán | oirían | **oigan** | oyeran | **oigan** Uds. |

| | | INDICATIVE | | | | SUBJUNCTIVE | | IMPERATIVE |
|---|---|---|---|---|---|---|---|---|
| Infinitive | Present | Imperfect | Preterite | Future | Conditional | Present | Past | |
| **14** poder (o:ue) | puedo | podía | pude | podré | podría | pueda | pudiera | |
| | puedes | podías | pudiste | podrás | podrías | puedas | pudieras | **puede** tú (no **puedas**) |
| Participles: | puede | podía | pudo | podrá | podría | pueda | pudiera | **pueda** Ud. |
| pudiendo | podemos | podíamos | pudimos | podremos | podríamos | podamos | pudiéramos | podamos |
| podido | podéis | podíais | pudisteis | podréis | podríais | podáis | pudierais | poded (no podáis) |
| | pueden | podían | pudieron | podrán | podrían | puedan | pudieran | **puedan** Uds. |
| **15** poner | pongo | ponía | puse | pondré | pondría | ponga | pusiera | |
| | pones | ponías | pusiste | pondrás | pondrías | pongas | pusieras | **pon** tú (no **pongas**) |
| Participles: | pone | ponía | puso | pondrá | pondría | ponga | pusiera | **ponga** Ud. |
| poniendo | ponemos | poníamos | pusimos | pondremos | pondríamos | pongamos | pusiéramos | **pongamos** |
| **puesto** | ponéis | poníais | pusisteis | pondréis | pondríais | pongáis | pusierais | poned (no **pongáis**) |
| | ponen | ponían | pusieron | pondrán | pondrían | pongan | pusieran | **pongan** Uds. |
| **16** querer (e:ie) | quiero | quería | quise | querré | querría | quiera | quisiera | |
| | quieres | querías | quisiste | querrás | querrías | quieras | quisieras | **quiere** tú (no **quieras**) |
| Participles: | quiere | quería | quiso | querrá | querría | quiera | quisiera | **quiera** Ud. |
| queriendo | queremos | queríamos | quisimos | querremos | querríamos | queramos | quisiéramos | queramos |
| querido | queréis | queríais | quisisteis | querréis | querríais | queráis | quisierais | quered (no queráis) |
| | quieren | querían | quisieron | querrán | querrían | quieran | quisieran | **quieran** Uds. |
| **17** saber | sé | sabía | supe | sabré | sabría | sepa | supiera | |
| | sabes | sabías | supiste | sabrás | sabrías | sepas | supieras | sabe tú (no **sepas**) |
| Participles: | sabe | sabía | supo | sabrá | sabría | sepa | supiera | **sepa** Ud. |
| sabiendo | sabemos | sabíamos | supimos | sabremos | sabríamos | sepamos | supiéramos | **sepamos** |
| sabido | sabéis | sabíais | supisteis | sabréis | sabríais | sepáis | supierais | sabed (no **sepáis**) |
| | saben | sabían | supieron | sabrán | sabrían | sepan | supieran | **sepan** Uds. |
| **18** salir | salgo | salía | salí | saldré | saldría | salga | saliera | |
| | sales | salías | saliste | saldrás | saldrías | salgas | salieras | **sal** tú (no **salgas**) |
| Participles: | sale | salía | salió | saldrá | saldría | salga | saliera | **salga** Ud. |
| saliendo | salimos | salíamos | salimos | saldremos | saldríamos | salgamos | saliéramos | **salgamos** |
| salido | salís | salíais | salisteis | saldréis | saldríais | salgáis | salierais | salid (no **salgáis**) |
| | salen | salían | salieron | saldrán | saldrían | salgan | salieran | **salgan** Uds. |
| **19** ser | soy | era | fui | seré | sería | sea | fuera | |
| | eres | eras | fuiste | serás | serías | seas | fueras | **sé** tú (no **seas**) |
| Participles: | es | era | fue | será | sería | sea | fuera | sea Ud. |
| siendo | somos | éramos | fuimos | seremos | seríamos | seamos | fuéramos | seamos |
| sido | sois | erais | fuisteis | seréis | seríais | seáis | fuerais | sed (no **seáis**) |
| | son | eran | fueron | serán | serían | sean | fueran | sean Uds. |
| **20** tener (e:ie) | tengo | tenía | tuve | tendré | tendría | tenga | tuviera | |
| | tienes | tenías | tuviste | tendrás | tendrías | tengas | tuvieras | **ten** tú (no **tengas**) |
| Participles: | tiene | tenía | tuvo | tendrá | tendría | tenga | tuviera | **tenga** Ud. |
| teniendo | tenemos | teníamos | tuvimos | tendremos | tendríamos | tengamos | tuviéramos | **tengamos** |
| tenido | tenéis | teníais | tuvisteis | tendréis | tendríais | tengáis | tuvierais | tened (no **tengáis**) |
| | tienen | tenían | tuvieron | tendrán | tendrían | tengan | tuvieran | **tengan** Uds. |

| | INDICATIVE | | | | | SUBJUNCTIVE | | IMPERATIVE |
|---|---|---|---|---|---|---|---|---|
| Infinitive | Present | Imperfect | Preterite | Future | Conditional | Present | Past | |
| **21** traer | **traigo** | traía | **traje** | traeré | traería | **traiga** | **trajera** | |
| | traes | traías | **trajiste** | traerás | traerías | **traigas** | **trajeras** | trae tú (no **traigas**) |
| Participles: | trae | traía | **trajo** | traerá | traería | **traiga** | **trajera** | **traiga** Ud. |
| **trayendo** | traemos | traíamos | **trajimos** | traeremos | traeríamos | **traigamos** | **trajéramos** | **traigamos** |
| **traído** | traéis | traíais | **trajisteis** | traeréis | traeríais | **traigáis** | **trajerais** | traed (no **traigáis**) |
| | traen | traían | **trajeron** | traerán | traerían | **traigan** | **trajeran** | traigan Uds. |
| **22** venir (e:ie) | **vengo** | venía | **vine** | **vendré** | **vendría** | **venga** | **viniera** | |
| | **vienes** | venías | **viniste** | **vendrás** | **vendrías** | **vengas** | **vinieras** | **ven** tú (no **vengas**) |
| Participles: | **viene** | venía | **vino** | **vendrá** | **vendría** | **venga** | **viniera** | **venga** Ud. |
| **viniendo** | venimos | veníamos | **vinimos** | **vendremos** | **vendríamos** | **vengamos** | **viniéramos** | **vengamos** |
| venido | venís | veníais | **vinisteis** | **vendréis** | **vendríais** | **vengáis** | **vinierais** | venid (no **vengáis**) |
| | **vienen** | venían | **vinieron** | **vendrán** | **vendrían** | **vengan** | **vinieran** | **vengan** Uds. |
| **23** ver | **veo** | **veía** | **vi** | veré | vería | **vea** | viera | |
| | ves | **veías** | viste | verás | verías | **veas** | vieras | ve tú (no **veas**) |
| Participles: | ve | **veía** | **vio** | verá | vería | **vea** | viera | **vea** Ud. |
| viendo | vemos | **veíamos** | vimos | veremos | veríamos | **veamos** | viéramos | **veamos** |
| **visto** | **veis** | **veíais** | visteis | veréis | veríais | **veáis** | vierais | ved (no **veáis**) |
| | ven | **veían** | vieron | verán | verían | **vean** | vieran | **vean** Uds. |

# Stem-changing verbs

| | INDICATIVE | | | | | SUBJUNCTIVE | | IMPERATIVE |
|---|---|---|---|---|---|---|---|---|
| Infinitive | Present | Imperfect | Preterite | Future | Conditional | Present | Past | |
| **24** contar (o:ue) | **cuento** | contaba | conté | contaré | contaría | **cuente** | contara | |
| | **cuentas** | contabas | contaste | contarás | contarías | **cuentes** | contaras | **cuenta** tú (no **cuentes**) |
| Participles: | **cuenta** | contaba | contó | contará | contaría | **cuente** | contara | **cuente** Ud. |
| contando | contamos | contábamos | contamos | contaremos | contaríamos | contemos | contáramos | contemos |
| contado | contáis | contabais | contasteis | contaréis | contaríais | contéis | contarais | contad (no contéis) |
| | **cuentan** | contaban | contaron | contarán | contarían | **cuenten** | contaran | **cuenten** Uds. |
| **25** dormir (o:ue) | **duermo** | dormía | dormí | dormiré | dormiría | **duerma** | **durmiera** | |
| | **duermes** | dormías | dormiste | dormirás | dormirías | **duermas** | **durmieras** | **duerme** tú (no **duermas**) |
| Participles: | **duerme** | dormía | **durmió** | dormirá | dormiría | **duerma** | **durmiera** | **duerma** Ud. |
| **durmiendo** | dormimos | dormíamos | dormimos | dormiremos | dormiríamos | **durmamos** | **durmiéramos** | **durmamos** |
| dormido | dormís | dormíais | dormisteis | dormiréis | dormiríais | **durmáis** | | dormid (no **durmáis**) |
| | **duermen** | dormían | **durmieron** | dormirán | dormirían | **duerman** | **durmierais** **durmieran** | **duerman** Uds. |
| **26** empezar (e:ie) (z:c) | **empiezo** | empezaba | **empecé** | empezaré | empezaría | **empiece** | empezara | |
| | **empiezas** | empezabas | empezaste | empezarás | empezarías | **empieces** | empezaras | **empieza** tú (no **em-pieces**) |
| | **empieza** | empezaba | empezó | empezará | empezaría | **empiece** | empezara | |
| Participles: | empezamos | empezábamos | empezamos | empezaremos | empezaríamos | **empecemos** | empezáramos | **empiece** Ud. |
| empezando | empezáis | empezabais | empezasteis | empezaréis | empezaríais | **empecéis** | empezarais | **empecemos** |
| empezado | **empiezan** | empezaban | empezarán | empezarán | empezarían | **empiecen** | empezaran | empezad (no **empecéis**) **empiecen** Uds. |

| | INDICATIVE | | | | | SUBJUNCTIVE | | IMPERATIVE |
|---|---|---|---|---|---|---|---|---|
| Infinitive | Present | Imperfect | Preterite | Future | Conditional | Present | Past | |
| **27** entender | **entiendo** | entendía | entendí | entenderé | entendería | **entienda** | entendiera | |
| (e:ie) | **entiendes** | entendías | entendiste | entenderás | entenderías | **entiendas** | entendieras | **entiende** tú (no **entiendas**) |
| | **entiende** | entendía | entendió | entenderá | entendería | **entienda** | entendiera | **entienda** Ud. |
| Participles: | entendemos | entendíamos | entendimos | entenderemos | entenderíamos | entendamos | entendiéramos | entendamos |
| entendiendo | entendéis | entendíais | entendisteis | entenderéis | entenderíais | entendáis | entendierais | entended (no entendáis) |
| entendido | **entienden** | entendían | entendieron | entenderán | entenderían | **entiendan** | entendieran | **entiendan** Uds. |
| **28** jugar (u:ue) | **juego** | jugaba | **jugué** | jugaré | jugaría | **juegue** | jugara | |
| (g:gu) | **juegas** | jugabas | jugaste | jugarás | jugarías | **juegues** | jugaras | **juega** tú (no **juegues**) |
| | **juega** | jugaba | jugó | jugará | jugaría | **juegue** | jugara | **juegue** Ud. |
| Participles: | jugamos | jugábamos | jugamos | jugaremos | jugaríamos | **juguemos** | jugáramos | **juguemos** |
| jugando | jugáis | jugabais | jugasteis | jugaréis | jugaríais | **juguéis** | jugarais | jugad (no **juguéis**) |
| jugado | **juegan** | jugaban | jugaron | jugarán | jugarían | **jueguen** | jugaran | **jueguen** Uds. |
| **29** pedir (e:i) | **pido** | pedía | pedí | pediré | pediría | **pida** | pidiera | |
| | **pides** | pedías | pediste | pedirás | pedirías | **pidas** | pidieras | **pide** tú (no **pidas**) |
| Participles: | **pide** | pedía | **pidió** | pedirá | pediría | **pida** | pidiera | **pida** Ud. |
| pidiendo | pedimos | pedíamos | pedimos | pediremos | pediríamos | **pidamos** | **pidiéramos** | **pidamos** |
| pedido | pedís | pedíais | pedisteis | pediréis | pediríais | **pidáis** | pidierais | pedid (no **pidáis**) |
| | **piden** | pedían | **pidieron** | pedirán | pedirían | **pidan** | pidieran | **pidan** Uds. |
| **30** pensar (e:ie) | **pienso** | pensaba | pensé | pensaré | pensaría | **piense** | pensara | |
| | **piensas** | pensabas | pensaste | pensarás | pensarías | **pienses** | pensaras | **piensa** tú (no **pienses**) |
| Participles: | **piensa** | pensaba | pensó | pensará | pensaría | **piense** | pensara | **piense** Ud. |
| pensando | pensamos | pensábamos | pensamos | pensaremos | pensaríamos | pensemos | pensáramos | pensemos |
| pensado | pensáis | pensabais | pensasteis | pensaréis | pensaríais | penséis | pensarais | pensad (no penséis) |
| | **piensan** | pensaban | pensaron | pensarán | pensarían | **piensen** | pensaran | **piensen** Uds. |
| **31** reír (e:i) | **río** | reía | reí | reiré | reiría | **ría** | riera | |
| | **ríes** | reías | **reíste** | reirás | reirías | **rías** | rieras | **ríe** tú (no **rías**) |
| Participles: | **ríe** | reía | **rio** | reirá | reiría | **ría** | riera | **ría** Ud. |
| riendo | **reímos** | reíamos | **reímos** | reiremos | reiríamos | riamos | riéramos | riamos |
| reído | reís | reíais | **reísteis** | reiréis | reiríais | riáis | rierais | reíd (no riáis) |
| | **ríen** | reían | **rieron** | reirán | reirían | **rían** | rieran | **rían** Uds. |
| **32** seguir (e:i) | **sigo** | seguía | seguí | seguiré | seguiría | **siga** | siguiera | |
| (gu:g) | **sigues** | seguías | seguiste | seguirás | seguirías | **sigas** | siguieras | **sigue** tú (no **sigas**) |
| | **sigue** | seguía | **siguió** | seguirá | seguiría | **siga** | siguiera | **siga** Ud. |
| Participles: | seguimos | seguíamos | seguimos | seguiremos | seguiríamos | **sigamos** | siguiéramos | **sigamos** |
| **siguiendo** | seguís | seguíais | seguisteis | seguiréis | seguiríais | **sigáis** | siguierais | seguid (no **sigáis**) |
| seguido | **siguen** | seguían | **siguieron** | seguirán | seguirían | **sigan** | siguieran | **sigan** Uds. |
| **33** sentir (e:ie) | **siento** | sentía | sentí | sentiré | sentiría | **sienta** | sintiera | |
| | **sientes** | sentías | sentiste | sentirás | sentirías | **sientas** | sintieras | **siente** tú (no **sientas**) |
| Participles: | **siente** | sentía | **sintió** | sentirá | sentiría | **sienta** | sintiera | **sienta** Ud. |
| **sintiendo** | sentimos | sentíamos | sentimos | sentiremos | sentiríamos | **sintamos** | sintiéramos | **sintamos** |
| sentido | sentís | sentíais | sentisteis | sentiréis | sentiríais | **sintáis** | sintierais | sentid (no **sintáis**) |
| | **sienten** | sentían | **sintieron** | sentirán | sentirían | **sientan** | sintieran | **sientan** Uds. |

| Infinitive | INDICATIVE | | | | | SUBJUNCTIVE | | IMPERATIVE |
| --- | --- | --- | --- | --- | --- | --- | --- | --- |
| | Present | Imperfect | Preterite | Future | Conditional | Present | Past | |
| **34** volver (o:ue) | **vuelvo** | volvía | volví | volveré | volvería | **vuelva** | volviera | |
| | **vuelves** | volvías | volviste | volverás | volverías | **vuelvas** | volvieras | **vuelve** tú (no **vuelvas**) |
| Participles: | **vuelve** | volvía | volvió | volverá | volvería | **vuelva** | volviera | **vuelva** Ud. |
| volviendo | volvemos | volvíamos | volvimos | volveremos | volveríamos | volvamos | volviéramos | volvamos |
| **vuelto** | volvéis | volvíais | volvisteis | volveréis | volveríais | volváis | volvierais | volved (no volváis) |
| | **vuelven** | volvían | volvieron | volverán | volverían | **vuelvan** | volvieran | **vuelvan** Uds. |

# Verbs with spelling changes only

| Infinitive | INDICATIVE | | | | | SUBJUNCTIVE | | IMPERATIVE |
| --- | --- | --- | --- | --- | --- | --- | --- | --- |
| | Present | Imperfect | Preterite | Future | Conditional | Present | Past | |
| **35** conocer | **conozco** | conocía | conocí | conoceré | conocería | **conozca** | conociera | |
| (c:zc) | conoces | conocías | conociste | conocerás | conocerías | **conozcas** | conocieras | conoce tú (no **conozcas**) |
| | conoce | conocía | conoció | conocerá | conocería | **conozca** | conociera | **conozca** Ud. |
| Participles: | conocemos | conocíamos | conocimos | conoceremos | conoceríamos | **conozcamos** | conociéramos | **conozcamos** |
| conociendo | conocéis | conocíais | conocisteis | conoceréis | conoceríais | **conozcáis** | conocierais | conoced (no **conozcáis**) |
| conocido | conocen | conocían | conocieron | conocerán | conocerían | **conozcan** | conocieran | **conozcan** Uds. |
| **36** creer (y) | creo | creía | creí | creeré | creería | crea | **creyera** | |
| | crees | creías | **creíste** | creerás | creerías | creas | **creyeras** | cree tú (no creas) |
| Participles: | cree | creía | **creyó** | creerá | creería | crea | **creyera** | crea Ud. |
| **creyendo** | creemos | creíamos | **creímos** | creeremos | creeríamos | creamos | **creyéramos** | creamos |
| **creído** | creéis | creíais | **creísteis** | creeréis | creeríais | creáis | **creyerais** | creed (no creáis) |
| | creen | creían | **creyeron** | creerán | creerían | crean | **creyeran** | crean Uds. |
| **37** cruzar (z:c) | cruzo | cruzaba | **crucé** | cruzaré | cruzaría | **cruce** | cruzara | |
| | cruzas | cruzabas | cruzaste | cruzarás | cruzarías | **cruces** | cruzaras | cruza tú (no **cruces**) |
| Participles: | cruza | cruzaba | cruzó | cruzará | cruzaría | **cruce** | cruzara | **cruce** Ud. |
| cruzando | cruzamos | cruzábamos | cruzamos | cruzaremos | cruzaríamos | **crucemos** | cruzáramos | **crucemos** |
| cruzado | cruzáis | cruzabais | cruzasteis | cruzaréis | cruzaríais | **crucéis** | cruzarais | cruzad (no **crucéis**) |
| | cruzan | cruzaban | cruzaron | cruzarán | cruzarían | **crucen** | cruzaran | **crucen** Uds. |
| **38** destruir (y) | **destruyo** | destruía | destruí | destruiré | destruiría | **destruya** | **destruyera** | |
| | **destruyes** | destruías | destruiste | destruirás | destruirías | **destruyas** | **destruyeras** | **destruye** tú (no |
| Participles: | **destruye** | destruía | **destruyó** | destruirá | destruiría | **destruya** | **destruyera** | destruyas) |
| **destruyendo** | destruimos | destruíamos | destruimos | destruiremos | destruiríamos | **destruyamos** | **destruyéra-** | **destruya** Ud. |
| destruido | destruís | destruíais | destruisteis | destruiréis | destruiríais | **destruyáis** | mos | **destruyamos** |
| | **destruyen** | destruían | **destruyeron** | destruirán | destruirían | **destruyan** | **destruyerais** | destruid (no **destruyáis**) |
| | | | | | | | **destruyeran** | **destruyan** Uds. |
| **39** enviar | **envío** | enviaba | envié | enviaré | enviaría | **envíe** | enviara | |
| | **envías** | enviabas | enviaste | enviarás | enviarías | **envíes** | enviaras | **envía** tú (no **envíes**) |
| | **envía** | enviaba | envió | enviará | enviaría | **envíe** | enviara | **envíe** Ud. |
| Participles: | enviamos | enviábamos | enviamos | enviaremos | enviaríamos | enviemos | enviáramos | enviemos |
| enviando | enviáis | enviabais | enviasteis | enviaréis | enviaríais | enviéis | enviarais | enviad (no enviéis) |
| enviado | **envían** | enviaban | enviaron | enviarán | enviarían | **envíen** | enviaran | **envíen** Uds. |

| | INDICATIVE | | | | | SUBJUNCTIVE | | IMPERATIVE |
|---|---|---|---|---|---|---|---|---|
| Infinitive | Present | Imperfect | Preterite | Future | Conditional | Present | Past | |
| **40** graduar | **gradúo** | graduaba | gradué | graduaré | graduaría | **gradúe** | graduara | |
| | **gradúas** | graduabas | graduaste | graduarás | graduarías | **gradúes** | graduaras | **gradúa** tú (no **gradúes**) |
| | **gradúa** | graduaba | graduó | graduará | graduaría | **gradúe** | graduara | **gradúe** Ud. |
| Participles: | graduamos | graduábamos | graduamos | graduaremos | graduaríamos | graduemos | graduáramos | graduemos |
| graduando | graduáis | graduabais | graduasteis | graduaréis | graduaríais | graduéis | graduarais | graduad (no graduéis) |
| graduado | **gradúan** | graduaban | graduaron | graduarán | graduarían | **gradúen** | graduaran | **gradúen** Uds. |
| **41** llegar (g:gu) | llego | llegaba | **llegué** | llegaré | llegaría | **llegue** | llegara | |
| | llegas | llegabas | llegaste | llegarás | llegarías | **llegues** | llegaras | llega tú (no **llegues**) |
| Participles: | llega | llegaba | llegó | llegará | llegaría | **llegue** | llegara | **llegue** Ud. |
| llegando | llegamos | llegábamos | llegamos | llegaremos | llegaríamos | **lleguemos** | llegáramos | **lleguemos** |
| llegado | llegáis | llegabais | llegasteis | llegaréis | llegaríais | **lleguéis** | llegarais | llegad (no **lleguéis**) |
| | llegan | llegaban | llegaron | llegarán | llegarían | **lleguen** | llegaran | **lleguen** Uds. |
| **42** proteger (g:j) | **protejo** | protegía | protegí | protegeré | protegería | **proteja** | protegiera | |
| | proteges | protegías | protegiste | protegerás | protegerías | **protejas** | protegieras | protege tú (no **protejas**) |
| Participles: | protege | protegía | protegió | protegerá | protegería | **proteja** | protegiera | **proteja** Ud. |
| protegiendo | protegemos | protegíamos | protegimos | protegeremos | protegeríamos | **protejamos** | protegiéramos | **protejamos** |
| protegido | protegéis | protegíais | protegisteis | protegeréis | protegeríais | **protejáis** | protegierais | proteged (no **protejáis**) |
| | protegen | protegían | protegieron | protegerán | protegerían | **protejan** | protegieran | **protejan** Uds. |
| **43** tocar (c:qu) | toco | tocaba | **toqué** | tocaré | tocaría | **toque** | tocara | |
| | tocas | tocabas | tocaste | tocarás | tocarías | **toques** | tocaras | toca tú (no **toques**) |
| Participles: | toca | tocaba | tocó | tocará | tocaría | **toque** | tocara | **toque** Ud. |
| tocando | tocamos | tocábamos | tocamos | tocaremos | tocaríamos | **toquemos** | tocáramos | **toquemos** |
| tocado | tocáis | tocabais | tocasteis | tocaréis | tocaríais | **toquéis** | tocarais | tocad (no **toquéis**) |
| | tocan | tocaban | tocaron | tocarán | tocarían | **toquen** | tocaran | **toquen** Uds. |
| **44** vencer (c:z) | **venzo** | vencía | vencí | venceré | vencería | **venza** | venciera | |
| | vences | vencías | venciste | vencerás | vencerías | **venzas** | vencieras | vence tú (no **venzas**) |
| Participles: | vence | vencía | venció | vencerá | vencería | **venza** | venciera | **venza** Ud. |
| venciendo | vencemos | vencíamos | vencimos | venceremos | venceríamos | **venzamos** | venciéramos | **venzamos** |
| vencido | vencéis | vencíais | vencisteis | venceréis | venceríais | **venzáis** | vencierais | venced (no **venzáis**) |
| | vencen | vencían | vencieron | vencerán | vencerían | **venzan** | vencieran | **venzan** Uds. |
| **45** esparcir (c:z) | **esparzo** | esparcía | esparcí | esparciré | esparciría | **esparza** | esparciera | |
| | esparces | esparcías | esparciste | esparcirás | esparcirías | **esparzas** | esparcieras | esparce tú (no **esparzas**) |
| Participles: | esparce | esparcía | esparció | esparcirá | esparciría | **esparza** | esparciera | **esparza** Ud. |
| esparciendo | esparcimos | esparcíamos | esparcimos | esparciremos | esparciríamos | **esparzamos** | esparciéramos | **esparzamos** |
| esparcido | esparcís | esparcíais | esparcisteis | esparciréis | esparciríais | **esparzáis** | esparcierais | esparcid (no **esparzáis**) |
| | esparcen | esparcían | esparcieron | esparcirán | esparcirían | **esparzan** | esparcieran | **esparzan** Uds. |
| **46** extinguir (gu:g) | **extingo** | extinguía | extinguí | extinguiré | extinguiría | **extinga** | extinguiera | |
| | extingues | extinguías | extinguiste | extinguirás | extinguirías | **extingas** | extinguieras | extingue tú (no **extingas**) |
| | extingue | extinguía | extinguió | extinguirá | extinguiría | **extinga** | extinguiera | **extinga** Ud. |
| Participles: | extinguimos | extinguíamos | extinguió | extinguiremos | extinguiríamos | **extingamos** | extinguiéramos | **extingamos** |
| extinguiendo | extinguís | extinguíais | extinguisteis | extinguiréis | extinguiríais | **extingáis** | extinguierais | extinguid (no **extingáis**) |
| extinguido | extinguen | extinguían | extinguieron | extinguirán | extinguirían | **extingan** | extinguieran | **extingan** Uds. |

# Reflexive verbs: simple tenses

- In all simple indicative and subjunctive tenses, the reflexive pronoun is placed before the verb. In the imperative, there flexive pronoun is attached to the verb in affirmative commands, but precedes the verb in negative commands.

| Infinitive | SIMPLE INDICATIVE TENSES | SIMPLE SUBJUNCTIVE TENSES | IMPERATIVE |
|---|---|---|---|
| casarse | me caso | me case | |
| | te casas | te cases | cásate tú (no te cases) |
| | se casa | se case | cásese Ud. (no se case) |
| | nos casamos | nos casemos | casémonos (no nos casemos) |
| | os casáis | os caséis | casaos (no os caséis) |
| | se casan | se casen | cásense Uds. (no se casen) |

# Reflexive verbs: compound tenses

- In all compound tenses, the reflexive pronoun is placed before the verb.

| Infinitive | COMPOUND INDICATIVE TENSES | COMPOUND SUBJUNCTIVE TENSES |
|---|---|---|
| casarse | me he casado | me haya casado |
| | te has casado | te hayas casado |
| | se ha casado | se haya casado |
| | nos hemos casado | nos hayamos casado |
| | os habéis casado | os hayáis casado |
| | se han casado | se hayan casado |

# VOCABULARY

This glossary contains the words and expressions listed on the **Vocabulario** page found at the end of each lesson in **PERSPECTIVAS**, as well as other useful vocabulary. A numeral following an entry indicates the lesson where the word or expression was introduced.

## Note on alphabetization

For purposes of alphabetization, **ch** and **ll** are not treated as separate letters, but **ñ** follows **n**.

## Abbreviations used in this glossary

| | | | | |
|---|---|---|---|---|
| **adj.** | adjective | **pl.** | plural |
| **adv.** | adverb | **p.p.** | past participle |
| **f.** | feminine | **prep.** | preposition |
| **m.** | masculine | **phr.** | phrase |
| **pej.** | pejorative | **v.** | verb |

## Español-Inglés

### A

**abarrotar** *v.* to fill up 6
**abogado/a** *m., f.* lawyer 6
**abordar** *v.* to address 10
**abrir** *v.* to open
  **abrir camino** to pave the way 10
**abstracto/a** *adj.* abstract 7
**abordaje** *m.* approach 8
**aburrirse** *v.* to get bored 3
**abuso** *m.* abuse
  **abuso de poder** abuse of power 6
**acampar** *v.* to camp 9
**acero** *m.* steel 7
**acompañamiento** *m.* side dish 2
**acontecimiento** *m.* event 7
**acrobacia** *f.* acrobatics 8
**activista** *m., f.* activist 6
**actuación** *m.* performance 8
**actuar** *v.* to act, to perform 8
**acuarela** *f.* watercolor 7
**adivinar** *v.* to guess 3
**admirador(a)** *m., f.* fan 8
**adorar** *v.* to worship 9
**adorno** *m.* ornament 1
**afán** *m.* ambition 8
**afición** *f.* hobby 3
**aficionado/a** *m., f.* enthusiast 8
**afligido/a** *adj.* grief-stricken 1
**agente** *m., f.* agent
  **agente literario/a** literary agent 10
**agnóstico/a** *adj.* agnostic 9
**agotado/a** *adj.* sold out 3
**agradable** *adj.* nice 3

**agradecer** *v.* to show gratitude 9
**agrio/a** *adj.* sour 2
**aguacate** *m.* avocado 2
**aguantar** *v.* to put up with 1
**ahorrar** *v.* to save (money) 5
**aislamiento** *m.* isolation 9
**ajedrez** *m.* chess 3
**ajustarse** *v.* to accomodate 5
**al** *(contraction of* **a** + **el**)
  **al aire libre** outdoors 3
  **al extranjero** abroad 4
  **al vapor** steamed 2
**alabanza** *f.* praise 9
**alabar** *v.* to praise 9
**albergar** *v.* to house 7
**albóndiga** *f.* meatball 2
**alcalde/alcaldesa** *m., f.* mayor 6
**alejado/a** *adj.* far away 4
**alérgico/a (a)** *adj.* allergic (to) 2
**alma** *f.* soul 1
**almeja** *f.* clam 2
**alojamiento** *m.* housing 5
**altar** *m.* altar 1
**alumbrar** *v.* to light, to illuminate 1
**alumnado** *m.* student body 5
**amanecer** *v.* sunrise 9
**amansar** *v.* to tame 9
**amasar** *v.* to knead 2
**ambiente** *m.* atmosphere 1
**ambulante** *adj.* traveling 3
**amenaza** *f.* threat 10
**amenazar** *v.* to threaten 6
**amigo/a** *m., f.* friend
  **amigo/a íntimo/a** close friend 4
**amigote/a** *m., f., pej.* buddy 4
**amistad** *f.* friendship 4

**ancestral** *adj.* ancestral 1
**anda** *f.* processional float 1
**andino/a** *adj.* Andean 9
**anglohablante** *adj.* English-speaking 10
**anguila** *f.* eel 2
**anillo** *m.* ring 4
**ánimo** *m.* mood
  **sin ánimo de lucro** nonprofit 6
**aniversario** *m.* anniversary 1
**antepasado/a** *m., f.* ancestor 1
**antifaz** *m.* eye mask 8
**añoranza** *f.* longing 4
**apagado/a** *adj.* turned off 1
**apenas** *adv.* barely 4
**aperitivo** *m.* appetizer 2
**apodo** *m.* nickname 4
**apoyar** *v.* to support 4
**apoyo** *m.* support 6
**aprendizaje** *m.* learning 5
**aprobar** *v.* to pass 5
**aprovechar** *v.* to take advantage of 3
**apuntarse** *v.* to sign up 3
**arcilla** *f.* clay 7
**argumentar** *v.* to argue 10
**argumento** *m.* plot 10
**arquitecto/a** *m., f.* architect 7
**arquitectónico/a** *adj.* architectural 7
**arreglo** *m.* arrangement
  **arreglo floral** flower arrangement 1
**arriesgarse** *v.* to take a risk 3
**arte** *m.* art
  **arte callejero** street art 7
  **artes circenses** circus arts 8
**artesanías** *pl.* crafts 1
**artesano/a** *m., f.* artisan 1
**ascenso** *m.* promotion 5

**aseguradora** *f.* insurance company 6
**asequible** *adj.* affordable 2
**asfixiar** *v.* to suffocate 10
**asignatura** *f.* subject 5
**asimilarse** *v.* to assimilate 6
**asistencia** *f.* attendance 8
**asistir** *v.* to attend 8
**asombrar** *v.* to amaze 7
**asunto** *m.* affair
  **asuntos internacionales** international affairs 6
**atardecer** *m.* sunset 9
**atascar** *v.* to hold back 8
**ataúd** *m.* coffin 1
**atención** *f.* service 2
**atender** *v.* to see (a patient) 6
**atentado** *m.* attack 4
**ateo/a** *adj.* atheist 9
**atreverse** *v.* to dare 5
**atrevido/a** *adj.* bold, daring 8
**atuendo** *m.* attire 1
**audición** *f.* hearing, audition 5, 8
**audífono** *m.* hearing aid 5
**auge** *m.* boom 10
**aula** *m.* classroom 5
**aumentar** *v.* to increase 4
**ausentarse** *v.* to be absent 5
**autobiografía** *f.* autobiography 10
**autogestión** *f.* self-management 6
**autoridades** *pl.* authorities 10
**autorretrato** *m.* self-portrait 7
**ayuntamiento** *m.* city hall 6
**azar** *m.* fate 3
**azulejo** *m.* tile 7

### B

**bachillerato** *m.* high school (studies) 5
**bailarín/bailarina** *m., f.* dancer 8
**baile** *m.* dance
  **baile de salón** ballroom dance 3
**banda** *f.* band
  **banda de música** marching band 1
**bandera** *f.* flag 6
**baraja** *f.* deck of cards 3
**barrera** *f.* barrier
  **barrera lingüística** language barrier 4
**beca** *f.* scholarship 5
**bélico/a** *adj.* warlike 6
**bellas artes** *pl.* fine arts 7
**bendecir** *v.* to bless 9
**bibliotecario/a** *m., f.* librarian 10
**bicho** *m.* bug 2
**bienal** *adj.* biennial 8
**bienestar** *m.* welfare

**bienestar social** social welfare 6
**bilingüe** *adj.* bilingual 10
**biografía** *f.* biography 10
**bisnieto/a** *m., f.* great-grandchild 4
**blanco** *m.* target 3
**bocadillo** *m.* sandwich 2
**bocado** *m.* bite 2
**boceto** *m.* sketch 7
**boda** *f.* wedding 4
**bodegón** *m.* still life 7
**bol** *m.* bowl 2
**boleto** *m.* ticket 3
**bombardeo** *m.* bombing 7
**bombilla** *f.* light bulb 7
**bondad** *f.* goodness 9
**borrador** *m.* draft 10
**bóveda** *f.* vault, dome 7
**brecha** *f.* gap 5
**brillar** *v.* to shine 7
**brújula** *f.* compass 8
**budista** *adj.* Buddhist 9
**burguesía** *f.* middle-class 7
**burlarse de** *v.* to mock 1
**búsqueda** *f.* search 4

### C

**caballete** *m.* easel 7
**cacahuate** *m.* peanut 2
**calamar** *m.* squid 2
**calavera** *f.* skull 1
**calcio** *m.* calcium 2
**caldo** *m.* broth 2
**calidad** *f.* quality
  **calidad de vida** quality of life 4
**camarín** *m.* dressing room 8
**camarón** *m.* shrimp 2
**caminata** *f.* hike 9
**camiseta** *f.* T-shirt 4
**campaña** *f.*
  **campaña electoral** election campaign 6
**campeonato** *m.* championship 3
**campesino/a** *m., f.* country person 5
**candidato/a** *m., f.* candidate 5
**candil** *m.* oil lamp 1
**cantante** *m., f.* singer 3
**cantautor(a)** *m., f.* singer-songwriter 3
**caos** *m.* chaos 7
**capilla** *f.* chapel 9
**carcajada** *f.* guffaw 4
**carencia** *f.* lack 8
**carga** *f.* burden 5
**cargado/a** *adj.* loaded 9
**cargamento** *m.* load 7
**cargar** *v.* to carry 1

**cariño** *m.* affection 4
**carrera** *f.* major, career 5
**carretera** *f.* highway 4
**carroza** *f.* float 8
**carta** *f.* menu 2
  **carta de presentación** cover letter 5
**cartas** *pl.* cards 3
**casarse** *v.* to get married 4
**castigo** *m.* punishment 5
**casualidad** *f.* chance 9
**catedral** *f.* cathedral 9
**católico/a** *adj.* Catholic 9
**censura** *f.* censorship 8
**cercano/a** *adj.* close 4
**ceremonia** *f.* ceremony 1
**cerrojo** *m.* lock 3
**ceviche** *m.* raw (shell) fish cured with lime 2
**chapulín** *m.* grasshopper 2
**chisme** *m.* gossip 8
**choque** *m.*
  **choque cultural** culture shock 4
**cifra** *f.* number, figure 8
**cima** *f.* peak 9
**cincel** *m.* chisel 7
**circo** *m.* circus 3
**cirugía** *f.* surgery 6
**ciudadanía** *f.* citizenship 10
**clase** *f.* class
  **clase presencial** face-to-face class 5
**clavar** *v.* to stab 8
**cobrar** *v.* to be paid 5
**cocer** *v.* to boil, to cook 2
**cocido/a** *adj.* cooked 2
**cocina** *f.* kitchen, cuisine
  **alta cocina** haute cuisine 2
**cocinero/a** *m., f.* cook 2
**coctel (de mariscos)** *m.* (seafood) cocktail 2
**cofre** *m.* chest 3
**colegio** *m.* school 4
**colmillo** *m.* fang 9
**colorido/a** *adj.* colorful 8
**comarca** *f.* region 6
**combatir** *v.* to fight 7
**comensal** *m., f.* dinner 2
**comerciante** *m., f.* business owner 3
**comestible** *adj.* edible 9
**comida** *f.*
  **comida callejera** street food 2
  **comida para llevar** takeout food 2
**comisariar** *v.* to curate 7
**comisario/a** *m., f.* curator 7
**compaginar** *v.* to combine 5
**compañerismo** *m.* fellowship 8
**compañero/a** *m., f.* partner
  **compañero/a de trabajo** coworker 5

**comparsa** *f.* troupe 1
**compartir** *v.* to share 4
**compás** *m.* beat 8
**compatible** *adj.* compatible 4
**compositor(a)** *m., f.* composer 3
**comprensión** *f.* understanding
  **comprensión lectora** reading skills 10
  **comprensión oral** listening skills 10
**compromiso** *m.* engagement, commitment 4, 6
**concienciar (sobre)** *v.* to raise awareness (of) 7
**concierto** *m.* concert 3
**conciliar** *v.* to reconcile 5
**concurso** *m.* contest 1
**confianza** *f.* trust 4
**confiarse** *v.* to be overconfident 10
**conmemorar** *v.* to commemorate 1
**conmovedor(a)** *adj.* moving 8
**conocer** *v.*
  **conocerse en persona** to meet in person 4
**contar con** *v.* to count on 4
**contemporáneo/a** *adj.* contemporary 7
**contratar** *v.* to hire 5
**convención** *f.* convention 1
**convocar** *v.* to summon 6
**cordillera** *f.* mountain range 9
**coreografía** *f.* choreography 8
**corrector(a)** *m., f.* proofreader 10
**corriente** *f.* movement
  **corriente pictórica** pictorial movement 7
**cortometraje** *m.* short film 7
**cosecha** *f.* harvest 9
**costoso/a** *adj.* costly 6
**costumbre** *f.* custom 4
**cotidiano/a** *adj.* daily 2
**crecimiento** *m.* growth 10
**creencia** *f.* belief 1, 9
**creyente** *adj.* devout 1
**cristiano/a** *adj.* Christian 9
**crítica** *f.* critics 8
**crónica** *f.* chronicle 10
**cruento/a** *adj.* bloody 7
**crudo/a** *adj.* raw 2
**crujiente** *adj.* crunchy 2
**cruzar** *v.* to cross 10
**cuadro** *m.* painting 7
**cuartel** *m.* barracks
  **cuartel militar** military headquarters 6
**cubiertos** *pl.* silverware 2
**cuenta** *f.* check 2
**cuerda** *f.* rope
  **cuerda floja** tightrope 8
**cueva** *f.* cave 9
**culto** *m.* worship 9

**cumpleaños** *m.* birthday 1
**cumplir** *v.* to fulfill 8
**cúpula** *f.* dome 7
**cura** *m.* Catholic priest 9
**currículum** *m.* résumé 5
**cursante** *m., f.* student 5

## D

**dados** *pl. dice* 3
**dar** *v.*
  **dar palmas** to clap 8
  **dársele bien/mal (algo a alguien)** to be good/bad (at something) 3
**de** *prep.* from
  **de buen paladar** of refined taste in food 2
  **de color de rosa** all peaches and cream 10
  **de frente** facing forward 7
  **de perfil** from the side 7
**deber** *m.* duty 6
**decorado** *m.* scenery 8
**decorativo/a** *adj.* decorative 7
**defraudar** *v.* to let down 10
**degustar** *v.* to taste 2
**deidad** *f.* deity 9
**delantal** *m.* apron 2
**denuncia** *f.* complaint
  **denuncia social** social criticism 7
**deportista** *m., f.* athlete 3
**derecho** *m.* right
  **derechos de autor** copyright 10
**derrota** *f.* defeat 3
**desahogo** *m.* emotional relief 1
**desamor** *m.* indifference 10
**desarraigo** *m.* alienation 10
**descuidar** *v.* to neglect 9
**desembolsar** *v.* to pay out 6
**desempleo** *m.* unemployment 5
**desenfocado/a** *adj.* out of focus 7
**desenlace** *m.* outcome 8
**desfile** *m.* parade 1
**desglose** *m.* breakdown 6
**desigualdad** *f.* inequality 6
**despedir** *v.* to fire, to lay off 5
**destacado/a** *adj.* outstanding 2
**destino** *m.* destination, fate 4, 9
**desventaja** *f.* disadvantage 5
**detener** *v.* to detain, to arrest 10
**día** *m.* day
  **día a día** everyday life 10
  **día feriado** holiday 1
  **día hábil** business day 5
  **día libre** day off 5
  **día señalado** important day 1
**diablo** *m.* devil 7

**dialecto** *m.* dialect 10
**dicha** *f.* good fortune 10
**dictadura** *f.* dictatorship 5
**didáctico/a** *adj.* educational 10
**difundir** *v.* to disseminate 10
**difunto/a** *adj.* deceased 1
**diputado/a** *m., f.* congressman/congresswoman 6
**disco** *m.* record 3
**discoteca** *f.* nightclub 3
**discriminatorio/a** *adj.* discriminatory 5
**discurso** *m.* speech 6
**discusión** *f.* argument 10
**diseñar** *v.* to design 7
**disfraz** *m.* costume 1
**disfrazarse (de)** *v.* to dress up (as) 8
**disfrutar** *v.* to enjoy 3
**disgustado/a** *adj.* upset 10
**divertirse** *v.* to have fun 3
**divino/a** *adj.* divine 9
**divorciarse** *v.* to get divorced 4
**docente** *m., f.* instructor 5
**dolor** *m.* pain 7
**dramaturgo/a** *m., f.* playwright 8
**dueño/a** *m., f.* owner 5
**dúo** *m.* duet 3
**duradero/a** *adj.* lasting 10
**duro/a** *adj.* hard 10

## E

**echar** *v.* to throw
  **echar de menos** to miss 4
**edad** *f.* age
  **Edad Media** Middle Ages 7
**editorial** *f.* publishing house 10
**eficiencia** *f.* efficiency 5
**ejercer** *v.* to practice 6
**ejército** *m.* army 6
**electo/a** *m., f.* elected 6
**elenco** *m.* cast 8
**emergencia** *f.* emergency 6
**emisora** *f.* (radio) station 3
**emocionado/a** *adj.* excited 4
**embalar** *v.* to pack up 7
**empatar** *v.* to tie (a game) 3
**empeorar** *v.* to make worse 9
**empleado/a** *m., f.* employee 5
**empleador(a)** *m., f.* employer 5
**emprendedor(a)** *m., f.* entrepreneur 5
**emprender** *v.* to undertake
  **emprender un viaje** to set out on a trip 9
**empresa** *f.* company 5
**en** *prep.* in
  **en cartel** now showing 8

**en defensa propia** in self-defense 6

**en mi (tu/su/etc.) contra** against me (you/him/her/etc.) 9

**en su punto** medium (cooked) 2

**enamorarse (de)** *v.* to fall in love (with) 4

**encadenado/a** *adj.* chained 10

**encarcelar** *v.* to imprison 6

**encargar** *v.* to commission 7

**encuadre** *m.* framing 7

**encuentro** *m.* meeting

**encuentro familiar** family gathering 1

**enemigo/a** *m., f.* enemy 7

**enfocar** *v.* to focus 7

**enfrentamiento** *m.* confrontation 6

**enfrentarse a** *v.* to face 9

**ensalzar** *v.* to praise 2

**ensayar** *v.* to rehearse 8

**enseñanza** *f.* teaching 5

**enternecer** *v.* to touch (emotionally) 1

**entidad** *f.* entity 6

**entierro** *m.* burial 1

**entrenador(a)** *m., f.* coach 3

**entre** *prep.* between

**entre bambalinas** backstage 8

**entrega** *f.* delivery 7

**entrenamiento** *m.* practice 3

**entretenerse** *v.* to have fun 3

**envidia** *f.* envy 8

**envoltura** *f.* wrapping 1

**época** *f.* time, era 5

**ermita** *f.* shrine 9

**ermitaño/a** *m., f.* hermit 9

**escasez** *f.* shortage 9

**escenario** *m.* stage 8

**escolar** *m., f.* student 5

**espectáculo** *m.* show 1

**espectador(a)** *m., f.* spectator 3

**esperanza** *f.* hope 9

**esperanza de vida** life expectancy 4

**espíritu** *m.* spirit

**espíritu navideño** Christmas spirit 1

**espiritualidad** *f.* spirituality 1

**Estado** *m.* government 6

**estar** *v.* to be

**estar conectado/a** to be online 4

**estar de baja** to be on leave 5

**estar dispuesto/a** to be willing to 5

**estatal** *adj.* public 6

**estereotipo** *m.* stereotype 4

**estética** *f.* esthetics 7

**estilo** *m.* style

**estilo de vida** lifestyle 4

**estreno** *m.* premiere 3

**estrofa** *f.* stanza 7

**estuche** *m.* case 10

**etiqueta** *f.* etiquette 6

**etnia** *f.* ethnicity 10

**examinarse** *v.* to take an examination 5

**excursión** *f.* field trip 5

**éxito** *m.* success 3

**exponer** *v.* to exhibit 7

**exposición** *f.* exhibition 3

**exquisito/a** *adj.* delicious 2

**extraer** *v.* to extract 6

**extranjero/a** *m., f.* foreigner 4

**extrañar** *v.* to miss 4

**extraviar** *v.* to lose 10

## F

**fábula** *f.* fable 10

**fachada** *f.* facade 7

**factura** *f.* bill 5

**fallecer** *v.* to pass away, die 4

**familia** *f.* family

**familia numerosa** large family 4

**familiar** *m., f.* relative 4

**fantasma** *m.* ghost 10

**farolito** *m.* small lantern 1

**farsa** *f.* farce 1

**fastidio** *m.* annoyance 10

**fe** *f.* faith 1

**feria** *f.* fair 1

**feroz** *adj.* fierce 9

**festejar** *v.* to celebrate 1

**fibra** *f.* fiber 2

**ficha** *f.* tile, game piece 3

**fiel** *adj.* loyal 8

**figurita** *f.* figurine 9

**fin** *m.* purpose 8

**financiación** *f.* funding 6

**fingir** *v.* to pretend 1

**fiscal** *m., f.* prosecutor 6

**flechazo** *m.* love at first sight 4

**fluidez** *f.* fluency

**con fluidez** fluently 10

**fomentar** *v.* to promote 8

**fomento** *m.* development, promotion 8

**fortalecer** *v.* to strengthen 5

**fortalecimiento** *m.* strengthening 8

**fortuito/a** *adj.* coincidental 8

**freír** *v.* to fry 2

**frito/a** *adj.* fried 2

**frontera** *f.* border 6

**fuego** *m.* fire

**fuegos artificiales** fireworks 1

**fuerza** *f.* strength

**fuerza laboral** workforce 10

**función** *f.* performance 3

**funeral** *m.* funeral 1

## G

**gabinete** *m.* office 6

**galera** *f.* top hat 3

**galería** *f.* gallery 7

**ganado** *m.* cattle 9

**garantizar** *v.* to guarantee 5

**garra** *f.* claw 9

**generación** *f.* generation 10

**gerente** *m., f.* manager 5

**gesto** *m.* gesture 5

**gimnasio** *m.* gym 3

**giro** *m.* spin 8

**globo** *m.* balloon 1

**golpe** *m.* hit

**golpe de estado** coup d'état 5

**grabadora** *f.* recorder 4

**grabar** *v.* to record 3

**grado** *m.* degree 5

**grasa** *f.* fat 2

**grupo** *m.* band 3

**guion** *m.* script 8

**guirnalda** *f.* garland 1

**guiso** *m.* stew 2

**gusano** *m.* worm 2

**gusto** *m.* taste 2

## H

**hábito** *m.* habit 4

**hablante** *m., f.* speaker 10

**hacer** *v.* to do

**hacer diligencias** to run errands 5

**hacer trampa** to cheat 3

**hacer una reverencia** to bow 8

**hacerse (de) rogar** to play hard to get 8

**hallazgo** *m.* discovery 7

**harina** *f.* flour 2

**hechizar** *v.* to cast a spell 7

**hecho** *p.p.* made

**hecho/a a mano** handmade 1

**herencia** *f.* heritage 6

**herida** *f.* wound 7

**herido/a** *adj.* wounded 7

**hermandad** *f.* brotherhood; sibling relationship

**herramienta** *f.* tool 5

**hervir** *v.* to boil 2

**hierro** *m.* iron 7

**hijo/a** *m., f.* son/daughter

**hijo/a único/a** only child 4

**hindú** *adj.* Hindu 9

**hipocresía** *f.* hypocrisy 1

**hito** *m.* milestone 6

**hoguera** *f.* bonfire 1

**hombro** *m.* shoulder 1

**hongo** *m.* fungus, mushroom 2
**honrar** *v.* to honor 1
**hora** *f.* hour, time
   **horas extras** overtime 5
**hornear** *v.* to bake 2
**huella** *f.* footprint 10
**huelga** *f.* strike 6

**I**

**idioma** *m.* language 10
**iglesia** *f.* church 9
**imán** *m.* imam 9
**impaciente** *adj.* eager, impatient 4
**importar** *v.* to care
   **importar(le) un pepino** couldn't care
   less 4
**imprenta** *f.* printing house 10
**impuesto** *m.* tax 6
**impulsar** *v.* to boost 8
**incendio** *m.* fire 7
**incentivar** *v.* to encourage 3
**inclusión** *f.* inclusion 6
**incomodarse** *v.* to feel uncomfortable 3
**inculcar** *v.* to instill 1
**independizarse** *v.* to become independent 4
**industria** *f.* industry
   **industria agrícola** agricultural industry 10
**inédito/a** *adj.* unprecedented 6
**infancia** *f.* childhood 4
**infierno** *m.* hell 1
**influencia** *f.* influence 2
**infraestructura** *f.* infrastructure 6
**ingenio** *m.* ingenuity 7
**inmigrante** *m., f.* immigrant 4
**innovador(a)** *adj.* innovative 8
**inscripción** *f.* enrollment 5
**insoportable** *adj.* unbearable 1
**instalarse** *v.* to settle 4
**integrarse** *v.* to become part of 6
**íntegro/a** *adj.* whole 7
**interés** *m.* interest 4
**interponerse** *v.* to interfere 3
**interpretar** *v.* to play (a role) 8
**intérprete** *m., f.* interpreter 10
**íntimo/a** *adj.* close 4
**invocar** *v.* to summon 9
**involucrarse** *v.* to get involved 5
**ir** *v.* to go
   **ir a las urnas** to go to the polls 6

**J**

**jerga** *f.* slang 3
**jolgorio** *m.* revelry 3
**jornada** *f.* day, conference

**jornada laboral** workday 5
**joya** *f.* treasure 7
**jubilarse** *v.* to retire 5
**judío/a** *adj.* Jewish 9
**juego** *m.* game
   **juego de mesa** board game 3
**juez(a)** *m., f.* judge 6
**jugada** *f.* move 3
**juzgar (a alguien)** *v.* to judge (someone) 9

**L**

**ladrillo** *m.* brick 7
**ladrón/ladrona** *m., f.* thief 8
**lágrima** *f.* tear 1
**lama** *f.* lama 9
**lanzar** *v.* to release (an album) 3
**lazo** *m.* bond 4
**leal** *adj.* loyal 4
**lector(a)** *m., f.* reader 10
**legado** *m.* legacy 7
**legislación** *f.* legislation 5
**lengua** *f.* language, tongue
   **lengua de señas** sign language 5
   **lengua materna** mother tongue 10
**letras** *pl.* lyrics 3
**leyenda** *f.* legend 1
**licencia** *f.* leave 5
**lienzo** *m.* canvas 7
**liga** *f.* league 3
**lingüista** *m., f.* linguist 10
**linterna** *f.* flashlight 1
**literatura** *f.* literature
   **literatura juvenil** young adult literature 10
**llama** *f.* flame 1
**llamativo/a** *adj.* flashy 8
**llevar** *v.* to carry
   **llevarse bien/mal** to get along well/
   badly 4
**lobato/a** *m., f.* wolf cub 9
**lobo/a** *m., f.* (she-)wolf 9
**lograr** *v.* to achieve 6
**luminoso/a** *adj.* bright 1

**M**

**madrugada** *f.* early morning 4
**maduro/a** *adj.* ripe 2
**maestría** *f.* Master's degree 5
**magia** *f.* magic 3
**mago/a** *m., f.* magician 3
**maíz** *m.* corn 2
**mal, malo/a** *adj.* bad
   **mal augurio** bad omen 9
   **mala racha** bad streak 9
**malabares** *pl.* juggling 8

**malabarista** *m., f.* juggler 3
**maldad** *f.* evil 9
**maletero** *m.* car trunk 10
**mandatario/a** *m., f.* president 6
**mandato** *m.* term of office 6
**manifestación** *f.* demonstration 6
**manjar** *m.* delicacy, feast 2
**mantel** *m.* tablecloth 2
**maqueta** *f.* model, mockup 7
**maquillador(a)** *m., f.* makeup artist 8
**maquillaje** *m.* makeup 8
**marcar** *v.* to mark
   **marcar (un gol/punto)** to score
   (a goal/point) 3
**mariposa** *f.* butterfly 5
**marisco** *m.* seafood 2
**marisquería** *f.* seafood restaurant 2
**mármol** *m.* marble 7
**marqués/marquesa** *m., f.* marquis/
   marquise 8
**mártir** *m.* martyr 9
**masa** *f.* dough 2
**masacre** *f.* massacre 7
**máscara** *f.* mask 8
**matar** *v.* to kill 7
**materia** *f.* matter
   **materia pendiente** unresolved matter 8
**matrícula** *f.* tuition, enrollment 5
**matricularse** *v.* to enroll 5
**matrimonio** *m.* marriage 4
**mecenas** *m., f.* patron of the arts 7
**medida** *f.* measure 6
**medios (de comunicación)** *pl.* media 10
**meditar** *v.* to meditate 9
**mejora** *f.* improvement 8
**melodía** *f.* tune 3
**memorias** *pl.* memoirs 10
**mensual** *adj.* monthly 5
**mentira** *f.* lie 5
**merecer** *v.* to deserve 9
**merienda** *f.* snack 5
**meta** *f.* goal
   **meta académica** academic goal 5
**mezclar** *v.* to mix 2
**mezquita** *f.* mosque 9
**miedo** *m.* fear
   **miedo escénico** stage fright 8
**miembro/a** *m., f.* member 8
**milagro** *m.* miracle 1
**militar (en)** *v.* to be active in 6
**militar** *m., f.* soldier 6
**mimar** *v.* to indulge, to spoil 9
**mimo** *m., f.* mime 8
**misa** *f.* mass 9
**mitin** *m.* rally 6

**mito** *m.* myth 1
**mobiliario** *m.* furniture 7
**moda** *f.* fashion 7
**monasterio** *m.* monastery 9
**monja** *f.* nun 4
**monje** *m.* monk 9
**monoteísta** *adj.* monotheistic 9
**montaje** *m.* film editing 7
**mosaico** *m.* mosaic 7
**motivo** *m.* motif 7
**mudarse** *v.* to move (from one house to another) 4
**muela** *f.* molar 6
**muerte** *f.* death 1
**municipio** *m.* town 6
**murga** *f.* form of popular musical theater 8
**musa** *f.* muse 7
**musical** *m.* musical 8
**musulmán/musulmana** *adj.* Muslim 9

### N

**nacimiento** *m.* birth 1
**narrar** *v.* to narrate 10
**Navidad** *f.* Christmas 1
**negar** *v.* to deny 10
**nevado** *m.* snow-covered mountain 9
**nido** *m.* nest
  **nido familiar** family nest 4
**nieto/a** *m., f.* grandchild 4
**nivel** *m.* level
  **nivel de vida** standard of living 5
**Nochebuena** *f.* Christmas Eve 1
**Nochevieja** *f.* New Year's Eve 1
**nombrar** *v.* to appoint 7
**nómina** *f.* payroll 5
**normativa** *f.* regulation 5
**nostálgico/a** *adj.* homesick 4
**novelista** *m., f.* novelist 10
**novio/a** *m., f.* boyfriend/girlfriend, groom/bride 4
**nudo** *m.* crux, heart 8
**número** *m.* act 3
**nupcias** *pl.* nuptials, wedding 4

### O

**obispo** *m.* bishop 9
**objetivo** *m.* lens 7
**obligar** *v.* to force 10
**obra** *f.* work
  **obra (de arte/teatro)** work of art, play 3
  **obra cumbre** crowning work 7
  **obra maestra** masterpiece 7
**obsequio** *m.* gift 1
**ocio** *m.* leisure 3

**oferta** *f.* offer 5
**ofrenda** *f.* offering 1
**ofrendar** *v.* to offer up 9
**olla** *f.* cooking pot 2
**óleo** *m.* oil painting 7
**operativo/a** *adj.* operational 8
**oprimido/a** *adj.* oppressed 6
**orgullo** *m.* pride 2
**origen** *m.* origin 1
**ornamento** *m.* ornament 7
**otorgar** *v.* to grant 10
**oyente** *m., f.* hearing person 5

### P

**pagano/a** *adj.* pagan 1
**país** *m.* country
  **país natal** home country 10
**paleta** *f.* palette 7
**palmas** *pl.* clapping 8
**pan** *m.* bread
  **pan de muerto** sweet bread 1
**papel** *m.* role 8
  **papel de envolver** wrapping paper 1
**papa** *m.* pope 9
**pareja** *f.* couple, partner 4
**parque** *m.* park
  **parque de diversiones** amusement park 3
**partida** *f.* game, hand 3
**partido** *m.* party 6
**partir** *v.* to leave 4
**pasante** *m., f.* intern 5
**pasar** *v.*
  **pasar el rato** to spend time 3
  **pasarlo bien/mal** to have a good/bad time 4
**pasatiempo** *m.* pastime 3
**Pascua** *f.* Easter 1
**Pascua Judía** *f.* Passover 1
**paseo** *m.* avenue 7
**pastor(a)** *m., f.* pastor 9
**patria** *f.* homeland 2
**patrón** *m.* pattern 7
**pausa** *f.* break 5
**payaso/a** *m., f.* clown 3
**pecado** *m.* sin 1
**pedir** *v.* to order 2
**pegajoso/a** *adj.* catchy 3
**pegar** *v.* to hit 5
  **pegar un tiro** to shoot 6
**pelear(se)** *v.* to argue 4
**peluca** *f.* wig 8
**penitente** *m., f.* penitent 1
**peña** *f.* club 3
**pérdida** *f.* loss 4

**peregrinación** *f.* pilgrimage 9
**perfil** *m.* profile 4
**personalidad** *f.* personality 4
**pertenecer** *v.* to belong 6
**pertenencia** *f.* belonging 10
**pesar** *m.* sorrow 10
**petición** *f.* petition
  **petición de mano** marriage proposal 4
**piadoso/a** *adj.* merciful 9
**picante** *adj.* spicy 2
**pilar** *m.* pillar 7
**pincel** *m.* brush 7
**pintoresco/a** *adj.* picturesque 3
**pisar** *v.* to step on 9
**pista** *f.* ring 8
  **pista de baile** dance floor 3
**plano** *m.* shot 7
**plato** *m.* dish 2
**pluma** *f.* feather 8
**poblador(a)** *m., f.* inhabitant 9
**polémica** *f.* controversy 6
**politeísta** *adj.* polytheistic 9
**política** *f.* policy 8
**político/a** *m., f.* politician 6
**poner** *v.*
  **poner la mesa** to set the table 2
  **poner música** to play music 3
**postularse** *v.* to run for office 6
**postura** *f.* position
  **postura política** political position 6
**predicar** *v.* to preach 9
**prejuicio** *m.* prejudice 10
**premio** *m.* award 2
**prescindir (de)** *v.* to do without 6
**presenciar** *v.* to witness 10
**preservar** *v.* to preserve 6
**presión** *f.* pressure 4
**préstamo** *m.* loan
  **préstamo estudiantil** student loan 5
**prestigioso/a** *adj.* prestigious 7
**primaria** *m.* elementary school 5
**principiante** *adj.* beginner 8
**privacidad** *f.* privacy 4
**procesión** *f.* procession 1
**proceso** *m.* process
  **proceso de selección** hiring process 5
**producto** *m.* product
  **producto interno bruto (PIB)** gross domestic product (GDP) 6
**prometido/a** *m., f.* fiancé(e) 4
**promover** *v.* to promote 3
**propina** *f.* tip 2
**prosa** *f.* prose 10
**protagonista** *m., f.* leading role, protagonist 8

**proteger** *v.* to protect 7
**proteína** *f.* protein 2
**protestante** *adj.* Protestant 9
**provechoso/a** *adj.* beneficial, nutritious 2
**provenir de** *v.* to come from 9
**provocar** *v.* to provoke 7
**publicar** *v.* to publish 10
**pueblo** *m.* people, town 6
**puesta en escena** *f.* staging 8
**puesto** *m.* position 5
**pulpo** *m.* octopus 2
**purpurina** *f.* glitter 8

**Q**

**quejarse (de)** *v.* to complain (about) 10
**querer(se)** *v.* to love (each other), to want 4
**quisquilloso/a** *adj.* picky 2
**quitar** *v.* to remove
  **quitar la mesa** to clear the table 2

**R**

**rabino/a** *m., f.* rabbi 9
**racimo** *m.* bunch (of fruit) 2
**racha** *f.* streak 9
**raíz** *f.* root
  **a raíz de** as a result 9
**rama** *f.* branch 8
**realizarse** *v.* to take place 8
**rebajar** *v.* to reduce 6
**receta** *f.* recipe 2
**rechazo** *m.* rejection 7
**recinto** *m.* facility 7
**reconocido/a** *adj.* renowned 2
**recorrer** *v.* to go through 3
**recorrido** *m.* route 1
**recreo** *m.* recess 5
**recuerdo** *m.* memory 4
**recuperar** *v.* to recover 7
**recurso** *m.* resource 7
**red** *f.* net
  **red social** social network 4
**referencia** *f.* referral 5
**regla** *f.* rule 3
**reivindicar** *v.* to reclaim 5
**relación** *f.* relationship 4
**relato** *m.* (short) story 10
**relleno/a** *adj.* filled 2
**remover** *v.* to stir 2
**rencor** *m.* resentment 6
**rendir(se)** *v.* to surrender, to give up 3
  **rendir homenaje** to pay tribute 7
**repercutir (en)** *v.* to affect 6
**reseña** *f.* review 2
**resguardo** *m.* protection 7

**restaurador(a)** *m, f.* restorer 7
**retar** *v.* to challenge 6
**retribuido/a** *adj.* paid 5
**reunido/a** *p.p.* gathered 4
**reunión** *f.* meeting 5
**reunirse** *v.* to meet 4
**revocar** *v.* to revoke 6
**rezar** *v.* to pray 1
**rezo** *m.* prayer 1
**riqueza** *f.* wealth 6
**ritmo** *m.* rhythm 3
**rito** *m.* rite 1
**rodar** *v.* to film 7
**romper** *v.* to break up 4
**ruptura** *f.* breakup 4
**ruta** *f.* route 9

**S**

**sabor** *m.* taste 2
**sabroso/a** *adj.* tasty 2
**sacerdote/sacerdotisa** *m., f.* priest 9
**sala** *f.* room
  **sala de estudio** study hall 5
**sagrado/a** *adj.* sacred 1
**salida** *f.* exit
  **salida laboral** job opportunities 5
**saltar** *v.* to jump 8
**saludable** *adj.* healthy 2
**sanidad** *f.* healthcare 6
**santuario** *m.* sanctuary 9
**sartén** *f.* frying pan 2
**sazonar** *v.* to season 2
**sector** *m.* sector
  **sector inmobiliario** real-estate sector 5
**seguro** *m.* insurance
  **seguro médico** health insurance 6
**sembrar** *v.* to sow 9
**sencillo/a** *adj.* simple 2
**sendero** *m.* path 9
**sentimiento** *m.* feeling 2
**sentir(se)** *v.* to feel 4
**servilleta** *f.* napkin 2
**siembra** *f.* sowing 9
**siglo** *m.* century 7
**silbido** *m.* whistle 4
**sin** *prep.* without
  **sin ánimo de lucro** nonprofit 6
**sinagoga** *f.* synagogue 9
**sinceridad** *f.* sincerity 4
**sincretismo** *m.* syncretism 9
**sindicato** *m.* (labor) union 5
**sobrenatural** *adj.* supernatural 9
**socio/a** *m., f.* partner 5
**solicitar (un empleo)** *v.* to apply (for a job) 5

**solista** *m., f.* solo artist 3
**solo/a** *adj., adv.* lonely, alone 4
**soltero/a** *adj.* single 4
**solucionar** *v.* to solve 6
**sombra** *f.* shadow, shade 7
**son** *m.* sound, pace 8
**sondeo** *m.* poll 6
**sordera** *f.* deafness 5
**sordo/a** *adj.* deaf 5
**soso/a** *adj.* bland 2
**sótano** *m.* basement 7
**subsidio** *m.* subsidy 8
**subvencionar** *v.* to finance 8
**sueldo** *m.* salary
  **sueldo mínimo** minimum wage 5
**suerte** *f.* luck 9
**sufrimiento** *m.* suffering 7
**superventas** *pl.* best seller 10
**suspender** *v.* to fail 5
**suspenso** *m.* suspense 8

**T**

**tablado** *m.* dance stage 8
**tabú** *m.* taboo 1
**tallar** *v.* to sculpt, to carve 7
**taller** *m.* studio, workshop 7
**taquilla** *f.* box office 8
**tasa** *f.* rate 6
**tedio** *m.* boredom 10
**telón** *m.* (theater) curtain 3
**tema** *m.* song 3
**temática** *f.* theme 10
**templo** *m.* temple 9
**tener** *v.* to have
  **tener ganas (de)** to look forward to 4
  **tener celos** to be jealous 8
**teniente** *m., f.* lieutenant, deputy 6
**terrenal** *adj.* earthly 9
**testigo** *m., f.* witness 10
**tiempo** *m.* time
  **a tiempo completo/parcial** full/part-time 5
**tierno/a** *adj.* tender 2
**tinieblas** *pl.* darkness 7
**títeres** *pl.* puppet show 8
**título** *m.* degree 6
**tocar** *v.* to play (an instrument) 3
**toma de posesión** *f.* inauguration 6
**trabajador(a)** *adj.* hard-working 5
**traductor(a)** *m., f.* translator 10
**tragedia** *f.* tragedy 4
**traicionar** *v.* to betray 10
**trapecista** *m., f.* trapeze artist 8
**trasfondo** *m.* background 10
**trasladar** *v.* to transfer 7

**tratado** *m.* treaty 10
**tratamiento** *m.* treatment
   **tratamiento médico** medical treatment 6
**tratar de/sobre** *v.* to deal with 10
**trayecto** *m.* route 3
**trigo** *m.* wheat 2
**triunfar** *v.* to succeed 8
**truco** *m.* trick 3

**U**

**ubicación** *f.* location 2
**universal** *adj.* universal 7
**universitario/a** *m., f.* college student 5

**V**

**vajilla** *f.* plates and glasses 2
**valor** *m.* value
   **valor nutricional** nutritional value 2
**valorar** *v.* to value 4
**vela** *f.* candle 1
**veladora** *f.* votive candle 1
**velar (por)** *v.* to look out for 6
**venerar** *v.* to worship 9
**venganza** *f.* revenge 6
**vengarse** *v.* to take revenge 9
**vengativo/a** *adj.* vindictive 6
**ventaja** *f.* advantage 5
**verso** *m.* verse 7
**vestíbulo** *m.* lobby 7
**vertiente** *f.* aspect 8
**vestimenta** *f.* clothing 9
**videojuego** *m.* video game 3
**vidriera** *f.* stained glass 7
**vidrio** *m.* glass 7
**vieira** *f.* scallop 2
**vigilia** *f.* vigil 9
**villancico** *m.* Christmas carol 1
**vincular** *v.* to link 10
**víspera** *f.* eve 1
**vistoso/a** *adj.* eye-catching 1
**viudo/a** *adj.* widowed 4
**vocablo** *m.* term 3
**vocación** *f.* vocation 5

**Y**

**yegua** *f.* mare 7

## Inglés-Español

### A

**abroad** al extranjero *phr.* 4
**abstract** abstracto/a *adj.* 7
**abuse of power** abuso de poder 6
**academic goal** meta académica *f.* 5
**accommodate** ajustarse *v.* 5
**achieve** lograr *v.* 6
**acrobatics** acrobacia *f.* 8
**act** número *m.* 3
**act** actuar *v.* 8
**activist** activista *m., f.* 6
**address** abordar *v.* 10
**advantage** ventaja *f.* 5
**affect** repercutir (en) *v.* 6
**affection** cariño *m.* 4
**affordable** asequible *adj.* 2
**against me (you/him/her/etc.)** en mi (tu/su/ etc.) contra *phr.* 9
**agent** agente *m., f.*
**agnostic** agnóstico/a *adj.* 9
**agricultural industry** industria agrícola *f.* 10
**almacén** *m.* warehouse 7
**alienation** desarraigo *m.* 10
**all peaches and cream** de color de rosa *phr.* 10
**allergic (to)** alérgico/a (a) *adj.* 2
**alone** solo/a *adj.*, adv. 4
**altar** altar *m.* 1
**amaze** asombrar *v.* 7
**ambition** afán *m.* 8
**amusement park** parque de diversiones *m.* 3
**ancestor** antepasado/a *m., f.* 1
**ancestral** ancestral *adj.* 1
**Andean** andino/a *adj.* 9
**anniversary** aniversario *m.* 1
**annoyance** fastidio *m.* 10
**appetizer** aperitivo *m.* 2
**apply (for a job)** solicitar (un empleo) *v.* 5
**appoint** nombrar *v.* 7
**approach** abordaje *m.* 8
**apron** delantal *m.* 2
**architect** architecto/a *m., f.* 7
**architectural** arquitectónico/a *adj.* 7
**argue** argumentar, pelear(se) *v.* 4, 10
**argument** discusión *f.* 10
**army** ejército *m.* 6
**arrest** detener *v.* 10
**artisan** artesano/a *m., f.* 1
**as a result** a raíz de *phr.* 9
**aspect** vertiente *f.* 8
**assimilate** asimilarse *v.* 6
**atheist** ateo/a *adj.* 9
**athlete** deportista *m., f.* 3

**atmosphere** ambiente *m.* 1
**attack** atentado *m.* 4
**attend** asistir *v.* 8
**attendance** asistencia *f.* 8
**attire** atuendo *m.* 1
**audition** audición *f.* 8
**authorities** autoridades *pl.* 10
**autobiography** autobiografía *f.* 10
**avenue** paseo *m.* 7
**avocado** aguacate *m.* 2
**award** premio *m.* 2

### B

**background** trasfondo *m.* 10
**backstage** entre bambalinas *phr.* 8
**bad omen** mal augurio *m.* 9
**bad streak** mala racha *f.* 9
**bake** hornear *v.* 2
**balloon** globo *m.* 1
**ballroom dance** baile de salón *m.* 3
**band** grupo *m.* 3
**barely** apenas adv. 4
**basement** sótano *m.* 7
**be absent** ausentarse *v.* 5
**be active in** militar (en) *v.* 6
**be good/bad (at something)** dársele bien/ mal (algo a alguien) *v.* 3
**be jealous** tener celos *v.* 8
**be on leave** estar de baja *v.* 5
**be online** estar conectado/a *v.* 4
**be overconfident** confiarse *v.* 10
**be paid** cobrar *v.* 5
**be willing to** estar dispuesto/a a *v.* 5
**beat** compás *m.* 8
**become independent** independizarse *v.* 4
**become part of** integrarse *v.* 6
**beginner** principiante *adj.* 8
**belief** creencia *f.* 1, 9
**belong** pertenecer *v.* 6
**belonging** pertenencia *f.* 10
**beneficial** provechoso/a *adj.* 2
**best seller** superventas *pl.* 10
**betray** traicionar *v.* 10
**biennial** bienal *adj.* 8
**bilingual** bilingüe *adj.* 10
**bill** factura *f.* 5
**biography** biografía *f.* 10
**birth** nacimiento *m.* 1
**birthday** cumpleaños *m.* 1
**bishop** obispo *m.* 9
**bite** bocado *m.* 2
**bland** soso/a *adj.* 2
**bless** bendecir *v.* 9
**bloody** cruento/a *adj.* 7

**board game** juego de mesa *m.* 3
**boil** hervir, cocer *v.* 2
**bold** atrevido/a *adj.* 8
**bombing** bombardeo *m.* 7

**bond** lazo *m.* 4
**bonfire** hoguera *f.* 1
**boom** auge *m.* 10
**boost** impulsar *v.* 8
**border** frontera *f.* 6
**boredom** tedio *m.* 10
**bow** hacer una reverencia *v.* 8
**bowl** bol *m.* 2
**box office** taquilla *f.* 8
**boyfriend/girlfriend** novio/a *m., f.* 4
**branch** rama *f.* 8
**break** pausa *f.* 5
**break up** romper *v.* 4
**breakdown** desglose *m.* 6
**breakup** ruptura *f.* 4
**brick** ladrillo *m.* 7
**bright** luminoso/a *adj.* 1
**broth** caldo *m.* 2
**brotherhood** hermandad *f.* 1
**brush** pincel *m.* 7
**Buddhist** budista *adj.* 9
**buddy** amigote/a *m., f.* 4
**bug** bicho *m.* 2
**bunch** (of fruit) racimo *m.* 2
**burden** carga *f.* 5
**burial** entierro *m.* 1
**business day** día hábil *m.* 5
**business owner** comerciante *m., f.* 3
**butterfly** mariposa *f.* 5

### C

**calcium** calcio *m.* 2
**camp** acampar *v.* 9
**candidate** candidato/a *m., f.* 5
**candle** vela *f.* 1
**canvas** lienzo *m.* 7
**car trunk** maletero *m.* 10
**cards** cartas *pl.* 3
**career** carrera *f.* 5
**carry** cargar *v.* 1
**carve** tallar *v.* 7
**case** estuche *m.* 10
**cast a spell** hechizar *v.* 7
**cast** elenco *m.* 8
**catchy** pegajoso/a *adj.* 3
**cathedral** catedral *f.* 9
**Catholic** católico/a *adj.* 9
**Catholic priest** cura *m.* 9
**cattle** ganado *m.* 9

cave cueva *f.* 9
celebrate festejar *v.* 1
censorship censura *f.* 8
century siglo *m.* 7
ceremony ceremonia *f.* 1
chained encadenado/a *adj.* 10
challenge retar *v.* 6
championship campeonato *m.* 3
chance casualidad *f.* 9
chaos caos *m.* 7
chapel capilla *f.* 9
cheat hacer trampa *v.* 3
check cuenta *f.* 2
chess ajedrez *m.* 3
chest cofre *m.* 3
childhood infancia *f.* 4
chisel cincel *m.* 7
choreography coreografía *f.* 8
Christian cristiano/a *adj.* 9
Christmas carol villancico *m.* 1
Christmas Eve Nochebuena *f.* 1
Christmas Navidad *f.* 1
Christmas spirit espíritu navideño *m.* 1
chronicle crónica *f.* 10
church iglesia *f.* 9
circus circo *m.* 3
circus arts artes circenses *pl.* 8
citizenship ciudadanía *f.* 10
city hall ayuntamiento *m.* 6
clam almeja *f.* 2
clap dar palmas *v.* 8
clapping palmas *pl.* 8
classroom aula *m.* 5
claw garra *f.* 9
clay arcilla *f.* 7
clear the table quitar la mesa *v.* 2
close cercano/a *adj.* 4
close friend amigo/a íntimo/a 4
clothing vestimenta *f.* 9
clown payaso/a *m., f.* 3
club peña *f.* 3
coach entrenador(a) *m., f.* 3
cocktail coctel (de mariscos) *m.* 2
coffin ataúd *m.* 1
coincidental fortuito/a *adj.* 8
college student universitario/a *m., f.* 5
colorful colorido/a *adj.* 8
combine compaginar *v.* 5
come from provenir de *v.* 9
commemorate conmemorar *v.* 1
commission encargar *v.* 7
commitment compromiso *m.* 4
company empresa *f.* 5
compass brújula *f.* 8
compatible compatible *adj.* 4

complain (about) quejarse (de) *v.* 10
composer compositor(a) *m., f.* 3
concert concierto *m.* 3
confrontation enfrentamiento *m.* 6
congressman/congresswoman diputado/a *m., f.* 6
contemporary contemporáneo/a *adj.* 7
contest concurso *m.* 1
controversy polémica *f.* 6
convention convención *f.* 1
cook cocer *v.* 2
cook cocinero/a *m., f.* 2
cooked cocido/a *adj.* 2
cooking pot olla *f.* 2
copyright derechos de autor *pl.* 10
corn maíz *m.* 2
costly costoso/a *adj.* 6
costume disfraz *m.* 1
couldn't care less importar(le) un pepino *v. phr.* 4
count on contar con *v.* 4
country person campesino/a *m., f.* 5
coup d'état golpe de estado *m.* 5
couple pareja *f.* 4
cover letter carta de presentación *f.* 5
coworker compañero/a de trabajo *m., f.* 5
crafts artesanías *pl.* 1
critics crítica *f.* 8
cross cruzar *v.* 10
crowning work obra cumbre *f.* 7
crunchy crujiente *adj.* 2
crux nudo *m.* 8
culture shock choque cultural *m.* 4
curate comisariar *v.* 7
curator comisario/a *m., f.* 7
curtain telón *m.* 3
custom costumbre *f.* 4

**D**

daily cotidiano/a *adj.* 2
dance floor pista de baile *f.* 3
dance stage tablado *m.* 8
dancer bailarín/bailarina *m., f.* 8
dare atreverse *v.* 5
daring atrevido/a *adj.* 8
darkness tinieblas *pl.* 7
day off día libre *m.* 5
deaf sordo/a *adj.* 5
deafness sordera *f.* 5
deal with tratar de/sobre *v.* 10
death muerte *f.* 1
deceased difunto/a *adj.* 1
deck of cards baraja *f.* 3
decorative decorativo/a *adj.* 7
defeat derrota *f.* 3

degree grado, título *m.* 5, 6
deity deidad *f.* 9
delicacy manjar *m.* 2
delicious exquisito/a *adj.* 2
delivery entrega *f.* 7
demonstration manifestación *f.* 6
deny negar *v.* 10
deputy teniente *m., f.* 6
deserve merecer *v.* 9
design diseñar *v.* 7
destination destino *m.* 4, 9
detain detener *v.* 10
development fomento *m.* 8
devil diablo *m.* 7
devout creyente *adj.* 1
dialect dialecto *m.* 10
dice dados *pl.* 3
dictatorship dictadura *f.* 5
die fallecer *v.* 4
diner comensal *m., f.* 2
disadvantage desventaja *f.* 5
discovery hallazgo *m.* 7
discriminatory discriminatorio/a *adj.* 5
dish plato *m.* 2
disseminate difundir *v.* 10
divine divino/a *adj.* 9
do without prescindir (de) *v.* 6
dome cúpula *f.*, bóveda *f.* 7
dough masa *f.* 2
draft borrador *m.* 10
dress up (as) disfrazarse (de) *v.* 8
dressing room camarín *m.* 8
duet dúo *m.* 3
duty deber *m.* 6

**E**

eager impaciente *adj.* 4
early morning madrugada *f.* 4
earthy terrenal *adj.* 9
easel caballete *m.* 7
Easter Pascua *f.* 1
edible comestible *adj.* 9
educational didáctico/a *adj.* 10
eel anguila *f.* 2
efficiency eficiencia *f.* 5
elected electo/a *m., f.* 6
election campaign campaña electoral *f.* 6
elementary school primaria *f.* 5
emergency emergencia *f.* 6
emotional relief desahogo *m.* 1
employee empleado/a *m., f.* 5
employer empleador(a) *m., f.* 5
encourage incentivar *v.* 3
enemy enemigo/a *m., f.* 7

**engagement** compromiso *m.* 4
**English-speaking** anglohablante *adj.* 10
**enjoy** disfrutar *v.* 3
**enroll** matricularse *v.* 5
**enrollment** inscripción, matrícula *f.* 5
**enthusiast** aficionado/a *m., f.* 8
**entity** entidad *f.* 6
**entrepreneur** emprendedor(a) *m., f.* 5
**envy** envidia *f.* 8
**era** época *f.* 5
**esthetics** estética *f.* 7
**ethnicity** etnia *f.* 10
**etiquette** etiqueta *f.* 6
**eve** víspera *f.* 1
**event** acontecimiento *m.* 7
**everyday life** día a día *phr.* 10
**evil** maldad *f.* 9
**excited** emocionado/a *adj.* 4
**exhibit** exponer *v.* 7
**exhibition** exposición *f.* 3
**extract** extraer *v.* 6
**eye mask** antifaz *m.* 8
**eye-catching** vistoso/a *adj.* 1

## F

**fable** fábula *f.* 10
**facade** fachada *f.* 7
**face** enfrentarse a *v.* 9
**face-to-face class** clase presencial *f.* 5
**facility** recinto *m.* 7
**facing forward** de frente *phr.* 7
**fail** suspender *v.* 5
**fair** feria *f.* 1
**faith** fe *f.* 1
**fall in love (with)** enamorarse (de) *v.* 4
**family gathering** encuentro familiar *m.* 1
**family nest** nido familiar *m.* 4
**fan** admirador(a) *m., f.* 8
**fang** colmillo *m.* 9
**far away** alejado/a *adj.* 4
**farce** farsa *f.* 1
**fashion** moda *f.* 7
**fat** grasa *f.* 2
**fate** azar *m.*, destino *m.* 3, 9
**feast** manjar *m.* 2
**feather** pluma *f.* 8
**feel** sentir(se) *v.* 4
**feel uncomfortable** incomodarse *v.* 3
**feeling** sentimiento *m.* 2
**fellowship** compañerismo *m.* 8
**fiancé(e)** prometido/a *m., f.* 4
**fiber** fibra *f.* 2
**field trip** excursión *f.* 5
**fierce** feroz *adj.* 9

**fight** combatir *v.* 7
**figure** cifra *f.* 8
**figurine** figurita *f.* 9
**fill up** abarrotar *v.* 6
**filled** relleno/a *adj.* 2
**film editing** montaje *m.* 7
**film** rodar *v.* 7
**finance** subvencionar *v.* 8
**fine arts** bellas artes *pl.* 7
**fire** fuego *m.;* despedir *v.* 5
**fireworks** fuegos artificiales *pl.* 1
**flag** bandera *f.* 6
**flame** llama *f.* 1
**flashlight** linterna *f.* 1
**flashy** llamativo/a *adj.* 8
**float** carroza *f.* 8
**flour** harina *f.* 2
**flower arrangement** arreglo floral *m.* 1
**fluently** con fluidez *phr.* 10
**focus** enfocar *v.* 7
**footprint** huella *f.* 10
**force** obligar *v.* 10
**foreigner** extranjero/a *m., f.* 4
**framing** encuadre *m.* 7
**fried** frito/a *adj.* 2
**friend** amigo/a *m., f.*
**friendship** amistad *f.* 4
**from the side** de perfil *phr.* 7
**fry** freír *v.* 2
**frying pan** sartén *f.* 2
**fulfill** cumplir *v.* 8
**full-time** a tiempo completo *phr.* 5
**funding** financiación *f.* 6
**funeral** funeral *m.* 1
**fungus** hongo *m.* 2
**furniture** mobiliario *m.* 7

## G

**gallery** galería *f.* 7
**game** partida *f.* 3
**game piece** ficha *f.* 3
**gap** brecha *f.* 5
**garland** guirnalda *f.* 1
**gathered** reunido/a *p.p.* 4
**generation** generación *f.* 10
**gesture** gesto *m.* 5
**get along well/badly** llevarse bien/mal *v.* 4
**get bored** aburrirse *v.* 3
**get divorced** divorciarse *v.* 4
**get involved** involucrarse *v.* 5
**get married** casarse *v.* 4
**ghost** fantasma *m.* 10
**gift** obsequio *m.* 1
**give up** rendir(se) *v.* 3

**glass** vidrio *m.* 7
**glitter** purpurina *f.* 8
**go through** recorrer *v.* 3
**go to the polls** ir a las urnas *v.* 6
**good fortune** dicha *f.* 10
**goodness** bondad *f.* 9
**gossip** chisme *m.* 8
**government** Estado *m.* 6
**grandchild** nieto/a *m., f.* 4
**grant** otorgar *v.* 10
**grasshopper** chapulín *m.* 2
**great-grandchild** bisnieto/a *m., f.* 4
**grief-stricken** afligido/a *adj.* 1
**groom/bride** novio/a *m., f.* 4
**gross domestic product (GDP)** producto interno bruto (PIB) *m.* 6
**growth** crecimiento *m.* 10
**guarantee** garantizar *v.* 5
**guess** adivinar *v.* 3
**guffaw** carcajada *f.* 4
**gym** gimnasio *m.* 3

## H

**habit** hábito *m.* 4
**hand** partida *f.* 3
**handmade** hecho/a a mano *adj.* 1
**hard** duro/a *adj.* 10
**hard-working** trabajador(a) *adj.* 5
**harvest** cosecha *f.* 9
**haute cuisine** alta cocina *f.* 2
**have a good/bad time** pasarlo bien/mal *v.* 4
**have fun** divertirse, entretenerse *v.* 3
**health insurance** seguro médico *m.* 6
**healthcare** sanidad *f.* 6
**healthy** saludable *adj.* 2
**hearing** audición *m.* 5
**hearing aid** audífono *m.* 5
**hearing person** oyente *m.* 5
**heart** nudo *m.* 8
**hell** infierno *m.* 1
**heritage** herencia *f.* 6
**hermit** ermitaño/a *m., f.* 9
**high school (studies)** bachillerato *m.* 5
**highway** carretera *f.* 4
**hike** caminata *f.* 9
**Hindu** hindú *adj.* 9
**hire** contratar *v.* 5
**hiring process** proceso de selección *m.* 5
**hit** pegar *v.* 5
**hobby** afición *f.* 3
**hold back** atascar *v.* 8
**holiday** día feriado *m.* 1
**home country** país natal *m.* 10
**homeland** patria *f.* 2

**homesick** nostálgico/a *adj.* 4
**honor** honrar *v.* 1
**hope** esperanza *f.* 9
**house** albergar *v.* 7
**housing** alojamiento *m.* 5
**hypocrisy** hipocresía *f.* 1

**I**

**illuminate** alumbrar *v.* 1
**imam** imán *m.* 9
**immigrant** inmigrante *m., f.* 4
**impatient** impaciente *adj.* 4
**important day** día señalado *m.* 1
**imprison** encarcelar *v.* 6
**improvement** mejora *f.* 8
**in self-defense** en defensa propia *phr.* 6
**inauguration** toma de posesión *f.* 6
**inclusion** inclusión *f.* 6
**increase** aumentar *v.* 4
**indifference** desamor *m.* 10
**indulge** mimar *v.* 9
**inequality** desigualdad *f.* 6
**influence** influencia *f.* 2
**infrastructure** infraestructura *f.* 6
**ingenuity** ingenio *m.* 7
**inhabitant** poblador(a) *m., f.* 9
**innovative** innovador(a) *adj.* 8
**instill** inculcar *v.* 1
**instructor** docente *m., f.* 5
**insurance company** aseguradora *f.* 6
**interest** interés *m.* 4
**interfere** interponerse *v.* 3
**intern** pasante *m., f.* 5
**international affairs** asuntos
  internacionales *pl.* 6
**interpreter** intérprete *m., f.* 10
**iron** hierro *m.* 7
**isolation** aislamiento *m.* 9

**J**

**Jewish** judío/a *adj.* 9
**job opportunities** salida laboral *f.* 5
**judge (someone)** juzgar (a alguien) *v.* 9
**judge** juez(a) *m., f.* 6
**juggler** malabarista *m., f.* 3
**juggling** malabares *pl.* 8
**jump** saltar *v.* 8

**K**

**kill** matar *v.* 7
**knead** amasar *v.* 2

**L**

**labor union** sindicato *m.* 5
**lack** carencia *f.* 8
**lama** lama *f.* 9
**language barrier** barrera lingüística *f.* 4
**language** idioma *m.* 10
**lantern** farolito *m.* 1
**large family** familia numerosa *f.* 4
**lasting** duradero/a *adj.* 10
**lawyer** abogado/a *m., f.* 6
**lay off** despedir *v.* 5
**leading role** protagonista *m., f.* 8
**league** liga *f.* 3
**learning** aprendizaje *m.* 5
**leave** licencia *f.* 5
**leave** partir *v.* 4
**legacy** legado *m.* 7
**legend** leyenda *f.* 1
**legislation** legislación *f.* 5
**leisure** ocio *m.* 3
**lens** objetivo *m.* 7
**let down** defraudar *v.* 10
**librarian** bibliotecario/a *m., f.* 10
**lie** mentira *f.* 5
**lieutenant** teniente *m., f.* 6
**life expectancy** esperanza de vida *f.* 4
**lifestyle** estilo de vida *m.* 4
**light bulb** bombilla *f.* 7
**light** alumbrar *v.* 1
**linguist** lingüista *m., f.* 10
**link** vincular *v.* 10
**listening skills** comprensión oral *f.* 10
**literary agent** agente literario/a 10
**load** cargamento *m.* 7
**loaded** cargado/a *adj.* 9
**lobby** vestíbulo *m.* 7
**location** ubicación *f.* 2
**lock** cerrojo *m.* 3
**lonely** solo/a *adj., adv.* 4
**longing** añoranza *f.* 4
**look forward to** tener ganas (de) *v.* 4
**look out for** velar (por) *v.* 6
**lose** extraviar *v.* 10
**loss** pérdida *f.* 4
**love (each other)** querer(se) *v.* 4
**love at first sight** flechazo *m.* 4
**loyal** leal, fiel *adj.* 4, 8
**luck** suerte *f.* 9
**lyrics** letras *pl.* 3

**M**

**magic** magia *f.* 3
**magician** mago/a *m., f.* 3
**major** carrera *f.* 5

**make worse** empeorar *v.* 9
**makeup** maquillaje *m.* 8
**makeup artist** maquillador(a) *m., f.* 8
**manager** gerente *m., f.* 5
**marble** mármol *m.* 7
**marching band** banda de música *f.* 1
**mare** yegua *f.* 7
**marquis/marquise** marqués/marquesa *m.,
  f.* 8
**marriage** matrimonio *m.* 4
**marriage proposal** petición de mano *f.* 4
**martyr** mártir *m.* 9
**mask** máscara *f.* 8
**mass** misa *f.* 9
**massacre** masacre *f.* 7
**Master's degree** maestría *f.* 5
**masterpiece** obra maestra *f.* 7
**mayor** alcalde/alcaldesa *m., f.* 6
**measure** medida *f.* 6
**meatball** albóndiga *f.* 2
**media** medios (de comunicación) *pl.* 10
**medical treatment** tratamiento médico *m.* 6
**meditate** meditar *v.* 9
**medium (cooked)** en su punto *phr.* 2
**meet in person** conocerse en persona *v.* 4
**meet** reunirse *v.* 4
**meeting** reunión *f.* 5
**member** miembro/a *m., f.* 8
**memoirs** memorias *pl.* 10
**memory** recuerdo *m.* 4
**menu** carta *f.* 2
**merciful** piadoso/a *adj.* 9
**Middle Ages** Edad Media *f.* 7
**middle-class** burguesía *f.* 7
**milestone** hipocresía *f.* 6
**military headquarters** cuartel militar *m.* 6
**mime** mimo *m., f.* 8
**minimum wage** sueldo mínimo *m.* 5
**miracle** milagro *m.* 1
**miss** echar de menos, extrañar *v.* 4
**mix** mezclar *v.* 2
**mock** burlarse de *v.* 1
**mockup** maqueta *f.* 7
**model** maqueta *f.* 7
**molar** muela *f.* 6
**monastery** monasterio *m.* 9
**monk** monje *m.* 9
**monotheistic** monoteísta *adj.* 9
**monthly** mensual *adj.* 5
**mosaic** mosaico *m.* 7
**mosque** mezquita *f.* 9
**mother tongue** lengua materna *f.* 10
**motif** motivo *m.* 7
**mountain range** cordillera *f.*
**move (from one house to another)**

mudarse *v.* 4
**move** jugada *f.* 3
**moving** conmovedor(a) *adj.* 8
**muse** musa *f.* 7
**mushroom** hongo *m.* 2
**musical** musical *m.* 8
**Muslim** musulmán/musulmana *adj.* 9
**myth** mito *m.* 1

### N

**napkin** servilleta *f.* 2
**narrate** narrar *v.* 10
**neglect** descuidar *v.* 9
**New Year's Eve** Nochevieja *f.* 1
**nice** agradable *adj.* 3
**nickname** apodo *m.* 4
**nightclub** discoteca *f.* 3
**nonprofit** sin ánimo de lucro *phr.* 6
**novelist** novelista *m., f.* 10
**now showing** en cartel *phr.* 8
**number** cifra *f.* 8
**nun** monja *f.* 4
**nuptials** nupcias *pl.* 4
**nutritional value** valor nutricional *m.* 2
**nutritious** provechoso/a *adj.* 2

### O

**octopus** pulpo *m.* 2
**of refined taste in food** de buen paladar
   *phr.* 2
**offer** oferta *f.* 5
**offer up** ofrendar *v.* 9
**offering** ofrenda *f.* 1
**office** gabinete *m.* 6
**oil lamp** candil *m.* 1
**oil painting** óleo *m.* 7
**only child** hijo/a único/a 4
**open** abrir *v.*
**operational** operativo/a *adj.* 8
**oppressed** oprimido/a *adj.* 6
**order** pedir *v.* 2
**origin** origen *m.* 1
**ornament** adorno *m.* 1
**ornament** ornamento *m.* 7
**out of focus** desenfocado/a *adj.* 7
**outcome** desenlace *m.* 8
**outdoors** al aire libre 3
**outstanding** destacado/a *adj.* 2
**overtime** horas extras *pl.* 5
**owner** dueño/a *m., f.* 5

### P

**pace** son *m.* 8
**pack up** embalar *v.* 7
**pagan** pagano/a *adj.* 1
**paid** retribuido/a *adj.* 5
**pain** dolor *m.* 7
**painting** cuadro *m.* 7
**palette** paleta *f.* 7
**parade** desfile *m.* 1
**part-time** a tiempo parcial *phr.* 5
**partner** pareja *f.*, socio/a *m., f.* 4, 5
**party** partido *m.* 6
**pass** aprobar *v.* 5
**pass away** fallecer *v.* 4
**Passover** Pascua Judía *f.* 1
**pastime** pasatiempo *m.* 3
**pastor** pastor(a) *m., f.* 9
**path** sendero *m.* 9
**patron of the arts** mecenas *m., f.* 7
**pattern** patrón *m.* 7
**pave the way** abrir camino 10
**pay out** desembolsar *v.* 6
**pay tribute** rendir homenaje *v.* 7
**payroll** nómina *f.* 5
**peak** cima *f.* 9
**peanut** cacahuate *m.* 2
**penitent** penitente *m., f.* 1
**people** pueblo *m.* 6
**perform** actuar *v.* 8
**performance** actuación *f.*, función *f.* 3, 8
**personality** personalidad *f.* 4
**picky** quisquilloso/a *adj.* 2
**pictorial movement** corriente pictórica *f.* 7
**picturesque** pintoresco/a *adj.* 3
**pilgrimage** peregrinación *f.* 9
**pillar** pilar *m.* 7
**plates and glasses** vajilla *f.* 2
**play (a role)** interpretar *v.* 8
**play (an instrument)** tocar *v.* 3
**play hard to get** hacerse (de) rogar *v.* 8
**play music** poner música *v.* 3
**play** obra (de arte/teatro) *f.* 3
**playwright** dramaturgo/a *m., f.* 8
**plot** argumento *m.* 10
**policy** política *f.* 8
**political position** postura política *f.* 6
**politician** político/a *m., f.* 6
**poll** sondeo *m.* 6
**polytheistic** politeísta *adj.* 9
**pope** papa *m.* 9
**position** puesto *m.* 5
**practice** ejercer *v.* 6
**practice** entrenamiento *m.* 3

**praise** alabanza *f.* 9
**praise** alabar, ensalzar *v.* 2, 9
**pray** rezar *v.* 1
**prayer** rezo *m.* 1
**preach** predicar *v.* 9
**prejudice** prejuicio *m.* 10
**premiere** estreno *m.* 3
**preserve** preservar *v.* 6
**president** mandatario/a *m., f.* 6
**pressure** presión *f.* 4
**prestigious** prestigioso/a *adj.* 7
**pretend** fingir *v.* 1
**pride** orgullo *m.* 2
**priest** sacerdote/sacerdotisa *m., f.* 9
**printing house** imprenta *f.* 10
**privacy** privacidad *f.* 4
**procession** procesión *f.* 1
**processional float** anda *f.* 1
**profile** perfil *m.* 4
**promote** fomentar *v.* 8
**promote** promover *v.* 3
**promotion** ascenso, fomento *m.* 5, 8
**proofreader** corrector(a) *m., f.* 10
**prose** prosa *f.* 10
**prosecutor** fiscal *m., f.* 6
**protagonist** protagonista *m., f.* 8
**protect** proteger *v.* 7
**protection** resguardo *m.* 7
**protein** proteína *f.* 2
**Protestant** protestante *adj.* 9
**provoke** provocar *v.* 7
**public** estatal *adj.* 6
**publish** publicar *v.* 10
**publishing house** editorial *f.* 10
**punishment** castigo *m.* 5
**puppet show** títeres *pl.* 8
**purpose** fin *m.* 8
**put up with** aguantar *v.* 1

### Q

**quality of life** calidad de vida *f.* 4

### R

**rabbi** rabino/a *m., f.* 9
**radio station** emisora *f.* 3
**raise awareness (of)** concienciar (sobre)
   *v.* 7
**rally** mitin *m.* 6
**rate** tasa *f.* 6
**raw (shell) fish cured with lime** ceviche
   *m.* 2
**raw** crudo/a *adj.* 2
**reader** lector(a) *m., f.* 10

**reading skills** comprensión lectora *f.* 10
**real-estate sector** sector inmobiliario *m.* 5
**recess** recreo *m.* 5
**recipe** receta *f.* 2
**reclaim** reivindicar *v.* 5
**reconcile** conciliar *v.* 5
**record** disco *m.* 3
**record** grabar *v.* 3
**recorder** grabadora *f.* 4
**recover** recuperar *v.* 7
**reduce** rebajar *v.* 6
**referral** referencia *f.* 5
**region** comarca *f.* 6
**regulation** normativa *f.* 5
**rehearse** ensayar *v.* 8
**rejection** rechazo *m.* 7
**relationship** relación *f.* 4
**relative** familiar *m., f.* 4
**release (an album)** lanzar *v.* 3
**renowned** reconocido/a *adj.* 2
**resentment** rencor *m.* 6
**resource** recurso *m.* 7
**restorer** restaurador(a) *m., f.* 7
**résumé** currículum *m.* 5
**retire** jubilarse *v.* 5
**revelry** jolgorio *m.* 3
**revenge** venganza *f.* 6
**review** reseña *f.* 2
**revoke** revocar *v.* 6
**rhythm** ritmo *m.* 3
**ring** anillo *m.*, pista *f.* 4, 8
**ripe** maduro/a *adj.* 2
**rite** rito *m.* 1
**role** papel *m.* 8
**route** recorrido, trayecto *m.*, ruta *f.* 1, 3, 9
**rule** regla *f.* 3
**run errands** hacer diligencias *v.* 5
**run for office** postularse *v.* 6

**S**

**sacred** sagrado/a *adj.* 1
**salary** sueldo *m.* 5
**sanctuary** santuario *m.* 9
**sandwich** bocadillo *m.* 2
**save (money)** ahorrar *v.* 5
**scallop** vieira *f.* 2
**scenery** decorado *m.* 8
**scholarship** beca *f.* 5
**school** colegio *m.* 4
**score (a goal/point)** marcar
  (un gol/punto) *v.* 3
**script** guion *m.* 8
**sculpt** tallar *v.* 7
**seafood** marisco *m.* 2

**seafood restaurant** marisquería *f.* 2
**search** búsqueda *f.* 4
**season** sazonar *v.* 2
**see (a patient)** atender *v.* 6
**self-management** autogestión *f.* 6
**self-portrait** autorretrato *m.* 7
**service** atención *f.* 2
**set out on a trip** emprender un viaje *v.* 9
**set the table** poner la mesa *v.* 2
**settle** instalarse *v.* 4
**shade** sombra *f.* 7
**shadow** sombra *f.* 7
**share** compartir *v.* 4
**shine** brillar *v.* 7
**shoot** pegar un tiro *v.* 6
**short film** cortometraje *m.* 7
**short story** relato *m.* 10
**shortage** escasez *f.* 9
**shot** plano *m.* 7
**shoulder** hombro *m.* 1
**show** espectáculo *m.* 1
**show gratitude** agradecer *v.* 9
**shrimp** camarón *m.* 2
**shrine** ermita *f.* 9
**sibling relationship** hermandad *f.* 1
**side dish** acompañamiento *m.* 2
**sign language** lengua de señas *f.* 5
**sign up** apuntarse *v.* 3
**silverware** cubiertos *pl.* 2
**simple** sencillo/a *adj.* 2
**sin** pecado *m.* 1
**sincerity** sinceridad *f.* 4
**singer** cantante *m., f.* 3
**singer-songwriter** cantautor(a) *m., f.* 3
**single** soltero/a *adj.* 4
**sketch** boceto *m.* 7
**skull** calavera *f.* 1
**slang** jerga *f.* 3
**small lantern** farolito *m.* 1
**snack** merienda *f.* 5
**snow-covered mountain** nevado *m.* 9
**social criticism** denuncia social *f.* 7
**social network** red social *f.* 4
**social welfare** bienestar social *m.* 6
**sold out** agotado/a *adj.* 3
**soldier** militar *m., f.* 6
**solo artist** solista *m., f.* 3
**solve** solucionar *v.* 6
**song** tema *m.* 3
**sorrow** pesar *m.* 10
**soul** alma *f.* 1
**sound** son *m.* 8
**sour** agrio/a *adj.* 2
**sow** sembrar *v.* 9
**sowing** siembra *f.* 9

**speaker** hablante *m., f.* 10
**spectator** espectador(a) *m., f.* 3
**speech** discurso *m.* 6
**spend time** pasar el rato *v.* 3
**spicy** picante *adj.* 2
**spin** giro *m.* 8
**spirituality** espiritualidad *f.* 1
**spoil** mimar *v.* 9
**squid** calamar *m.* 2
**stab** clavar *v.* 8
**stage** escenario *m.* 8
**stage fright** miedo escénico *m.* 8
**staging** puesta en escena *f.* 8
**stained glass** vidriera *f.* 7
**standard of living** nivel de vida *m.* 5
**stanza** estrofa *f.* 7
**station** emisora *f.* 3
**steamed** al vapor *phr.* 2
**steel** acero *m.* 7
**step on** pisar *v.* 9
**stereotype** estereotipo *m.* 4
**stew** guiso *m.* 2
**still life** bodegón *m.* 7
**stir** remover *v.* 2
**story** relato *m.* 10
**streak** racha *f.* 9
**street art** arte callejero *m.* 7
**street food** comida callejera 2
**strengthen** fortalecer *v.* 5
**strengthening** fortalecimiento *m.* 8
**strike** huelga *f.* 6
**student** cursante, escolar *m., f.* 5
**student body** alumnado *m.* 5
**student loan** préstamo estudiantil *m.* 5
**studio** taller *m.* 7
**study hall** sala de estudio *f.* 5
**subject** asignatura *f.* 5
**subsidy** subsidio *m.* 8
**succeed** triunfar *v.* 8
**success** éxito *m.* 3
**suffering** sufrimiento *m.* 7
**suffocate** asfixiar *v.* 10
**summon** convocar, invocar *v.* 6, 9
**sunrise** amanecer *v.* 9
**sunset** atardecer *m.* 9
**supernatural** sobrenatural *adj.* 9
**support** apoyar *v.* 4
**support** apoyo *m.* 6
**surgery** cirugía *f.* 6
**surrender** rendir(se) *v.* 3
**suspense** suspenso *m.* 8
**sweet bread** pan de muerto *m.* 1
**synagogue** sinagoga *f.* 9
**syncretism** sincretismo *m.* 9

## T

**tablecloth** mantel *m.* 2
**taboo** tabú *m.* 1
**take a risk** arriesgarse *v.* 3
**take advantage of** aprovechar *v.* 3
**take an examination** examinarse *v.* 5
**take place** realizarse *v.* 8
**take revenge** vengarse *v.* 9
**takeout food** comida para llevar 2
**tame** amansar *v.* 9
**target** blanco *m.* 3
**taste** gusto, sabor *m.* 2
**taste** degustar *v.* 2
**tasty** sabroso/a *adj.* 2
**tax** impuesto *m.* 6
**teaching** enseñanza *f.* 5
**tear** lágrima *f.* 1
**temple** templo *m.* 9
**tender** tierno/a *adj.* 2
**term** vocablo *m.* 3
**term of office** mandato *m.* 6
**theater curtain** telón *m.* 3
**theme** temática *f.* 10
**thief** ladrón/ladrona *m., f.* 8
**threat** amenaza *f.* 10
**threaten** amenazar *v.* 6
**ticket** boleto *m.* 3
**tie (a game)** empatar *v.* 3
**tightrope** cuerda floja *f.* 8
**tile** azulejo *m.,* ficha *f.* 3, 7
**time** época *f.* 5
**tip** propina *f.* 2
**tool** herramienta *f.* 5
**top hat** galera *f.* 3
**touch (emotionally)** enternecer *v.* 1
**town** municipio, pueblo *m.* 6
**tragedy** tragedia *f.* 4
**transfer** trasladar *v.* 7
**translator** traductor(a) *m., f.* 10
**trapeze artist** trapecista *m., f.* 8
**traveling** ambulante *adj.* 3
**treasure** joya *f.* 7
**treaty** tratado *m.* 10
**trick** truco *m.* 3
**troupe** comparsa *f.* 1
**trust** confianza *f.* 4
**T-shirt** camiseta *f.* 4
**tuition** matrícula *f.* 5
**tune** melodía *f.* 3
**turned off** apagado/a *adj.* 1

## U

**unbearable** insoportable *adj.* 1
**unemployment** desempleo *m.* 5

**union** sindicato *m.* 5
**universal** universal *adj.* 7
**unprecedented** inédito/a *adj.* 6
**unresolved matter** materia pendiente *f.* 8
**upset** disgustado/a *adj.* 10

## V

**value** valorar *v.* 4
**vault** bóveda *f.* 7
**verse** verso *m.* 7
**video game** videojuego *m.* 3
**vigil** vigilia *f.* 9
**vindictive** vengativo/a *adj.* 6
**vocation** vocación *f.* 5
**votive candle** veladora *f.* 1

## W

**want** querer(se) *v.* 4
**warehouse** almacén *m.* 7
**warlike** bélico/a *adj.* 6
**watercolor** acuarela *f.* 7
**wealth** riqueza *f.* 6
**wedding** boda *f.* 4
**wedding** nupcias *pl.* 4
**wheat** trigo *m.* 2
**whistle** silbido *m.* 4
**whole** íntegro/a *adj.* 7
**widowed** viudo/a *adj.* 4
**wig** peluca *f.* 8
**witness** presenciar *v.* 10
**witness** testigo *m., f.* 10
**wolf cub** lobato/a *m., f.* 9
**wolf/she-wolf** lobo/a *m., f.* 9
**work of art** obra (de arte/teatro) *f.* 3
**workday** jornada laboral *f.* 5
**workforce** fuerza laboral *f.* 10
**workshop** taller *m.* 7
**worm** gusano *m.* 2
**worship** adorar *v.* 9
**worship** culto *m.* 9
**worship** venerar *v.* 9
**wound** herida *f.* 7
**wounded** herido/a *adj.* 7
**wrapping** envoltura *f.* 1
**wrapping paper** papel de envolver *m.* 1

## Y

**young adult literature** literatura juvenil *f.* 10

# INDEX

# CREDITS

Every effort has been made to trace the copyright holders of the works published herein. If proper copyright acknowledgment has not been made, please contact the publisher and we will correct the information in future printings.

## Photography and Art Credits

All images © by Vista Higher Learning unless otherwise noted.

**Cover:** Buena Vista Images/Photodisc/Getty Images.

**Lesson 1: 2:** Rodrigo Sura/EPA/Shutterstock; **3:** Kobby Dagan/Shutterstock; **4:** (tl) Deymosd/Deposit Photos; (tr) Cem Canbay/AGE Fotostock; (b) Andresr/E+/Getty Images; **5:** Aurora Angeles/Shutterstock; **15:** (l, r) Martín Bernetti; (m) José Blanco; **18:** Dstephens/E+/Getty Images; **19:** (tl) Milosk/123RF; (tm) Henryk Sadura/Moment/Getty Images; (tr) Angelo Cavalli/AGE Fotostock/Alamy; (bl) Daniel San Martin Reategui/123RF; (bm) Salmon-negro/Shutterstock; (br) Doug Berry/E+/Getty Images; **22:** (tl, tr, br) Martín Bernetti; (tm) John Lund/Annabelle Breakey/Media Bakery; (bl) Paula Díez; (bm) Reed Kaestner/Corbis; **24:** (tl) AGF Photo/SuperStock; (tr) Monkeybusiness/Deposit Photos; (bl) Lucy Brown/Loca4motion/Shutterstock; (br) Oscar Rivera/AFP/Getty Images; **25:** (tl) Rodrigo Abd/AP/Shutterstock; (tr) Inspired By Maps/Shutterstock; (bl) Oscar Rivera/EPA/Shutterstock; (br) La Prensa Gráfica; **27:** Courtesy of Mary Soco; **28:** Kobby Dagan/Shutterstock; **30:** Agcuesta1/Deposit Photos; **33:** José Cabezas/Reuters/Newscom; **35:** José Cabezas/Reuters/Newscom; **37:** Fotografía © 2020 Rogelio Cuéllar; **40–41:** Amriphoto/E+/Getty Images.

**Lesson 2: 46:** Tim Hill/Food & Drink Images/Media Bakery; **47:** Marcos Castillo/Shutterstock; **48:** (tl) Lunamarina/Deposit Photos; (tr) John A. Rizzo/AGE Fotostock/Alamy; (b) Monkeybusiness/Deposit Photos; **49:** Mavo/Shutterstock; **58:** Mark Lewis/Alamy; **61:** James W. Porter/Corbis/Getty Images; **62:** Angus McComiskey/Alamy; **68:** (tl) Billperry/Deposit Photos; (tr) Doug Berry/E+/Getty Images; (bl) Nito500/123RF; (br) Marcos Castillo/123RF; **69:** (tl) Tati Nova photo Mexico/Shutterstock; (tr) Hector Vivas/Jam Media/LatinContent/Getty Images; (bl) Bisual Photo/Alamy; (br) Swisshippo/Deposit Photos; **71:** Courtesy of Sebastián Seron; **72:** Marcos Castillo/Shutterstock; **77:** Archivo Agencia El Universal/EVZ/GDA Photo Service/Newscom; **79:** Jean-Regis Rouston/Roger Viollet/Getty Images; **80:** Larisa Blinova/Shutterstock; **81:** BG Blue/DigitalVision Vectors/Getty Images.

**Lesson 3: 86:** Valentinrussanov/E+/Getty Images; **87:** Cellai Stefano/EyeEm/Getty Images; **88:** (tl) Warrengoldswain/123RF; (tr) Cathy Yeulet/123RF; (b) Monkey Business Images/Shutterstock; **89:** Photography33/Deposit Photos; **99:** Hugh Burden/Masterfile; **104:** Alberto E. Tamargo/Sipa USA/Newscom; **110:** (tl) José Blanco; (tr) Yamil Lage/AFP/Getty Images; (bl) Robert Fried/Alamy; (br) Philippe Giraud/Sygma/Getty Images; **111:** (tl) Torontonian/Alamy; (tr) Ramon Espinosa/AP Images; (bl) Javier Galeano/AP Images; (br) Thais Llorca/EFE/Newscom; **113:** Courtesy of Bárbara Vasallo; **114:** Cellai Stefano/EyeEm/Getty Images; **115:** Allg/123RF; **119:** Michael Bush/Alamy; **121:** Courtesy of Elda Susana Álvarez; **123:** Norma van der Horst/Arcangel Images.

**Lesson 4: 128:** Aldo Murillo/E+/Getty Images; **129:** Jovan Mandic/123RF; **130:** (tl) Adomurillo/E+/Getty Images; (tr) PeopleImages/Getty Images; (b) Monkeybusinessimages/iStockphoto/Getty Images; **131:** Maskot/Getty Images; **139:** Oleg Gekman/123RF; **142:** (all) Martín Bernetti; **144:** (all) Paula Díez; **148:** Diego Grandi/123RF; **149:** Martin Norris/Alamy; **150:** (tl) Pablo Aneli/AP/Shutterstock; (tr) Mario De Fina/NurPhoto/Getty Images; (bl) Luis Padilla/AGE Fotostock; (br) Marcela Lefort Valenzuela/Shutterstock; **151:** (tl) Marcelo Benitez/LatinContent Editorial/Getty Images; (tr) Holgs/iStockphoto/Getty Images; (bl) Diegograndi/iStockphoto/Getty Images; (br) Wolfgang Kaehler/LightRocket/Getty Images; **153:** America's Quarterly; **154:** Jovan Mandic/123RF; **158:** Hero Images/Getty Images; **161:** Lourdes Márquez Barrios; **163:** Gradyreese/E+/Getty Images; **165:** Dragan Radojevic/EyeEm Premium/Getty Images.

*Guernica* (1937), Pablo Picasso. Oil on canvas, 349.3 x 776.6 cm. Museo Nacional Centro de Arte Reina Sofía, Madrid, Spain. Castrovilli/123RF/© 2020 Estate of Pablo Picasso/Artists Rights Society (ARS), New York

## Text Credits